UMA HISTÓRIA
DOS POVOS ÁRABES

CADA HISTÓRIA
DOS POVOS ÁRABES

ALBERT HOURANI

UMA HISTÓRIA DOS POVOS ÁRABES

Tradução
Marcos Santarrita

7ª reimpressão

Copyright © 1991 by Albert Hourani
Copyright dos mapas © 1991 by John Flower

Título original
A history of the Arab peoples

Capa
Jeff Fisher

Preparação
Stella Weiss

Revisão
Renato Potenza Rodrigues
José Muniz Jr.

Índice remissivo
Vivian Miwa Matsushita

Dados Internacionais de Catalogação na Publicação (CIP)
(Câmara Brasileira do Livro, SP, Brasil)

Hourani, Albert
  Uma história dos povos árabes / Albert Hourani; tradução
Marcos Santarrita. — São Paulo : Companhia das Letras, 2006.

  Título original: A history of the Arab peoples
  Bibliografia.
  ISBN 978-85-359-0867-1

  1. Países árabes — História I. Título.

06-5085   CDD-909.0974927

Índices para catálogo sistemático:
1. Árabes : História 909.0974927
2. Povos árabes : História 909.0974927

2021

Todos os direitos desta edição reservados à
EDITORA SCHWARCZ S.A.
Rua Bandeira Paulista, 702, cj. 32
04532-002 — São Paulo — SP
Telefone: (11) 3707-3500
www.companhiadasletras.com.br
www.blogdacompanhia.com.br

Para meus colegas e alunos
no St. Anthony's College, Oxford

SUMÁRIO

Prefácio *9*
Agradecimentos *11*
Sobre a grafia e as datas *13*
Prólogo *15*

PARTE I — A CRIAÇÃO DE UM MUNDO (SÉCULOS VII-X)
1. Um novo poder num velho mundo *23*
2. A formação de um Império *43*
3. A formação de uma sociedade *65*
4. A articulação do Islã *91*

PARTE II — SOCIEDADES MUÇULMANAS ÁRABES
(SÉCULOS XI-XV)
5. O mundo muçulmano árabe *120*
6. O campo *139*
7. A vida das cidades *153*
8. Cidades e seus governantes *179*
9. Os caminhos do Islã *200*
10. A cultura dos ulemás *215*
11. Caminhos divergentes de pensamento *232*
12. A cultura das cortes e do povo *254*

PARTE III — A ERA OTOMANA (SÉCULOS XVI-XVIII)
13. O Império Otomano *278*
14. Sociedades otomanas *307*
15. A mudança no equilíbrio de poder no século XVIII *329*

PARTE IV — A ERA DOS IMPÉRIOS EUROPEUS (1800-1939)
16. Poder europeu e governos reformadores (1800-1860) *350*
17. Impérios europeus e elites dominantes (1860-1914) *368*
18. A cultura do imperialismo e da reforma *393*
19. O auge do poder europeu (1914-1939) *414*
20. Mudança de estilos de vida e de pensamento (1914-1939) *437*

PARTE V — A ERA DAS NAÇÕES-ESTADO (DEPOIS DE 1939)
21. O fim dos impérios (1939-1962) *462*
22. Sociedades em transformação (décadas de 1940 e 1950) *488*
23. Cultura nacional (décadas de 1940 e 1950) *508*
24. O auge do arabismo (décadas de 1950 e 1960) *524*
25. União e desunião árabe (depois de 1967) *542*
26. Uma perturbação de espíritos (depois de 1967) *565*

Posfácio, *Malise Ruthven 598*
O profeta e seus descendentes, os califas e as dinastias *616*
Notas *621*
Bibliografia *629*
Mapas *669*
Índice remissivo *671*
Sobre o autor *703*

PREFÁCIO

O tema deste livro é a história das regiões de língua árabe do mundo islâmico, desde o início do Islã até os dias atuais. Durante alguns períodos, porém, tive de ir além do tema: por exemplo, quando examino a história inicial do Califado, o Império Otomano e a expansão comercial e imperial da Europa. Seria possível argumentar que o tema é demasiado grande ou demasiado pequeno: que a história do Magreb é diferente da do Oriente Médio, ou que a história dos países onde o árabe é a língua principal não pode ser vista isoladamente da de outros países muçulmanos. Mas temos de traçar algum limite, e foi aí que decidi traçá-lo, em parte devido aos limites de meu próprio conhecimento. Espero que o livro demonstre que há unidade de experiência histórica suficiente, entre as diferentes regiões estudadas, para que seja possível pensar e escrever sobre elas dentro de um quadro único.

O livro destina-se a estudantes que começam a explorar o tema e aos leitores em geral que desejam aprender alguma coisa sobre ele. Ficará claro para os especialistas que, num livro de amplitude tão grande, muito do que digo se baseia em pesquisas de outros. Procurei apresentar os fatos essenciais e interpretá-los à luz do que outros escreveram. Parte de minhas dívidas com as obras deles está indicada na bibliografia.

Escrevendo um livro que cobre um período tão longo, tive de tomar decisões sobre nomes. Usei nomes de países modernos para indicar regiões geográficas, mesmo quando esses nomes não eram usados no passado; pareceu mais simples usar os mesmos nomes no livro todo, em vez de mudá-los de um período para outro. Assim, "Argélia" é usado para uma determinada região do norte da África, mesmo que o nome só tenha entrado em uso nos séculos modernos. Em geral, usei nomes que serão familiares aos que lêem sobretudo em inglês; a palavra "Magreb" provavelmente é bastante conhecida para ser usada em vez de "Noroeste Africano", mas "Mashriq" não é, e por isso usei "Oriente Médio" em seu lugar. Chamei as regiões muçulmanas da península Ibérica de Andalus, pois é mais fácil usar uma palavra que uma expressão. Quando uso um nome que hoje pertence a um Estado soberano, ao tratar de um período anterior à existência desse Estado, estou me referindo a determinada região mais ou menos definida; só quando escrevo sobre o período moderno é que me refiro à área definida pelas fronteiras do Estado. Por exemplo, em grande parte do livro "Síria" refere-se a uma certa região de características comuns, tanto físicas quanto sociais, e que no todo teve uma única experiência histórica, mas uso-o apenas em relação ao Estado da Síria assim que este passa a existir, após a Primeira Guerra Mundial. Quase não preciso dizer que tais usos não implicam qualquer julgamento político sobre que Estados devem existir e onde estão suas fronteiras.

Os principais nomes geográficos usados são mostrados no mapa 1 (p. 30).

AGRADECIMENTOS

Eu gostaria de agradecer a Patrick Seale, que me encorajou a escrever este livro e providenciou a sua publicação, e aos amigos que dedicaram muitas horas a lê-lo, corrigindo erros e sugerindo maneiras de melhorá-lo: Patricia Crone, Paul Dresch, Leila Fawaz, Cornell Fleischer, o falecido e muito pranteado Martin Hinds, Charles Issawi, Tàrif Khalidi, Philip Khoury, Ira Lapidus, Wilferd Madelung, Basim Mussalam, Robin Ostle, Roger Owen, Michael Rogers e Mary Wilson. Entre eles, tenho uma dívida especial com Paul Dresch, que seguiu minha linha de raciocínio com notável penetração, além de vasto conhecimento.

Outros amigos e colegas me proporcionaram informações que me foram úteis, entre eles Julian Baldick, Karl Barbir, Tourkhan Gandjei, Israel Gershoni e Venetia Porter.

Sou muitíssimo agradecido a Elizabeth Bullock, que datilografou sucessivos rascunhos com dedicação e habilidade; aos meus editores na Faber and Faber, Will Sulkin e John Bodley; a John Flower, que desenhou os mapas; Brenda Thomsom, que copidescou um man∂uscrito difícil de maneira sensível e inteligente; Bryan Abraham, que corrigiu as provas com escrupuloso cuidado; e Hilary Bird, que fez o índice remissivo.

Algumas das traduções do árabe são minhas, algumas de outros tradutores, outras ainda foram adaptadas por mim de traduções já existentes. Devo agradecer às seguintes editoras por me darem permissão para usar traduções ou excertos de livros:

Cambridge University Press, por traduções de *Arabic poetry* (1965) e *Poems of al-Mutanabbi* (1967), de A. J. Arberry, e de *Al-Tabari: the early Abbasid Empire*, vol. I (1988), de John A. Williams.

Columbia University Press, por versos de um poema de Badr Shakir al-Sayyab, traduzido por Christopher Middleton e Lena

Jayyusi, em Salma Khadra Jayyusi (ed.), *Modern Arabic poetry*, copyright © Columbia University Press, Nova York (1987).

Edinburgh University Press, por um trecho de *The rise of colleges* (1981), de George Makdisi.

Quartet Books, por um trecho de *Distant view of a minaret*, de Alifa Eifaat, traduzido por Denys Johnston-Davies (1983).

State University of New York Press, por um trecho de *The history of Al-Tabari*, editor geral E. Yar-Shater: vol. 27, *The Abbasid revolution*, traduzido por J. A. Williams, copyright © State University of New York Press (1985).

Unwin Hyman Limited, por citações de *The Koran interpreted*, copyright © George Allen e Unwin Limited (1955).

Wayne State University Press, por uma tradução de *The topography of Baghdad in the Early Middle Ages*, de J. Lassner (1970).

SOBRE A GRAFIA E AS DATAS

NOTA SOBRE A GRAFIA

As palavras e os nomes que têm uma forma conhecida em inglês são usados nessa forma. Para a transliteração de outras palavras ou nomes árabes, usei um sistema simples, baseado no do *International Journal of Middle East Studies*:

não se usam sinais diacríticos;

a letra *'ayn* é indicada por ', e *hamza* por ', mas só quando vem no meio de uma palavra (ao pronunciar as palavras, os que não se interessam por sua forma árabe podem ignorar os dois sinais);

nos plurais das palavras, acrescentei um *s*, exceto no plural de *'alim*, que é dado como *'ulama* (em português, ulemás);

as vogais duplas no meio de uma palavra são indicadas por *-iyya* ou *-uwwa*;

os ditongos são indicados por *-aw* ou *-ay*;

al- é prefixado na primeira vez que se usa um nome árabe, mas omitido depois (por exemplo, al-Ghazali, Ghazali).

Nomes e palavras em turco são normalmente grafados em sua forma turca moderna.

NOTA SOBRE AS DATAS

Desde o início da época islâmica, os muçulmanos datam os acontecimentos a partir do dia da emigração de Maomé de Meca para Medina, em 622 d.C.: essa emigração é conhecida em árabe como a hégira, e o modo habitual de referir-se aos anos muçulmanos nas línguas européias é pelo uso das iniciais AH.

Um ano, no calendário muçulmano, não tem a mesma duração do ano do calendário cristão. O último é medido por uma revolução completa da Terra em torno do Sol, que leva aproximadamente 365 dias, mas o primeiro consiste de doze meses que correspondem, cada um, a uma completa revolução da Lua em torno da Terra; a extensão do ano medida nesses termos é aproximadamente onze dias menor que a de um ano solar.

Informações sobre as maneiras de converter datas muçulmanas em cristãs, ou vice-versa, podem ser encontradas em *The Muslim and Christian calendars* [O calendário muçulmano e o cristão], de G. S. P. Freeman-Grenville (Londres, 1977).

Usam-se datas da era cristã, a não ser quando o contexto torna importante indicar a data ou século muçulmanos.

Para os governantes, dão-se datas de ascensão e de morte (ou deposição); para outras pessoas, datas de nascimento e de morte. Quando a data de nascimento não é conhecida, só a da morte é dada (por exemplo, m. 1456); quando a pessoa ainda está viva, só a data de nascimento (por exemplo, n. 1905). Quando só se conhece a data aproximadamente, usa-se *c* (por exemplo, *c*. 1307-58).

PRÓLOGO

No ano de 1383, um muçulmano árabe que servia ao soberano de Túnis, após obter a permissão deste para fazer a peregrinação a Meca, tomou o navio para Alexandria, no Egito. Aos cinqüenta anos, deixava para sempre, como ia se revelar, os países do Magreb onde ele e seus ancestrais tinham desempenhado um papel importante e variado.

'Abd al-Rahman ibn Khaldun (1332-1406) pertencia a uma família que partira do sul da Arábia para a Espanha, depois de ser esta conquistada pelos árabes, e instalara-se em Sevilha. Quando os reinos cristãos do norte da Espanha se expandiram para o sul, a família fora para Túnis. Muitas famílias com tradição de cultura e serviço público fizeram o mesmo, e formaram nas cidades do Magreb (parte ocidental do mundo islâmico) um patriciado cujos serviços eram usados por governantes locais. O bisavô de Ibn Khaldun desempenhara um papel na política da corte de Túnis, caíra em desgraça e fora assassinado; o avô também era uma autoridade, mas o pai abandonara a política e o serviço público por uma vida reclusa de erudito. Ele próprio recebera uma educação cuidadosa, à maneira da época, do pai e de sábios que ensinavam nas mesquitas e escolas de Túnis ou visitavam a cidade, e continuara seus estudos quando, no início da idade adulta, vivera em outras cidades, pois fazia parte da tradição herdada que o homem buscasse o saber junto a todos que pudessem partilhá-lo. Em sua autobiografia, ele cita aqueles a cujas aulas assistiu e as matérias que ensinavam: o Corão (*Qu'ran*), tido pelos muçulmanos como a Palavra de Deus, revelada em árabe pelo Profeta Maomé; o Hadith, ou tradições do que o Profeta disse e fez; jurisprudência, a ciência da lei e da moralidade social formalmente baseada no Corão e no Hadith; a língua ára-

15

be, sem a qual as ciências da religião não poderiam ser compreendidas; e também as ciências racionais, matemática, lógica e filosofia. Dá detalhes da personalidade e da vida de seus professores, e diz-nos que a maioria, assim como seus pais, morreu na Peste Negra, a grande peste que varreu o mundo em meados do século XIV.

Ainda jovem, o domínio da língua e o conhecimento de jurisprudência de Ibn Khaldun haviam-no atraído para o serviço do governante de Túnis, primeiro como secretário, e depois em postos de mais responsabilidade, e portanto mais inseguros. Seguiram-se vinte anos de fortuna variada. Ele deixou Túnis e serviu a outros soberanos do Magreb; foi para Granada, capital do último Império remanescente da Espanha muçulmana, lá angariou favor, foi enviado numa missão ao governante cristão em Sevilha, sua cidade ancestral, mas caiu sob suspeita e partiu às pressas para a Argélia. Mais uma vez entrou no serviço público, tratando de negócios do governo pela manhã e depois ensinando na mesquita. Participou da política de atrair os chefes árabes ou berberes das estepes e montanhas para que se aliassem aos governantes que servia, e a influência que ganhou junto a eles foi útil quando, como lhe aconteceu repetidas vezes na vida, caiu em desfavor junto ao seu senhor. Em um desses períodos, ele passou quatro anos (1375-79) vivendo num castelo no interior da Argélia, sob a proteção de um chefe tribal árabe. Foram anos em que se viu livre dos negócios do mundo e passou o tempo escrevendo uma história geral das dinastias do Magreb.

A primeira parte dessa obra, o *Muqaddima* (*Prolegômenos*), continua atraindo atenção até hoje. Nele, Ibn Khaldun tentou explicar a ascensão e a queda de dinastias de um modo que servisse de padrão para aferir a credibilidade das narrativas históricas. Achava que a forma mais simples e antiga de sociedade humana era a do povo das estepes e montanhas, cultivando a terra ou criando gado, e seguindo líderes que não tinham poder de coerção organizado. Esse povo tinha certa bondade e energia naturais, mas não podia por si mesmo criar governos estáveis, cidades ou grande cultura. Para que isso fosse possível, era preciso um governante com autoridade exclusiva, o qual só se estabeleceria se pudesse formar e controlar um grupo de seguidores dotado de *asabiyya*, ou seja, de um espírito corporativo voltado para a obtenção e manutenção do poder. O ideal seria que os membros desse grupo fossem escolhidos entre os enérgicos homens da estepe ou da montanha; o grupo seria mantido junto pelo senso de ancestralidade comum, real ou fictícia, ou por laços de dependência, e reforçado pela aceitação de uma religião comum. Um governante com um grupo forte e coerente de seguidores podia fundar uma dinastia; quando seu governo estivesse estável, surgiriam cidades populosas estáveis, e nelas haveria ofícios especializados, estilos de vida luxuosos e alta cultura. Toda dinastia, porém, trazia em si as sementes de seu declínio: seria enfraquecida pela tirania, extravagância e perda das qualidades de comando. O poder de fato passaria do governante para membros de seu próprio grupo, porém mais cedo ou mais tarde a dinastia seria substituída por outra, formada de modo semelhante. Quando isso acontecesse, não só o governante, mas todo o povo no qual seu poder se apoiava e a vida que haviam criado desapareceriam; como disse Ibn Khaldun em outro contexto, "quando há uma mudança geral de condições, é como se toda a criação houvesse mudado, e todo o mundo fosse alterado".[1] Os gregos e os persas, "as maiores potências de sua época no mundo",[2] tinham sido substituídos pelos árabes, cuja força e coesão haviam criado uma dinastia com um poder que se estendia da Arábia à Espanha; mas eles, por sua vez, haviam sido substituídos pelos berberes na Espanha e no Magreb, e pelos turcos mais a leste.

As reviravoltas das fortunas dos governantes levavam consigo as de seus servidores. Quando partiu para Alexandria, Ibn Khaldun iniciava uma nova carreira. Não fez a peregrinação nessa época, embora a fizesse depois, mas foi para o Cairo, que lhe pareceu uma cidade em escala diferente das que conhecera: "metrópole do mundo, jardim do universo, ponto de encontro das nações, formigueiro de povos, alto posto do Islã, sede do poder".[3] O Cairo era a capital do Sultanato mameluco, um dos maiores estados muçulmanos da época, abrangendo a Síria, além do Egito. Ele foi apresentado ao governante, conquistou seu favor, e recebeu primeiro uma pensão, depois uma posição de professor numa e depois noutra das escolas reais. Mandou buscar a família em Túnis, mas todos se afogaram na travessia marítima.

Ibn Khaldun viveu no Cairo até morrer. Passou grande parte do tempo lendo e escrevendo, mas o esquema de sua vida anterior voltou a repetir-se naquelas alternâncias de prestígio e desfavor que ele atribuía a inimigos, mas que talvez tivessem causas em sua própria personalidade. Várias vezes o governante nomeou-o juiz num dos principais tribunais, mas todas as vezes ele perdeu ou abandonou o cargo. Foi com o sultão à Síria e visitou os lugares santos de Jerusalém e Hebron; esteve lá uma segunda vez na época em que Damasco foi sitiada por Tamerlão, um dos grandes conquistadores asiáticos, criador de um Império que se estendia do norte da Índia à Síria e à Anatólia. Manteve conversas com Tamerlão, no qual viu um exemplo daquele poder de comando, firmemente baseado na força de seu exército e seu povo, que podia fundar uma nova dinastia. Não pôde salvar Damasco da pilhagem, mas conseguiu garantir seu retorno em segurança ao Egito; no caminho, porém, foi assaltado e roubado nos morros da Palestina.

A vida de Ibn Khaldun, segundo sua própria descrição, nos diz alguma coisa sobre o mundo a que pertenceu. Era um mundo cheio de lembranças da fragilidade da empresa humana. Sua própria trajetória mostrou como eram instáveis as alianças de interesses em que se baseavam as dinastias para manter o poder; o encontro com Tamerlão nas portas de Damasco deixou claro como a ascensão de um novo poder afetava a vida de cidades e povos. Fora da cidade, a ordem era precária: um emissário de soberanos era despojado, um cortesão caído em desfavor buscava refúgio fora do alcance do controle urbano. A morte dos pais pela peste e a dos filhos por naufrágio ensinaram-lhe a lição da impotência humana nas mãos do destino. Mas uma coisa era estável, ou parecia ser. Um mundo onde uma família se mudava do sul da Arábia para a Espanha, e seis séculos depois retornava ao lugar de origem e continuava a ver-se num ambiente familiar, tinha uma unidade que transcendia as divisões de tempo e espaço; a língua árabe abria a porta para cargos e influência em todo aquele mundo; um conjunto de conhecimentos, transmitidos através dos séculos por uma seqüência conhecida de professores, preservava uma comunidade moral mesmo quando os governantes mudavam; os locais de peregrinação, Meca e Jerusalém, eram pólos imutáveis do mundo humano, mesmo que o poder passasse de uma cidade para outra; e a crença num Deus que criara e mantinha o mundo podia dar sentido aos golpes do destino.

Parte I
A CRIAÇÃO DE UM MUNDO SÉCULOS VII-X

No início do século VII, surgiu às margens dos grandes impérios, o Bizantino e o Sassânida, um movimento religioso que dominou a metade ocidental do mundo. Em Meca, cidade da Arábia Ocidental, Maomé começou a convocar homens e mulheres à reforma e à submissão à vontade de Deus, expressa no que ele e seus seguidores aceitavam como mensagens divinas a ele reveladas e mais tarde incorporadas num livro, o Corão. Em nome da nova religião — o Islã —, exércitos recrutados entre os habitantes da Arábia conquistaram os países vizinhos e fundaram um novo Império, o Califado, que incluiu grande parte do território do Império Bizantino e todo o Sassânida, e estendeu-se da Ásia Central até a Espanha. O centro de poder passou da Arábia para Damasco, na Síria, sob os califas omíadas, e depois para Bagdá, no Iraque, sob os abácidas.

No século X, o Califado desmoronou, e surgiram califados rivais no Egito e na Espanha, mas a unidade social e cultural que se desenvolvera em seu interior continuou. Grande parte da população tornara-se muçulmana (ou seja, seguidores da religião do Islã), embora continuasse havendo comunidades judaicas e cristãs; a língua árabe difundira-se e tornara-se o veículo de uma cultura que incorporava elementos das tradições dos povos absorvidos no mundo muçulmano, e manifestava-se na literatura e em sistemas de lei, teologia e espiritualidade. Dentro dos diferentes ambientes físicos, as sociedades muçulmanas desenvolveram instituições e formas distintas; as ligações estabelecidas entre países da bacia do Mediterrâneo e do oceano Índico criaram um sistema de comércio único, trazendo mudanças na agricultura e nos ofícios, proporcionando a base para o surgimento de grandes cidades, com uma civilização urbana expressa em edificações de um característico estilo islâmico.

1. UM NOVO PODER NUM VELHO MUNDO

O MUNDO EM QUE OS ÁRABES SURGIRAM

O mundo de Ibn Khaldun devia parecer eterno para a maioria dos que o compunham, mas ele próprio sabia que esse mundo havia substituído um anterior. Setecentos anos antes de seu tempo, os países que ele conhecia tinham tido uma face diferente, sob o domínio das "duas maiores potências da época".

Durante muitos séculos, os países da bacia do Mediterrâneo tinham feito parte do Império Romano. Uma zona rural colonizada produzia grãos, frutas, vinho e azeite, e o comércio se efetuava ao longo de rotas marítimas pacíficas; nas grandes cidades, uma classe abastada, de origem variada, partilhava da cultura grega e latina do Império. A partir do quarto século da era cristã, o centro do poder imperial mudara-se para leste. Constantinopla substituíra Roma como a capital; ali, o imperador era o foco da lealdade e o símbolo da coesão. Mais tarde, surgira o que se chamou de "divisão horizontal", que iria permanecer, sob outras formas, até o nosso tempo. Na Alemanha, Inglaterra, França, Espanha e norte da Itália, governavam reis bárbaros, embora ainda houvesse um senso de pertinência ao Império Romano; o sul da Itália, a Sicília, o norte da costa africana, o Egito, a Síria, a Anatólia e a Grécia permaneciam sob o governo imperial direto de Constantinopla. Nessa forma encolhida, o Império era mais grego que romano. (Em suas fases posteriores, é mais comumente chamado de "bizantino" que de romano, segundo o antigo nome de Constantinopla, Bizâncio.) O imperador governava por meio de funcionários de língua grega; as grandes cidades do Mediterrâneo Oriental, Antióquia, na Síria, e Alexandria, no Egito, eram centros de cultura grega, e forneciam membros das elites locais para o serviço imperial.

Outra mudança, mais profunda, ocorrera. O Império tornara-se cristão, não apenas por decreto formal do soberano, mas por conversão em diferentes níveis. A maioria da população era cristã, embora filósofos pagãos ensinassem na escola de Atenas até o século VI, comunidades judaicas vivessem nas cidades, e lembranças de deuses pagãos ainda rondassem os templos transformados em igrejas. O cristianismo dera uma nova dimensão à lealdade prestada ao imperador e um novo esquema de unidade para as culturas locais de seus súditos. As idéias e as imagens cristãs eram expressas nas línguas literárias das várias regiões do Império, e também no grego das cidades: armênio na Anatólia Oriental, siríaco na Síria, copta no Egito. Os túmulos de santos e outros locais de peregrinação podiam preservar, em forma cristã, as crenças e as práticas imemoriais de cada região.

As instituições politicamente autônomas das cidades gregas haviam desaparecido com a expansão da burocracia imperial, mas os bispos proporcionavam liderança local. Quando o imperador deixou Roma, o bispo da cidade, o papa, pôde exercer sua autoridade de uma maneira que seria impossível para os patriarcas e os bispos das cidades orientais romanas; embora estes estivessem estreitamente ligados ao governo imperial, ainda podiam expressar sentimentos locais e defender interesses locais. O eremita ou o santo milagreiro, também, vivendo na periferia da cidade ou em regiões colonizadas na Anatólia ou na Síria, podia atuar como árbitro de disputas ou porta-voz da população local, e o monge no deserto egípcio dava exemplo de uma sociedade que diferia da do mundo secular urbano. Além da Igreja Ortodoxa oficial, surgiram outras, que diferiam dela em doutrina e prática, e davam expressão às lealdades e oposições à autoridade central daqueles de outra língua que não o grego.

As principais diferenças doutrinárias referiam-se à natureza de Cristo. O Concílio da Calcedônia, em 451, definira a segunda pessoa da Trindade como tendo duas naturezas, divina e humana. Essa era a formulação aceita pelo corpo principal da Igreja, no Oriente e no Ocidente, e defendida pelo governo imperial. Só depois, aos poucos, e sobretudo em relação à questão da autoridade, foi que se deu a divisão entre a Igreja nos territórios bizantinos, a Igreja Ortodoxa Oriental, com seus patriarcas como chefes do sacerdócio, e os da Europa Ocidental, que aceitavam a autoridade suprema do papa em Roma. Algumas comunidades, porém, sustentavam que Cristo tinha uma única natureza, composta de duas. Esta, a doutrina monofisista, era sustentada pela Igreja armênia na Anatólia, pela maioria dos cristãos egípcios (conhecidos como "coptas", do nome antigo do Egito) e por muitos dos cristãos nativos, de língua siríaca, da Síria (conhecidos como ortodoxos sírios, ou "jacobitas", do nome de seu mais destacado teólogo). Outros faziam uma divisão ainda mais precisa entre as duas naturezas, a fim de manter a total humanidade de Jesus, e achavam que a Palavra de Deus estava no homem Jesus desde sua concepção; essa era a doutrina daqueles comumente conhecidos como nestorianos, nome derivado do de um pensador identificado com a doutrina; a Igreja deles foi mais importante entre os cristãos do Iraque, além da fronteira oriental do Império Bizantino. No século VII, surgiu mais um grupo, como resultado de uma tentativa de acordo entre a posição ortodoxa e a monofisista: os monoteletas, que defendiam que Cristo tinha duas naturezas, mas uma só vontade.

A leste do Império Bizantino, do outro lado do rio Eufrates, havia outro grande Império, o dos sassânidas, cujo domínio se estendia sobre o que é hoje o Irã e o Iraque, e entrava pela Ásia Central adentro. A terra hoje chamada de Irã ou Pérsia continha várias regiões de grande cultura, e cidades antigas habitadas por diferentes grupos étnicos, separadas umas das outras por estepes ou desertos, sem grandes rios para oferecer-lhes comunicações fáceis. De tempos em tempos, tinham sido unidas por dinastias fortes e duradouras; a última fora a dos sassânidas, cujo poder original se assentava nos povos de língua persa do sul do Irã. Era um Estado familiar, governado por intermédio de uma hierarquia de funcionários, que tentou proporcionar uma base sólida de unidade e lealdade, revivendo a antiga religião do Irã, tradicionalmente associada com o mestre Zoroastro. Para essa religião, o universo era um campo de batalha, abaixo do Deus supremo, entre bons e maus espíritos; o bem venceria, mas homens e mulheres de virtude e pureza ritual podiam apressar a vitória.

Depois que Alexandre, o Grande, conquistou o Irã em 334-33 a.C., fazendo com que este estabelecesse ligações mais estreitas com o mundo do Mediterrâneo Oriental, as idéias do mundo grego avançaram para o oriente, enquanto as de um mestre do Irã, Mani, que tentara incorporar todos os profetas e mestres num único sistema religioso (conhecido como maniqueísmo), avançaram para o ocidente. Sob os sassânidas, a doutrina associada a Zoroastro foi revivida em moldes filosóficos, com mais ênfase no dualismo de bem e mal, e tendo uma classe sacerdotal e um culto formal; ficou conhecida como mazdaísmo ou zoroastrismo. Como Igreja do Estado, o mazdaísmo defendia o poder do soberano, visto como um rei justo, que preservava a harmonia entre as diferentes classes da sociedade.

A capital sassânida não ficava no planalto do Irã, mas em Ctesifonte, na fértil e populosa área do Irã Central, irrigada pelos rios Tigre e Eufrates. Além de zoroastrianos e seguidores de Mani, o Iraque tinha os cristãos da Igreja nestoriana, que eram importantes no serviço público. Essa área era também o principal centro do ensino religioso judaico, e um refúgio para filósofos pagãos e cientistas médicos das cidades gregas do mundo mediterrâneo. Várias formas da língua persa ali disseminavamse; a forma escrita usada na época é conhecida como pálavi. Também disseminado estava o aramaico, uma língua semita ligada ao hebraico e ao árabe, e corrente em todo o Oriente Médio na época; uma de suas formas é conhecida como siríaco.

Os dois impérios incluíam as principais regiões de cultura e civilização da metade ocidental do mundo; porém, mais ao sul, dos dois lados do mar Vermelho, havia duas outras sociedades com tradições de poder e cultura organizados, mantidos pela agricultura e o comércio entre o oceano Índico e o Mediterrâneo. Uma delas era a Etiópia, um reino antigo, que tinha o cristianismo em sua forma copta como religião oficial. A outra era o Iêmen, no sudoeste da Arábia, uma terra de férteis vales montanheses e ponto de trânsito do comércio de longa distância. A certa altura, seus pequenos estados locais haviam sido incorporados num reino maior, que enfraquecera quando o comércio declinara no início da era cristã, mas revivera depois. O Iêmen tinha sua própria língua, diferente do árabe falado em outras partes da Arábia, e sua própria religião: uma multiplicidade de deuses, servidos por sacerdotes em templos que eram locais de peregrinação, oferendas votivas e prece privada (mas não comunal), além de ser também centros de grande riqueza. Nos séculos seguintes, influências cristãs e judaicas vieram da Síria, pelas rotas comerciais, ou do outro lado do mar, da Etiópia. No século VI, um núcleo de cristianismo fora destruído por um rei atraído para o judaísmo, mas invasões originárias da Etiópia haviam restaurado certa influência cristã; tanto os bizantinos como os sassânidas envolveram-se nesses acontecimentos.

Entre os grandes impérios do norte e os reinos do mar Vermelho, ficavam terras de uma espécie diferente. A maior parte da península Arábica era estepe ou deserto, com oásis isolados contendo água suficiente para cultivo regular. Os habitantes falavam vários dialetos do árabe e seguiam diferentes estilos de vida. Alguns eram nômades criadores de camelos, carneiros ou cabras, dependendo dos escassos recursos de água do deserto; eram tradicionalmente conhecidos como "beduínos". Outros eram agricultores estabelecidos, cuidando de suas safras ou palmeiras nos oásis, ou então comerciantes e artesãos em pequenos vilarejos que sediavam feiras. Outros ainda combinavam mais de um meio de vida. O equilíbrio entre povos nômades e sedentários era precário. Embora fossem uma minoria da população, eram os nômades dos camelos, móveis e armados, que, juntamente com os mercadores das aldeias, dominavam os lavradores e os artesãos. O *ethos* característico deles — coragem, hospitalidade, lealdade à família e orgulho dos ancestrais — também predominava. Não eram controlados por um poder de coerção estável, mas liderados por chefes que pertenciam a famílias em torno das quais se reuniam grupos de seguidores mais ou menos constantes, manifestando sua coesão e lealdade no idioma da ancestralidade comum: tais grupos são em geral chamados de tribos.

O poder dos chefes tribais era exercido a partir dos oásis, onde mantinham estreitas ligações com os mercadores que organizavam o comércio através do território controlado pela tribo. Nos oásis, porém, outras famílias podiam estabelecer um tipo diferente de poder, pela força da religião. A religião dos pastores e dos agricultores parece não ter tido uma forma clara. Julgava-se que deuses locais, identificados com objetos no céu, se incorporavam em pedras, árvores e outras coisas naturais; acreditava-se que bons e maus espíritos corriam o mundo em forma de animais; adivinhos afirmavam falar com a língua de um saber sobrenatural. Sugeriu-se, com base em práticas modernas no sul da Arábia, que eles achavam que os deuses habitavam um santuário, um *haram*, um lugar ou aldeia separados do conflito tribal, que funcionava como centro de peregrinação, sacrifício, encontro e arbitragem, e era supervisionado por uma família sob a proteção de uma tribo vizinha.[1] Essa família podia obter poder ou influência fazendo hábil uso do prestígio religioso, de seu papel de árbitro em disputas tribais e de suas oportunidades de comércio.

Por todo o Oriente Próximo, muita coisa estava mudando no século VI e início do VII. O império Bizantino e o Sassânida empenhavam-se em longas guerras, que se estenderam, com intervalos, de 540 a 629. Guerras travadas sobretudo na Síria e no Iraque; em uma ocasião, os exércitos sassânidas chegaram até o Mediterrâneo, ocupando as grandes cidades de Antióquia e Alexandria, além da cidade santa de Jerusalém, mas na década de 620 foram repelidos pelo imperador Heráclio I. Por algum tempo, o domínio sassânida ampliou-se até o sudoeste da Arábia, onde o Reino do Iêmen perdera muito de seu antigo poder devido às invasões da Etiópia e a um declínio da agricultura. As sociedades organizadas governadas pelos impérios fervilhavam de interrogações sobre o sentido da vida e a maneira correta de vivê-la, expressas nos idiomas das grandes religiões.

O poder e a influência dos impérios afetaram partes da península Arábica, e por muitos anos os pastores árabes nômades do norte e do centro da península vinham se mudando para o campo da área hoje chamada de Crescente Fértil: o interior da Síria, a região a oeste do Eufrates no baixo Iraque e aquela entre o Eufrates e o Tigre (a Jazira) eram de população em grande parte árabe. Eles trouxeram consigo seu *ethos* e suas formas de organização social. Alguns de seus chefes tribais exerciam a liderança com base em aldeias nos oásis, e eram usados pelos governos imperiais para manter outros nômades longe das terras ocupadas e para recolher impostos. Puderam, assim, criar unidades políticas mais estáveis, como a dos lakhmidas, com a capital em Hira, numa região onde os sassânidas não exerciam controle direto, e a dos gassânidas, numa região semelhante do Império Bizantino. O povo desses estados adquiriu conhecimento político e militar, e abriu-se a idéias e crenças vindas das terras imperiais; Hira era um centro cristão. Por via desses estados, do Iêmen, e também dos mercadores que trafegavam pelas rotas comerciais, começou a entrar na Arábia um certo conhecimento do mundo externo e de sua cultura, além de alguns colonos de lá procedentes. Eram artesãos judeus, mercadores e cultivadores dos oásis do Hedjaz na Arábia Ocidental, e monges e convertidos cristãos na Arábia Central.

A LINGUAGEM DA POESIA

Também parece ter havido um crescente senso de identidade cultural entre as tribos pastoris, demonstrada no surgimento de uma linguagem poética comum a partir dos dialetos árabes. Era uma linguagem formal, com refinamentos de gramática e vocabulário, que evoluiu aos poucos, talvez pela elaboração de um dialeto particular, ou talvez pela junção de vários. Era usada por poetas de diferentes grupos tribais ou aldeias de oásis. A poesia deles pode ter se desenvolvido a partir do uso da linguagem rítmica, elevada e rimada, das encantações ou sortilégios, mas a que chegou até nós não é de modo algum primitiva. É produto de uma longa tradição cumulativa, em que não apenas

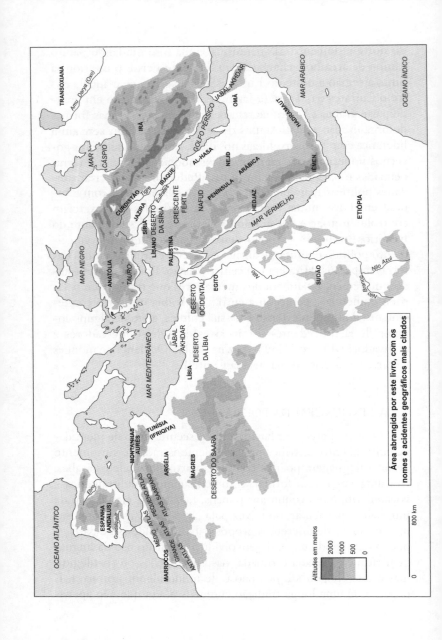

as reuniões tribais e as feiras de aldeias, mas as cortes das dinastias árabes na periferia dos grandes impérios desempenharam um papel, em particular a de Hira, no Eufrates, aberta a influências cristãs e mazdaítas.

As convenções poéticas que surgiram dessa tradição eram elaboradas. A forma poética mais valorizada era a ode, ou *qasida*, um poema de até cem versos, escrito numa das várias métricas aceitas e com uma única rima ao longo de todo ele. Cada verso consistia de dois hemistíquios: a rima vinha em ambos no primeiro verso, mas, em seguida, só no segundo hemistíquio. Em geral, cada verso era uma unidade de sentido, sendo raro o total *enjambement*; mas isso não impedia a continuidade de pensamento ou sentimento de um verso para outro, e em todo o poema.

A poesia não era escrita, embora pudesse, pois se conhecia a escrita na península: as inscrições nas línguas do sul da Arábia remontam a séculos. As mais antigas inscrições árabes, em escrita aramaica, remontam ao século IV, e depois evoluiu uma escrita árabe; além das inscrições, a escrita bem pode ter sido usada no comércio entre longas distâncias. Os poemas, porém, eram compostos para recitação em público, seja pelo próprio poeta, seja por um *rawi*, ou declamador. Isso tinha algumas implicações: o sentido precisava ser transmitido num verso, uma unidade única de palavras cujo sentido fosse captado pelos ouvintes, e toda apresentação era única e diferente das outras. O poeta ou *rawi* tinha margem para improvisações, dentro de um esquema de formas e modelos verbais comumente aceitos, do uso de certas palavras ou combinações de palavras para expressar certas idéias e sentimentos. Assim, talvez não tenha havido uma versão autêntica única de um poema. Como nos chegaram, as versões foram produzidas mais tarde por filólogos ou críticos literários, à luz das normas lingüísticas ou poéticas de sua própria época. Ao fazerem isso, podem ter introduzido novos elementos nos poemas, mudando a linguagem para corresponder a seus ideais do que era correto, e até mesmo formando *qasidas* pela combinação de peças menores. Na década de 1920, dois estudiosos, um britânico e um egípcio, elaboravam a partir desses fatos indiscutíveis uma teoria de que os poemas eram eles próprios produtos de um período posterior, mas a maioria dos que estudaram o assunto hoje concordaria que, em essência, eles vêm mesmo da época a que têm sido tradicionalmente atribuídos.

Entre estudiosos e críticos de um período posterior, era comum referir-se a certos poemas, em meio ao volume dos que sobreviveram, como exemplos supremos da poesia árabe antiga. Esses acabaram sendo chamados de *Mu'al-lagat*, ou "poemas suspensos", um nome de origem e sentido obscuro; os poetas que os escreveram — Laid, Zuhayr, Imru'l-Qays e meia dúzia de outros — eram tidos como os grandes mestres da arte. Era costume chamar a poesia dessa época de o *diwan* dos árabes, o registro do que eles tinham feito, ou a expressão de sua memória coletiva, mas também estava lá a forte marca da personalidade de cada poeta.

Críticos e estudiosos posteriores acostumaram-se a distinguir três elementos na *qasida*, mas isso significava formalizar uma prática solta e variada. O poema tendia a começar com a evocação de um lugar onde o poeta esteve um dia, que podia ser também a evocação de um amor perdido; o clima era não tanto erótico quanto uma comemoração da transitoriedade da vida humana:

As moradas estão desertas, os lugares onde paramos e acampamos, em Mina; Ghawl e Rijan acham-se ambos abandonados. Nas inundações de Rayyan, os leitos dos rios mostram-se nus e lisos, como a escrita preservada em pedra. O esterco enegrecido jaz imperturbado desde que partiram os que lá estiveram: longos anos se passaram sobre ele, anos de meses santos e comuns. Nascentes que as estrelas fizeram brotar os alimentaram, e foram nutridos pelas águas das tempestades: pesados aguaceiros e chuvas leves, as nuvens da noite, as que cobrem o céu matinal, e as nuvens do entardecer cujas vozes se respondem umas às outras.[2]

Depois disso, pode vir uma jornada em lombo de camelo, em que o poeta fala do camelo, do campo e da caça aos animais, e, por implicação, da recuperação de sua força e confiança quando testado contra as forças do destino. O poema pode culminar num louvor à tribo do poeta:

> Construiu-se para nós uma casa de teto alto, e jovens e velhos igualmente tentam chegar à sua altura [...] São eles que lutam quando a tribo está em apuros, seus cavaleiros e árbitros. São como a fonte para os que procuram sua ajuda, ou para as viúvas cujo ano de luto é longo. São uma tribo tal que a inveja não lhes pode fazer mal, e nenhum de seus membros é tão indigno que se passe para o inimigo.[3]

Por trás do louvor e da jactância, porém, às vezes se percebe outro tom, o dos limites da força humana diante da natureza todo-poderosa:

> Estou cansado do fardo da vida; não te enganes, quem vive oitenta anos acaba cansado. Sei o que acontece hoje e o que aconteceu ontem, mas não posso dizer o que trará o amanhã. Vi os Fados patearem como um camelo no escuro; aqueles que eles tocam, matam, e os que erram, vivem até a velhice.[4]

MAOMÉ E O SURGIMENTO DO ISLÃ

No início do século VII, combinaram-se um mundo assentado que perdera alguma coisa de sua força e segurança, e outro mundo nas fronteiras, em mais estreito contato com os vizinhos setentrionais e abertos às suas culturas. O encontro decisivo entre eles ocorreu em meados daquele século. Criou-se uma nova ordem política, que incluiu toda a península Arábica, todas as terras sassânidas, e as províncias sírias e egípcias do Império Bizantino; apagaram-se velhas fronteiras e criaram-se novas. Nessa nova ordem, o grupo dominante foi formado não pelos povos dos impérios, mas pelos árabes da Arábia Ocidental, sobretudo de Meca.

33

Antes do fim do século VII, esse grupo governante árabe identificava sua nova ordem com uma revelação dada por Deus a Maomé, um cidadão de Meca, sob a forma de um livro santo, o Corão: uma revelação que completava aquelas que haviam sido anteriormente feitas a profetas ou mensageiros de Deus, e criava uma nova religião, o Islã, distinta do judaísmo e do cristianismo. Pode-se discutir, em termos eruditos, o modo como se desenvolveram tais crenças. As fontes árabes que narram a vida de Maomé e a formação de uma comunidade em torno dele são de época posterior; o primeiro biógrafo cuja obra nos alcançou só escreveu mais de um século após a morte de Maomé. Fontes escritas em outras línguas atestam plenamente a formação de um Império pelos árabes, mas o que dizem sobre a missão de Maomé difere do que diz a tradição muçulmana, e ainda precisam ser estudadas e discutidas. Por outro lado, parece haver poucas dúvidas quanto ao Corão ser, substancialmente, um documento da Arábia do século VII, embora possa ter levado algum tempo para adquirir sua forma literária definitiva. Além disso, parece haver elementos nas biografias e histórias tradicionais que provavelmente não foram inventados. Sem dúvida, esses textos refletem tentativas posteriores de enquadrar Maomé no modelo próximo-oriental de homem santo, e no modelo árabe de descendência nobre; também refletem as controvérsias doutrinárias da época e lugar em que foram compostos — o Iraque no século VIII. Apesar disso, contêm fatos sobre a vida de Maomé, sua família e amigos, que dificilmente poderiam ter sido inventados. Parece melhor, portanto, seguir a narrativa tradicional das origens do Islã, embora com cautela. Isso tem uma vantagem: como essa narrativa, e o texto do Corão, permaneceram vivos, sem mudanças substanciais, na mente e na imaginação dos crentes na religião do Islã, segui-la torna possível compreender a visão deles da história e do que deve ser a vida humana.

A parte mais obscura da vida de Maomé, na narrativa dos biógrafos, é a inicial. Dizem-nos que ele nasceu em Meca, uma aldeia da Arábia Ocidental, talvez no ano de 570, ou por volta disso. Sua família pertencia à tribo dos coraixitas, embora não à parte mais poderosa. Os membros dessa tribo eram mercadores que mantinham acordos com tribos pastoris em torno de Meca, e também relações com a Síria e o sudoeste da península. Diz-se ainda que tinham uma ligação com o santuário da aldeia, a Caaba, onde se guardavam imagens de deuses locais. Maomé casou-se com Cadija, uma viúva comerciante, e cuidou do negócio dela. Várias histórias registradas pelos que mais tarde escreveram sua vida retratam um mundo à espera de um guia, e um homem em busca de uma vocação. Um homem que busca Deus expressa sua vontade de aprender: "Ó Deus, se eu soubesse como gostaríeis de ser adorado, assim vos adoraria, mas não sei". Rabinos judeus, monges cristãos e adivinhos árabes prevêem o advento de um profeta: um monge, encontrado por Maomé numa viagem de negócios ao sul da Síria, "olhou as costas dele e viu o selo do profetismo entre os ombros". Os objetos naturais saudavam-no: "Nem uma pedra ou árvore por que ele passava deixava de dizer: 'A paz esteja convosco, ó apóstolo de Deus!'".[5]

Ele tornou-se um errante solitário entre os rochedos, e então um dia, talvez quando tinha cerca de quarenta anos, aconteceu-lhe algo: um contato com o sobrenatural, conhecido das gerações posteriores como a Noite do Poder ou do Destino. Numa versão, um anjo, visto em forma de um homem no horizonte, convocou-o a tornar-se mensageiro de Deus; em outra, ele ouviu a voz do anjo convidando-o a recitar. Ele perguntou: "Que devo recitar?". E a voz respondeu:

> *Recita: em nome de vosso Senhor que criou,*
> *criou o homem de um coágulo de sangue.*
> *Recita: e vosso Senhor é o mais generoso,*
> *que ensinou junto ao aprisco,*
> *ensinou ao homem o que ele não sabia.*
> *Não, de fato: certamente o homem faz-se insolente,*
> *pois se julga auto-suficiente.*
> *Certamente em vosso Senhor está a volta.*[6]

Nesse ponto, deu-se um fato conhecido na vida de outros pretendentes a poderes sobrenaturais: a pretensão é aceita por outros que a ouvem, e esse reconhecimento a confirma na mente daquele que a fez. Os que responderam eram poucos, e incluíam a esposa Cadija: "Exultai, ó filho de meu tio, e tende bom coração. Por Aquele em cujas mãos está a alma de Cadija, espero que sejais o profeta do povo d'Ele".

A partir dessa época, Maomé começou a comunicar àqueles que o seguiam uma sucessão de mensagens que acreditava terem sido reveladas por um anjo de Deus. O mundo ia acabar; Deus todo-poderoso, que criara os seres humanos, iria julgálos a todos; os prazeres do Céu e as dores do Inferno eram descritos em cores vívidas. Se, durante a vida, se submetessem à Vontade de Deus, podiam confiar na misericórdia d'Ele quando fossem a julgamento; e era Vontade de Deus que agora mostrassem sua gratidão com a prece regular e outras observâncias, e com benevolência e contenção sexual. O nome dado a Deus era "Alá", já em uso para um dos deuses locais (e hoje usado por judeus e cristãos de língua árabe como o nome de Deus). Os que se submeteram à Vontade d'Ele acabaram tornando-se conhecidos como muçulmanos; o nome da religião, Islã, deriva do mesmo radical lingüístico.

Aos poucos, formou-se em torno de Maomé um pequeno grupo de crentes: alguns membros jovens das influentes famílias coraixitas, alguns membros de famílias menores, clientes de outras tribos que se haviam posto sob a proteção dos coraixitas, e alguns artesãos e escravos. À medida que aumentavam os seguidores de Maomé, suas relações com as principais famílias coraixitas foram piorando. Elas não aceitavam sua pretensão de ser um mensageiro de Deus, e viam-no como uma pessoa que ameaçava seu modo de vida. "Ó Abu Talib", diziam a seu tio, que o protegia entre eles, "seu sobrinho amaldiçoou nossos deuses, insultou nossa religião, zombou de nosso modo de vida e acusou nossos antepassados de erro". A situação dele piorou quando a esposa Cadija e Abu Talib morreram no mesmo ano.

À medida que seus ensinamentos se difundiam, tornavam-se

mais claras as diferenças com as crenças aceitas. Atacavam-se os ídolos dos deuses e as cerimônias a eles relacionadas; ordenavam-se novas formas de culto, e novos tipos de boas ações. Ele adotou mais explicitamente a linha dos profetas da tradição judaica e cristã.

Por fim, sua posição tornou-se tão difícil que em 622 ele deixou Meca e foi para um oásis trezentos quilômetros ao norte: Yathrib, que seria conhecido no futuro como Medina. O caminho fora preparado por homens de Yathrib que iam comerciar em Meca. Eles pertenciam a duas tribos e precisavam de um árbitro nas disputas tribais; tendo vivido ao lado de habitantes judeus do oásis, estavam dispostos a aceitar uma doutrina expressa em termos de um profeta e um livro santo. Essa mudança para Medina, a partir da qual as gerações posteriores iriam datar o início da era muçulmana, é conhecida como a hégira: a palavra não tem apenas o sentido negativo de fuga de Meca, mas o positivo da busca de proteção, estabelecendo-se num lugar que não o seu próprio. Nos séculos islâmicos posteriores, seria usada para significar o abandono de uma comunidade pagã ou má por uma outra que vive segundo a doutrina moral do Islã. Os primeiros biógrafos preservaram os textos dos acordos que se diz terem sido feitos entre Maomé e seus seguidores, de um lado, e as duas tribos principais, juntamente com alguns grupos judeus, do outro. Foi um acordo semelhante aos que se fazem no moderno sul da Arábia, quando se instala um *haram*: cada parte manteria suas próprias leis e costumes, mas toda a área do *haram* deveria ser de paz, as disputas não seriam resolvidas pela força, e sim julgadas por "Deus e Maomé", e os aliados agiriam em conjunto contra os que rompessem a paz.

Em Medina, Maomé começou a acumular um poder que se irradiou pelo oásis e o deserto em volta. Logo se viu atraído para uma luta armada com os coraixitas, talvez pelo controle das rotas comerciais, e no curso da luta formou-se a natureza da comunidade. Eles passaram a acreditar que tinham de lutar pelo que era certo: "Quando os coraixitas se tornaram insolentes para com Deus e rejeitaram Seu gracioso propósito [...] Ele deu permissão a Seu apóstolo para lutar e proteger-se". Adquiriram a convicção de que Deus e os anjos lutavam a seu lado, e aceitavam a calamidade, quando ocorria, como uma provação com a qual Deus testava os crentes.

Foi nesse período de poder em expansão e luta que a doutrina do Profeta tomou sua forma final. Nas partes do Corão que se julga terem sido reveladas então, há uma maior preocupação com a definição das observâncias rituais da religião e com a moralidade social, as regras de paz social, propriedade, casamento e herança. Em alguns aspectos, dão-se instruções específicas; em outros, princípios gerais. Ao mesmo tempo, a doutrina torna-se mais universal, voltada para toda a Arábia pagã, e por implicação para todo o mundo, e separa-se com mais clareza da dos judeus e cristãos.

O desenvolvimento da doutrina do Profeta talvez se relacionasse com mudanças em suas relações com os judeus de Medina. Embora eles fizessem parte da aliança original, sua posição tornou-se mais difícil à medida que as pretensões de Maomé a sua missão se expandiam. Não podiam aceitá-lo como um verdadeiro mensageiro de Deus dentro de sua própria tradição, e diz-se que ele, por sua vez, os acusou de perverter a revelação que lhes fora dada: "Ocultásteis o que vos foi ordenado tornar claro". Por fim, alguns dos clãs judeus foram expulsos e outros assassinados.

Talvez tenha sido um sinal do rompimento com os judeus o fato de a direção para onde se voltava a comunidade durante a prece mudar de Jerusalém para Meca (*qibla*), e de dar-se nova ênfase à linhagem de descendência espiritual que ligava Maomé a Abraão. Já firmara-se a idéia de que Abraão fora o fundador de uma extremada fé monoteísta e do santuário de Meca; agora, ele passou a ser visto nem como judeu nem como cristão, mas como um ancestral comum de ambos, e também dos muçulmanos. Essa mudança estava relacionada também com uma mudança nas relações de Maomé com os coraixitas e Meca. Houve uma espécie de reconciliação de interesses. Os mercadores de Meca corriam o risco de perder suas alianças com os chefes tribais e o controle do comércio, e na própria cidade havia um número crescente de seguidores do Islã; um acordo com o novo poder afastaria certos perigos, enquanto a comunidade de Maomé, por sua vez, não poderia sentir-se segura enquanto Meca fosse hostil, e precisava dos ofícios dos patrícios mecanos. Como se julgava que o *haram* de Meca fora fundado por Abraão, podia-se aceitá-lo como um lugar de peregrinação, embora com um sentido modificado.

Em 629, as relações haviam-se tornado suficientemente estreitas para que a comunidade fosse a Meca em peregrinação, e no ano seguinte os líderes da cidade entregaram-na a Maomé, que a ocupou praticamente sem resistência e anunciou os princípios de uma nova ordem: "Toda pretensão de privilégio, sangue ou propriedade fica por mim abolida, a não ser a custódia do templo e a água dos peregrinos".

Mas Medina continuou sendo a capital. Ali, ele exercia autoridade sobre seus seguidores, menos por um governo regular do que por manipulação política e ascendência pessoal; dos vários casamentos que fez após a morte de Cadija, alguns, embora não todos, foram contraídos por motivos políticos. Não havia administração complicada nem exército, apenas Maomé como supremo árbitro, com vários delegados, um recrutamento militar de crentes, e um tesouro público abastecido por doações voluntárias e impostos sobre as tribos que se submetiam. Fora das cidades, a paz de Maomé estendia-se por uma vasta área. Chefes tribais precisavam firmar acordos com ele, pois ele controlava os oásis e as feiras. A natureza dos acordos variava; em alguns casos, faziam-se alianças e renunciava-se a conflitos, em outros aceitava-se a condição de profeta de Maomé, a obrigação da prece e a doação regular de uma contribuição financeira.

Em 632, Maomé fez sua última visita a Meca, e o discurso que ali proferiu foi registrado nos textos tradicionais como a declaração final de sua mensagem: "Sabei que todo muçulmano é irmão do outro, e que os muçulmanos são irmãos"; devia-se evitar a luta entre eles, e o sangue vertido em tempos pagãos não devia ser vingado; os muçulmanos deviam combater todos os homens, até que dissessem: "Só há um Deus".

Ele morreu nesse ano. Deixou mais de um legado. Primeiro, o de sua personalidade, como fora vista pelos olhos dos companheiros próximos. O testemunho deles, passado basicamente por transmissão oral, só adquiriu sua forma definitiva muito depois, e então certamente já inflado por acréscimos, mas parece plausível a sugestão de que, desde o início, os que conheceram e seguiram Maomé tentaram modelar seu comportamento pelo dele. Com o tempo, evoluiu um tipo de personalidade humana que bem pode, em certa medida, ser um reflexo da dele. Espelhado nos olhos de seus seguidores, aparece como um homem em busca da verdade na juventude, depois embrutecido pelo senso de poder que se abate sobre ele, ávido por comunicar o que lhe foi revelado, conquistando confiança em sua missão e senso de autoridade quando os seguidores se reúnem à sua volta, um árbitro preocupado em fazer a paz e conciliar disputas à luz de princípios de justiça tidos como de origem divina, um habilidoso manipulador de forças políticas, um homem que não dá as costas aos modos habituais de ação humana, mas tenta confiná-los dentro de limites que julga terem sido ordenados pela Vontade de Deus.

Se uma imagem de Maomé foi elaborada e transmitida aos poucos, de uma geração para outra, o mesmo se deu com a da comunidade por ele fundada. Segundo o retrato de épocas posteriores, era uma comunidade que reverenciava o Profeta e cultuava sua memória, tentando seguir os seus passos e empenhar-se no caminho do Islã para o serviço de Deus. Manteve-se unida graças aos rituais básicos de devoção, todos de aspecto comunal: os muçulmanos iam em peregrinação ao mesmo tempo, jejuavam por todo um mesmo mês e reuniam-se na prece regular, atividade que os distinguiu mais nitidamente do resto do mundo.

Acima de tudo, há o legado do Corão, um livro que descreve em linguagem de grande força e beleza a incursão de um Deus transcendente, origem de todo poder e bondade, no mundo humano por Ele criado; a revelação de Sua Vontade através de uma linhagem de profetas enviados para advertir os homens e trazê-los de volta a seus verdadeiros eus como criaturas agradecidas e obedientes; o julgamento de Deus no fim dos tempos, e as recompensas e os castigos que a isso se seguiriam.

Os muçulmanos ortodoxos sempre acreditaram que o Corão é a Palavra de Deus, revelada em língua árabe por um anjo a Maomé, em várias épocas e nas formas adequadas às necessidades da comunidade. Poucos não-muçulmanos aceitariam inteiramente essa crença. No máximo, alguns deles achariam possível que, num certo sentido, Maomé recebeu inspiração de fora do mundo humano, mas afirmariam que ela passou pela mediação de sua personalidade e de suas palavras. Não há meio puramente racional de resolver essa diferença de crença, mas os que estão divididos por ela talvez concordem com certas questões que se poderia legitimamente suscitar sobre o Corão.

Primeiro vem a questão de quando e como ele tomou sua forma definitiva. Maomé comunicou as revelações a seus seguidores em várias épocas, e eles as registraram por escrito ou as guardaram na memória. A maioria dos estudiosos concordaria que o processo pelo qual se coligiram diferentes versões e se estabeleceram um texto e uma forma geralmente aceitos só se concluiu após a morte de Maomé. Segundo a versão tradicional, isso aconteceu na época de seu terceiro sucessor como chefe da comunidade, 'Uthman (644-56), mas datas posteriores foram sugeridas, e algumas seitas muçulmanas acusaram outras de inserirem no texto material que não havia sido transmitido pelo Profeta.

Uma questão mais importante é a da originalidade do Corão. Os estudiosos tentaram situá-lo no contexto de idéias correntes em seu tempo e lugar. Sem dúvida há ecos nele dos ensinamentos de religiões anteriores: idéias judaicas nas doutrinas; alguns reflexos de religiosidade monástica cristã oriental nas meditações sobre os terrores do julgamento e nas descrições de Céu e Inferno (mas poucas referências à doutrina ou liturgia cristãs); histórias bíblicas em formas diferentes das do Velho e do Novo Testamento; um eco da idéia maniqueísta da sucessão de revelações feitas a diferentes povos. Há também vestígios de uma tradição indígena: as idéias morais em certos aspectos continuam as predominantes na Arábia, embora em outros rompam com elas; nas primeiras revelações, o tom é de um adivinho árabe, tartamudeando seu senso de encontro com o sobrenatural.

Tais vestígios do passado não têm por que causar ansiedade ao muçulmano, que pode encará-los como sinais de que Maomé foi o último de uma linhagem de profetas que ensinaram, todos, a mesma verdade; para ser eficaz, a revelação final poderia usar palavras e imagens já conhecidas e entendidas, e se as idéias ou histórias assumiram uma forma diferente no Corão, isso talvez fosse porque seguidores de profetas anteriores haviam distorcido a mensagem recebida destes. Alguns estudiosos não muçulmanos, além disso, chegaram a uma conclusão diferente: que o Corão contém pouco mais que empréstimos do que Maomé já dispunha naquela época e lugar. Dizer isso, porém, revela uma incompreensão do que é ser original: seja o que for que se tenha tomado da cultura religiosa, o material foi de tal modo rearranjado e transmutado que, para os que aceitaram a mensagem, o mundo conhecido foi refeito.

2. A FORMAÇÃO DE UM IMPÉRIO

A SUCESSÃO DE MAOMÉ

A CONQUISTA DE UM IMPÉRIO

Quando Maomé morreu, houve um momento de confusão entre seus seguidores. Um dos líderes, Abu Bakr, proclamou à comunidade: "Ó homens, se adorais a Maomé, Maomé está morto; se adorais a Deus, Deus está vivo". Abaixo de Deus, ainda havia um papel a ser preenchido: o de árbitro das disputas e responsável pelas decisões na comunidade. Havia três grupos principais entre os seguidores de Maomé: os primeiros companheiros que haviam feito a hégira com ele, um grupo interligado por endogamia; os homens importantes de Medina, que tinham feito a aliança com ele lá; e os membros das principais famílias de Meca, basicamente de conversão recente. Numa reunião de íntimos colaboradores e líderes, escolheu-se um do primeiro grupo como o sucessor do Profeta (*khalifa*, de onde a palavra "califa"): Abu Bakr, um seguidor de primeira hora, cuja filha 'A'isha era esposa de Maomé.

O califa não era um profeta. Líder da comunidade, mas em nenhum sentido um mensageiro de Deus, não podia pretender ser porta-voz de revelações continuadas; mas ainda permanecia uma aura de santidade e escolha divina em torno da pessoa e do cargo dos primeiros califas, que afirmavam ter algum tipo de autoridade religiosa. Abu Bakr e seus sucessores logo se viram convocados a exercer liderança numa escala mais ampla que a do Profeta. Havia um universalismo implícito na doutrina e nos atos de Maomé: ele reivindicava autoridade universal, o *haram* que estabelecera não tinha limites naturais; em seus últimos anos, enviaram-se expedições militares contra as terras da fronteira bizantina, e supõe-se que ele tenha mandado emissários aos governantes dos grandes estados, exortando-os a reconhecer sua mensagem. Quando morreu, as alianças que fizera com chefes tribais ameaçaram dissolver-se; alguns deles agora rejeitavam suas pretensões proféticas, ou pelo menos o controle político de Medina. Diante desse desafio, a comunidade liderada por Abu Bakr afirmou sua autoridade pela ação militar (as "guerras do *ridda*"); com isso se criou um exército, que o impulso da ação levou às regiões fronteiriças dos grandes impérios, e depois, quando a resistência se revelou fraca, ao próprio âmago desses impérios. No fim do reinado do segundo califa, 'Umar ibn 'Abd al-Khattab (634-44), toda a Arábia, parte do Império Sassânida, e a província síria e a egípcia do Império Bizantino haviam sido conquistadas; o resto das terras sassânidas foi ocupado logo depois.

No espaço de alguns anos, portanto, as fronteiras políticas do Oriente Próximo haviam mudado, e o centro da vida política passara das ricas e populosas terras do Crescente Fértil para uma aldeola na periferia do mundo da alta cultura e da riqueza. A mudança foi tão súbita e inesperada que exige explicação. Indícios descobertos por arqueólogos mostram que a prosperidade e a força do mundo mediterrâneo se achavam em declínio, devido a invasões bárbaras, à não-manutenção de terraços e outras obras agrícolas, e ao encolhimento do mercado urbano. Tanto o Império Bizantino quanto o Sassânida tinham sido enfraquecidos por epidemias de peste e longas guerras; o domínio dos bizantinos sobre a Síria só fora restaurado após a derrota dos sassânidas em 629, e ainda era tênue. Os árabes que invadiram os dois impérios não eram uma horda tribal, mas uma força organizada, e alguns de seus membros haviam adquirido habilidade e experiência militares a serviço dos impérios ou na luta após a morte do Profeta. O uso dos camelos proporcionou-lhes uma vantagem em campanhas travadas em grandes áreas; a perspectiva de conquista de terra e riqueza criou uma coalizão de interesses entre eles; e o fervor da convicção deu-lhes um tipo diferente de força.

Mas talvez se possa dar outro tipo de explicação para a aceitação do domínio árabe pela população dos países conquistados. Para a maioria deles, não importava muito que fossem governados por iranianos, gregos ou árabes. O governo interferia muito na vida das cidades e regiões circundantes; tirando as autoridades e as classes com interesses associados ao governo, e também as hierarquias de algumas comunidades religiosas, os citadinos talvez não se incomodassem com quem os governava, contanto que tivessem segurança, paz e impostos razoáveis. O povo do campo e das estepes vivia sob seus próprios chefes e segundo seus próprios costumes, e pouca diferença fazia para eles quem governava as cidades. Para alguns, a substituição de gregos e iranianos por árabes até trazia vantagens. Aqueles cuja oposição ao governo bizantino se manifestava em termos de dissidência religiosa podiam achar mais fácil viver sob um governante imparcial em relação a vários grupos cristãos, sobretudo quando a nova fé, que ainda não tinha um sistema plenamente desenvolvido de doutrina ou lei, talvez não lhes parecesse estranha. Nas regiões da Síria e do Iraque já ocupadas por pessoas de origem e língua árabe, foi fácil para os líderes transferir sua lealdade dos imperadores para a nova aliança árabe, tanto mais que desaparecera o controle antes exercido sobre eles por lakhmidas e gassânidas, estados clientes árabes dos dois grandes impérios.

À medida que se ampliava a área conquistada, necessariamente mudava o modo como ela era governada. Os conquistadores exerciam sua autoridade a partir dos acampamentos militares nos quais se alojavam os soldados árabes. Na Síria, a maioria desses acampamentos ficava nas cidades já existentes, mas em outras partes criavam-se novos núcleos; Basra e Kufa no Iraque, Fustat no Egito (do qual surgiria depois o Cairo), outros na fronteira nordeste do Curasão. Como centros de poder, esses acampamentos eram pólos de atração para imigrantes da Arábia e das terras conquistadas, e transformaram-se em cidades, com o palácio do governador e o lugar de assembléia pública, a mesquita, no centro.

Em Medina e nas novas cidades-acampamento a ela ligadas por rotas interiores, o poder estava nas mãos do novo grupo go-

45

vernante. Alguns de seus membros eram Companheiros do Profeta, seguidores de primeira hora dedicados, mas uma grande parte vinha de famílias de Meca, com suas habilidades militares e políticas, e de famílias semelhantes na cidade vizinha de Ta'if. Com o prosseguimento das conquistas, outros vieram das principais famílias de tribos pastoris, até mesmo daquelas que haviam tentado derrubar o governo de Medina após a morte do Profeta. Em certa medida, os diferentes grupos tenderam a misturar-se uns com os outros. O califa 'Umar criou um sistema de estipêndios para os que tinham lutado na causa do Islã, definido de acordo com a prioridade de conversão e serviço, e isso reforçou a coesão da elite governante, ou pelo menos sua separação daqueles a quem governava; entre os membros recém-enriquecidos da elite e o povo mais pobre houve sinais de tensão desde as primeiras épocas.

Apesar da coesão última, o grupo era dividido por divergências pessoais e faccionais. Os primeiros Companheiros do Profeta olhavam de lado os convertidos posteriores que haviam adquirido poder; as alegações de conversão antiga e laços estreitos com o Profeta chocavam-se com pretensões a uma nobreza de antiga e honorável ancestralidade. O povo de Medina via o poder sendo atraído para o norte, para as terras mais ricas e populosas da Síria e do Iraque, onde governadores tentavam tornar seu mando mais independente.

Essas tensões vieram à tona no reinado do terceiro califa, 'Uthman ibn 'Affan (644-56). Ele foi escolhido por um pequeno grupo de membros da tribo coraixita, depois do assassinato de 'Umar por motivo de vingança pessoal. 'Uthman parecia trazer a esperança de reconciliação das facções, pois, embora pertencendo ao círculo íntimo dos coraixitas, era um convertido antigo. Sua política, porém, foi de nomear membros de seu próprio clã como governadores provinciais, e isso suscitou oposição, tanto em Medina, dos filhos dos Companheiros e da esposa do Profeta 'A'isha, quanto em Kufa e Fustat; algumas das tribos ressentiram-se do domínio dos homens de Meca. Um movimento de revolta em Medina, apoiado por soldados do Egito, levou ao assassinato de 'Uthman em 656.

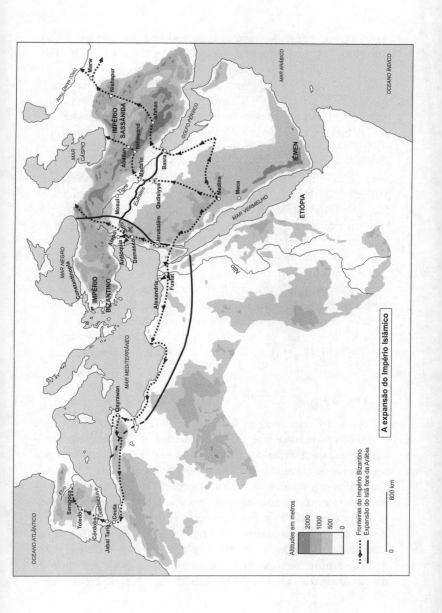

Assim teve início o primeiro período de guerra civil na comunidade. O pretendente à sucessão, 'Ali ibn Abi Talib (656-61), era coraixita, um convertido antigo, primo de Maomé e casado com sua filha Fátima. 'Ali viu-se diante de uma dupla oposição. Os parentes de 'Uthman opunham-se a ele, mas também se opunham outros que contestavam a validade de sua eleição. A luta pelo poder em Medina chegou às cidades-acampamento. 'Ali estabeleceu-se como califa em Kufa, enquanto os dissidentes concentraram-se em Basra; ele os derrotou, mas logo se viu diante de um novo desafio da Síria, onde o governador, Mu'awiya ibn Abi Sufyan, era parente próximo de 'Uthman. As duas forças defrontaram-se em Siffin, no alto Eufrates, mas, após lutarem por algum tempo, concordaram com a arbitragem de delegados escolhidos pelos dois lados. Quando 'Ali concordou com isso, alguns de seus defensores o abandonaram, pois não estavam dispostos a contemporizar e submeter a Vontade de Deus, como a viam, a julgamento humano; estava em causa a honra devida à conversão antiga ao Islã. Nos meses de discussão entre os delegados, a aliança de 'Ali foi se enfraquecendo, e ele acabou assassinado em sua própria cidade de Kufa. Mu'awiya proclamou-se califa, e o filho mais velho de 'Ali, Hasan, aquiesceu.

O CALIFADO DE DAMASCO

A ascensão de Mu'awiya ao poder (661-80) sempre foi vista como o fim de uma fase e o início de outra. Os quatro primeiros califas, de Abu Bakr a 'Ali, são conhecidos pela maioria dos muçulmanos como os *Rashidun*, ou "Corretamente Guiados". Os califas posteriores são vistos sob uma luz um tanto diferente. Antes de mais nada, daí em diante o cargo passou a ser praticamente hereditário. Embora continuasse havendo certa idéia de escolha, ou pelo menos reconhecimento, pelos líderes da comunidade, na verdade a partir de então o poder ficou nas mãos de uma família conhecida como os omíadas, nome derivado do de um ancestral, Umayya. Quando Mu'awiya morreu, foi sucedido por seu filho, seguido pouco depois pelo filho deste; após este veio um segundo período de guerra civil, e o trono passou a outro ramo da família.

A mudança não foi só de governantes. A capital do Império passou para Damasco, cidade que ficava numa zona rural capaz de proporcionar o excedente necessário para manter uma corte, governo e exército, e numa região da qual as terras costeiras do Mediterrâneo Oriental e a terra a leste delas podiam ser mais facilmente controladas que de Medina. Isso era tanto mais importante porque o poder do califa continuava a expandir-se. Forças muçulmanas avançavam através do Magreb. Estabeleceram sua primeira base importante em Kairuan, na antiga província romana da África (Ifriqiya, hoje Tunísia); dali, avançaram para oeste, alcançaram a costa atlântica do Marrocos no fim do século VII e passaram para a Espanha pouco depois; no outro extremo, a terra além do Curasão, até o vale do Oxus, foi conquistada, e fizeram-se os primeiros avanços muçulmanos no noroeste da Índia.

Um Império desses exigia um novo estilo de governo. Uma opinião muito disseminada em gerações posteriores, depois de os omíadas serem substituídos por uma dinastia que lhes era hostil, dizia que eles introduziram um governo voltado para objetivos mundanos, impelidos por interesse próprio, em lugar do dos primeiros califas, dedicados ao avanço da religião. Seria mais justo dizer que os omíadas se viram diante do problema de administrar um grande Império, e portanto não puderam escapar aos compromissos do poder. Aos poucos, abandonaram o modo de vida de chefes tribais árabes e passaram a adotar aquele mais tradicional entre os soberanos do Oriente Próximo, recebendo os convidados ou súditos segundo os usos cerimoniais do imperador bizantino ou do rei iraniano. Os primeiros exércitos árabes foram substituídos por forças regulares pagas. Formou-se um novo grupo governante, constituído em grande parte por líderes do exército ou chefes tribais; as principais famílias de Meca e Medina perderam importância, porque estavam distantes da sede do poder, e mais de uma vez tentaram revoltar-se. Também a lealdade das cidades do Iraque era duvidosa, e tinham de ser controladas por governos fortes leais ao califa. Os governantes eram citadinos, comprometidos com um estilo de vida assentado e hostis a pretensões de poder e liderança baseadas na solidariedade tribal; "estais pondo o parentesco acima da religião", advertiu o primeiro governador omíada do Iraque, e um sucessor, Hajjaj, tratou com mais firmeza ainda a nobreza tribal e seus seguidores.

Embora a força armada estivesse em novas mãos, a administração financeira continuou como antes, com secretários oriundos de grupos que tinham servido a governantes anteriores, usando a língua grega no oeste e o pálavi no leste. A partir da década de 690, a língua da administração passou a ser o árabe, mas isso talvez não tenha assinalado uma grande mudança de pessoal ou métodos; membros das famílias secretariais que sabiam árabe continuaram a trabalhar, e muitos tornaram-se muçulmanos, sobretudo na Síria.

Os novos governantes estabeleceram-se firmemente não apenas nas cidades, mas também na zona rural síria, em terras da coroa e outras cujos proprietários haviam fugido, sobretudo nas regiões do interior vulneráveis à estepe norte árabe. Eles parecem ter mantido com cuidado os sistemas de irrigação e cultivo que lá encontraram, e os palácios e as casas que construíram para servir como centros de controle econômico e de hospitalidade foram arranjados e decorados no estilo dos governantes que haviam sucedido, com salões de audiência, pisos de ladrilho, pórticos e tetos esculpidos.

Desta e de outras formas, os omíadas talvez pareçam ter se assemelhado aos reis bárbaros do Império Romano do Ocidente, colonos nervosos num mundo estranho, cuja vida prosseguiu como antes, agora sob a proteção de seu poder. Mas há uma diferença. Os governantes do Ocidente tinham trazido pouco de seu que pudesse fazer frente à força da civilização latina cristã à qual eram atraídos. O grupo governante árabe trouxe uma coisa que ia reter em meio à alta cultura do Oriente Próximo, e que, modificada e desenvolvida por essa cultura, iria proporcionar um idioma por meio do qual pôde expressar-se daí em diante: a crença numa revelação enviada por Deus, em língua árabe, ao Profeta Maomé.

A primeira afirmação clara de permanência e distinção da nova ordem veio na década de 690, no reinado do califa 'Abd al-Malik (685-705). Ao mesmo tempo que se introduzia o árabe para fins administrativos, introduzia-se também um novo tipo de cunhagem de moeda, e isso foi importante, pois as moedas são símbolos de poder e de identidade. Em lugar das moedas mostrando rostos humanos, que tinham sido adotadas dos sassânidas ou cunhadas pelos omíadas em Damasco, cunharam-se novas, contendo apenas palavras que proclamavam em árabe a unicidade de Deus e a verdade da religião trazida por Seu mensageiro.

Mais importante ainda foi a criação de grandes edifícios monumentais, eles mesmos uma declaração pública de que a revelação feita através de Maomé à humanidade era a final e mais completa, e que seu reino ia durar para sempre.

Os primeiros locais de culto comunal (*masjid*, origem da palavra "mesquita") também foram usados para assembléias em que toda a comunidade tratava de assuntos públicos. Nada os distinguia de outros prédios: alguns na verdade não passavam de edifícios antigos adaptados para esse fim, enquanto outros eram novos, nos centros de colonização muçulmana. Os lugares santos de judeus e cristãos ainda tinham poder sobre a imaginação dos novos governantes: 'Umar visitou Jerusalém depois que ela foi capturada, e Mu'awiya ali foi proclamado califa. Então, na década de 690, ergueu-se a primeira grande edificação a afirmar claramente que o Islã era distinto e ia perdurar. Foi o Domo da Rocha, construído no local do Templo judeu em Jerusalém, agora transformado num *haram* muçulmano; seria o ambulatório para peregrinos em torno da rocha onde, segundo a tradição rabínica, Deus intimara Abraão a sacrificar Isaac. A construção do Domo nesse lugar tem sido convincentemente interpretada como um ato simbólico, colocando o Islã na linhagem de Abraão e dissociando-o do judaísmo e do cristianismo. As inscrições no interior, primeira materialização física conhecida de textos do Corão, proclamam a grandeza de Deus,"o Poderoso, o Sábio", declaram que "Deus e Seus anjos abençoam o Profeta", e exortam os cristãos a reconhecer Jesus como um apóstolo de Deus, Sua palavra e espírito, mas não Seu Filho.[1]

Pouco depois, teve início a construção de uma série de grandes mesquitas, destinadas a satisfazer às necessidades da prece ritual: em Damasco e Alepo, Medina e Jerusalém, e mais tarde em Kairuan, o primeiro centro árabe no Magreb, e em Córdoba, capital árabe da Espanha. Todas mostram o mesmo desenho básico. Um pátio aberto conduz a um espaço coberto, disposto de tal modo que longas filas de fiéis, chefiados por um puxador de reza (imã), se voltam para Meca. Um santuário (*mihrab*) assinala a direção na qual eles se voltam, e perto dele há um púlpito (*minbar*), onde se prega um sermão durante a prece do meio-dia da sexta-feira. Ligado ao prédio ou junto a ele, há um minarete, do qual o muezim (*mu'adhdhin*) convoca os fiéis à prece nas horas apropriadas.

Esses edifícios eram símbolos não só do novo poder, mas do surgimento de uma comunidade nova e distinta. Da condição de crença apenas de um grupo governante, a aceitação da revelação feita a Maomé foi pouco a pouco se ampliando. Não sabemos muito sobre esse processo, e só podemos especular quanto ao curso que seguiu. Talvez fosse fácil para os árabes que já viviam na zona rural síria e iraquiana aceitar a nova fé, por solidariedade com os novos governantes (embora parte de uma tribo, a de Ghassan, não o fizesse). Os funcionários que serviam a esses governantes podem ter aceito a fé por interesse próprio ou por uma atração natural para o poder; o mesmo se aplica aos prisioneiros feitos nas guerras de conquistas, ou aos soldados sassânidas que se juntaram aos árabes. É possível que os imigrantes nas novas cidades se convertessem para evitar os impostos especiais pagos pelos não-muçulmanos. Os zoroastrianos, adeptos da antiga religião persa, podem ter achado mais fácil tornar-se muçulmanos que os cristãos, porque sua Igreja organizada se enfraquecera quando o domínio sassânida chegara ao fim. Alguns cristãos, porém, afetados pelas controvérsias sobre a natureza de

Deus e a revelação, talvez se tenham sentido atraídos pela simplicidade da primeira resposta muçulmana a essas questões, dentro do que era, em termos gerais, o mesmo universo de pensamento. A ausência de uma Igreja muçulmana ou de um ritual elaborado tornava a conversão, feita com apenas umas poucas palavras, um processo fácil. Por mais simples que fosse, o ato trazia consigo uma implicação: a aceitação do árabe como a língua em que se fizera a revelação, e isso, juntamente com a necessidade de lidar com governantes, soldados e proprietários de terras árabes, podia levar à sua aceitação como a língua do cotidiano. Onde o Islã chegava, a língua árabe se espalhava. Esse processo, contudo, ainda estava no início; fora da própria Arábia, os omíadas governavam terras em que a maioria da população não era nem muçulmana nem falava árabe.

A dimensão e a força crescente da comunidade muçulmana não agiram em favor dos omíadas. A região central deles, a Síria, era um elo fraco na corrente de países arrastados para o Império. Ao contrário das novas cidades no Irã, Iraque e África, suas cidades existiam antes do Islã e tinham uma vida independente dos governantes. Seu comércio fora perturbado pela separação da Anatólia, que permaneceu em mãos bizantinas, do outro lado de uma fronteira freqüentemente perturbada pela guerra entre árabes e bizantinos.

A principal força da comunidade muçulmana estava mais a leste. As cidades do Iraque cresciam em tamanho, com a chegada de imigrantes tanto do Irã quanto da península Arábica. Eles podiam explorar a abundância das ricas terras do sul do Iraque, onde alguns árabes se haviam instalado como proprietários rurais. As novas cidades eram mais inteiramente árabes que as da Síria, e sua vida mais se enriquecia com os membros da antiga classe governante iraniana, atraídos como funcionários e coletores de impostos.

Um processo semelhante ocorreu no Curasão, no extremo nordeste do Império. Ficando na fronteira da expansão do Islã na Ásia Central, tinha grandes guarnições. Suas terras cultiváveis e pastos também atraíram colonos árabes. Desde o início, lá se estabeleceu uma considerável população árabe, vivendo lado a lado com os iranianos, cuja própria classe terratenente e governante manteve sua posição. Deu-se aos poucos uma espécie de simbiose: à medida que deixavam de ser combatentes ativos e se assentavam no campo ou nas aldeias — Nishapur, Balkh e Mary — os árabes eram absorvidos pela sociedade iraniana; e os iranianos entravam no grupo dominante.

O crescimento das comunidades muçulmanas nas cidades e províncias orientais criou tensões. Ambições pessoais, ressentimentos locais e conflitos partidários manifestavam-se em mais de um plano — etnia, tribo e religião — e, da distância de hoje, é difícil dizer como se estabeleceram as linhas divisórias.

Antes de tudo, havia entre os convertidos ao Islã — e os iranianos, em particular — um ressentimento contra os privilégios fiscais e outros concedidos aos de origem árabe, e isso aumentou à medida que a lembrança das primeiras conquistas se tornava mais fraca. Alguns dos convertidos ligaram-se a líderes tribais árabes como "clientes" (*mawali*), mas isso não eliminou a distância entre eles e os árabes.

As tensões também se manifestavam em termos de diferença e oposição tribal. Os exércitos vindos da Arábia traziam consigo lealdades tribais, e nas novas circunstâncias elas às vezes se tornavam mais fortes. Nas cidades e em outros locais de migração, grupos que diziam ter um ancestral comum juntavam-se em ambientes mais acanhados que a estepe arábica; os líderes poderosos que alegavam descendência nobre atraíam mais seguidores. A existência de uma estrutura política unificada possibilitava a ligação entre líderes e tribos em áreas mais vastas, e às vezes proporcionava-lhes interesses comuns. A luta pelo controle do governo central usava nomes tribais e as lealdades por eles expressas. Um ramo dos omíadas estava ligado por casamento à tribo dos Banu Kalb, já assentados na Síria antes da conquista; na luta pela sucessão após a morte do filho de Mu'awiya, um pretendente não omíada foi apoiado por outro grupo de tribos. Em determinados momentos, um interesse comum podia dar peso à idéia de uma origem partilhada por todas as tribos que diziam vir da Arábia Central ou do Sul. (Seus nomes, Qays e Iêmen, iriam permanecer como símbolos de conflito local em algumas partes da Síria até este século.)

De importância mais duradoura foram as disputas sobre a sucessão do Califado e a natureza da autoridade na comunidade muçulmana. Contra as pretensões de Mu'awiya e sua família, havia dois grupos, embora ambos tão amorfos que melhor seria descrevê-los como tendências. Primeiro vinham os vários grupos chamados kharijis. Os mais antigos foram aqueles que retiraram seu apoio a 'Ali quando este concordou com a arbitragem, na época de Siffin. Tinham sido esmagados, mas movimentos posteriores usaram o mesmo nome, sobretudo nas regiões sob o controle de Basra. Em oposição às pretensões dos chefes tribais, afirmavam que não havia precedência no Islã, a não ser a da virtude. Só o muçulmano virtuoso devia governar como imã e, caso se desviasse, devia-se retirar a obediência a ele; 'Uthman, que dera prioridade às pretensões de família, e 'Ali, que concordara em contemporizar numa questão de princípios, tinham sido ambos declarados culpados. Nem todos tiraram as mesmas conclusões disso: alguns aquiesceram temporariamente com o governo omíada, outros revoltaram-se, e outros ainda afirmaram que os verdadeiros fiéis deveriam criar uma sociedade virtuosa, com uma nova hégira para um lugar distante.

O segundo grupo foi o que apoiou as pretensões da família do Profeta ao governo. Essa era uma idéia que podia assumir muitas formas diferentes. A mais importante a longo prazo foi a que via 'Ali e uma linha de seus descendentes como chefes legítimos da comunidade, ou imãs. Em torno dessa idéia, agruparam-se outras, algumas trazidas das culturas religiosas dos países conquistados. Achava-se que 'Ali e seus herdeiros tinham recebido por transmissão de Maomé uma qualidade especial de alma e um conhecimento do significado profundo do Corão, que eles chegavam a ser em certo sentido mais que humanos; um deles se ergueria para inaugurar o governo da justiça. Essa expectativa do advento de um *mahdi*, "aquele que é guiado", surgiu cedo na história do Islã. Em 680, o segundo filho de 'Ali, Husayn, mudou-se para o Iraque com um pequeno grupo de parentes e dependentes, esperando encontrar apoio em Kufa e arredores. Foi morto num combate em Karbala, no Iraque, e sua morte iria dar a força da memória dos mártires aos partidários de 'Ali (os *shi'at 'Ali*, ou xiitas). Poucos anos depois, houve outra revolta em favor de Muhammad ibn al-Hanafiyya, também filho de 'Ali, embora não de Fátima.

Durante as primeiras décadas do século VIII, governantes omíadas empreenderam uma série de tentativas de controlar esses diversos movimentos de oposição, e de lidar com os problemas inerentes à administração de um Império tão vasto e heterogêneo. Conseguiram fortalecer a base fiscal e militar de seu governo, e durante algum tempo só enfrentaram poucas revoltas sérias. Então, na década de 740, seu poder desabou de repente, diante de mais uma guerra civil e uma coalizão de movimentos com objetivos diferentes, mas unidos por uma oposição comum a eles. Esses movimentos foram mais fortes nas regiões orientais que nas ocidentais do Império, e particularmente fortes no Curasão, entre alguns dos grupos de colonos árabes que estavam sendo assimilados na sociedade iraniana local, e também entre os "clientes" iranianos. Ali, como em outras partes, o sentimento xiita estava amplamente difundido, mas sem qualquer organização.

Uma liderança mais eficaz veio de outro ramo da família do Profeta, os descendentes de seu tio 'Abbas. Alegando que o filho de Muhammad ibn al-Hanafiyya lhes transmitira seu direito de sucessão, eles criaram, a partir de suas casas à margem do deserto sírio, uma organização centrada em Kufa. Como emissário ao Curasão, mandaram um homem de origem obscura, provavelmente de uma família iraniana, Abu Muslim. Ele conseguiu formar um exército e uma coalizão com elementos dissidentes, árabes e outros, e rebelar-se sob a bandeira negra que iria ser o símbolo do movimento, e em nome de um membro da família do Profeta; não se mencionava nenhum membro em especial, ampliando-se com isso o apoio ao movimento. Do Curasão, o exército marchou para oeste, derrotando os omíadas em várias batalhas, em 749-50; o último califa da casa, Marwan II, foi perseguido até o Egito e morto. Enquanto isso, o líder anônimo era proclamado, em Kufa, como Abu'l 'Abbas, descendente não de 'Ali, mas de 'Abbas.

O historiador al-Tabari (839-923) descreveu como se fez o anúncio. O irmão de Abu'l 'Abbas, Dawud, subiu nos degraus do púlpito da mesquita em Kufa e falou aos fiéis:

Louvado seja Deus, com gratidão, gratidão e mais gratidão ainda! Louvado seja aquele que fez nossos inimigos perecerem e nos trouxe nossa herança do Profeta Maomé, a bênção e a paz do Senhor estejam com ele! Ó vós povo, agora as negras noites do mundo foram postas em fuga, a tampa levantada, agora a luz rompe na Terra e nos Céus, e o Sol brota das nascentes do dia, enquanto a Lua sobe para seu lugar determinado. Aquele que fez o arco o toma, e a flecha retorna àquele que a disparou. O certo voltou ao ponto onde se originou, entre as pessoas da casa de vosso Profeta, pessoas de compaixão e misericórdia por vós e de simpatia por vós [...] Deus deixou que contemplásseis aquilo porque esperáveis e ansiáveis. Tornou manifesto entre vós um califa do clã de Hachim, iluminando com isso vossos rostos e fazendo-vos prevalecer sobre o exército da Síria, e transferindo para vós a soberania e a glória do Islã [...] Algum sucessor do mensageiro de Deus ascendeu a este vosso *minbar*, salvo o Comandante dos Fiéis 'Ali ibn Abi Talib e o Comandante dos Fiéis 'Abd Allah ibn Muhammad? — e gesticulou com as mãos em direção a Abu'l 'Abbas.[2]

O CALIFADO DE BAGDÁ

Uma família governante sucedeu a outra, e a Síria foi substituída como centro do Califado muçulmano pelo Iraque. O poder de Abu'l 'Abbas (749-54) e seus sucessores, conhecidos pelo nome de seu antecessor como abácidas, estava menos nos países do Mediterrâneo Oriental, ou no Hedjaz, uma extensão deles, do que nos antigos territórios sassânidas: sul do Iraque e os oásis e planaltos do Irã, Curasão e a terra que se estende além dele pela Ásia Central adentro. Era mais difícil para o califa governar o Magreb, mas também era menos importante.

Sob certos aspectos, o governo dos abácidas não diferiu muito do dos últimos omíadas. Desde o início, viram-se envolvidos no problema inevitável de uma nova dinastia: como transformar uma coalizão instável de interesses distintos em algo mais estável e duradouro. Tinham conquistado o trono graças a uma combinação de forças unidas apenas na oposição aos omíadas, e as relações de força dentro da coalizão precisavam agora ser definidas. Antes de mais nada, o novo califa livrou-se daqueles por cujo intermédio chegara ao poder; Abu Muslim e outros foram assassinados. Também houve conflitos na própria família; a princípio, membros dela foram nomeados governadores, mas alguns se tornaram poderosos demais, e no período de uma geração criou-se uma nova elite governante de altos funcionários. Alguns vinham de famílias iranianas com tradição de serviço público e recém-convertidas ao Islã, outros de membros da casa do governante, alguns deles escravos alforriados.

Essa concentração de poder nas mãos do governante ocorreu na época dos sucessores de Abu'l 'Abbas, sobretudo al-Mansur (754-75) e Harun al-Rashid (786-809), e manifestou-se na criação de uma nova capital, Bagdá. Al-Tabari registra uma história sobre a visita de Mansur ao local da futura cidade:

Ele foi à área da ponte e atravessou no atual sítio de Qasr al-Salam. Aí rezou a prece vespertina. Era verão, e no sítio do palácio havia então uma igreja sacerdotal. Ele dormiu lá, e acordou na manhã seguinte, depois de passar a noite mais suave e delicada na Terra. Ficou, e tudo que viu agradou-lhe. Então disse: "Este é o local onde construirei. Tudo pode chegar até aqui pelo Eufrates, o Tigre e uma rede de canais. Só um lugar como este sustentará o exército e a populaça geral". Assim, ele a traçou e destinou as verbas para a sua construção, e deitou o primeiro tijolo com sua própria mão, dizendo: "Em Nome de Deus, e em louvor a Ele. A terra é de

Deus; Ele faz herdá-la a quem Ele quer entre Seus servos, e o resultado disso é para aqueles que O temem". Depois disse: "Construí, e que Deus vos abençoe".[3]

Bagdá foi situada num ponto em que o Tigre e o Eufrates corriam próximos um do outro, e onde um sistema de canais criara ricas terras cultiváveis, que podiam produzir alimentos para uma grande cidade e receitas para o governo; ficava em rotas estratégicas que levavam ao Irã e além, à Jazira do norte do Iraque, produtora de cereais, e à Síria e ao Egito, onde as lealdades omíadas permaneciam fortes. Como era uma cidade nova, os governantes ficariam livres da pressão exercida pelos habitantes muçulmanos árabes de Kufa e Basra. Segundo uma longa tradição, pela qual os governantes do Oriente Próximo se mantinham longe daqueles a quem governavam, a cidade foi planejada para expressar o esplendor e a distância do governante. No centro, na margem ocidental do Tigre, ficava a "cidade redonda", contendo palácio, quartéis e escritórios; feiras e bairros residenciais situavam-se fora.

Na descrição que fez de uma recepção a uma embaixada bizantina dada pelo califa al-Muqtadir, em 917, o historiador de Bagdá, al-Khatib al-Baghdadi (1002-71), evoca o esplendor da corte e seu cerimonial. Tendo os visitantes sido levados à presença do califa, este mandou que lhes mostrassem o palácio: os salões, pátios e jardins, os soldados, eunucos, camareiros e pajens, os tesouros e as despensas, elefantes ajaezados com brocados de seda-pavão. Na Sala da Árvore, eles viram

uma árvore que se ergue no meio de um grande tanque circular cheio de água límpida. A árvore tem dezoito galhos, cada galho com inúmeros rebentos, nos quais se empoleiram todos os tipos de pássaros dourados e prateados, grandes e pequenos. A maioria dos galhos dessa árvore é de prata, mas alguns são de ouro, e espalham-se no ar com folhas de diversas cores. As folhas da árvore agitam-se quando o vento sopra, enquanto os pássaros pipilam e cantam.

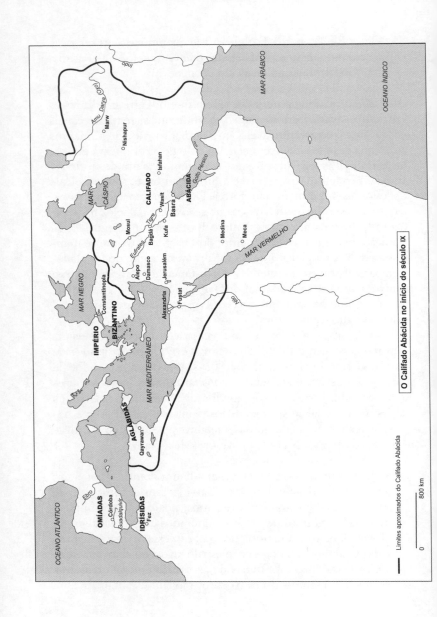

O Califado Abácida no início do século IX

Finalmente, voltaram mais uma vez à presença do califa:

> Ele vestia roupas [...] bordadas a ouro, sentado num trono de ébano [...] À direita do trono, pendiam nove colares de gemas [...] e à esquerda a mesma coisa, todas belas gemas [...] Diante do califa, apresentavam-se cinco de seus filhos, três à direita e dois à esquerda.[4]

Desde esses palácios reclusos, o califa exercia o poder de acordo com formas herdadas de governantes anteriores, e que outras dinastias iriam imitar. Um elaborado cerimonial cortesão assinalava seu esplendor; funcionários da corte protegiam o acesso a ele; o carrasco ficava perto, para dispensar justiça sumária. Nos primeiros reinados, surgiu um cargo que iria tornar-se importante, o de vizir: era o conselheiro do califa, com variado grau de influência, e depois se tornaria chefe da administração e intermediário entre ela e o governante.

A administração dividia-se em vários departamentos ou *diwans*, de um modo que iria tornar a surgir sob outras dinastias. Havia um *diwan* para os assuntos do exército, uma chancelaria que preparava cartas e documentos e preservava-os na forma correta, e um tesouro que supervisionava e mantinha registros de receitas e despesas. Um soberano que governava por meio de uma hierarquia de funcionários espalhados por uma vasta área tinha de providenciar para que eles não se tornassem demasiado fortes nem abusassem do poder que exerciam em seu nome. Um sistema de informações mantinha o califa a par do que acontecia nas províncias, e ele e seus governadores realizavam sessões públicas nas quais se ouviam e se atendiam as reclamações.

O poder absoluto mediado por uma burocracia precisava de receitas e de um exército. Foi no período abácida que surgiu, baseado nas práticas dos inícios do Islã, o sistema canônico de impostos. Relacionava-se, até onde possível, com as normas islâmicas. Havia dois impostos principais. O primeiro aplicava-se sobre a terra ou seu produto (*kharaj*); desde o começo, houve uma distinção entre as taxas e os tipos de impostos pagos por proprietários rurais muçulmanos e não muçulmanos, mas isso se tornou menos importante na prática, embora permanecesse nos livros de leis. O segundo era um imposto de capitação aplicado a não-muçulmanos, avaliado mais ou menos segundo sua riqueza (*jizya*). Além disso, aplicavam-se vários tributos sobre bens importados ou exportados, e sobre produtos urbanos, além de outros ocasionais sobre riqueza urbana, segundo as necessidades; estes eram oficialmente condenados por aqueles que aderiam à estrita letra da lei islâmica.

Os soldados do Curasão, por intermédio dos quais os abácidas haviam chegado ao poder, dividiam-se em grupos com líderes próprios. Não era fácil para os califas reter a lealdade deles, que foram se tornando cada vez menos eficazes como força militar à medida que eram absorvidos na população de Bagdá. Após a morte de Harun al-Rachid, eclodiu uma guerra civil entre seus filhos al-Amim e al-Ma'mum. Amim foi proclamado califa, e o exército de Bagdá lutou por ele mas foi derrotado. No início do século IX, a necessidade de um exército eficaz e leal foi satisfeita com a compra de escravos e o recrutamento de soldados entre as tribos pastoris de língua turca da fronteira ou do outro lado dela, na Ásia Central. Esses turcos, e outros grupos semelhantes das fronteiras do governo estabelecido, eram estrangeiros que não tinham ligações com a sociedade que ajudavam a governar, e mantinham uma relação de clientela pessoal com o califa. A entrada de soldados turcos a serviço dos abácidas iniciou um processo que acabaria por dar uma forma distinta à vida política do mundo islâmico.

Foi em parte para manter os soldados distantes da população de Bagdá, que se tornara hostil ao governo do califa, que al-Mu'tasim (833-42) transferiu sua capital de lá para uma nova cidade, Samarra, mais ao norte no rio Tigre. A sede de governo ali permaneceu durante meio século; mas, embora aliviada da pressão da populaça, caiu sob a influência dos chefes militares turcos, que passaram a dominar o Califado. Esse também foi um período em que os governantes das províncias distantes do Império se tornaram na prática independentes, e no próprio Iraque o poder do califa foi ameaçado por uma grande e prolongada revolta de escravos negros, nas plantações de açúcar e nos pântanos salgados do sul do país: a revolta dos zanj, em 868-83. Alguns anos depois, em 892, o califa al-Mu'tadid retornou a Bagdá.

Quanto mais remoto e poderoso o califa, mais importante era que seu poder lançasse raízes nos sentimentos morais de seus súditos. De modo mais sistemático que os omíadas, os abácidas tentaram justificar seu governo em termos islâmicos. Desde o início, recorreram à simbologia religiosa. O califa alegava governar por autoridade divina, como membro da família do Profeta. Dizia também governar segundo o Corão e as regras de boa conduta, cada vez mais definidas em termos do comportamento (*suna*) habitual do Profeta. Por esse motivo, aumentou a influência dos especialistas religiosos em sua corte, e o cargo de juiz (cádi) recebeu maior importância. As funções deste eram distintas das do governador. Ele não tinha deveres políticos ou financeiros, cabendo-lhe decidir conflitos e tomar decisões à luz do que aos poucos ia emergindo como um sistema islâmico de leis ou normas sociais. O principal cádi era um dignitário de certa importância na hierarquia do Estado.

Ao reivindicarem sua legitimidade, os primeiros abácidas tiveram de enfrentar outro ramo da família do Profeta, os descendentes de 'Ali, e seus seguidores, os xiitas. Nem todos os xiitas eram hostis ao governo abácida: Ja'far al-Sadiq (*c.* 700-65), a quem encaravam como o sexto imã, era um quietista que pregava a seus seguidores a resistência passiva até o advento do *mahdi*, aquele que Deus enviaria a fim de restaurar o reinado da religião e da justiça. Nas duas primeiras gerações de domínio abácida, porém, eclodiram vários movimentos de revolta em nome de membros da família de 'Ali, e foi em resposta a tais movimentos que o filho de Harun, Ma'mum (813-33), fez duas tentativas de atribuir-se um direito mais firme ao governo. O primeiro foi proclamar 'Ali al-Rida, encarado por muitos xiitas como oitavo imã, seu sucessor; o argumento usado foi que ele era o mais digno membro da família do Profeta na sucessão, e isso implicava que, se a sucessão devia fazer-se por valor moral dentro da família, então, em princípio, os descendentes de 'Abbas tinham tanto direito quanto os de 'Ali. Mais tarde, Ma'mum deu seu apoio às idéias de alguns teólogos Mu'tazili e tentou tornar a aceitação deles uma condição para o serviço público. Essa tentativa enfrentou oposição dos teólogos chefiados por Ahmad ibn Hanbal, que afirmavam que o Corão e o comportamento habitual do Profeta, literalmente interpretados, ofereciam orientação suficiente. Após um período de perseguição, a tentativa de impor uma única interpretação à fé pelo poder do governante acabou, e quase nunca mais foi retomada. A crença numa unidade que inclui diferenças de opinião legal, tendo como base a importância do Corão e da prática (*suna*) do Profeta, foi aos poucos criando um modo de pensamento que veio a ser conhecido em geral como sunismo, distinto do xiismo.

3. A FORMAÇÃO DE UMA SOCIEDADE

O FIM DA UNIDADE POLÍTICA

Mesmo quando o poder do califa abácida estava no auge, seu governo efetivo era limitado. Existia sobretudo nas cidades e nas áreas produtoras em torno delas; havia regiões distantes, nas montanhas e estepes, que permaneceram praticamente insubmissas. Com o passar do tempo, essa autoridade viu-se colhida nas contradições dos sistemas de governo centralizados e burocráticos. A fim de administrar as províncias distantes, o califa tinha de dar a seus governadores o poder de coletar impostos e usar parte da renda na manutenção de forças locais. Embora tenha procurado mantê-los sob controle com a ajuda de um sistema de informações, não pôde impedir que alguns governadores fortalecessem suas posições ao ponto de poderem entregar o poder a suas famílias, permanecendo ao mesmo tempo — pelo menos em princípio — leais aos interesses maiores de seu suserano. Desse modo, surgiram dinastias locais, como a dos safaridas no Irã Oriental (867-*c*. 1495), os samanidas no Curasão (819-1005), os tulunidas no Egito (868-905) e os aglabidas na Tunísia (800-909); da Tunísia, os aglabidas conquistaram a Sicília, que continuou a ser governada por dinastias árabes até ser tomada pelos normandos na segunda metade do século XI. Enquanto isso acontecia, diminuía o envio de tributos a Bagdá, numa época em que houve um declínio no sistema de irrigação e na produção agrícola do próprio Iraque. Para fortalecer sua posição nas províncias centrais, o califa teve de depender cada vez mais de seu exército profissional, cujos chefes, por sua vez, adquiriram maior poder sobre ele. Em 945, uma família de chefes militares, os Buyids, originários das margens do mar Cáspio, depois de obter o controle de algumas províncias, acabou por tomar o poder na própria Bagdá.

Os Buyids adotaram vários títulos, incluindo o antigo título iraniano de xainxá ("xá dos xás", ou "rei dos reis"), mas não o de califa. Os abácidas iriam sobreviver por mais três séculos, mas começava uma nova fase em sua história. De agora em diante, o poder de fato nas regiões centrais do Império estava nas mãos de outras dinastias apoiadas por grupos militares, as quais, contudo, continuavam a reconhecer o Califado dos Abácidas, que às vezes podia reafirmar uma autoridade residual. Mas essa autoridade era exercida sobre um área mais limitada que antes e, em algumas partes do antigo Império, os governantes locais não apenas detinham o poder, como nem sequer aceitavam a autoridade formal dos abácidas.

Em algumas regiões, surgiram movimentos oposicionistas e separatistas em nome de dissidências do Islã. Tais movimentos resultaram na criação de unidades políticas separadas, mas ao mesmo tempo ajudaram a disseminar o Islã, dando-lhe uma forma que não perturbava a ordem social.

Alguns desses eram movimentos em nome do kharijismo, ou pelo menos de um de seus rebentos, o ibadismo. A crença de que o cargo de chefe da comunidade ou imã devia ser ocupado pela pessoa mais digna (que seria afastada caso se revelasse indigna), adequava-se bem às necessidades das frouxas reuniões de grupos tribais vivendo em lugares isolados, que poderiam precisar de um chefe ou árbitro de vez em quando, mas não queriam que ele tivesse um poder permanente e organizado. Assim, surgiu um imanato ibadita em Omã ('Uman) no sudeste da Arábia, de meados do século VIII até o fim do IX, quando foi suprimido pelos abácidas. Em algumas regiões do Magreb, parte da população berbere resistiu à chegada do governo islâmico e, ao se tornar muçulmana, adotou as idéias kharijitas. Por algum tempo, houve uma poderosa dinastia de imãs ibaditas, os rustamidas, com capital em Tahart, na Argélia Ocidental (777-909); suas crenças foram também reconhecidas pelos ibaditas de Omã.

Mais difundidos foram os movimentos de apoio às pretensões dos descendentes de 'Ali ibn Abi Talib ao imanato. A maior parte dos xiitas, dentro e em torno do Iraque, aceitou o domínio abácida, ou pelo menos a ele aquiesceu. Os imãs reconhecidos por eles viveram discretamente sob os abácidas, embora às vezes sofressem confinamento na capital. Os Buyids eram vagamente xiitas, mas não contestavam a suserania dos califas; o mesmo se aplica à dinastia local dos hamdanidas, no norte da Síria (905-1004).

Outros movimentos xiitas, no entanto, acabaram criando dinastias dissidentes. Os zaiditas afirmavam que o imã devia ser o membro mais digno da família do Profeta que estivesse disposto a opor-se aos governantes ilegítimos. Não admitiram Muhammad al-Baqir (m. 731), reconhecido pela maioria dos xiitas como o quinto imã, e sim o irmão dele, Zayd (de onde o seu nome). Criaram um imanato no Iêmen, no século IX, e houve também um imanato zaidita na região do mar Cáspio.

Um desafio mais direto aos abácidas veio de movimentos ligados a outro ramo do xiismo, os ismaelitas. Suas origens não são claras, mas parecem ter começado como um movimento secreto sediado primeiro no Iraque e no Kuzistão, no sudoeste do Irã, e depois na Síria. Apoiavam a pretensão do imanato de Isma'il, filho mais velho de Ja'far al-Sadiq, reconhecido por grande parte do xiismo como o sexto imã. Isma'il morreu em 760, cinco anos antes de seu pai, e a maioria dos xiitas acabou reconhecendo seu irmão Musa al-Kazim (m. 799) como imã. Os ismaelitas, porém, acreditavam que Isma'il tinha sido irrevogavelmente nomeado sucessor do pai, e que seu filho Muhammad se tornara imã depois dele. Afirmavam que Muhammad voltaria mais cedo ou mais tarde como o *mahdi*, enviado para revelar o significado secreto da revelação corâmica e governar o mundo com justiça.

O movimento organizou atividades missionárias em larga escala. Um grupo de adeptos criou uma espécie de república na Arábia Oriental, a dos qaramitas (carmácios), e outro estabeleceu-se no Magreb, recrutou soldados berberes e ocupou Kairuan. Em 910, chegou à Tunísia 'Ubaiadullah, que alegava ser descendente de 'Ali e Fátima. Proclamou-se califa, e no meio século seguinte sua família criou uma dinastia estável, que recebeu o nome de fatímida (do nome da filha do Profeta, Fátima). Tanto por motivos religiosos como políticos, marchou para leste, em direção às terras dos abácidas, e em 968 ocupou o Egito. Dali, estendeu seu domínio pela Arábia Ocidental e o interior da Síria, mas logo perdeu a Tunísia.

Os fatímidas usaram os títulos de imã e califa. Como imãs, reivindicavam autoridade universal sobre os muçulmanos, e seu Estado tornou-se um centro de onde se enviavam missionários. Muito depois do desaparecimento do Estado fatímida, as comunidades fundadas por esses missionários continuaram existindo: no Iêmen, Síria, Irã, e depois na Índia Ocidental.

Os fatímidas não eram apenas imãs, mas governantes de um grande Estado, com o centro no vale do Nilo. O Cairo foi fundado por eles, uma cidade imperial construída ao norte de Fustat como símbolo de seu poder e independência. O governo deles seguiu as linhas estabelecidas pelo Califado em Bagdá. O poder concentrava-se nas mãos do califa, e manifestava-se por meio da magnificência e de um cerimonial elaborado. Era prática dos califas fatímidas mostrarem-se ao povo em desfiles solenes. As grandes autoridades do Estado entravam no salão do palácio; o califa saía de detrás de uma cortina, trazendo o cetro nas mãos; montava em seu cavalo e seguia para o portão do palácio, onde todas as trombetas soavam. Precedido e seguido por *entourage* e soldados, cavalgava por ruas enfeitadas pelos mercadores com brocados e fino linho. Os desfiles manifestavam os dois aspectos do governo fatímida. Alguns deles religiosos, e outros mostravam a identificação do governante com a vida da cidade e o rio.

A base do poder fatímida era a receita das férteis terras do delta e do vale do Nilo, dos ofícios das cidades, e do comércio na bacia do Mediterrâneo e também no mar Vermelho. Isso bastava para manter um exército recrutado fora do Egito: berberes, negros do Sudão e turcos. O califa não fez uma tentativa sistemática de impor as doutrinas ismaelitas aos muçulmanos egípcios, que permaneceram em sua maior parte sunitas, com grande população cristã e judaica vivendo, em geral, em pacífica simbiose com eles.

A pretensão fatímida ao Califado era um desafio direto aos abácidas; outro desafio, tanto aos abácidas quanto aos fatímidas, veio do extremo oeste do mundo muçulmano. As regiões conquistadas pelos árabes, Marrocos e a maior parte da Espanha, eram de difícil controle a partir do Mediterrâneo Oriental, e impossível do Iraque. Os soldados e os oficiais árabes nelas logo adquiriam interesses próprios, e podiam facilmente expressá-los em termos que reviviam memórias do impulso que os levara para tão longe da Arábia. Lá pelo fim do século VIII, Idris, um bisneto de 'Ali, foi para o Marrocos, conquistou apoio local e fundou uma dinastia importante na história do Marrocos, pois os idrisidas construíram Fez e iniciaram uma tradição que dura até hoje, de dinastias independentes governando o país e justificando-se no poder com alegações de que descendiam do Profeta.

Mais importante para a história do mundo muçulmano como um todo foi o caminho separado tomado pela Espanha, ou Andalus, para dar-lhe seu nome árabe. Os árabes desembarcaram pela primeira vez na Espanha em 710, e logo criaram ali uma província do Califado que se estendeu até o norte da península. Aos árabes e berberes do primeiro núcleo, juntou-se uma segunda leva de soldados vindos da Síria, que iriam ter um papel importante, pois após a revolução abácida um membro da família omíada pôde refugiar-se na Espanha e lá encontrar defensores. Criou-se uma nova dinastia omíada, que governou por quase trezentos anos, embora só em meados do século X o governante tomasse o título de califa.

Em seu novo reino, os omíadas envolveram-se no mesmo processo de mudança que ocorria no Oriente. Uma sociedade em que os muçulmanos governavam uma maioria não muçulmana foi se transformando numa sociedade em que a maior parte da população aceitava a religião e a língua dos governantes, e um poder que governava a princípio de um modo descentralizado foi se tornando, por manipulação política, um poder poderosamente centralizado, governando mediante o controle burocrático.

Mais uma vez, criou-se uma nova capital: Córdoba, sobre o rio Guadalquivir. O rio proporcionava o curso d'água para trazer o volume de produtos necessários à alimentação e à indústria; nas planícies em torno, os grãos e outros produtos agrícolas de que a cidade precisava eram cultivados em terras irrigadas. Córdoba era também um ponto de encontro de estradas, e um mercado para o intercâmbio de produtos agrícolas entre as regiões. Mais uma vez, à medida que a dinastia se tornava mais autocrática, mais se retirava da vida da cidade. O governante mudou-se de Córdoba para uma cidade real, Medinat-al-Zahra, a certa distância da capital. Ali, reinava com grande pompa, cercado por um grupo governante que incluía famílias árabes e arabizadas — mas que também tinha um elemento oriundo dos escravos importados da região do mar Negro, da Itália e de outras partes. Também o exército tinha um núcleo de mercenários estrangeiros, embora incluísse igualmente árabes e berberes assentados na terra em troca de serviço militar.

Como na Síria, os omíadas, citadinos desde suas origens no Hedjaz, usaram seu poder para promover os interesses das aldeias e do interior colonizado. As cidades cresceram — primeiro Córdoba, depois Sevilha — sustentadas por terras irrigadas, nas quais se produzia um excedente, com técnicas importadas do Oriente Próximo. Nessas áreas, os árabes eram importantes como proprietários rurais e cultivadores, embora a maior parte da população nativa tenha permanecido. Além das planícies irrigadas, nos planaltos, imigrantes berberes das montanhas do Magreb viviam da agricultura em pequena escala e do pastoreio de carneiros.

O movimento de berberes do Magreb para a Espanha continuou por mais tempo que a imigração vinda do Oriente, e foi provavelmente maior. Com o tempo, também, parte da população nativa converteu-se ao Islã, e no fim do século X é possível que a maioria do povo de Andalus fosse muçulmana; mas ao lado deles viviam aqueles que não se converteram, cristãos e uma considerável população judia de artesãos e comerciantes. Os diferentes grupos mantiveram-se juntos graças à tolerância dos omíadas para com judeus e cristãos, e também à disseminação da língua árabe, que se tornara a da maioria, tanto para judeus e cristãos quanto para os muçulmanos, no século XI. A tolerância, uma língua comum e uma longa tradição de governo separado ajudaram a criar uma consciência e sociedade andaluzas distintas. Sua cultura religiosa islâmica desenvolveu-se em linhas mais ou menos diferentes das dos países orientais, e sua cultura judaica também se tornou independente da do Iraque, principal centro da vida religiosa judaica.

Assim, foram não só os interesses da dinastia, mas também a identidade separada dos andaluzes que se manifestaram na adoção do título de califa por 'Abd al-Rahman III (912-61). Seu reinado assinala o auge do poder independente dos omíadas da Espanha. Pouco depois, no século XI, esse reinado ia dividir-se em vários menores, governados por dinastias árabes ou berberes (os "reis de partido" ou "reis de facção", *muluk al-tawa'if*), por um processo semelhante àquele que ocorria no Império Abácida.

UMA SOCIEDADE UNIFICADA: AS BASES ECONÔMICAS

O desaparecimento de uma estrutura unitária de governo, no Oriente e no Ocidente, não foi um sinal de fraqueza social ou cultural. A essa altura já se criara um mundo muçulmano, cimentado por muitas ligações, e com muitos centros de poder e de alta cultura.

A absorção de uma área tão grande num único Império acabara criando uma unidade econômica importante não só pelo seu tamanho, mas porque ligava duas grandes bacias marítimas do mundo civilizado, as do Mediterrâneo e do oceano Índico. A movimentação de exércitos, mercadores, artesãos, estudiosos e peregrinos entre elas tornou-se mais fácil, e também a de idéias, estilos e técnicas. Dentro dessa vasta esfera de interação, foi possível surgirem governos fortes, grandes cidades, comércio internacional e uma zona agrícola florescente, mantendo as condições para a existência uns dos outros.

A criação do Império Muçulmano, e depois de estados dentro de seus antigos territórios, levou ao surgimento de grandes cidades, em que palácios, governos e populações urbanas precisavam de alimentos, matérias-primas para a manufatura e luxos para a ostentação de riqueza e poder, e onde as mudanças e as complexidades da vida urbana levaram ao desejo de novidade e imitação dos poderosos ou do estrangeiro. A demanda urbana e a relativa facilidade de comunicações deram novas direções e métodos de organização ao comércio a longa distância que sempre existira. Produtos muito volumosos não podiam ser transportados lucrativamente para muito longe, e em relação à maioria de alimentos a cidade tinha de recorrer ao seu interior imediato; mas em alguns produtos o retorno era tal que justificava o seu transporte por longas distâncias. Pimenta e outras especiarias, pedras preciosas, tecidos finos e porcelana vinham da Índia e da China, peles dos países do Norte; em troca, mandavam-se coral, marfim e têxteis. As cidades do Oriente Médio eram não apenas consumidoras, mas produtoras de bens manufaturados para exportação e para consumo próprio. Parte da produção era em grande escala — armamentos de guerra fabricados em arsenais do Estado, têxteis finos para o palácio, refinarias de açúcar e fábricas de papel —, mas a maioria se fazia em pequenas oficinas de têxteis ou metalurgia.

Antes da chegada da estrada de ferro e, depois, do automóvel nos tempos modernos, o transporte por água era mais barato, rápido e seguro que por terra. Para alimentar seus habitantes, era quase essencial que as grandes cidades ficassem perto de um mar ou rio navegável, e também as principais rotas de comércio a longa distância eram rotas marítimas, nesse período sobretudo as do oceano Índico. Sob os abácidas, os principais centros de organização do comércio nessas rotas eram Basra, no baixo Iraque, e Siraf, na costa iraniana do golfo, ambas dentro do controle abácida e em posição de satisfazer as demandas da capital. No século X, houve uma certa mudança do comércio do golfo Pérsico para o mar Vermelho, devido à ascensão do Cairo como um centro de comércio e poder e a uma crescente demanda das cidades mercantis da Itália, mas isso foi apenas um princípio.

De Basra e Siraf, o comércio com o Oriente era feito principalmente por mercadores iranianos, árabes ou judeus; a certa altura, eles chegaram até a China, mas depois do século X não foram além dos portos do sudeste da Ásia. Dirigiram-se também para o sul, para o sul e o oeste da Arábia e para o leste da África. De Basra, os produtos podiam ser transportados por rio até Bagdá, e daí em diante pelas rotas do deserto sírio até a Síria e o Egito, ou através da Anatólia até Constantinopla e Trebizonda, ou pela grande rota que ia de Bagdá a Nishapur, no nordeste do Irã, e de lá para a Ásia Central e a China. Em longas distâncias, os bens eram transportados em lombo de camelo, em caravanas grandes, bem organizadas, e em curtas distâncias por mulas e jumentos. Na maior parte do Oriente Próximo, o transporte por rodas desapareceu após a ascensão do Império Muçulmano, só retornando no século XIX, e várias razões foram sugeridas para isso: as estradas romanas deterioraram-se, os novos grupos governantes árabes tinham interesse na criação de camelos, e o transporte em lombo de camelo era mais econômico que por carroça.

O comércio no Mediterrâneo foi a princípio mais precário e limitado. A Europa Ocidental ainda não chegara a um ponto de recuperação em que produzisse muita coisa para exportação ou absorvesse muita, e o Império Bizantino tentou por algum tempo restringir o poder naval e o comércio marítimo árabes. O comércio mais importante era o feito ao longo da costa sul, ligando a Espanha e o Magreb com o Egito e a Síria, tendo a Tunísia como entreposto. Ao longo dessa rota os mercadores, muitos deles judeus, organizaram o comércio de seda espanhola, ouro trazido do oeste africano, metais e azeite de oliva. Mais tarde, no século X, o comércio com Veneza e Amalfi começou a ganhar importância.

Governos fortes e grandes cidades não podiam viver sem um campo produtivo, mas o campo, por sua vez, não podia florescer se não houvesse um governo forte e cidades para investir na produção. Nos países conquistados pelos árabes, e sobretudo naqueles onde houve grande imigração árabe, surgiu uma nova classe de proprietários rurais. Terras que haviam sido tomadas de proprietários anteriores e formalmente pertenciam ao governante eram dadas a árabes, com a obrigação de pagar impostos; mais tarde, no século X, começou a surgir um acordo pelo qual a coleta de impostos sobre tratos de terra era entregue a funcionários ou comandantes de exércitos, que por esse meio se tornavam virtuais proprietários e tinham interesse na manutenção da produção. Em grande parte, os cultivadores que já estavam lá antes continuaram a cuidar da terra, embora em alguns lugares lavradores e pastores migrassem. As evidências existentes indicam que as relações entre terratenentes e cultivadores eram de meia, de uma forma ou de outra: após o pagamento do imposto, dividia-se a produção em proporções combinadas entre os que entravam com a terra, as sementes, os animais e o trabalho. Havia acordos mais complicados para a terra irrigada, ou para aquela onde se iam plantar árvores.

Os proprietários rurais que acumulavam dinheiro no comércio ou de outros modos podiam usá-lo na produção agrícola, e com a ajuda desse novo capital introduziam-se novas técnicas. Há indícios de que a expansão do Império Muçulmano trouxe novas colheitas, ou pelo menos levou à ampliação das já conhecidas. Em geral, o movimento era para oeste, da China ou Índia, através do Irã, para a bacia do Mediterrâneo: cultivavam-se arroz, cana-de-açúcar, algodão, melancia, berinjela, laranja e limão numa vasta área. Algumas dessas colheitas exigiam grande investimento em irrigação e melhoria da terra. Velhas obras de irrigação eram restauradas, por exemplo as do sul do Iraque, e novas construídas. O movimento para oeste pode ser visto na Espanha, que adquiriu a roda-d'água (*na'ura, noria*) da Síria e o canal subterrâneo (*qanat*) do Irã; novos métodos de rotatividade de colheitas também entraram na Espanha.

Com tais melhorias, o excedente agrícola aumentou, e isso, junto com o crescimento da manufatura e do comércio, aumentou a importância do dinheiro na economia do Oriente Próximo e da bacia do Mediterrâneo. Surgiu um sistema monetário reconhecido internacionalmente. O fluxo de metais preciosos, e sobretudo de ouro africano, para as terras do Califado possibilitou a expansão da cunhagem; o dinar de ouro dos abácidas continuou sendo um instrumento de troca durante séculos, e moedas de prata islâmicas foram encontradas na Finlândia e na floresta de Wychwood, ao norte de Oxford. Ligado ao desenvolvimento da cunhagem veio o de um sistema de crédito. Os grandes mercadores aceitavam depósitos e faziam empréstimos; os prestamistas e os coletores de impostos também usavam seu dinheiro acumulado para empréstimos. Os mercadores que tinham correspondentes ou clientes em outras praças sacavam contra eles ou emitiam cartas de crédito.

Não poderia ter havido uma economia complexa e extensa sem um sistema de expectativas comuns entre os que tinham de negociar uns com os outros sem contato ou conhecimento pessoal. Em alguns casos, laços de família podiam proporcionar isso, por exemplo entre os mercadores judeus que viajavam pelo mundo mediterrâneo e além, cruzando fronteiras entre países muçulmanos e cristãos. Se tais laços não existiam, eram necessárias leis ou normas de moralidade social geralmente aceitas. Do mesmo modo, os proprietários rurais e os cultivadores precisavam de regras claras e aceitas sobre propriedade, divisão da produção, impostos e direitos sobre água, árvores e minérios sob o solo.

As relações econômicas, portanto, exigiram um sistema comum de conduta, e isso se tornou possível à medida que uma parte cada vez maior da população das terras governadas por muçulmanos foi se tornando ela própria muçulmana, e que se extraíam as implicações para a vida social da revelação feita a Maomé.

UNIDADE DE FÉ E DE LINGUAGEM

Não é fácil descobrir muita coisa sobre os estágios pelos quais os povos súditos se tornaram muçulmanos, mas um estudo baseado na adoção de nomes especificamente muçulmanos sugeriu ordens de magnitude que parecem plausíveis.[1] Segundo essa estimativa, no fim do período omíada (ou seja, nos anos médios dos séculos II islâmico e VIII cristão), menos de 10% da população do Irã e do Iraque, Síria e Egito, Tunísia e Espanha era muçulmana, embora a proporção deva ter sido bem maior na península Arábica. Além das tribos árabes que já estavam no Iraque e na Síria antes da conquista muçulmana, a maioria dos convertidos pode ter vindo ou das camadas inferiores da socie- dade — por exemplo, soldados capturados em combate — ou de funcionários do governo sassânida que entravam a serviço dos novos governantes; não havia pressão ou incentivo positivo para que outros se convertessem. Os convertidos viviam em sua maior parte dentro ou próximo dos principais centros urbanos de população e de poder árabe, onde havia os primórdios de ins- tituições especificamente islâmicas — a mesquita, o tribunal — e foram essas cidades, as do Iraque e do Irã, Kairuan na África e Córdoba na Espanha, que serviram de centros para a irradia- ção do Islã.

No fim do quarto século islâmico (século X d.C.), o quadro mudara. Grande parte da população tornara-se muçulmana. Não apenas a população urbana, mas um número considerável de ha- bitantes rurais devia ter se convertido. Um motivo para isso pode ter sido que o Islã se tornara mais claramente definido, e a linha entre muçulmanos e não-muçulmanos mais nitidamente traçada. Os muçulmanos agora viviam dentro de um elaborado sistema de ritual, doutrina e lei claramente diferente do dos não-muçulmanos; tinham mais consciência de si mesmos como muçulmanos. O *status* dos cristãos, judeus e zoroastrianos esta- va mais precisamente definido, e em alguns aspectos era infe- rior. Eles eram vistos como o "Povo do Livro", aqueles que pos- suíam uma escritura sagrada, ou "Povo da Aliança", com o qual se tinham feito pactos de proteção (o chamado Pacto de 'Umar). Em geral, não eram obrigados a converter-se, mas sofriam com as restrições. Pagavam um imposto especial; não deviam usar certas cores; não podiam desposar muçulmanas; seu testemunho não era aceito contra o dos muçulmanos nos tribunais; suas ca- sas ou locais de culto não deviam ser ostensivos; eram excluídos das posições de mando (embora em vários lugares judeus e cristãos trabalhassem como secretários ou autoridades financeiras para governantes muçulmanos). A seriedade da aplicação dessas regras dependia das condições locais, mas mesmo nas melhores circunstâncias a posição de uma minoria é incômoda, e a indução à conversão existia.

O processo de conversão não era completo, porém. Os judeus haviam sido excluídos da maior parte da península Arábica nos primeiros dias do Islã, mas continuaram presentes nas grandes cidades de outros países muçulmanos como mercadores e artesãos, e também como pequenos comerciantes em alguns distritos rurais: norte do Iraque, Iêmen, Marrocos. O fato de terem sobrevivido e prosperado deveu-se não só à força de sua organização comunal, mas à sua capacidade de ocupar certas posições econômicas nos interstícios de uma sociedade complexa, e também à sua não-identificação com qualquer dos estados com os quais os governantes muçulmanos estavam em guerra de tempos em tempos.

A situação dos cristãos não era a mesma. Alguns tinham ligações religiosas com o Império Bizantino, e podem ter incorrido em suspeita em tempos de guerra. Não tinham a mesma organização comunal compacta dos judeus; em partes do campo talvez não fossem tão profundamente cristãos. Em alguns lugares, o cristianismo desapareceu por completo, embora não por muito tempo; em outros, continuou como credo de uma minoria. Na Espanha, grande parte da população continuou pertencendo à Igreja Católica romana; em outras partes, os que sobreviveram tenderam a filiar-se a igrejas dissidentes, que se haviam separado do corpo principal devido às grandes divergências dos primeiros séculos sobre a natureza de Cristo: nestorianos, monofisistas, monoteletas. Os cristãos viviam não só em cidades, mas em partes do campo, sobretudo no alto Egito, nas montanhas libanesas e no norte do Iraque.

A língua árabe difundiu-se junto com o Islã, ou mesmo antes dele em alguns lugares. No interior da Síria e no oeste do Iraque, grande parte da população já falava árabe na época da conquista muçulmana. As novas cidades, com suas populações de imigrantes e governos dominados pelos árabes, atuavam como centros de uma mais ampla irradiação da língua. Ela espalhou-se tanto como língua falada, em vários dialetos locais influenciados pelas línguas vernáculas anteriores, quanto escrita, numa forma cuja unidade e continuidade eram preservadas pelo Corão, o livro enviado do Céu em língua árabe.

Quanto à língua falada, o árabe enfrentou uma barreira no Irã, onde persistia o uso da língua persa. Como língua escrita, porém, não encontrou fronteira dentro do mundo islâmico. A religião levava-a consigo. Os convertidos de origem não árabe, e sobretudo os iranianos, liam o Corão em árabe, e desempenharam um grande papel na articulação do sistema de pensamento e lei que dele resultou. Os não convertidos continuaram a usar suas línguas para fins religiosos e literários: as liturgias de algumas das igrejas orientais ainda retinham o siríaco e o copta; hebraico e aramaico eram as línguas de culto e ensino religiosos judeus; as escrituras zoroastrianas receberam sua forma final em pálavi, a forma de persa usada antes da conquista, após o advento do Islã. Mesmo nisso, porém, deu-se a mudança: o árabe tornou-se uma língua de culto e de literatura religiosa em algumas das igrejas orientais; os judeus da Espanha passaram a usá-lo para filosofia, ciência e poesia. A primeira barreira séria à difusão do árabe ocorreu no século IX, quando o persa começou a surgir numa forma islamizada como língua literária; mas também no Irã o árabe continuou a ser a principal língua de doutrina legal e religiosa.

Assim, na literatura desse período, palavras como "árabe" ou "arábico" assumem sentidos mais amplos, que eclipsam os antigos. Podem referir-se aos originários da península Arábica, e sobretudo aos que podiam alegar filiação às tribos nômades de tradição militar; ou podem ser usados em relação a todos aqueles, do Marrocos e Espanha à fronteira do Irã, que haviam adotado o árabe como língua vernácula; ou, num sentido, podem ir mais além, abrangendo aqueles para os quais o árabe se tornara o principal meio de expressão de uma alta cultura literária.

Sob os omíadas, continuou a florescer a tradição de composição poética, e os mais famosos poetas do primeiro período ainda eram de origem beduína árabe: Akhtal, Farazdaq, Jarir. Mas havia uma diferença: a patronato das cortes — a dos próprios omíadas em Damasco, mas também as dos poderosos chefes tribais — estendeu o alcance geográfico da poesia, e também tendeu a mudar sua natureza. Ganharam mais destaque os panegíricos de governantes e poderosos, e ao mesmo tempo a poesia de amor, o *ghazal*, adquiriu um tom mais pessoal.

No fim do período omíada, e no início do período de domínio abácida, deu-se uma transformação mais fundamental. O advento do Islã alterou o modo como as pessoas viam a língua árabe. O Corão foi o primeiro livro escrito em árabe, e os muçulmanos acreditavam que esta era a língua em que fora revelado. Era expresso na linguagem elevada em que se compunha a poesia dos primeiros tempos, mas agora usada para um fim diferente. Para os que aceitavam o Corão como a Palavra de Deus, era essencial entender a sua língua; para eles, a poesia antiga era não só o *diwan* dos árabes, mas também a norma de linguagem correta.

O árabe tornava-se agora o meio de expressão não só para os que chegavam da península Arábica às várias regiões do Império, mas para os de outras origens que aceitavam a religião do Islã, ou que pelo menos precisavam usar a língua para o trabalho ou a vida, e em particular para os funcionários persas e outros que serviam aos novos governantes. O centro de atividade literária passou das aldeias nos oásis e acampamentos tribais para as novas cidades: Basra e Kufa a princípio, e depois a nova capital imperial, Bagdá. O meio literário mudou e expandiu-se, incluindo o califa e suas cortes, os altos funcionários e a nova elite urbana, de origens diversas. Embora a prática de composição e de declamação oral de poesia possa ter continuado, começaram a escrever-se obras literárias, e a partir do início do século IX a circulação de obras escritas foi ajudada pela introdução do papel. Antes usavam-se papiros e pergaminhos, mas na última parte do século IX a técnica de fabricação do papel foi trazida da China. Fabricado primeiro no Curasão, espalhou-se para outras partes do Império, e em meados do século X já havia quase substituído o papiro.

Um dos efeitos naturais da difusão da língua árabe foi que muitos de seus usuários acabaram por querer compreendê-la. As ciências da linguagem foram criadas em grande parte por pessoas para as quais o árabe era uma língua adquirida, e que portanto tinham de pensar sobre ela: a lexicografia, coleta e classificação de palavras, foi desenvolvida por estudiosos que freqüentavam as feiras que reuniam os beduínos; a gramática, explicação do modo de funcionamento do árabe, foi exposta sistematicamente pela primeira vez por um homem de origem não árabe, Sibawayh (m. 793), de cujos textos derivaram todas as outras obras. O mesmo impulso levou estudiosos a coletar e estudar a antiga poesia da Arábia. Ao editarem os poemas, devem tê-los modificado, e ao mesmo tempo elaboraram-se princípios formais de composição poética, que iriam influenciar poetas posteriores. O primeiro teórico literário importante, Ibn Qutayba (828-89), produziu uma descrição da *qasida* típica que poetas posteriores iriam levar em conta: sugeriu que a *qasida* devia começar com a evocação de moradas e amores perdidos, continuar com a descrição de uma viagem, e culminar no verdadeiro tema, panegírico, elegia ou sátira.

Os textos dos teóricos foram talvez menos importantes no desenvolvimento da poesia que a prática de novos tipos de poetas. A poesia deles era mais individual que a dos autores das *qasidas* pré-islâmicas. Alguns eram de origem não árabe, viviam em cidades, conheciam a tradição poética que herdavam, mas usavam-na com uma arte literária autoconsciente. Surgiu um novo estilo, o *badi'*, caracterizado pelo uso de uma linguagem elaborada e figuras de retórica: usava-se um vocabulário precioso, punham-se as palavras em antíteses umas com as outras, e tudo era expresso segundo o rígido esquema de métricas e rimas característico da poesia anterior.

Os temas da poesia eram mais variados que antes. Os poetas escreviam sobre o amor erótico, não apenas um lamento formal pela amada perdida ou proibida. Alguns deles participaram das polêmicas religiosas e éticas dos primeiros séculos islâmicos: um poeta sírio, Abu'l-'Ala al Ma'arri (937-1057), escreveu poemas e uma elaborada obra em prosa em que se lançavam dúvidas sobre as idéias em geral aceitas sobre a revelação e a vida após a morte.

Era natural que se desse uma ênfase especial ao panegírico, o louvor não só da tribo do poeta, mas do governante ou patrono. No panegírico, a primeira parte do que Ibn Qutayba tinha encarado como a *qasida* típica encolheu e tornou-se apenas uma introdução ao tema principal; o governante ou patrono era louvado em linguagem elaborada e formal, por meio da qual às vezes aparecem a personalidade e os sentimentos do poeta.

Al-Mutanabbi (915-68) foi reconhecido por críticos literários posteriores como o mestre desse tipo de poesia. Nascido em Kufa, de origem árabe, viveu parte de seus primeiros anos no seio da tribo árabe de Banu Qalb. Passou parte da juventude em atividade política, e os últimos anos como poeta da corte de uma sucessão de governantes, em Alepo, Cairo, Bagdá e Shiraz. Talvez seus anos mais férteis tenham sido aqueles em que foi poeta do governante hamdanida de Alepo e do norte da Síria, Sayf a-Dawla. O governante é louvado em termos hiperbólicos. Quando este se recuperou de uma doença, seu poeta declarou:

> A glória e a honra curaram-se quando vos curastes, e a dor passou de vós para vossos inimigos [...] A luz, que deixara o sol, como se sua perda fosse uma doença do corpo, a ele retornou [...] Os árabes são únicos no mundo por pertencerem a vossa raça, mas os estrangeiros partilham com os árabes de vossas beneficências [...] Não apenas eu me congratulo com vossa recuperação; quando estais bem, todos os homens estão bem.[2]

Associado a isso, porém, há um veio de louvor a si próprio, como num poema escrito quando, ele pensava, Sayf al-Dawla transferiu seu favor para outro:

Ó mais justo dos homens, exceto no modo como me tratais, minha briga é convosco, e sois ao mesmo tempo meu adversário e meu juiz [...] Eu sou aquele de quem mesmo os cegos podem ver o que escreveu, e que fez até os surdos ouvirem suas palavras. Eu durmo com as pálpebras fechadas para as palavras que vagam lá fora, enquanto outros homens não dormem por causa delas, e competem uns com os outros [...] com que linguagem a ralé, que não é nem árabe nem persa, proclama sua poesia perante vós? Isto é uma reprovação a vós, mas feita com amor; é incrustada de pérolas, mas elas são minhas palavras.[3]

Os poetas davam continuidade a uma antiga tradição, mas a escrita da prosa árabe era algo novo. O Corão foi a primeira obra em prosa composta na alta língua árabe (ou pelo menos a primeira que sobreviveu), e a produção de outras foi em certo sentido uma conseqüência natural dele. Recolheram-se e escreveram-se histórias sobre o Profeta e as vitórias árabes, e pregadores populares criaram uma retórica de temas islâmicos. Um tanto tardiamente, surgiu uma nova espécie de prosa artística, explorando temas tirados de outras culturas; um dos primeiros e mais famosos exemplos disso foi *Kalila wa Dimna*, uma coletânea de fábulas moralistas da vida animal, derivada do sânscrito, através do pálavi, e posta em prosa árabe por um funcionário abácida de origem iraniana, Ibn al-Muqaffa' (*c.* 720-56).

Ele era um exemplo dos secretários arabizados e islamizados que traziam ao árabe idéias e gêneros literários derivados de sua própria tradição herdada, mas ao lado desses havia outro grupo de escritores que extraíam inspiração do vasto mundo criado pela difusão do Islã e seu Império: a multiplicidade de povos e países, a nova variedade de personagens humanos, os novos problemas de moralidade e conduta. Eles tentavam ver essas coisas à luz das normas da nova fé islâmica, e expressá-las numa forma literária agradável. Entre os praticantes desse novo tipo de literatura ou *adab*, al-Jahiz (776/7-868/9) destaca-se como um escritor de excepcional alcance e vividez de reação, expressos numa linguagem exemplar. Tinha raízes numa das famílias africanas, de origem escrava, ligadas às tribos árabes, mas há muito tempo completamente arabizadas. Criou-se em Basra, mas depois teve a proteção do califa al-Ma'mun. Sua curiosidade intelectual ia longe, e suas obras são coletâneas de um raro e interessante saber relativo ao mundo humano e natural: países, animais, a excentricidade dos seres humanos. Por baixo disso, corre uma veia de comentário moral: sobre amizade e amor, inveja e orgulho, avareza, falsidade e sinceridade:

> O homem que é nobre não finge ser nobre, não mais do que o que é eloqüente finge eloqüência. Quando um homem exagera suas qualidades, é porque alguma coisa lhe falta; o valentão dá-se ares porque sabe de sua fraqueza. O orgulho é feio em todos os homens [...] é pior que a crueldade, que é o pior dos pecados, e a humildade é melhor que a clemência, que é a melhor das boas obras.[4]

O *adab* que se desenvolveu no início do período abácida destinava-se a edificar e divertir. Um cádi de Bagdá, al-Tanukhi (940-94), escreveu três volumes de histórias que são ao mesmo tempo um divertimento literário e uma série de documentos sociais sobre o mundo dos ministros, juízes e dignitários menores que cercavam a corte abácida. No século seguinte, Abu Hayyan al-Tawhidi (m. 1023) escreveu ensaios e tratados sobre uma vasta gama de tópicos que estavam na moda entre os intelectuais e os escritores de sua época; compostos num estilo literário atraente, revelam largo conhecimento e uma mente distinta. Divertimento era o principal objetivo do *maqamat*: uma seqüência de narrativas escritas em prosa rimada (*saj'*), em que um narrador conta histórias de um malandro ou vagabundo em várias situações. Levado a um alto pico de desenvolvimento por al-Hamadhani (985-1110) e al-Hariri (1054-1122), esse gênero continuaria popular nos círculos literários árabes até o século XX.

O registro do que aconteceu no passado é importante em todas as sociedades humanas, mas tem um significado especial nas comunidades fundadas na crença de que acontecimentos únicos ocorreram em certas épocas e lugares. Antes da ascensão do Islã, as tribos árabes tinham seus próprios registros orais dos atos de seus ancestrais, e de certa forma esses registros estão incorporados nos poemas que nos chegaram daquele período. Nos primeiros séculos do Islã, a história adquiriu um novo tipo de importância e começou a ser registrada por escrito. Desenvolveram-se dois tipos diferentes de textos literários, intimamente ligados um ao outro. Por um lado, os filólogos e os genealogistas recolheram e escreveram a história oral das tribos árabes; eram importantes não apenas para o estudo da língua árabe, mas também podiam proporcionar importantes documentos para questões práticas sobre a distribuição do butim das conquistas ou de terras nas novas colônias. Por outro lado, era mais importante ainda registrar os acontecimentos da vida do Profeta, os primeiros califas, as primeiras conquistas, e os assuntos públicos da comunidade muçulmana. Transmitidas por estudiosos responsáveis, às vezes modificadas ou mesmo inventadas durante controvérsias políticas e teológicas, enfeitadas por contadores de histórias, formou-se aos poucos um volume de narrativas, e disso surgiram vários tipos de literatura: coletâneas de *hadiths*; biografias do Profeta; coletâneas de vidas de transmissores de *hadiths*; e, por fim, obras de história narrativa, registrando a *gesta Dei*, a providência de Deus para Sua comunidade — contendo um elemento de narrativa exemplar, mas também um sólido núcleo de verdade. A invenção do calendário islâmico, oferecendo uma datação cronológica a partir da hégira, proporcionou um quadro dentro do qual se podiam registrar os acontecimentos.

A tradição de escrever história atingiu a maturidade no século IX, com o aparecimento de histórias de mais amplo escopo e maior poder de compreensão: as de al-Baladhuri (m. 892), al-Tabari (839-923) e al-Mas'udi (m. 928). Esses escritores tomaram como tema toda a história islâmica, e às vezes tudo que consideravam importante da história humana. Assim, Mas'udi trata dos anais dos sete povos antigos que ele encara como tendo tido uma verdadeira história: persas, caldeus, gregos, egípcios, turcos, indianos e chineses. O volume de informações precisava ser ordenado: no caso da história islâmica, por anos; nas outras, por critérios como os períodos dos reis. Também tinha de ser julgada por critérios críticos. O critério mais óbvio era o fornecido pelo *isnad*: qual era a cadeia de testemunhas para um certo fato, e até onde se podia confiar no depoimento delas? Havia outros critérios, porém: um registro transmitido podia ser encarado como plausível ou não à luz de uma compreensão geral de como os governantes agiam e como as sociedades humanas mudavam.

Outro escritor, al-Biruni (973-*c*. 1050), é único no alcance de seus interesses e compreensão. Sua famosa *Tahqiq ma li'l-Hind* (*História da Índia*) é talvez a tentativa mais séria de um escritor muçulmano de ir além do mundo islâmico e apropriar-se do que havia de valioso em outra tradição cultural. Sua obra não é polêmica, como ele próprio deixa claro no prefácio:

> Este não é um livro de polêmica e debate, apresentando os argumentos de um adversário e distinguindo neles o que é falso do que é verdadeiro. É uma narrativa direta, dando as declarações dos hindus e acrescentando o que os gregos disseram sobre questões semelhantes, de modo a fazer uma comparação entre eles.[5]

O pensamento religioso e filosófico hindu é descrito no que tem de melhor:

> Já que estamos descrevendo o que há na Índia, mencionamos suas superstições, mas devemos observar que isso se refere apenas à gente comum. Os que seguem o caminho da salvação ou a trilha da razão e da argumentação, e que querem a verdade, evitariam adorar qualquer outro que não Deus apenas, ou qualquer imagem gravada dele.[6]

Em última análise, observa, as crenças dos hindus são semelhantes às dos gregos; também entre eles a gente comum adorava ídolos, nos dias de ignorância religiosa antes do advento do cristianismo, mas os educados tinham opiniões semelhantes às dos hindus. De certa forma, porém, mesmo a elite hindu diferia dos muçulmanos:

> Os indianos de nossa época fazem inúmeras distinções entre seres humanos. Nós diferimos deles nisso, pois encaramos todos os homens como iguais, a não ser na religião. Esta é grande barreira entre eles e o Islã.[7]

O MUNDO ISLÂMICO

Nos séculos III e IV do calendário islâmico (séculos IX ou X d.C.), surgiu algo que era reconhecivelmente um "mundo islâmico". Um viajante ao redor do mundo poderia dizer, pelo que via e ouvia, se uma terra era governada e povoada por muçulmanos. Essas formas externas tinham sido levadas por movimentos de povos: por dinastias e seus exércitos, mercadores cruzando os mundos do oceano Índico e do mar Mediterrâneo, e artesãos atraídos de uma cidade para outra pelo patrocínio de governantes ou dos ricos. Também eram levados por objetos importados ou exportados que expressavam um certo estilo: livros, metalurgia, cerâmica e sobretudo têxteis, principal artigo do comércio a longas distâncias.

Os grandes prédios, acima de tudo, eram os símbolos externos desse "mundo do Islã". Num período posterior, iriam aparecer estilos de construção de mesquitas, mas nos primeiros séculos encontravam-se algumas características comuns desde Córdoba até o Iraque e além. Fora as grandes mesquitas, havia outras menores para os bazares, bairros ou aldeias, onde se oferecia a prece mas não se pregava o sermão da sexta-feira; estas provavelmente eram construídas com materiais locais e refletiam gostos e tradições locais.

A mesquita agora podia ficar no centro de todo um sistema de construções religiosas, a casa onde o cádi administrava justiça, hospedarias para viajantes ou peregrinos, e hospitais para os doentes; fundá-las e mantê-las eram obras de caridade ordenadas pelo Corão. Outro tipo de prédio desempenhava um papel especial na união da comunidade muçulmana além dos limites de uma cidade ou região. Era o santuário. Alguns deles assinalavam lugares de peregrinação e prece tomados de tradições religiosas anteriores, e que recebiam um significado islâmico: a Caaba em Meca, o Domo da Rocha em Jerusalém, o túmulo de Abraão em Hebron. Ao lado desses, surgiram novos pontos de atração: os túmulos de pessoas ligadas à história inicial do Islã. Embora os muçulmanos encarassem Maomé como um homem igual aos outros, tornou-se aceita a idéia de que ele intercederia por seu povo no Dia do Juízo Final, e os muçulmanos visitavam seu túmulo em Medina durante a peregrinação a Meca. Os imãs xiitas, sobretudo os que haviam sofrido, atraíram peregrinos desde o princípio; o túmulo de 'Ali em Najaf tem elementos que datam do século IX. Aos poucos, os túmulos daqueles que eram encarados como "amigos de Deus", e com poderes de intercessão junto a Ele, multiplicaram-se pelo mundo muçulmano; sem dúvida, alguns deles surgiram em lugares considerados sagrados por outras religiões, ou pela imemorial tradição do campo.

Um segundo tipo de prédio era o que expressava o poder do governante. Entre eles, estavam grandes obras de utilidade pública, caravançarás nas rotas comerciais, e aquedutos ou outras obras de canalização de água; nos países secos do Oriente Médio e do Magreb, levar água aos habitantes das cidades era um ato de sábia política, e a irrigação da terra foi uma prática que se disseminou com a expansão dos árabes no Mediterrâneo. Foram os palácios, no entanto, que mais bem expressaram a grandeza imperial: pavilhões de prazer instalados em meio a jardins e água corrente, símbolos de um paraíso isolado, e palácios oficiais, centros de governo e de justiça, e também de vida principesca. Conhece-se alguma coisa dos palácios abácidas por descrições de escritores e pelas ruínas que ainda existem em Samarra. Para chegar-se a eles, atravessavam-se espaços abertos destinados a desfiles ou jogos eqüestres; dentro de altos muros, trilhas que passavam por jardins levavam a uma sucessão de portões internos, até o centro, onde ficavam a residência e os escritórios do califa, e o salão abobadado onde ele mantinha a corte. Esses prédios, significando poder, foram imitados por todo o mundo muçulmano, e criaram um estilo internacional que durou séculos.

Em certo sentido, nada havia de particularmente "islâmico" nos palácios. Mais uma vez, a inclusão de tantas coisas do mundo num único Império reuniu elementos de origens diferentes numa nova unidade. Os governantes estavam em contato uns com os outros, além do mundo do Islã; trocavam-se presentes, embaixadas traziam de volta histórias de maravilhas, e as elites governantes são particularmente abertas ao desejo de novidade. A decoração dos palácios expressava temas da vida dos príncipes em toda parte, a batalha e a caça, o vinho e a dança.

Esses temas eram usados para murais, onde se destacavam figuras animais e humanas. Nos prédios de finalidade religiosa, porém, evitavam-se figuras de criaturas vivas; embora a pintura de formas vivas não fosse explicitamente proibida pelo Corão, a maioria dos juristas, baseando-se no Hadith, considerava tal prática uma infração do poder divino único de criar vida. Na mesquita omíada em Damasco, os mosaicos, feitos num período anterior, retratam o mundo natural e casas de uma maneira bastante realista, e que lembra os murais romanos, mas mostra-as sem criaturas vivas. As paredes das mesquitas e outros prédios públicos não eram absolutamente simples, porém. As superfícies eram cobertas de decorações: formas de plantas e flores, tendendo a uma alta estilização, e desenhos em linhas e círculos complexamente ligados e interminavelmente repetidos, e acima de tudo caligrafia. A arte da bela escrita pode ter sido criada em grande parte por funcionários nas chancelarias dos governantes, mas tinha um significado especial para os muçulmanos, que acreditavam que Deus Se comunicou com muitos através de Sua Palavra, na língua árabe; a escrita dessa língua foi desenvolvida por calígrafos em formas adequadas à decoração arquitetônica. Palavras de formas interminavelmente variadas, repetidas ou em frases, misturavam-se com formas vegetais ou geométricas. Assim, a caligrafia tornou-se uma das artes islâmicas mais importantes, e a escrita árabe enfeitava não apenas prédios, mas moedas, objetos de bronze ou cerâmica, e têxteis, sobretudo os que eram tecidos nas tecelagens reais e dados como presentes. Usava-se a escrita para proclamar a glória e a eternidade de Deus, como nas inscrições em torno do Domo da Rocha, ou a generosidade e o esplendor de um benfeitor, ou a habilidade de um arquiteto.

As casas construídas nesse período pela população muçulmana das cidades desapareceram, mas restou o suficiente dos artefatos usados nelas para mostrar que algumas continham obras de arte semelhantes às dos palácios. Transcreviam-se e ilustravam-se livros para mercadores e estudiosos; fabricavam-se vidro, objetos de metal e cerâmica para eles; os têxteis tinham importância especial — os pisos eram cobertos com tapetes, sofás baixos tinham forros têxteis, penduravam-se tapetes ou panos nas paredes. Todos eles mostram, em geral, o mesmo tipo de decoração dos prédios religiosos, plantas e flores formalizadas, desenhos geométricos e palavras árabes. Não há temas especificamente reais, mas a figura humana não está ausente, ou pelo menos não por muito tempo; a cerâmica feita no Egito mostra figuras humanas, e os manuscritos usam animais e seres humanos para ilustrar fábulas ou descrever cenas do cotidiano.

No século X, portanto, homens e mulheres do Oriente Próximo e do Magreb viviam num universo definido em termos do Islã. O mundo dividia-se na Morada do Islã e na Morada da Guerra, e lugares santos para os muçulmanos ou ligados aos primórdios de sua história davam à Morada do Islã sua feição distinta. O tempo era marcado pelas cinco preces diárias, o sermão semanal na mesquita, o jejum anual no mês do Ramadan e a peregrinação a Meca, e o calendário muçulmano.

O Islã também dava aos homens uma identidade pela qual definir-se em relação aos outros. Como todos os homens, os muçulmanos viviam em diferentes níveis. Não passavam o tempo todo pensando no Juízo Final e no Céu. Além de sua existência individual, definiam-se para a maioria das finalidades diárias em termos de família ou grupo de parentesco mais amplo, a unidade pastoril ou tribo, a aldeia ou distrito rural, o bairro ou cidade. Além desses, porém, sabiam que pertenciam a uma coisa mais ampla: a comunidade dos fiéis (a *umma*). Os atos rituais que realizavam em comum, a aceitação de uma visão partilhada do destino humano neste mundo e no próximo, ligavam-nos uns aos outros e separavam-nos dos de outras fés, quer vivessem entre eles na Morada do Islã ou além de suas fronteiras.

Dentro desse "mundo do Islã", num nível intermediário entre ele e as pequenas unidades coesivas da vida diária, havia identidades de um tipo que não criava, em geral, lealdades tão fortes e duradouras. O serviço ou obediência a uma dinastia, sobretudo se de longa duração, podia criar tal lealdade. Uma língua comum também deve ter criado uma sensação de facilidade na comunicação, e um certo tipo de orgulho. No século XI, a identificação dos árabes com o Islã ainda era suficientemente forte para al-Biruni, ele próprio de origem iraniana, dizer:

> Nossa religião e nosso Império são árabes e gêmeos, uma protegida pelo poder de Deus, outro pelo Senhor do Céu. Quantas vezes as tribos de súditos congregaram-se para dar um caráter não árabe ao Estado! Mas não tiveram êxito em seu objetivo.[8]

O conceito de nacionalismo étnico moderno, de que aqueles que partilham uma língua comum devem viver juntos numa sociedade política exclusiva, evidentemente não existia, como não existia o de nação territorial, um pedaço de terra isolado de outros por fronteiras. Havia, no entanto, certa consciência das características especiais de uma cidade e sua região circundante, que podia expressar-se em termos islâmicos. Um estudo do Egito mostrou como a consciência de sua natureza especial persistiu: sua fertilidade e suas dádivas naturais, seu lugar na história islâmica, seus heróis, mártires e santos. Por trás disso ainda vivia alguma lembrança de um passado que remontava a antes do Islã: as maravilhas deixadas pelo mundo antigo, as pirâmides e a Esfinge, os santuários, rituais e crenças antigas do campo, aos quais homens e mulheres ainda podiam recorrer em busca de proteção.[9]

4. A ARTICULAÇÃO DO ISLÃ

A QUESTÃO DA AUTORIDADE

A disseminação da língua árabe para outros povos mudou a natureza do que nela estava escrito, e isso se mostrou não apenas na escrita secular, mas, de forma ainda mais impressionante, num novo tipo de literatura em que se articularam o significado e as implicações da revelação entregue a Maomé. Os que aceitavam o Islã viram-se diante de questões inevitáveis sobre ele: questões que surgiam não apenas da curiosidade intelectual, mas da crítica feita por cristãos, judeus e zoroastrianos, e ainda mais, talvez, da necessidade de extrair as implicações da fé para a vida em sociedade. Eles tentaram, naturalmente, responder a tais questões à luz do conhecimento de que dispunham e de seus próprios métodos de pensamento: aqueles que haviam trazido consigo para sua nova comunidade, ou que encontraram entre os que não se haviam convertido, pois nos primeiros séculos o judaísmo, o cristianismo e o Islã permaneceram mais abertos uns aos outros do que o seriam depois. Naturalmente, também, o processo foi mais fecundo nos lugares onde as tradições de pensamento e conjuntos de conhecimento eram mais fortes. A mudança de escala e a transferência do centro de gravidade que se deu no corpo político do Islã teve seu paralelo no domínio do pensamento. Medina e Meca não deixaram de ser importantes, mas a Síria se tornou mais, e o Iraque mais que todos, com seu rico solo cultural de judaísmo, cristianismo nestoriano e as religiões do Irã.

A articulação do Islã num corpo de ciências e práticas religiosas ocorreu em grande parte no Iraque do período abácida, e num certo sentido foi uma continuação de movimentos de pensamento que tinham começado muito antes do advento do Islã, embora isso não queira dizer que o Islã não lhe deu uma nova direção.

Os materiais sobre os quais os estudiosos e os pensadores podiam trabalhar eram de mais de um tipo. Primeiro que tudo, havia o Corão. Independentemente de quando tenha tomado sua forma final, não parece haver motivo para duvidar que sua substância existia desde o tempo do Profeta: Deus todo-poderoso; os profetas por meio dos quais Ele se comunicava com a humanidade; a fé, gratidão e obras de prece e caridade que Ele exigia dos homens; o Juízo Final, quando Sua misericórdia, juntamente com Sua justiça, seriam demonstradas. Segundo, havia uma tradição viva de como a comunidade se conduzira do tempo do Profeta em diante, passada para gerações posteriores e por elas elaborada, tendo, no seu núcleo, uma espécie de memória coletiva de como fora o próprio Profeta. Havia também a memória dos atos públicos da comunidade e de seus líderes, os califas, suas políticas e conflitos; e em particular das dissensões e conflitos do reinado de 'Uthman, os movimentos de oposição em que ele acabou, e do de 'Ali e dos primeiros cismas entre os seguidores de Maomé.

Não apenas a tradição de convertidos letrados, mas a natureza essencial do próprio Islã — a revelação de palavras, e portanto de idéias e conhecimento — tornavam imperativo que os que desejavam submeter-se à Vontade de Deus buscassem o conhecimento e refletissem a respeito. A busca de conhecimento religioso, *'ilm*, começou cedo na história do Islã, e desenvolveu-se aos poucos um corpo de estudiosos (*'alim*, plural *ulemás*) muçulmanos informados e interessados.

As linhas de pensamento e estudo ao longo das quais se articulou o Islã foram numerosas, mas claramente relacionadas umas com as outras. O primeiro problema a surgir, e com mais urgência, foi o da autoridade. A pregação de Maomé dera origem a uma comunidade empenhada em viver de acordo com as normas contidas ou implícitas no Corão. Quem devia ter autoridade nessa comunidade, e que tipo de autoridade? Essa foi uma questão levantada pelas dissensões e conflitos do primeiro meio século, e respondidas à luz da reflexão sobre essas perturbações. Devia a sucessão de Maomé, o Califado ou, como também era chamado, o imanato, estar aberto a todos os muçulmanos, ou apenas aos Companheiros do Profeta, ou apenas à sua família? Como se deveria escolher o califa? Quais eram os limites de sua ação legítima? Se ele agisse injustamente, devia ser desobedecido ou deposto?

Aos poucos, foi ocorrendo uma cristalização de diferentes atitudes em relação a esses problemas. Segundo aqueles que a certa altura passaram a chamar-se sunitas, o importante era que todos os muçulmanos vivessem juntos em paz e unidade, e isso implicava que deviam aceitar o que acontecera. Eles aceitaram como legítimos, e como virtuosos e corretamente guiados (*rashidun*), todos os quatro primeiros califas; os califas posteriores podiam nem sempre ter agido com justiça, mas deviam ser aceitos como legítimos, desde que não fossem contra os mandamentos básicos de Deus. Há certa evidência de que os califas omíadas mostraram pretensões de ser não apenas os sucessores do Profeta como chefes da comunidade, mas subgerentes de Deus na Terra e intérpretes últimos da lei divina.[1] O sunismo em sua forma desenvolvida, porém, não encarava o califa nem como profeta nem como intérprete infalível da fé, mas como um chefe cuja tarefa era manter a paz e a justiça na comunidade; para isso, devia possuir virtudes adequadas e conhecimento da lei religiosa. Era amplamente aceito que devia descender da tribo dos coraixitas, à qual pertencera o Profeta.

Esses movimentos de contestação da autoridade dos califas desenvolveram aos poucos suas teorias de autoridade legítima. Os ibaditas afirmavam não ser necessário que houvesse sempre um imã, mas qualquer muçulmano podia tornar-se imã, independentemente de família ou origem. Devia ser escolhido pela comunidade; agir de acordo com a lei derivada do Corão e do Hadith, e ser deposto se se revelasse injusto. Os movimentos xiitas não aceitaram as pretensões dos três primeiros califas, mas acreditavam que 'Ali ibn Abi Talib fora o único sucessor legítimo e nomeado do Profeta como imã. Divergiam entre si, no entanto, quanto à linha de sucessão de 'Ali e à autoridade dos imãs. Os zaiditas aproximavam-se dos sunitas em suas opiniões.

Afirmavam que qualquer descendente de 'Ali com sua esposa Fátima podia ser imã, contanto que tivesse o conhecimento e a religiosidade necessária, e houvesse demonstrado a força de levantar-se contra a injustiça. Podia assim haver uma linha de imãs perpetuamente renovada. Eles não acreditavam que o imã tivesse autoridade infalível ou sobre-humana.

Os outros dois movimentos xiitas importantes iam mais longe, no entanto. Ambos afirmavam que o imanato era concedido por designação do imã da época, e que o imã assim designado era o único e infalível intérprete da revelação de Deus através do Profeta. O movimento que iria conquistar mais adeptos afirmava que a sucessão passara entre os descendentes de 'Ali, até que o décimo segundo da linhagem desaparecera no século IX (daí seu nome popular de "adeptos do Duodécimo", ou *Ithna 'ashariyya*). Como o mundo não podia existir sem um imã, acreditava-se que o décimo segundo não morrera, mas vivia em "ocultamento" (*ghayba*); a princípio, comunicava-se com o povo muçulmano por intermediários, mas depois disso sumira do mundo dos vivos, que permanecia na expectativa de seu reaparecimento, para trazer o reinado da justiça. Os ismaelitas, por sua vez, concordavam que o imã era o intérprete infalível da verdade, mas afirmavam que a linha de imãs visíveis acabara com o sétimo, Muhammad ibn Isma'il. (Alguns deles modificaram sua crença, porém, quando os califas fatímidas apresentaram sua pretensão a imãs.)

Essas diferentes opiniões sobre o Califado ou imanato acabariam tendo variadas implicações para a natureza de governo e seu lugar na sociedade. Ibaditas e ismaelitas eram comunidades que se haviam retirado da sociedade islâmica universal, em rejeição ao domínio de governos injustos; desejavam viver sob a lei religiosa como a interpretavam, e não estavam dispostos a dar a um imã ou a qualquer outro governante o poder que podia levá-lo a agir injustamente. Por outro lado, os sunitas, os xiitas adeptos do Duodécimo e ismaelitas, cada um desses grupos à sua maneira, queriam uma autoridade que pudesse ao mesmo tempo manter a lei e a ordem da sociedade; uma vez acabada a primeira era, a conseqüência disso foi a separação *de facto* entre os que mantinham a lei (para os sunitas o ulemá e para os xiitas o imã oculto) e o homem da espada, que tinha o poder de impor a ordem temporal.

O PODER E A JUSTIÇA DE DEUS

A questão da autoridade era, de certa forma, reflexo de questões mais fundamentais surgidas do Corão: sobre a natureza de Deus e suas relações com a humanidade, sobre Sua unidade e justiça.

O Deus do Corão é transcendente e uno, mas o livro fala d'Ele como tendo atributos — vontade, conhecimento, audição, visão e fala; e em certo sentido o Corão é a Sua Palavra. Como se pode conciliar a posse de atributos com a unidade de Deus? Como, em particular, podem esses atributos, que são também os dos seres humanos, ser descritos em termos que preservem a infinita distância entre Deus e o homem? Qual a relação do Corão com Deus? Pode ser chamado de fala de Deus sem deixar implícito que Deus tem um atributo da fala semelhante ao de Suas criaturas? São problemas de um tipo inerente a qualquer religião que acredite na existência de um Deus supremo, que de alguma forma se revela aos seres humanos. Para os cristãos, a revelação é de uma pessoa, e a questão teológica básica nos primeiros séculos era o da relação dessa Pessoa com Deus; para os muçulmanos, a revelação é um Livro, e portanto o problema do *status* do Livro é fundamental.

A questão da natureza de Deus leva logicamente à de Suas relações com os homens. Duas impressões certamente ficavam na mente de qualquer um que lesse o Corão ou o ouvisse recitado; que Deus era todo-poderoso e onisciente, mas que de algum modo o homem era responsável por seus atos, e por eles receberia o julgamento divino. Como se podiam conciliar essas duas afirmações? Mais uma vez, é um problema inerente a uma fé monoteísta: se Deus é todo-poderoso, como pode permitir o mal, e como pode, com justiça, condenar os homens por seus maus atos? Colocando a questão em termos mais amplos: é o homem livre para iniciar seus atos, ou vêm eles de Deus? Se ele não é livre, será justo Deus julgá-lo? Se é livre, e por conseguinte pode ser julgado por Deus, será ele julgado por um princípio de justiça que pode reconhecer? Se assim é, não haverá um princípio de justiça determinando os atos de Deus, e pode Deus então ser chamado de todo-poderoso? Como serão julgados os muçulmanos: só por sua fé, pela fé juntamente com a expressão verbal dela, ou também pelas boas obras?

Tais questões estão implícitas no Corão, e se apresentavam a qualquer um que o levasse a sério, mas o pensamento sistemático sobre elas envolvia não apenas um texto a considerar, mas um método de fazer isso: uma crença em que se podia atingir o conhecimento pela razão humana trabalhando segundo certas regras. Essa crença na razão corretamente orientada tinha formado a vida intelectual nas regiões por onde o Islã se espalhou, incluindo o Hedjaz; há vestígios de raciocínio dialético no próprio Corão. Não surpreende, portanto, que, talvez no final do primeiro século islâmico, ou do século VII d.C., os primeiros documentos existentes mostrem sua aplicação à elucidação do Corão no Hedjaz, Síria e Irã. Apareceram os primeiros grupos que podem ser chamados de escolas de pensamento: os que afirmavam que o homem tem livre-arbítrio e cria seus próprios atos, e os que afirmavam que ele não tem livre-arbítrio, e também que Deus não tem atributos comuns com os homens, pelos quais possa ser descrito.

Em meados do século II islâmico (século VIII d.C.) surgiu uma escola num sentido mais pleno, de pensadores com opiniões claras e coerentes sobre uma vasta gama de problemas; mas evidentemente chamá-los de escola não implica que tivessem todos as mesmas idéias, ou que essas idéias não evoluíssem de uma geração para outra. Eram os Mu'tazilis (ou "os que se mantêm à parte"). Eles acreditavam que se podia chegar à verdade usando-se a razão sobre o que é dado no Corão, e dessa forma alcançar respostas para questões já colocadas. Deus é Uno. Não tem atributos que pertençam à Sua essência. Em particular, não tem atributos humanos; o Corão não poderia ter sido ditado por Ele — devia ter sido criado de outro modo. Deus é justo, e portanto limitado por um princípio; o homem deve portanto ser livre, pois não seria justo julgá-lo por atos que ele não é livre para cometer. Se os atos humanos são livres e sujeitos a julgamento, segue-se que a fé não basta sem as boas obras: o muçulmano culpado de graves faltas não pode ser chamado de infiel nem de verdadeiro crente, mas ocupa uma posição intermediária entre os dois.

Ao mesmo tempo, porém, surgia outra forma de ver esses problemas, uma forma mais cautelosa e mais cética quanto à possibilidade de alcançar a verdade aceita por meio da razão, e também mais consciente do dano para a comunidade que resultaria da tentativa de levar muito longe a argumentação e a discussão racional. Os que assim pensavam consideravam mais importante manter a unidade do povo de Deus do que chegar a um acordo sobre questões de doutrina. Para eles, a palavra do Corão era a única base firme sobre a qual se podiam assentar a fé e a paz comunal; e o Corão devia ser interpretado, até onde fosse necessária a interpretação, à luz da prática habitual do Profeta e seus Companheiros, os *suna*, como fora transmitido a gerações posteriores. Esse era um estado de espírito que devia existir desde o princípio, mas que por sua natureza tendeu a cristalizar-se num corpo doutrinário um tanto mais tarde que as escolas mais especulativas. O maior responsável pela formulação desse estado de espírito foi Ahmad ibn Hanbal (780-855), ele próprio perseguido sob Ma'mum. A única posição a ser tomada é sobre o Corão e os *suna* do Profeta, e estes mostram-nos que Deus é todo-poderoso, e Sua justiça não é igual à justiça humana. Se o Corão Lhe confere atributos humanos, eles devem ser aceitos como atributos divinos, não por analogia com os humanos, e sem perguntar por que são inerentes a Ele. Entre esses atributos está o Corão. É a fala d'Ele, porque o próprio Corão assim o diz; e não é criado, pois "nada em Deus é criado, e o Corão é de Deus". O homem deve responder à Vontade de Deus com atos, além da fé. Esse conceito de um Deus que julga de modo misterioso pode parecer brutal, mas implícito nele há uma espécie de garantia de certo interesse divino último pelo mundo, mesmo que seus modos não sejam os humanos, e de que o que aconteceu na história deles é parte da Vontade de Deus para eles. Com esse corpo de idéias, o sunismo torna-se articulado.

A polêmica entre os racionalistas e os seguidores de Ibn Hanbal continuou por um longo tempo, e as linhas de argumentação mudaram. Pensadores mutazilitas posteriores foram profundamente influenciados pelo pensamento grego; aos poucos, foram perdendo importância dentro da comunidade sunita emergente, mas sua influência continuou forte nas escolas de pensamento xiitas que se desenvolveram a partir do século XI. Um pensador que apoiou em grande parte a posição "tradicionalista" usou o método do discurso racional (*kalam*) para defendê-lo: al-Ash'ari (m. 935) apegava-se à interpretação literal do Corão, mas afirmava que ele podia ser justificado pela razão, pelo menos até certo ponto, e depois desse ponto devia simplesmente ser aceito. Deus era Uno; Seus atributos faziam parte de Sua essência; não eram Deus, mas não eram outra coisa senão Deus. Entre eles estavam o da audição, da visão e da fala humana; deviam ser aceitos "sem se perguntar como" (*bila kayf*). Deus é a causa direta de tudo que acontece no Universo, e não é limitado por nada de fora d'Ele próprio. No momento da ação, Ele dá aos homens o poder de agir; Ele quer e cria tanto o que é bom quanto o que é mau no mundo. A resposta correta do homem à Palavra de Deus revelada é a fé; se ele tem fé, sem obras, ainda é um crente, e o Profeta intercederá por ele no último dia.

No pensamento de Ash'ari, há uma ênfase na importância de não se discutir com a religião, e também em aceitar o domínio do imã ou califa, e não se revoltar contra ele com a espada. Persistiram, porém, divergências de opinião; sobre a legitimidade da interpretação metafórica contra a interpretação literal do Corão; sobre o sentido exato em que o Corão é "incriado" — isso se refere ao próprio texto, ou apenas à transmissão do texto aos homens? — e sobre a necessidade de obras, além de fé.

Essas divergências, no entanto, em geral não levaram a conflitos dentro da comunidade sunita.

A *CHARIA*

A não ser por ilação, o Corão não contém dentro de si um sistema de doutrinas, mas diz aos homens o que deseja que eles façam. É acima de tudo uma revelação da Vontade d'Ele: o que os homens devem fazer para agradá-Lo, e como serão julgados no último dia. Contém algumas ordens específicas, por exemplo em relação ao casamento e à divisão da propriedade do muçulmano após a morte, mas são limitadas, e na maior parte a Vontade de Deus é expressa em termos de princípios gerais. As ordens e os princípios referem-se tanto aos modos como os homens devem adorar a Deus quanto àqueles como devem agir uns com os outros, mas em certa medida isso é uma distinção artificial, pois os atos de culto têm um aspecto social, e os atos de justiça e caridade são também, num certo sentido, dirigidos a Deus.

A reflexão sobre o Corão e a prática da comunidade inicial logo produziram concordância geral sobre certas obrigações básicas do muçulmano, os chamados "Pilares do Islã". Entre eles estavam o testemunho oral de que "só há um Deus, e Maomé é o Seu Profeta". Segundo, havia a prece ritual, certas formas de palavras repetidas um certo número de vezes e com posturas particulares do corpo; deviam ser feitas cinco vezes por dia. Outros "Pilares" eram a doação de uma certa proporção dos ganhos da pessoa para tipos específicos de obras de caridade ou beneficência pública; um severo jejum, do amanhecer ao anoitecer, durante todo um mês do ano, o de Ramadan, que termina numa festa; e o hadj, a peregrinação a Meca, num tempo fixado do ano, envolvendo vários atos rituais, e também terminando numa festa celebrada por toda a comunidade. A esses atos específicos acrescentava-se ainda uma exortação a seguir o caminho de Deus (*jihad*), que podia ter um sentido mais amplo ou mais preciso: combater pela expansão das fronteiras do Islã.

Desde o início, porém, era preciso mais que um acordo sobre os atos essenciais de culto. Por um lado, havia aqueles que levavam o Corão a sério e acreditavam que ele continha, por inferência, preceitos para toda a vida, desde que todos os atos humanos têm significado aos olhos de Deus e todos serão levados em conta no Dia do Julgamento. Por outro lado, havia o governante e seus delegados, que tinham de tomar decisões sobre uma vasta gama de problemas, e tanto suas convicções quanto os termos em que justificavam seu governo deviam levá-los a decisões que no mínimo não estivessem em contradição com o que se entendia significasse ou inferisse o Corão.

No período dos primeiros califas e dos omíadas, assim, ocorreram dois processos. O governante, seus governadores e delegados especiais, os cádis, ministravam justiça e decidiam disputas, levando em conta os costumes e as leis existentes das várias regiões. Ao mesmo tempo, muçulmanos sérios e preocupados tentavam levar todos os atos humanos ao julgamento de sua religião, elaborar um sistema ideal de conduta humana. Ao fazerem isso, tinham de levar em conta as palavras do Corão e interpretá-las, e também as memórias transmitidas da comunidade: como se supunha que o Profeta tivesse agido (seu comportamento habitual, ou *suna*, cada vez mais registrado nas "tradições" ou *hadiths*); como os primeiros califas decidiam; o que o saber acumulado da comunidade julgava ser a maneira correta de agir (o *suna* da comunidade).

Esses dois processos não eram inteiramente diferentes um do outro. O califa, governador ou cádi sem dúvida modificava costumes existentes à luz das idéias em desenvolvimento sobre o que exigia o Islã; os sábios introduziam em seu sistema ideal alguma coisa dos costumes herdados de suas comunidades. Durante as primeiras fases, porém, permaneceram largamente separados. No interior de cada processo, além disso, havia tendências diferentes. Em vista do modo como o Império fora criado e administrado, os costumes e os regulamentos das várias regiões devem ter divergido muito. Os sábios, de seu lado, espalhavam-se por várias cidades, Meca e Medina, Kufa e Basra, e

100

cidades da Síria, e cada uma delas tinha seu próprio modo de pensar, refletindo suas memórias transmitidas juntamente com as necessidades e as práticas da região, e cristalizadas num consenso local (*ijma*ʿ).

Com o advento dos abácidas, em meados do segundo século islâmico (século VIII d.C.), a situação mudou. A criação de um Estado centralizado, burocraticamente governado, tornou necessário chegar a um acordo sobre os modos como se deviam resolver as disputas e regular a sociedade; e a pretensão dos abácidas a uma justificação religiosa para seu governo tornou essencial que, qualquer que fosse o acordo a que se chegasse, fosse visto como baseado nos ensinamentos do Islã. Assim, os dois processos aproximaram-se um do outro. O cádi tornou-se, pelo menos em teoria, um juiz independente do poder executivo, tomando decisões à luz dos ensinamentos da religião. Assim, tornou-se maior a necessidade de um acordo sobre as inferências práticas do Islã. O Corão, a prática ou *suna* do Profeta incorporada nos *hadiths*, as opiniões de grupos de sábios, a prática ou *suna* em desenvolvimento das comunidades locais: tudo isso era importante, mas até então não havia acordo sobre as relações entre eles. Os sábios tinham opiniões variadas: Abu Hanifa (*c.* 699-767) dava mais ênfase às opiniões alcançadas pelo raciocínio individual, Malik (*c.* 715-95) à prática de Medina, embora também admitisse a validade do raciocínio à luz do interesse da comunidade.

O passo decisivo na definição das relações entre as diferentes bases para decisões legais foi dado por al-Shafiʿi (767-820). O Corão, afirmava, era a Palavra literal de Deus: expressava a Vontade de Deus tanto em forma de princípios gerais quanto de mandamentos específicos em relação a certos assuntos (prece, esmolas, jejum, peregrinação, proibição do adultério, do consumo de vinho e carne de porco). Igualmente importante, porém, era a prática ou *suna* do Profeta, como registrada nos *hadiths*; isso tinha peso maior que a prática cumulativa das comunidades. O *suna* do Profeta era uma clara manifestação da Vontade de Deus, e seu *status* era confirmado por versículos do Corão: "Ó vós que acreditastes, obedecei a Deus e a Seu Apóstolo".[2] Os atos e as palavras do Profeta extraíam as inferências das provisões gerais do Corão, e também proporcionavam orientação sobre assuntos em que o Corão silenciava. Segundo Shafi'i, o Corão e o *suna* eram igualmente infalíveis. O *suna* não podia invalidar o Corão, mas do mesmo modo o Corão não podia invalidar o *suna*. Não podiam contradizer-se um ao outro; as aparentes contradições podiam ser conciliadas, ou então um versículo ou palavra posteriores do Profeta podiam ser encarados como invalidando outros anteriores.

Por mais clara que fosse a expressão da Vontade de Deus no Corão ou na *suna*, persistiam as questões de interpretação, ou da aplicação de princípios a novas situações. Para a maneira de pensamento articulada por Shafi'i, o único método de evitar o erro era o muçulmano comum deixar os versados em religião usarem a razão para explicar o que estava contido no Corão ou Hadith, e fazer isso dentro de severos limites. Diante de uma nova situação, os qualificados para exercer a razão deviam agir por analogia (*qiyas*): deviam tentar encontrar algum elemento na situação que fosse semelhante, de um modo relevante, a um elemento numa situação em que já houvesse uma sentença. Esse exercício disciplinado da razão era conhecido como *ijtihad*, e a justificação para ele pode ser encontrada num *hadith*: "Os cultos são herdeiros do Profeta".[3] Quando havia concordância geral como resultado de tal exercício da razão, esse consenso (*ijma'*) era encarado como tendo o *status* de verdade certa e inquestionável.

O próprio Shafi'i estabeleceu esse conceito de forma mais ampla: uma vez que a comunidade como um todo chegue a um acordo sobre um assunto, a questão estará encerrada para sempre; segundo um *hadith*, "na comunidade como um todo não há erro sobre o significado do Corão, *suna* e analogia". Pensadores posteriores, porém, incluindo os que viam Shafi'i como seu mestre, formularam o princípio de forma um tanto diferente: o único *ijma'* válido era o dos sábios, aqueles que tinham competência para exercer o *ijtihad* num determinado período.

A esses princípios de interpretação, Shafi'i acrescentou uma espécie de apêndice, geralmente aceito: os que interpretavam o Corão e os *suna* não podiam fazê-lo sem um conhecimento adequado da língua árabe. Shafi'i citava trechos do Corão que mencionavam o fato de o Corão ter sido revelado em árabe: "Revelamo-vos um Corão árabe [...] numa clara língua árabe".[4] Todo muçulmano, na opinião de Shafi'i, devia aprender árabe, pelo menos a ponto de poder fazer o ato de testemunho (*chahada*), recitar o Corão e invocar o nome de Deus (*Allahu akbar*, "Deus é maior"); um sábio religioso precisava saber mais que isso.

Uma vez estabelecidos e geralmente aceitos esses princípios, era possível tentar relacionar o conjunto de leis e preceitos morais com eles. Esse processo de pensamento era conhecido como *fiqh*, e o produto dele acabou chamando-se *charia*. Aos poucos, foram surgindo várias escolas de lei (*madhhab*), que derivavam seus nomes de escritores anteriores com os quais identificavam sua descendência: os hanafitas de Abu Hanifa, os maliquitas de Malik, os shafitas de al-Shafi'i, os hanbalitas de Ibn Hanbal, e alguns outros que não sobreviveram. Divergiam uns dos outros em certos pontos substanciais de lei, sobre princípios de raciocínio legal (*usul al-fiqh*), e também sobre o lugar do Hadith e a legitimidade, limites e métodos do *ijtihad*.

Todas as quatro escolas situavam-se dentro da comunidade sunita. Outros grupos muçulmanos formaram seus próprios sistemas de lei e moralidade social. Os dos ibaditas e zaiditas não difeririam muito das escolas sunitas, mas entre os xiitas adeptos do Duodécimo as bases da lei eram definidas de modos diferentes; o consenso da comunidade só era válido se o imã estivesse incluído. Havia também alguns pontos distintos de lei substancial xiita.

Apesar da natureza em parte teórica da *charia*, ou talvez por isso mesmo, os que a ensinavam, interpretavam e administravam, os ulemás, iriam manter um lugar importante nos estados e nas sociedades muçulmanas. Como guardiães de uma elaborada norma de conduta social, podiam, até certo ponto, impor limites às ações dos governantes, ou pelo menos aconselhá-los; também podiam agir como porta-vozes da comunidade, ou pelo menos de sua parte urbana. Em geral, porém, tentavam manter-se à parte tanto do governo quanto da sociedade, preservando o sentido de uma comunidade divinamente guiada, persistindo pelo tempo afora e não ligada a interesses de governantes ou ao capricho do sentimento popular.

AS TRADIÇÕES DO PROFETA

As controvérsias políticas e teológicas dos três séculos iniciais recorreram ao Hadith; também para o sistema de jurisprudência que se desenvolvia o Hadith foi importante como uma das bases da lei. Mas a relação da teologia e da lei com o Hadith era mais complexa. Não apenas recorriam ao Hadith, mas, em grande parte, criaram o conjunto de tradições que chegaram até nós, e esse processo levou ao surgimento de outra ciência religiosa, a da crítica hadítica, desenvolvimento e uso de critérios para distinguir tradições que podiam ser encaradas como autênticas das mais duvidosas ou obviamente falsas.

Desde o início, a tradição que surgiu em torno de Maomé tinha um sistema de conduta consuetudinário, um *suna*, em dois diferentes sentidos. Como comunidade, criou aos poucos seu próprio padrão de conduta justa, desenvolvendo-se e assegurada por uma espécie de consenso. Também compreendia pessoas que tentavam preservar o *suna* do Profeta, a memória do que ele tinha feito e dito. Seus Companheiros o teriam lembrado, e passado adiante o que sabiam para a geração seguinte. O registro de sua conduta e palavras, os *hadiths*, foi passado adiante não apenas de forma oral, mas também por escrito, desde os primeiros tempos. Embora alguns muçulmanos devotos olhassem de lado o texto dos *hadiths*, achando que podia comprometer o *status* único do Livro, outros o encorajavam, e no fim do período omíada muitos dos *hadiths* que mais tarde seriam incorporados em biografias do Profeta já haviam assumido forma escrita.

O processo não terminou aí, porém. Tanto o *suna* da comunidade quanto o registro do *suna* do Profeta variavam de um lugar para outro e de uma época para outra. As lembranças enfraquecem, as histórias modificam-se ao serem contadas, e nem todos que as registram são dignos de confiança. A princípio, o *suna* da comunidade fora o mais importante dos dois, mas com o passar do tempo advogados e alguns teólogos passaram a dar mais ênfase ao do Profeta. Especialistas legais desejavam relacionar os costumes sociais e regulamentos administrativos que haviam derivado de princípios religiosos, e uma maneira de fazer isso era remontá-los ao Profeta. Os empenhados nas grandes controvérsias sobre onde devia recair a autoridade, ou sobre a natureza de Deus ou do Corão, tentaram encontrar apoio para suas opiniões na vida e nas palavras de Maomé. Assim, durante os séculos II e III islâmicos (mais ou menos os séculos VIII e IX d.C.), expandiu-se o conjunto de ditos atribuídos ao Profeta. Até certo ponto, isso foi geralmente aceito como um artifício literário, justificado por um *hadith*: "O que é dito de boa fala é dito por mim". Desde cedo, porém, reconheceram-se os perigos inerentes a isso, e teve início um movimento de crítica, com o objetivo de distinguir o verdadeiro do falso. Surgiu a prática, talvez no fim do primeiro século islâmico, de especialistas viajarem a locais distantes em busca de testemunhas que tinham recebido pessoalmente a tradição de um pai ou mestre, e tentarem remontar a tradição, por meio de uma cadeia de testemunhas, até o Profeta ou um Companheiro. Ao fazerem isso, os conjuntos de tradição locais foram unificados.

Por esse processo, parte coleta e parte invenção, os *hadiths* tomaram a forma que retêm hoje. Cada um tinha duas partes: um texto que preservava uma versão de alguma coisa dita ou feita pelo Profeta, e em alguns casos contendo palavras que ele dizia ter recebido de Deus, e o registro de uma cadeia de testemunhas remontando ao Companheiro do Profeta que as vira ou ouvira. Os dois elementos podiam estar sujeitos à dúvida. O texto podia ser inventado ou lembrado erroneamente, mas o mesmo podia acontecer à cadeia; e parece que, em muitos casos pelo menos, a prolongação da cadeia para trás até o Profeta era também um artifício de advogados ou polemistas. Assim, havia necessidade de uma ciência de crítica hadítica, pela qual se pudesse distinguir o verdadeiro do falso segundo princípios claros.

A principal atenção dos sábios que tomaram como tarefa o escrutínio crítico de *hadiths* foi dedicada às cadeias registradas de testemunhas (*isnad*): se as datas de nascimento e de morte e os locais de residência de testemunhas em diferentes gerações eram de modo a tornar possível o encontro delas, e se eram dignas de confiança. Essa atividade, para ser adequadamente exercida, envolvia certa sensibilidade para a autenticidade ou plausibilidade do próprio texto; um tradicionalista experiente desenvolvia um sentido de discriminação.

Pelo uso desses critérios, os estudiosos dos *hadiths* puderam classificá-los de acordo com seus graus de confiabilidade. As duas grandes coletâneas, as de al-Bukhari (810-70) e Muslim (*c*. 817-75), só incluíram aqueles de cuja autenticidade tinham certeza; outras coletâneas tidas como de alguma autoridade não foram tão severas. Os xiitas tinham suas próprias coletâneas de *hadiths* dos imãs.

A maioria dos estudiosos ocidentais e alguns muçulmanos modernos seriam mais céticos que Bukhari e Muslim, e encarariam muitos dos *hadiths* que eles julgaram autênticos como produtos de polêmicas sobre autoridade e doutrina, ou da evolução da lei. Isso, porém, não significa lançar dúvida sobre o papel muito importante que eles desempenharam na história da comunidade muçulmana. Não menos importante que a questão de suas origens é a de como foram usados. Em momentos de tensão política, com o inimigo às portas, o governante podia pedir aos ulemás que lessem trechos de Bukhari na grande mesquita, como uma espécie de confirmação do que Deus já havia feito por Seu povo. Escritores posteriores sobre lei, teologia ou ciências racionais podiam endossar suas idéias com *hadiths* tirados do enorme volume que restou mesmo depois de Bukhari e Muslim terem acabado sua obra.

O CAMINHO DOS MÍSTICOS

As ciências da teologia, a lei e a tradição começaram todas com o que foi dado no Corão, e terminaram reforçando as crenças do Islã e aumentando as barreiras entre ele e as outras religiões monoteístas com as quais tinha afinidade. Havia porém outras linhas de pensamento, que, começando em grande parte da mesma forma, tenderam a levar à afirmação de uma coisa que os muçulmanos podiam ter em comum com outros.

Uma delas era a linha de pensamento e prática comumente chamada de "misticismo"; o equivalente árabe desta palavra é *tasawwuf* (da qual a forma ocidentalizada sufismo), possivelmente derivada das túnicas de lã (*suf*) que se supõe fossem usadas por um dos primeiros grupos. Hoje é geralmente aceito que essa linha extraiu sua inspiração do Corão. Um fiel meditando sobre o seu significado pode ter sido invadido por um senso da esmagadora transcendência de Deus e da total dependência de todas as criaturas para com Ele: Deus todo-poderoso, o inescrutável, guiando aqueles que tinham fé n'Ele, apesar de toda a Sua grandeza estava presente e perto de toda alma humana que n'Ele se apoiava, "mais perto de ti que a veia em teu pescoço". O Corão contém poderosas imagens da proximidade de Deus com o homem, e da maneira como o homem pode responder. Antes que o mundo fosse criado, diz-se que Deus fez uma aliança (*mithaq*) com os seres humanos. Perguntou-lhes: "Não sou Eu o vosso Senhor?" e eles responderam: "Sim, nós atestamos".[5] Diz-se que, em sua vida, Maomé fez uma misteriosa viagem, primeiro a Jerusalém, e depois ao Paraíso, onde lhe permitiram chegar a uma certa distância de Deus e ter uma visão da Sua face.

Desde cedo na história do Islã, parece terem se iniciado dois processos, estreitamente interligados. Houve um movimento de religiosidade, de prece visando a pureza de intenção e renúncia a motivos egoístas e prazeres mundanos, e um outro de meditação sobre o sentido do Corão; os dois ocorreram na Síria e no Iraque, mais do que no Hedjaz, e era natural que se apoiassem nos modos de pensamento e ação moral já existentes no mundo em que os muçulmanos viviam. Os convertidos à nova religião haviam trazido para o Islã suas próprias práticas herdadas; viviam num ambiente ainda mais cristão e judeu que muçulmano. Essa foi a última grande época do monasticismo cristão oriental, e do pensamento e da prática ascética. A princípio, o Profeta condenara o monasticismo: "Não haverá monasticismo no Islã", mandava um famoso *hadith*, e dizia-se que o equivalente islâmico era *jihad*. Na verdade, porém, a influência dos monges cristãos parece ter sido generalizada: sua idéia de um mundo secreto de virtude, além do da obediência à lei, e a crença em que o abandono do mundo, a mortificação da carne e a repetição do nome de Deus na prece poderiam, com a ajuda de Deus, purificar o coração e libertá-lo de todas as preocupações mundanas, passando a um conhecimento superior intuitivo de Deus.

O germe dessas idéias, numa forma muçulmana, pode ser visto já no primeiro século islâmico, nas palavras de al-Hasan al-Basri (642-728):

> o fiel acorda aflito e vai para a cama aflito, e isso é tudo que o envolve, porque está entre duas coisas terríveis: o pecado que passou, e não sabe o que Deus vai fazer com ele, e o tempo que resta, e não sabe que desastres se abaterão sobre ele [...] cuidado com esta morada, pois não há força nem poder senão em Deus, e lembra-te da vida futura.[6]

Nos primeiros místicos, o senso de distância e proximidade de Deus é expresso em linguagem de amor: Deus é o único objeto adequado de amor humano, a ser amado por Si só; a vida do verdadeiro fiel deve ser um caminho que leve ao conhecimento d'Ele, e à medida que o homem se aproximar de Deus, Ele se aproximará do homem, e se tornará "sua visão, sua audição, sua mão e sua língua".

Num fragmento de autobiografia, um escritor de assuntos espirituais durante o terceiro século islâmico, nono cristão, al-Tirmidhi, mostrou como uma alma pode ser atraída para esse caminho. Quando em peregrinação e rezando no *haram*, ele teve um súbito momento de arrependimento de seus pecados: buscando o meio correto de viver, encontrou um livro de al-Antaki que o ajudou no sentido da autodisciplina. Aos poucos, fez progressos no caminho, contendo suas paixões e retirando-se da sociedade. Foi ajudado por sonhos com o Profeta, e também sua esposa teve sonhos e visões. Foi perseguido e caluniado pelos que diziam que ele trazia inovações ilegítimas à religião, mas essas aflições ajudaram-no a purificar seu coração. Então, uma noite, voltando de uma sessão de lembrança de Deus, seu coração abriu-se e foi inundado de doçura.[7]

No século seguinte, tanto a exploração do caminho pelo qual homens e mulheres podem aproximar-se de Deus quanto a especulação sobre o seu fim foram levadas mais adiante. Talvez já no século VIII emergia o ritual distinto da repetição coletiva do nome de Deus (*dhikr*), acompanhada de vários movimentos do corpo, exercícios respiratórios ou música, não como coisas que induziriam automaticamente ao êxtase de ver a face de Deus, mas como meios de libertar a alma das distrações do mundo. Os pensamentos dos mestres sufitas sobre a natureza do conhecimento que viria ao fim do caminho foram primeiro preservados oralmente, e depois por escrito, por aqueles que os procuravam para aprender o caminho. Desse modo, surgiu uma linguagem coletiva em que se podia expressar a natureza da preparação e da experiência mística e um senso de identidade corporativa entre os que empreendiam a jornada.

Foi nesse terceiro século islâmico (mais ou menos século IX d.C.) que o caminho para o conhecimento de Deus, e da natureza desse conhecimento, foi pela primeira vez expresso de forma sistemática. Nos escritos de al-Muhasibi (m. 857), descrevia-se o estilo de vida daquele que buscava o verdadeiro conhecimento, e nos de al-Junayd (m. 910) analisava-se a natureza da experiência que estava no fim do caminho. No fim da estrada, o crente verdadeiro e sincero pode ver-se diante de Deus — como estavam todos os homens no momento da Aliança — de tal modo que os atributos de Deus substituem os seus, e sua existência individual desaparece; mas só por um momento. Depois, ele volta à sua própria existência e ao mundo, mas trazendo consigo a lembrança desse momento, da proximidade de Deus, e também de Sua transcendência:

O amor de Deus, em sua essência, é a iluminação do coração pelo júbilo, por causa da proximidade do Amado; e quando o coração se inunda desse júbilo radiante, encontra seu prazer em estar só com a lembrança do Amado [...] e quando a solidão se mistura ao secreto intercurso com o Amado, o júbilo desse intercurso assoberba a mente, de modo que ela não mais se preocupa com este mundo e o que ele contém.[8]

Muhasibi e Junayd viveram e escreveram dentro da sóbria tradição sunita; eram homens que conheciam a *charia* e preocupavam-se com que, fosse qual fosse o avanço do muçulmano na estrada mística, observasse as ordens dela com sinceridade. O senso que tinham da esmagadora grandeza e poder de Deus não está muito longe do de um teólogo como al-Ash'ari, para quem o poder de agir vem de Deus e o fiel pode esperar por Sua orientação. Em ambos há um senso da incursão do divino na vida humana, de uma inescrutável providência modelando as vidas humanas à sua maneira. A sensação de ser invadido pela presença de Deus, mesmo que só por um momento, é inebriante, e alguns dos sufitas, cujas idéias talvez não diferissem muito das de Junayd, tentaram expressar o inexprimível em linguagem exaltada e colorida, que podia provocar oposição. Abu Yazid al-Bistami (m. *c.* 875) tentou descrever o momento de êxtase, quando o místico é despido de sua existência e invadido pela de Deus; e no entanto, no fim, ele compreendeu que nesta vida isso é uma ilusão, que a vida humana na melhor das hipóteses é preenchida pela alternância da presença e ausência de Deus. Um caso mais famoso é o de al-Hallaj (*c.* 857-922), executado em Bagdá por declarações blasfemas. Discípulo de Junayd, suas doutrinas talvez não diferissem muito das do mestre, mas ele as expressava em tom de êxtase e amor satisfeito. Sua exclamação:

"Eu sou a Verdade [ou Deus]" talvez não fosse mais que uma tentativa de afirmar a experiência mística em que os atributos humanos são substituídos pelos de Deus, mas podia muito bem ser tomada por algo mais; também sua sugestão de que a verdadeira peregrinação não era a Meca, mas a jornada espiritual que o místico realiza em seu próprio quarto, pode ser tomada como querendo dizer que o cumprimento literal das obrigações religiosas não era importante. Talvez tenha havido alguma coisa nele que acolhia tais mal-entendidos, pois fora influenciado por uma tendência no pensamento sufita (a dos malamatis) que pode ter vindo do monasticismo cristão oriental: o desejo de rebaixar-se por atos que incorrem nas reprovações do mundo, uma espécie de mortificação da própria auto-estima.

O CAMINHO DA RAZÃO

As especulações sufitas posteriores sobre como Deus criou o homem, e como o homem poderia retornar a Ele, foram muito influenciadas por outro movimento de pensamento que começou cedo, uma tentativa de assimilar no árabe a tradição de ciência e de filosofia grega; ou, pode dizer-se, de continuar e desenvolver essa tradição por meio do veículo da língua árabe.

A ascensão ao poder de uma dinastia árabe não causou uma interrupção abrupta na vida intelectual do Egito ou da Síria, do Iraque ou Irã. A escola de Alexandria continuou a existir por algum tempo, embora seus sábios acabassem mudando-se para o norte da Síria. A escola de medicina em Jundishapur, no sul do Irã, criada por cristãos nestorianos sob o patronato dos sassânidas, também continuou a existir. Nesses e noutros lugares, havia uma tradição viva de pensamento e de ciência helenística, embora nessa época seus interesses fossem mais limitados que antes, pois eram transmitidos mais por meio do siríaco que do grego. Havia também uma grande tradição de cultura judaica no Iraque, e uma tradição iraniana expressa em pálavi e incorporando alguns importantes elementos vindos da Índia.

Durante a primeira geração de domínio muçulmano, não foi preciso traduzir do grego para o árabe por meio do siríaco, uma vez que a maioria dos que continuavam a tradição ainda era de cristãos, judeus ou zoroastrianos, e mesmo os que se haviam convertido teriam retido o conhecimento das línguas de idéias, ou pelo menos continuado em contato com os que o faziam. O grupo árabe dominante talvez não se interessasse muito em saber o que seus súditos estudavam, e dificilmente poderiam tê-lo feito, pois a língua árabe ainda não adquirira a capacidade de expressar os conceitos científicos e filosóficos de um modo preciso.

Da última parte do século II até o IV islâmicos (mais ou menos do século VIII até o X d.C.), contudo, o trabalho de tradução foi executado intensivamente e — fenômeno raro — com o estímulo direto de alguns dos califas abácidas. Em sua maior parte, o trabalho foi feito por cristãos cuja primeira língua cultural era o siríaco, e que traduziam do siríaco para o árabe, mas algumas obras foram traduzidas diretamente do grego para o árabe. Parte essencial do trabalho desses homens foi expandir os recursos da língua árabe, seu vocabulário e idioma, torná-la um veículo mais adequado a toda a vida intelectual da época. Parte importante nisso foi desempenhada pelo maior dos tradutores, Hunayn ibn Ishaq (808-73).

Praticamente toda a cultura grega da época, preservada nas escolas, foi assimilada nessa linguagem ampliada. Sob certos aspectos, era uma cultura encolhida. A retórica, a poesia, o drama e a história não mais eram muito ensinados ou estudados. Os estudos habituais incluíam filosofia (a maior parte de Aristóteles, alguns diálogos de Platão, algumas obras neoplatônicas); medicina; as ciências exatas, matemática e astronomia; e as ciências ocultas, astrologia, alquimia e magia. Os estudos de filosofia, ciência e ocultismo não eram tão claramente distintos quanto o são hoje. As fronteiras do que hoje se encara como "científico" foram mudando de época em época, e era muito coerente com o que se conhecia do Universo acreditar que a natureza regulava a vida humana, que os Céus controlavam o que acontecia no mundo abaixo da Lua, e tentar compreender e usar essas forças.

Os motivos dos tradutores e seus patronos, os califas, talvez fossem em parte práticos; a profissão médica estava em demanda, e o controle sobre as forças naturais podia trazer poder e sucesso. Mas havia também uma grande curiosidade intelectual, como está expresso nas palavras de al-Kindi (*c.* 801-66), o pensador com quem praticamente começa a história da filosofia islâmica:

Não devemos nos envergonhar de admitir a verdade de qualquer fonte que nos venha, mesmo que nos seja trazida por gerações anteriores e povos estrangeiros. Para aquele que busca a verdade, nada há de mais valioso que a própria verdade.[9]

Essas palavras expressam não apenas a excitação que provocava a descoberta da tradição grega, mas também a confiança em si mesma de uma cultura imperial apoiada num poder mundial e na convicção do apoio divino.

As traduções estão na origem de uma tradição científica expressa em árabe. Em grande parte, ela continuou e desenvolveu a última tradição grega. Um sinal dessa continuidade foi o fato de o historiador da medicina árabe, Ibn Abi Usaybi'a, reproduzir na íntegra o juramento de Hipócrates dos médicos gregos: "Juro por Deus, Senhor da vida e da morte [...] e juro por Esculápio, e pelos santos de Deus...".[10]

Entremeados com as ciências de origem grega, porém, havia elementos procedentes das tradições iraniana e indiana. Já no século IX, o matemático al-Khwarazmi (*c.* 800-47) escrevia sobre o uso de número indianos — os chamados arábicos — em cálculos matemáticos. Essa mistura de elementos é significativa. No momento em que os califas abácidas juntavam as terras do oceano Índico e do Mediterrâneo numa única área comercial, também as tradições gregas, iranianas e indianas eram reunidas, e afirmou-se que, "pela primeira vez na história, a ciência tornou-se internacional em larga escala".[11]

Quaisquer que fossem suas origens, a ciência foi aceita sem dificuldade na cultura e na sociedade expressas em árabe: os as-

113

trônomos tornaram-se os monitores do tempo, fixando as horas de prece e muitas vezes das observâncias rituais; os médicos eram em geral respeitados, e podiam ter influência sobre os governantes. Algumas das ciências, porém, suscitavam questões sobre os limites do conhecimento humano. Muitos dos médicos rejeitavam as afirmações da astronomia de que a conjunção de humores do corpo era regida pela conjunção dos astros; também não se aceitavam inteiramente as alegações dos alquimistas. Acima de tudo, era a filosofia que colocava questões, pois em alguns aspectos os métodos e as conclusões da filosofia grega pareciam difíceis de conciliar com as doutrinas básicas do Islã, como estavam sendo desenvolvidas por teólogos e legisladores.

A suposição da filosofia era de que a razão humana, corretamente empregada, podia proporcionar ao homem conhecimento do Universo, mas ser muçulmano era acreditar que certo conhecimento essencial para a vida humana tinha de vir ao homem apenas pela revelação da Palavra de Deus aos profetas. Se o Islã era verdadeiro, quais eram os limites da filosofia? O Corão ensinava que Deus criara o mundo com Sua palavra criativa "Seja"; como podia isso conciliar-se com a teoria de Aristóteles, de que a matéria era eterna e só sua forma fora criada? Platão chegou ao mundo de língua árabe interpretado por pensadores posteriores, e até mesmo Aristóteles era interpretado à luz de uma obra neoplatônica erroneamente intitulada "A Teologia de Aristóteles". Para esses pensadores posteriores, Deus criara e mantinha o mundo por meio de uma hierarquia de inteligências intermediárias que emanavam d'Ele; como se podia conciliar essa visão com a idéia de um deus de poder total, que apesar disso intervinha diretamente no mundo humano? Era a alma humana imortal? Como se podia conciliar a visão platônica de que a melhor forma de governo era a do rei-filósofo com a visão muçulmana de que o governo da época do Profeta e dos primeiros califas era o que melhor se conformava com a Vontade de Deus para os homens?

Um famoso autor médico no século IX, Abu Bakr al-Razi (865-925), respondeu a essas perguntas de maneira inequívoca.

Só a razão humana podia proporcionar conhecimento correto, a estrada da filosofia estava aberta a todos os usos, as supostas revelações eram falsas e as religiões perigosas.

Talvez mais típica dos filósofos que continuavam sendo muçulmanos convictos foi a atitude de al-Farabi (m. 950). Ele acreditava que o filósofo podia alcançar a verdade por meio da razão, e viver por ela, mas nem todos os seres humanos eram filósofos e capazes de apreender diretamente a verdade. A maioria só podia alcançá-la por intermédio de símbolos. Alguns filósofos tinham o poder de compreender a verdade com a imaginação, além do intelecto, e de expô-la sob a forma de imagens, além de idéias, e esses eram os profetas. Assim, a religião profética era um meio de expor a verdade por meio de símbolos inteligíveis para todos os homens. Diferentes sistemas de símbolos formavam as diferentes religiões, mas todas tentavam expressar a mesma verdade; o que não significava necessariamente que todas a expressassem com a mesma competência.

Implícita nas idéias de al-Farabi havia a sugestão de que a filosofia em sua forma pura não era para todos. A distinção entre a elite intelectual e as massas iria tornar-se um lugar-comum do pensamento islâmico. A filosofia continuou a existir, mas era exercida como uma atividade privada, em grande parte por médicos, com discrição e muitas vezes enfrentando suspeitas. Apesar disso, algumas das idéias dos filósofos penetraram no pensamento da época e de épocas posteriores. A época de al-Farabi foi também a dos fatímidas, e idéias neoplatônicas da hierarquia de emanações divinas podem ser encontradas no sistema plenamente desenvolvido dos ismaelitas. Num período um tanto tardio, iriam também entrar nos sistemas teóricos pelos quais os sufitas tentariam explicar sua busca e o que esperavam encontrar no fim dela.

Parte II
SOCIEDADES MUÇULMANAS ÁRABES SÉCULOS XI-XV

Os cinco séculos que são objeto desta parte foram um período durante o qual o mundo islâmico dividiu-se em alguns aspectos, mas preservou sua unidade em outros. As fronteiras do mundo muçulmano foram alteradas: ele se expandiu na Anatólia e na Índia, mas perdeu a Espanha para os reinos cristãos. Dentro dessas fronteiras, surgiu uma divisão entre as áreas onde o árabe era a principal língua da vida e da cultura, e aquelas em que ele continuou a ser a principal língua da literatura legal e religiosa, mas a revivida língua persa passou a ser o principal veículo de cultura secular. Um terceiro grupo étnico e lingüístico tornou-se importante, o dos turcos, que formaram a elite dominante em grande parte do lado oriental do mundo muçulmano. Dentro das regiões de língua árabe, o Califado Abácida continuou a existir em Bagdá até o século XIII, mas surgiu uma vasta divisão política entre três áreas: Iraque, em geral ligado ao Irã; Egito, que normalmente dominava a Síria e a Arábia Ocidental; e o Magreb, com suas várias regiões.

Apesar das divisões e das mudanças políticas, porém, as regiões de língua árabe do mundo muçulmano tiveram formas sociais e culturais relativamente estáveis durante esse período, e apresentavam semelhanças de uma região para outra. Esta segunda parte examina os mundos dos habitantes das aldeias, camponeses e pastores nômades, e as relações entre eles, e mostra como surgiu uma aliança de interesses entre os elementos dominantes da população urbana e os governantes, cujo poder era justificado por várias idéias de autoridade. No centro da alta cultura das cidades estava a tradição de doutrina legal e religiosa, transmitida em instituições especiais, as *madrasas*. Ligavam-se a ela outras tradições de literatura secular, filosófica e de pensamento científico, e de especulação mística transmitida pelas irmandades sufitas, que desempenharam um importante papel na integração das diferentes ordens da sociedade muçulmana. Os judeus e os cristãos, embora reduzidos em número, preservaram suas próprias tradições religiosas, mas os judeus em particular tomaram parte no florescimento do pensamento e da literatura, e foram importantes no comércio das cidades.

5. O MUNDO MUÇULMANO ÁRABE

ESTADOS E DINASTIAS

No fim do século X, passara a existir um mundo islâmico, unido por uma cultura religiosa comum, expressa em língua árabe, e por relações humanas forjadas pelo comércio, a migração e a peregrinação. Mas esse mundo não mais se corporificava numa unidade política única. Três governantes reivindicavam o título de califa, em Bagdá, no Cairo e em Córdoba, e ainda outros que eram governantes de fato de estados independentes. Isso não surpreende. Ter mantido tantos países, com diferentes tradições e interesses, num único Império por tanto tempo fora um feito notável. Dificilmente poderia ter sido conseguido sem a força da convicção religiosa, que formara um grupo dominante efetivo na Arábia Ocidental, e depois criara uma aliança de interesses entre esse grupo e uma parte em expansão das sociedades sobre as quais governava. Nem os recursos militares nem administrativos do Califado Abácida eram tais que pudessem capacitá-lo a manter a estrutura de unidade política para sempre, num Império que se estendia da Ásia Central à costa do Atlântico, e do século X em diante a história política de países cujos governantes, e uma parte cada vez maior da população, eram muçulmanos ia ser uma série de histórias regionais, de ascensão e queda de dinastias cujo poder se irradiava de suas capitais para fronteiras em geral não claramente definidas.

Não se fará qualquer tentativa aqui de dar em detalhes a história de todas essas dinastias, mas pelo menos deve-se deixar claro o quadro geral dos acontecimentos. Para isso, o mundo islâmico pode ser dividido em três amplas áreas, cada uma com seus centros próprios de poder. A primeira delas incluía o Irã, a terra além do Oxo, e o sul do Iraque; durante algum tempo após o século X, seu principal centro de poder continuou a ser Bagdá, destacando-se no coração de um rico distrito agrícola e de uma ampla rede de comércio, e com a influência e o prestígio acumulados durante séculos de governo dos califas abácidas. A segunda área incluía o Egito, a Síria e a Arábia Ocidental; seu centro de poder ficava no Cairo, a cidade construída pelos fatímidas no meio de uma zona rural extensa e produtiva, e no coração de um sistema de comércio que ligava o mundo do oceano Índico ao do mar Mediterrâneo. A terceira incluía o Magreb e as áreas muçulmanas da Espanha conhecidas como Andalus; nessa área não havia um centro predominante de poder, mas vários, que ficavam em regiões de extenso cultivo e em pontos a partir dos quais se podia controlar o comércio entre a África e diferentes áreas do mundo mediterrâneo.

De maneira um tanto simplificada, a história política de todas as três regiões pode ser dividida num certo número de períodos. O primeiro deles cobre os séculos XI e XII. Nesse período, a área oriental foi dominada pelos seljúquidas, uma dinastia turca apoiada por um exército turco e adepta do Islã sunita. Eles estabeleceram-se em Bagdá em 1055 como governantes de fato, sob a suserania dos abácidas, dominaram o Irã, o Iraque e a maior parte da Síria, e conquistaram partes da Anatólia do imperador bizantino (1038-1194). Não se diziam califas. Entre os termos usados para descrever esta e outras dinastias, será mais conveniente usar o de "sultão", que quer dizer mais ou menos "detentor do poder".

No Egito, os fatímidas continuaram a governar até 1171, mas foram então substituídos por Salah al-Din (Saladino, 1169-93), um chefe militar de origem curda. A mudança de governantes trouxe consigo uma mudança de aliança religiosa. Os fatímidas pertenciam ao ramo ismaelita dos xiitas, mas Saladino era sunita, e conseguiu mobilizar a força e o fervor religioso dos muçulmanos egípcios e sírios para derrotar os cruzados europeus que haviam estabelecido estados cristãos na Palestina e na costa síria no fim do século XI. A dinastia fundada por Saladino, a dos aiúbidas, governou o Egito de 1169 a 1252, a Síria até 1260, e parte da Arábia Ocidental até 1229.

Na área ocidental, o Califado Omíada de Córdoba decompôs-se nos primeiros anos do século XI em vários reinos pequenos, e isso possibilitou aos estados cristãos que haviam sobrevivido no norte da Espanha começarem a expandir-se para o sul. Mas essa expansão foi contida por algum tempo, pelo sucessivo aparecimento de duas dinastias que extraíam seu poder de uma idéia de reforma religiosa combinada com a força dos povos berberes do campo marroquino: primeiro os almorávidas, que vinham das margens do deserto do sul do Marrocos (1056-1147), e depois os almôadas, cujo apoio vinha de berberes das montanhas Atlas, e cujo Império em sua maior extensão incluiu Marrocos, Argélia, Tunísia e a parte muçulmana da Espanha (l 130-1269).

Um segundo período abrange, muito por cima, os séculos XIII e XIV. Durante o XIII, a área oriental foi perturbada pela irrupção no mundo muçulmano de uma dinastia mongol não muçulmana, vinda da Ásia Oriental, com um exército formado de tribos mongóis e turcas das estepes da Ásia interior. Eles conquistaram o Irã e o Iraque, e puseram fim ao Califado dos Abácidas em Bagdá, em 1258. Um ramo da família governante reinou no Irã e Iraque por quase um século (1256-1336), e nesse tempo foi convertido ao Islã. Os mongóis tentaram marchar para oeste, mas foram detidos na Síria por um exército do Egito, formado por escravos militares (mamelucos), trazido para o país pelos aiúbidas. Os chefes desse exército depuseram os aiúbidas e formaram uma autoperpetuante elite militar, oriunda do Cáucaso e da Ásia Central, que continuou a governar o Egito por mais de dois séculos (os mamelucos, 1250-1517); também governou a Síria a partir de 1260, e controlou as cidades santas na Arábia Ocidental. Na área ocidental, a dinastia almôada deu lugar a vários estados sucessores, incluindo o dos marínidas no Marrocos (1196-1465) e o dos hafsidas, que governou a partir de sua capital, Túnis (1228-1574).

Esse segundo período foi um daqueles em que mudaram consideravelmente as fronteiras do mundo muçulmano. Em alguns lugares, as fronteiras contraíram-se sob os ataques dos estados cristãos da Europa Ocidental. A Sicília foi perdida para os normandos do norte da Europa, e a maior parte da Espanha para os reinos cristãos do norte; em meados do século XIV, eles tinham todo o país, com exceção do Reino de Granada no sul. Tanto na Sicília quanto na Espanha, a população muçulmana continuou a existir por algum tempo, mas acabaria sendo extinta pela conversão ou expulsão. Por outro lado, os estados estabelecidos pelos cruzados na Síria e na Palestina foram finalmente destruídos pelos mamelucos, e a expansão na Anatólia, que começara sob os seljúquidas, foi continuada por outras dinastias turcas. Quando isso aconteceu, mudou a natureza da população, com a chegada de tribos turcas e a conversão de grande parte da população grega. Houve também uma expulsão de governos muçulmanos e de sua população para leste, no norte da Índia. Na África, igualmente, o Islã continuou a espalhar-se ao longo das rotas comerciais, pelo Sahel adentro, na margem sul do deserto do Saara, pelo vale do Nilo abaixo, e ao longo da costa oriental africana.

No terceiro período, cobrindo mais ou menos os séculos XV e XVI, os estados muçulmanos viram-se diante de um novo desafio dos estados da Europa Ocidental. A produção e o comércio das cidades européias aumentaram; têxteis exportados por mercadores de Veneza e Gênova concorriam com os produzidos nas cidades do mundo muçulmano. A conquista cristã da Espanha foi completada com a extinção do Reino de Granada em 1492; toda a península era agora governada pelos reinos cristãos de Portugal e Espanha. O poder da Espanha ameaçava o domínio muçulmano no Magreb, como o fazia o dos piratas do sul da Europa no Mediterrâneo Oriental.

Ao mesmo tempo, mudanças nas técnicas navais e militares, e em particular o uso da pólvora, tornaram possíveis uma maior concentração de poder e a criação de estados mais poderosos e duradouros, que se estenderam sobre a maior parte do mundo muçulmano nesse período. No Extremo Oriente, novas dinastias sucederam os marínidas e outros: primeiro os saddidas (1511-1628), e depois os alauítas, que governam desde 1631 até hoje. No outro extremo do Mediterrâneo, uma dinastia turca, a dos otomanos, surgiu na Anatólia, na disputada fronteira com o Império Bizantino. Expandiu-se dali para o sudeste da Europa, e depois conquistou o resto da Anatólia; a capital bizantina, Constantinopla, tornou-se a capital otomana, agora conhecida como Istambul (1453). No início do século XVI, os otomanos derrotaram os mamelucos e absorveram a Síria, o Egito e a Arábia Ocidental em seu Império (1516-17). Depois assumiram a defesa da costa do Magreb contra a Espanha, e ao fazerem isso tornaram-se sucessores dos hafsidas e governantes do Magreb até as fronteiras do Marrocos. Seu Império iria durar, de uma forma ou de outra, até 1922.

Mais a leste, a última grande incursão de um governante com um exército oriundo das tribos do interior da Ásia, a de Tamerlão, deixou atrás uma dinastia no Irã e na Transoxiana, mas não por muito tempo (1370-1506). No início do século XVI, fora substituída por uma nova e mais duradoura, a dos safávidas, que estenderam seu domínio da região noroeste do Irã a todo o país e além (1501-1732). Os mughals, uma dinastia descendente da família governante mongol e de Tamerlão, criaram um Império no norte da Índia, com a capital em Déli (1526-1858).

Além destes quatro grandes estados, o dos alauítas, otomanos, safávidas e mughals, havia outros menores, na Criméia e na terra além do Oxo, na Ásia Central e Oriental, e nas terras recém-convertidas ao Islã na África.

ÁRABES, PERSAS E TURCOS

Essas mudanças políticas não destruíram a unidade cultural do mundo do Islã; ela foi se tornando mais profunda, à medida que um volume cada vez maior da população se tornava muçulmana e a fé do Islã se articulava em sistemas de pensamento e instituições. Com o correr do tempo, no entanto, começaram a surgir divisões nessa ampla unidade cultural; na parte oriental do mundo islâmico, o advento do Islã não submergiu a consciência do passado na mesma medida em que fez na ocidental.

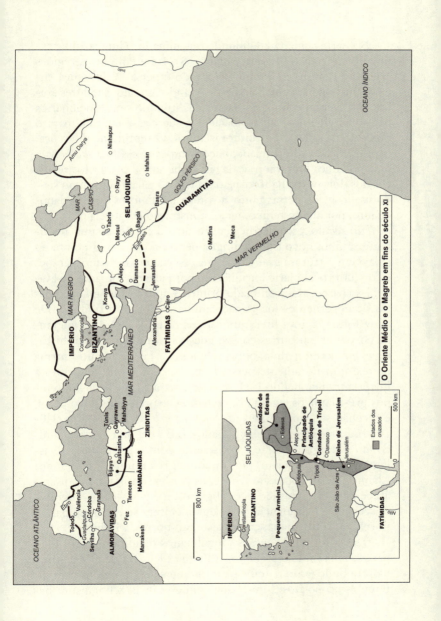

Na parte ocidental do mundo muçulmano, a língua árabe extinguiu aos poucos as vernaculares. No Irã e em outras regiões orientais, porém, continuou-se usando o persa. A diferença entre árabes e persas persistiu desde quando os conquistadores árabes envolveram o Império Sassânida, atraindo seus funcionários para o serviço dos califas abácidas e sua classe educada para o processo de criação da cultura islâmica. O sentido de diferença, com nuanças de hostilidade, encontrou expressão na *shu'ubiyya*, uma polêmica literária travada em árabe sobre os méritos relativos dos dois povos na formação do Islã. O pálavi continuou sendo usado pelos persas tanto nos textos religiosos zoroastrianos quanto, por algum tempo, na administração do governo.

No século x, começou a surgir uma coisa nova: uma alta literatura num novo tipo de língua persa não muito diferente do pálavi em estrutura gramatical, mas escrita em caracteres árabes e com um vocabulário enriquecido por palavras tomadas do árabe. Isso parece ter acontecido primeiro no Irã Oriental, nas cortes de governantes locais não familiarizados com o árabe. De certa forma, a nova literatura refletia os tipos de textos em árabe correntes em outras cortes: poesia lírica e panegírica, história e, em certa medida, obras religiosas. Mas havia outra forma de texto, distintamente persa. O poema épico que registrava a história tradicional do Irã e seus governantes já existia em tempos pré-islâmicos; agora era revivido e expresso no novo persa, e recebeu sua forma final no *Shah-nameh* de Firdawsi (*c.* 940-1020). Entre os países muçulmanos, o Irã era praticamente único em sua ligação forte e consciente com seu passado pré-islâmico. Isso não levou, porém, a uma rejeição de sua herança islâmica; dessa época em diante, os persas continuaram a usar o árabe para os textos legais e religiosos, e o persa para a literatura secular, e a influência dessa dupla cultura se estendeu para o norte, na Transoxiana, e para leste, no norte da Índia.

Dessa forma, os países muçulmanos dividiram-se em duas partes, uma onde o árabe era a língua exclusiva da alta cultura, e outra onde tanto o árabe quanto o persa eram usados para diferentes propósitos. Interligada com essa divisão lingüística havia outra entre centros de poder político. A ascensão dos fatímidas no oeste e depois a dos seljúquidas no leste criaram uma fronteira, apesar de instável, entre a Síria e o Iraque. No século XIII, a abolição do Califado Abácida e a destruição do poder de Bagdá pelos mongóis, e depois a derrota destes pelos mamelucos na Síria, tornaram essa divisão permanente. Daí em diante, no leste havia regiões governadas por estados que tinham centros no Irã, Transoxiana ou norte da Índia, e a oeste os governados a partir do Cairo ou cidades do Magreb e da Espanha; o sul do Iraque, que fora o centro, tornou-se uma região de fronteira. Essa divisão continuou existindo, em outra forma, quando os safávidas ascenderam ao poder no Irã e os otomanos absorveram em seu Império a maior parte dos países de língua árabe; por algum tempo, os dois impérios lutaram pelo controle do Iraque.

A divisão política, no entanto, não podia ser descrita como entre árabes e persas, pois do século XI em diante a maioria dos grupos governantes nas duas áreas não era nem árabe nem persa em origem, língua ou tradição política, mas turca, descendente dos povos pastoris nômades da Ásia interior. Eles haviam começado a cruzar a fronteira nordeste do domínio do Islã no período abácida. A princípio vieram indivíduos, mas depois grupos inteiros cruzaram a fronteira e tornaram-se muçulmanos. Alguns haviam entrado nos exércitos dos governantes, e com o tempo surgiram dinastias entre eles. Os seljúquidas eram de origem turca, e ao se expandirem para a Anatólia, a oeste, os turcos os acompanharam. Muitos dos mamelucos que governaram o Egito vinham de terras turcas; a maior parte dos exércitos mongóis era formada por turcos, e a invasão mongol teve o efeito permanente de assentar um grande número de turcos no Irã e na Anatólia. Mais tarde, as dinastias otomana, safávida e mughal apoiaram sua força em exércitos turcos.

As dinastias estabelecidas pelos turcos continuaram a usar formas da língua turca no exército e no palácio, mas acabaram sendo atraídas ao mundo da cultura árabe ou árabe-persa, ou pelo menos atuaram como seus patronos e guardiães. No Irã, o turco era a língua de governantes e dos exércitos, o persa a da administração e cultura secular, e também a da cultura religiosa e legal. A oeste, fosse qual fosse a língua do governante, o árabe era a dos funcionários públicos e da alta cultura; mais tarde isso mudou em certa medida, quando a ascensão do Império Otomano levou à formação de uma língua e uma cultura turco-otomanas distintas, que eram as dos altos funcionários e também do palácio e do exército. No Magreb e no que restava da Espanha muçulmana, o árabe era a língua dominante de governo e também da alta cultura; embora berberes das montanhas Atlas e das margens do Saara desempenhassem um papel político de vez em quando, e à medida que isso acontecia eles eram atraídos para a cultura árabe. Mesmo aqui, porém, a conquista otomana no século XVI levou algo de sua língua e cultura política à costa do Magreb.

Este livro trata da parte ocidental do mundo islâmico, aquela em que o árabe era a língua dominante na alta cultura e, numa forma ou noutra, na fala coloquial. Seria errado, claro, pensar que essa era uma região nitidamente isolada do mundo em torno dela. Os países de língua árabe ainda tinham muito em comum com os de língua persa e turca; as terras em torno do oceano Índico e do mar Mediterrâneo tinham estreitas ligações umas com as outras, fosse a religião dominante o Islã ou não; todo o mundo vivia dentro das mesmas restrições impostas pela limitação de recursos humanos e do conhecimento técnico de como usá-los. Seria também demasiado simples pensar nessa vasta região como formando um único "país". Melhor seria pensar nos lugares onde o árabe era a língua dominante como um grupo de regiões distintas umas das outras em termos geográficos e naturais, e habitadas por povos com tradições sociais e culturais características, que ainda subsistiam em modos de vida e talvez também em hábitos de pensamento e sentimento, mesmo onde a consciência do que existira antes do advento do Islã enfraquecera ou praticamente desaparecera. Processos sociais mais ou menos semelhantes podem ser vistos nessas regiões, e uma língua comum e a cultura nela expressa facilitavam às classes urbanas letradas o intercâmbio umas com as outras.

128

DIVISÕES GEOGRÁFICAS

Na área em que o árabe era dominante, é possível — com alguma simplificação — distinguir cinco regiões. A primeira é a península Arábica, onde surgira a comunidade muçulmana de língua árabe. A península é uma massa de terra isolada do mundo em três lados, pelo mar Vermelho, o golfo Pérsico e o mar Arábico (parte do oceano Índico), e dividida em várias áreas diferentes umas das outras em natureza física e, na maioria dos períodos, em desenvolvimento histórico. A linha básica de divisão corre mais ou menos de norte a sul, paralela ao mar Vermelho. No lado ocidental da linha, há uma área de rocha vulcânica. A planície costeira, Tihama, eleva-se em cadeias de morros e planaltos, depois em cadeias de montanhas mais altas — Hedjaz, 'Asir e Iêmen —, com picos de até 4 mil metros acima do nível do mar, no sul. As montanhas do sul prolongam-se para sudeste, cortadas por um grande vale, o Wadi Hadramaut.

As montanhas do Iêmen ficam na ponta extrema da área tocada pelos ventos de monção do oceano Índico, e essa era a área onde há muito se fazia o cultivo regular de frutas e grãos. Mais ao norte, a precipitação pluvial é mais limitada e irregular, não há rios de qualquer tamanho, mas um limitado abastecimento de água que vem de nascentes, poços e riachos sazonais; o estilo de vida que melhor aproveitava os recursos naturais combinava a criação de camelos e outros animais, por um movimento mais ou menos regular durante o ano, com o cultivo de tâmaras e outras árvores nos oásis onde a água era abundante.

A leste das montanhas, a terra inclina-se para leste em direção ao golfo Pérsico. No norte e no sul, há desertos (o Nafud e o "Quadrado Vazio"), e entre eles uma estepe rochosa, Najd, e sua extensão na margem do golfo Pérsico, al-Hasa. A não ser por algumas regiões montanhosas no norte, a chuva é pouca, mas nascentes e riachos sazonais tornam possível manter uma vida constante baseada no cultivo dos oásis; em outras partes, pastoreavam-se camelos com migrações sazonais em longas distâncias. No canto sudeste da península, há uma terceira área,

Omã, não dessemelhante do Iêmen no sudoeste. Da planície costeira eleva-se uma cadeia de montanhas a uma altura de mais de 3 mil metros; ali, nascentes e riachos dão água que, distribuída por um antigo sistema de irrigação, tornou possível a agricultura permanente. Na costa fica uma cadeia de portos a partir dos quais se pratica a pesca nas águas do golfo Pérsico, e o mergulho em busca de pérolas, desde tempos antigos.

Na parte ocidental da península, rotas que correm do sul para o norte ligavam as terras em torno do oceano Índico aos países da bacia do Mediterrâneo. Na parte oriental, as principais rotas eram as que corriam ao longo de uma cadeia de oásis até a Síria e o Iraque. Os portos na costa do golfo Pérsico e Omã eram ligados por rotas marítimas às costas da Índia e da África Oriental. Mas a produção de alimentos e matérias-primas era pequena demais para que os portos e as aldeias de feira se tornassem grandes cidades, centros de manufatura e poder. Meca e Medina, as cidades santas, eram mantidas pelas generosidades dos países vizinhos.

Ao norte, a península Arábica junta-se a uma segunda área, o Crescente Fértil: a terra em forma de crescente em torno do deserto de Hamad ou Sírio, uma extensão para norte da estepe e deserto de Najd. É uma terra de antiga e distinta civilização, sobreposta na metade ocidental pelas da Grécia e Roma, e na oriental pelas do Irã; foi aí, mais que na península, que se desenvolveram a sociedade e a cultura específica do Islã.

A metade ocidental do Crescente Fértil forma uma área conhecida de uma geração anterior de estudiosos e viajantes como "Síria". Aqui, como na Arábia Ocidental, as principais divisões geográficas se dão de oeste para leste. Por trás de uma faixa costeira de planície, há uma cadeia de planaltos, erguendo-se no centro para as montanhas do Líbano e descendo no sul para os morros da Palestina. Além delas, para leste, fica uma depressão, parte da Grande Fenda que corta o mar Morto e o mar Vermelho até a África Oriental. Além dessa fica outra região montanhosa, a grande planície ou planalto do interior, que se transforma gradualmente na estepe ou deserto de Hamad. Em alguns lugares, sistemas antigos de irrigação usavam as águas do Orontes e de rios menores para manter oásis férteis, em particular o que ficava em torno da cidade de Damasco; em sua maior parte, porém, a possibilidade de cultivo dependia da chuva. Nas encostas orientais de morros e montanhas do litoral, a precipitação pluvial é suficiente para possibilitar o cultivo regular, contanto que o solo seja preparado pelo terraceamento das encostas; em outras partes, é mais precário, variando muito de ano para ano, e os extremos de calor e frio também são maiores. Nas planícies interiores, assim, as vantagens relativas do cultivo de grãos e do pastoreio de camelos ou carneiros variam muito de uma época para outra.

A Síria era estreitamente ligada ao resto da bacia do Mediterrâneo Oriental por rotas marítimas que partiam de seus portos e por uma rota de terra que corria ao longo da costa até o Egito; para o interior, ligava-se também à Arábia Ocidental, e, por rotas que atravessavam o Hamad ou contornavam sua margem norte, a terras a leste. A combinação de comércio a longa distância com a produção de um excedente de alimentos e matérias-primas tornara possível o surgimento de grandes cidades, que ficavam nas planícies interiores mas ligadas com a costa — Alepo no norte e Damasco no centro.

As rotas que atravessavam ou contornavam o Hamad levavam aos vales dos rios gêmeos, Eufrates e Tigre. Nascendo na Anatólia, eles correm mais ou menos em direção sudeste, aproximam-se, separam-se, e finalmente juntam-se e deságuam no extremo norte do golfo Pérsico. A terra entre eles, e em torno, é dividida em duas áreas. No norte, na Jazira, conhecida dos primeiros viajantes e estudiosos como alta Mesopotâmia, a natureza da elevação tornava difícil usar a água do rio para a irrigação e o cultivo de grãos, a não ser na vizinhança imediata dos rios ou seus tributários; longe dos rios, a precipitação é incerta e o solo fino, e o equilíbrio favorecia na maioria das vezes a criação de carneiros, bois e camelos. A nordeste dos rios, porém, há outro tipo de terra, parte das cadeias de montanhas da Anatólia: muitas vezes chamada de Curdistão, pelos curdos que ali habitam. Ali, como nos vales montanhosos da costa síria, podiam-se usar terra e água para cultivo de árvores nas regiões montanhosas e grãos mais abaixo, mas também para criar carneiros e cabras por transumância regular de pastos de inverno nos vales do rio para as pastagens de verão nas altas montanhas.

Mais para o sul, no Iraque, a natureza da terra é diferente. As neves das montanhas da Anatólia derretem-se na primavera e um grande volume de água desce pelos rios e inunda as planícies vizinhas. O depósito de aluvião deixado pelas enchentes em milhares de anos criou uma vasta planície aluvial, o Sawad, onde se cultivavam grãos e tâmaras em grande escala. A irrigação era ali mais fácil que no norte, porque a planície quase não tinha relevos, e desde os tempos da antiga Babilônia um grande sistema de canais levava a água para o Sawad. A lhanura da planície e a violência das enchentes tornavam necessário manter os canais em ordem. Se não fossem limpos e consertados, as águas das enchentes podiam transbordar as margens do rio, inundar a região vizinha e formar áreas de pântano permanente. A ausência de relevo também tornava fácil para os pastores nômades de Nadj passar aos vales do rio e usar a terra para pasto, em vez de agricultura. A segurança e a prosperidade do Sawad dependiam da força dos governos, mas eles por sua vez extraíam seu alimento, materiais e riqueza do campo que protegiam. Uma sucessão de grandes cidades elevara-se no centro do Sawad, onde o Eufrates e o Tigre se aproximam: Babilônia, a Ctesifonte dos sassânidas, e a capital dos abácidas, Bagdá.

Além das ligações com a Síria e Najd, rotas partiam do Iraque para as regiões montanhosas iranianas a leste, porém mais facilmente para o sul do que para o norte. Os rios não favoreciam muito a navegação na maioria de sua extensão, mas a partir do ponto onde se juntavam e corriam juntos para o golfo Pérsico, rotas marítimas seguiam para os portos do golfo Pérsico e do oceano Índico. O principal terminal dessas rotas, Basra, foi por algum tempo o principal porto do Império Abácida.

A oeste da península Arábica, do outro lado do mar Vermelho e numa estreita ponta de terra para o norte, há um deserto, e além dessa uma terceira área, o vale do rio Nilo. Nascendo nas

132

regiões montanhosas da África Oriental, o rio ganha força ao correr para o norte, e juntam-se a ele tributários que descem das montanhas da Etiópia. Corre através de uma bacia aluvial criada pelo lodo que depositou durante séculos, em parte uma larga planície, em outras uma faixa estreita, e em seu estágio final divide-se em braços e atravessa um fértil delta até o mar Mediterrâneo. No verão, depois que as neves se derretem nas montanhas da África Oriental, o nível da água sobe e o rio desce em enchente. Desde os primeiros tempos, vários artifícios — o engenho, a roda d'água, o balde na ponta de uma vara — tornaram possível tirar água do rio em pequena escala. Em alguns lugares, sobretudo no norte, havia um antigo sistema de diques, que desviava a água quando o Nilo enchia para bacias de terra cercadas por margens, onde ela ficava por algum tempo e depois era drenada de volta ao rio quando a enchente baixava, deixando o aluvião atrás a enriquecer o solo. Na terra assim irrigada, cultivavam-se em abundância grãos e outras colheitas. No deserto que se estendia ao longo do lado ocidental do rio, havia também alguns oásis de cultivo selecionado.

A parte norte do vale do Nilo forma a terra do Egito, um país com uma tradição de alta civilização e uma unidade social criada ou tornada permanente por uma longa história de controle político, exercido por governantes de uma cidade localizada no ponto onde o rio se divide em braços e corta o delta. O Cairo foi a última de uma sucessão de cidades que remontam a Mênfis, no terceiro milênio a.C. Ficava no centro de uma rede de rotas que corriam para os portos do Mediterrâneo no norte, e dali, por mar, para a Síria, a Anatólia, o Magreb e a Itália; pela estrada costeira, para a Síria, a leste, e, também a leste, o mar Vermelho, e dali para o oceano Índico, e para o sul rumo ao vale do Nilo e a África Oriental e Ocidental.

Na parte superior do vale do Nilo, o domínio social do delta e da capital era mais fraco. O Nilo atravessa uma região praticamente sem chuvas. Em sua margem oriental, a área cultivável formava apenas uma faixa estreita, mas na ocidental a planura da terra tornava possível ampliar a faixa cultivável por

133

irrigação. Ao sul dessa área sem chuvas fica uma de pesadas chuvas de verão, que podem durar de maio a setembro. Aí podia-se cultivar grão e criar gado, numa área que se estendia para oeste além do vale do rio até alcançar um semideserto arenoso, e para o sul até largas áreas de vegetação perene. Era o Sudão, terra de agricultura e pastoreio, de aldeias, acampamentos nômades e cidades de feiras, mas não de grandes cidades. Pelo Nilo, ligava-se ao Egito, e por rotas de terra à Etiópia e ao Sahel, a região em torno da margem sul do deserto do Saara.

Do deserto ocidental do Egito até a costa atlântica, estende-se uma quarta região, conhecida em árabe como o Magreb, a terra do Ocidente ou do sol poente; inclui os países hoje conhecidos como Líbia, Tunísia, Argélia e Marrocos. Dentro dessa área, as divisões naturais mais óbvias correm do norte para o sul. Estendendo-se ao longo da costa mediterrânea e da costa atlântica, há uma faixa de baixada que se alarga em planícies em alguns lugares: o Sahel da Tunísia e a planície da costa atlântica do Marrocos. Para dentro dessa faixa erguem-se cadeias de montanhas: Jabal Akhdar na Líbia, as montanhas do norte da Tunísia, o Atlas telúrico e o Rif no Marrocos. Também para dentro, há altas planícies ou estepes, e além delas outras cadeias de montanhas, as Aures na Argélia, o Médio Atlas e o Alto Atlas mais a oeste. Para o sul há estepe, que se transforma gradualmente em deserto, o Saara, em partes pedregoso e em outras arenoso, com oásis e palmeiras. Ao sul do Saara fica uma área de prados, aguada pela chuva e o rio Níger, o Sahel do Sudão Ocidental.

O Magreb tem poucos rios que podem ser usados para irrigação, e foi o volume e a época da chuva que determinaram a natureza e a extensão do assentamento humano. Nas planícies costeiras e nas encostas das montanhas do lado do mar, que precipitam as nuvens de chuva vindas do Mediterrâneo ou Atlântico, era possível um cultivo permanente de grãos, olivas, frutas e legumes, e o alto das encostas das montanhas tinha boa capa de florestas. Além das montanhas, nas altas planícies, porém, as chuvas variam de ano para ano, e mesmo num mesmo ano, e a terra pode ser usada de um modo misto: cultivo de grão e pastagem de carneiros e cabras por migração sazonal. Mais ao sul, na estepe e no deserto, a terra era mais apropriada à pastagem; criadores de carneiros misturavam-se com os de camelos, deslocando-se do deserto para o norte no verão. O Saara na verdade era a única parte do Magreb onde se criavam camelos; o animal chegou à área nos séculos anteriores ao advento do Islã. As regiões arenosas eram pouco habitadas, mas na outra parte criadores de gado misturavam-se com cultivadores de tâmaras e outras árvores nos oásis.

As principais rotas que uniam o Magreb ao mundo também corriam do norte para o sul. Os portos do Mediterrâneo e do Atlântico ligavam a região à península Ibérica, à Itália e ao Egito; rotas partiam deles para o sul, através da região colonizada e de uma cadeia de oásis no Saara, até o Sahel e além. Em alguns lugares, as rotas chegavam ao mar através de vastas áreas de terra cultivada, e aí grandes cidades puderam surgir e manter-se. Duas dessas áreas foram de particular importância. Uma ficava na costa atlântica do Marrocos; ali surgira nos primeiros tempos islâmicos a cidade de Fez, enquanto mais ao sul, e meio tardiamente, surgiu também a de Marrakesh. A outra era a planície costeira da Tunísia; ali, a principal cidade nos primeiros tempos islâmicos era Kairuan, mas depois seu lugar foi tomado por Túnis, que ficava na costa, perto do local da antiga cidade de Cartago. Essas duas áreas, com suas grandes cidades, irradiavam seu poder econômico, político e cultural sobre as terras em volta e entre si. A Argélia, ficando entre as duas, não tinha uma área assentada grande e estável suficiente para dar origem a um centro de poder semelhante, e tendia a cair na esfera de influência das duas vizinhas. Do mesmo modo, o poder de Túnis estendia-se sobre a Líbia Ocidental (Tripolitânia), enquanto Cirenaica, no leste, separada do resto do Magreb pelo deserto Líbio, que ali chegava até o mar, ficava mais dentro da esfera de influência do Egito.

A quinta área é a península Ibérica, ou Andalus, a área que foi governada e em grande parte habitada por muçulmanos (a maior parte no século XI, mas diminuindo aos poucos até desaparecer no fim do século XV). Sob certos aspectos semelhante à

Síria, consistia de pequenas regiões mais ou menos isoladas umas das outras. O centro da península é um vasto planalto cercado e cortado por cadeias de montanhas. Dali, vários rios atravessam baixadas em direção à costa: o Ebro corre para o Mediterrâneo no norte, o Tejo para o Atlântico, cortando baixadas portuguesas, e o Guadalquivir para o Atlântico mais ao sul. Entre as montanhas que cercam o planalto central e o mar Mediterrâneo, fica a área montanhosa da Catalunha no norte e planícies mais ao sul. Variações de clima e precipitação pluvial criam diferenças na natureza da terra e nos modos como se pode usá-la. No clima frio das altas montanhas, há florestas de cortiça, carvalho e pinheiro, e entre elas pastos onde se cultivava grãos e se criava gado. O planalto central, com um clima de extremos, era adequado a um regime misto, o cultivo de grãos e olivas e a pastagem de carneiros e cabras. No clima quente dos vales ribeirinhos e planícies costeiras, cultivavam-se cítricos e outras frutas. Era ali, em áreas de rico cultivo e com acesso a transporte fluvial, que ficavam as grandes cidades — Córdoba e Sevilha.

A Espanha fazia parte do mundo mediterrâneo, e os portos de sua costa oriental ligavam-na aos outros países da bacia: Itália, o Magreb, Egito e Síria. Suas mais importantes ligações eram com o Marrocos, vizinho do sul; os pequenos estreitos que separavam as duas massas de terra não constituíam barreiras para o comércio, a migração ou o movimento de idéias ou exércitos conquistadores.

ÁRABES MUÇULMANOS E OUTROS

No século XI, o Islã era a religião dos governantes, dos grupos dominantes e de uma crescente parte da população, mas não é certo que fosse a religião da maioria em qualquer parte fora da península Arábica. Do mesmo modo, embora o árabe fosse a língua da alta cultura e de grande parte da população urbana, outras línguas ainda sobreviviam do período anterior à chegada dos conquistadores muçulmanos. No século XV, a inundação do

Islã árabe havia coberto toda a região, e na maior parte era o Islã em sua forma sunita, embora ainda existissem adeptos de doutrinas que evoluíram nos primeiros séculos. No sudeste da Arábia e nas margens do Saara, havia comunidades de ibaditas que alegavam descender dos kharidjitas que tinham rejeitado a liderança de 'Ali após a batalha de Siffin e se revoltado contra o governo dos califas no Iraque e no Magreb. No Iêmen, grande parte da população aderiu ao xiismo na forma zaidita. O xiismo nas formas dos adeptos do Duodécimo e ismaelita, que havia dominado grande parte do mundo árabe oriental no século X, recuara; os adeptos do Duodécimo ainda eram numerosos em partes do Líbano, sul do Iraque, onde tinham seus principais santuários, e na costa oeste do golfo Pérsico; e os ismaelitas ainda se aferravam à sua fé em partes do Iêmen, Irã e Síria, onde tinham conseguido opor uma resistência local aos governantes sunitas, os aiúbidas na Síria e os seljúquidas mais a leste. (Notícias de suas atividades, levadas de volta para a Europa na época das Cruzadas, deram origem ao nome "Assassinos" e à história, não encontrada em fontes árabes, de que eles viviam sob o domínio absoluto do "Velho das Montanhas".) Adeptos de outros rebentos do xiismo, os drusos e nizaritas, também se encontravam na Síria. No norte do Iraque havia os yaziditas, seguidores de uma religião que tinha elementos derivados tanto do cristianismo quanto do Islã, e no sul os mandeus tinham uma fé derivada de crenças e práticas religiosas mais antigas.

No século XII, as Igrejas cristãs do Magreb haviam praticamente desaparecido, mas grande parte da população dos reinos muçulmanos de Andalus era cristã da Igreja Católica Romana. Os cristãos coptas ainda eram um elemento importante da população egípcia no século XV, embora seu número estivesse diminuindo pela conversão. Mais ao sul, no norte do Sudão, o cristianismo desaparecera no século XV ou XVI, à medida que o Islã se espalhava para o outro lado do mar Vermelho e pelo vale do Nilo abaixo. Em toda a Síria e no norte do Iraque, permaneceram comunidades cristãs, embora de forma reduzida. Algumas, sobretudo nas cidades, pertenciam à Igreja Ortodoxa Oriental, mas outras eram membros daquelas outras Igrejas que tinham origens nas controvérsias sobre a natureza do Cristo: a Ortodoxa Síria ou Monofisista e os nestorianos. No Líbano e outras partes da Síria, havia uma quarta Igreja, a dos maronitas; eles mantinham a doutrina monoteleta, mas no século XII, quando os cruzados dominavam as costas da Síria, já tinham aceito a doutrina católica romana e a supremacia do papa.

Os judeus espalhavam-se mais amplamente pelo mundo do Islã árabe. No Magreb, parte considerável do campesinato fora convertido ao judaísmo antes do advento do Islã, e ainda havia comunidades rurais judaicas, assim como no Iêmen e em partes do Crescente Fértil. Também se encontravam judeus na maioria das cidades da região, pois eles desempenhavam importante papel no comércio, manufatura, finanças e medicina. O maior número deles pertencia ao corpo principal de judeus que aceitavam a lei oral e sua interpretação contidas no Talmud e mantidas pelos educados nos estudos talmúdicos. No Egito, Palestina e em outras partes, porém, havia também caraítas, que não aceitavam o Talmud e tinham suas próprias leis extraídas das Escrituras por seus mestres.

Grande parte das comunidades judaicas era de língua árabe a essa altura, embora usassem formas características do árabe, e ainda usassem o hebraico para fins litúrgicos. Também entre os cristãos, o árabe espalhara-se no Crescente Fértil, Egito e Espanha; o aramaico e o siríaco encolhiam como línguas faladas e escritas, embora fossem usados em liturgias, e a língua copta do Egito praticamente deixara de ser usada para quaisquer fins, exceto os religiosos, no século XV; muitos dos cristãos de Andalus tinham adotado o árabe como sua língua, embora as línguas românicas que haviam herdado sobrevivessem e começassem a reviver. À margem da inundação árabe, em distritos de montanha e deserto, falavam-se outras línguas: curdo nas montanhas do norte do Iraque, núbio no sul do Sudão, e várias línguas no sul, dialetos berberes nas montanhas do Magreb e no Saara. Mas curdos e berberes eram muçulmanos, e à medida que se educavam passavam para a esfera da língua árabe.

138

6. O CAMPO

TERRA E SEU USO

Esses países, ligados numa linha ao longo das margens do Atlântico aos países do oceano Índico, partilhavam não apenas uma religião e cultura dominantes, mas também, até certo ponto, certas características de clima, relevo, solo e vegetação. Tem-se afirmado às vezes que esses dois fatores estavam estreitamente relacionados, que a religião do Islã era particularmente adequada a um certo tipo de meio ambiente, ou na verdade o criara: que as sociedades muçulmanas eram dominadas pelo deserto, ou ao menos por uma certa relação entre o deserto e a cidade. Tais teorias são perigosas, porém; há países com um tipo diferente de clima e sociedade, como partes do sul e do sudeste da Ásia, onde o Islã se espalhou e enraizou. Portanto, é melhor examinar os dois fatores em separado.

Podem-se fazer algumas afirmações gerais sobre o clima da maioria das partes dos países que nessa época eram basicamente de fé muçulmana e língua árabe. Nas costas, onde os ventos que vinham do mar eram úmidos, o clima é úmido; no interior, é um clima "continental", com uma larga variação entre temperaturas de dia e de noite, e entre verão e inverno. Em toda parte, janeiro é o mês mais frio, junho, julho e agosto os mais quentes. Em algumas regiões, as chuvas são abundantes e regulares. Em sua maior parte, estas são áreas que ficam na costa ou nas encostas das montanhas voltadas para o mar: as Atlas no litoral do Marrocos; o Rif, cordilheira do leste da Argélia e norte da Tunísia, e o maciço de Cirenaica, na costa sul do Mediterrâneo; e na costa oriental as montanhas do Líbano e, bem para dentro, as do nordeste do Iraque. No sudoeste da Arábia, a chuva é trazida por nuvens que vêm do oceano Índico. Ali, a estação das chuvas é a dos ventos das monções nos meses de verão; em outras partes, as chuvas caem na maioria das vezes de setembro a janeiro. Nessas regiões, a precipitação média anual é de mais de 500 mm, e consideravelmente mais em alguns lugares.

Do outro lado das montanhas costeiras, nas planícies e planaltos, a precipitação é menor, numa média de 250 mm por ano. A média pode ser enganosa, porém; nessas regiões interiores, as chuvas variam muito de mês para mês e de ano para ano. Isso pode afetar as colheitas; em alguns anos a chuva mal vem, e a colheita pode se perder.

Além desse cinturão de chuvas consideráveis mas irregulares, há outros onde a chuva é mais escassa ou quase não cai; alguns desses ficam perto da costa, como no baixo Egito, onde não há montanhas para precipitar a chuva, e outros muito para dentro. As chuvas aí podem variar entre nada e 250 mm por ano. A maioria dessas áreas, porém, não é inteiramente desprovida de água. Em partes até mesmo dos desertos Árabe e do Saara há nascentes e poços, alimentados por chuvas ocasionais ou por penetração subterrânea de água das encostas ou das cadeias de montanhas mais próximas do mar. Em outras partes, a terra que não recebe chuva pode ser aguada por rios que trazem chuva das montanhas distantes. Muitos dos rios não passam de *wadis* sazonais, secos no verão e enchendo-se com as inundações da estação das chuvas, mas outros são perenes: os que correm das montanhas para o mar na Espanha, Marrocos atlântico, Argélia e Síria, e acima de tudo os dois grandes sistemas fluviais — o do Nilo e o do Tigre e Eufrates.

Os dois trazem vida às grandes áreas de terras planas que cruzam, mas são diferentes em seus ritmos. O Nilo e seus tributários trazem água das chuvas que caem na região montanhosa da Etiópia e do leste da África; isso acontece na primavera e no verão, causando uma sucessão de enchentes, primeiro no Nilo Branco, depois no Nilo Azul e tributários. As enchentes chegam ao Egito em maio, e sobem até atingir o auge em setembro, então diminuem e se desfazem em novembro. Nas regiões montanhosas da Anatólia, de onde vêm o Tigre e o Eufrates, as neves derretem-se na primavera. O Tigre traz suas enchentes de março a maio, o Eufrates um pouco depois; nos dois, as enchentes são violentas o bastante para transbordar as margens, e às vezes mudaram os cursos dos rios. No sul do Iraque, devido ao afundamento do solo, formaram-se pântanos permanentes no período pouco antes do advento do Islã.

Variações de relevo, temperatura e abastecimento de água combinaram-se para criar variedades de solo. Nas planícies costeiras e nas encostas das montanhas voltadas para o mar, o solo é rico, mas nas montanhas precisa ser mantido no lugar por terraceamento, para não ser levado montanha abaixo pela água na estação das chuvas. Nas planícies do interior, é fino mas ainda fértil. Onde as planícies interiores se tornam estepe ou deserto, a natureza da terra se transforma. Trechos de solo, em lugares onde a água subterrânea é abundante, são cercados de áreas de rocha e cascalho, maciços vulcânicos, e dunas como as do "Quadrilátero Vazio" e do Nafud na Arábia, e os distritos de Erg no Saara.

Desde tempos imemoriais, onde quer que houvesse solo e água, cultivaram-se frutas e legumes, mas são necessárias condições favoráveis para certos produtos. Três fronteiras de cultivo foram particularmente importantes. Primeiro, a oliveira, que dava comida, óleo comestível e combustível para iluminação; podia ser cultivada onde a precipitação passava dos 180 mm e o solo era arenoso. Segundo, o cultivo de trigo e outros cereais, para consumo humano e ração animal, e que exigia ou chuvas de mais de 400 mm ou irrigação a partir de rios ou nascentes. A terceira fronteira era a da palmeira da tâmara, que precisa de uma temperatura de pelo menos 16°C para dar frutos, mas pode florescer onde existe pouca água. Se houvesse suficiente água e pastagem, podia-se usar a terra para criação de gado e também para cultivo. Cabras e carneiros precisavam de pastagens em intervalos não demasiado grandes para eles percorrerem; os camelos podiam percorrer grandes distâncias entre seus pastos e bebiam água com menos freqüência.

Devido a essa variedade de condições naturais, o Oriente Médio e o Magreb dividiram-se, desde antes do advento do Islã, em certas áreas gerais de produção, ficando entre os dois extremos. Num extremo estavam as áreas onde o cultivo era sempre possível: faixas costeiras onde se podiam cultivar oliveiras, planícies e vales de rios onde se cultivavam grãos, oásis de palmeiras. Em todas essas áreas, também se produziam frutas e legumes, e um dos resultados da formação de uma sociedade islâmica que se estendeu do oceano Índico ao Mediterrâneo foi a introdução de novas variedades. Bois, carneiros e cabras encontravam pasto ali, e nas grandes montanhas uma variedade de árvores produzia madeira, galha, goma ou cortiça. No outro extremo ficavam áreas onde a água e a vegetação só serviam para a criação de camelos ou outros animais por migração sazonal em longas distâncias. Duas dessas áreas eram de particular importância: o deserto Arábico e sua extensão norte, o deserto Sírio, onde criadores de camelos passavam o inverno em Nafud e se deslocavam para a Síria, a noroeste, ou para o Iraque, a nordeste, no verão; e o Saara, de onde passavam do deserto para as altas planícies ou para as margens sul das montanhas Atlas.

Entre esses dois extremos, um de vida de cultivo sedentário mais ou menos assegurado e outro de pastoralismo nômade forçado, ficavam áreas onde o cultivo, embora possível, era mais precário, e onde se podiam usar terra e água igualmente bem para o pastoreio. Isso se aplicava em particular às regiões que ficavam nas margens do deserto e onde as chuvas eram irregulares: a estepe na Síria, o vale do Eufrates, a periferia externa do delta do Nilo e outras áreas irrigadas no vale do Nilo, as planícies de Kordofan e Darfur no Sudão, e as altas planícies e as Atlas saarianas no Magreb. Em certas circunstâncias, quase toda área de terra cultivada podia ser tomada para pasto, a menos que fosse protegida por seu relevo; os pastores do Saara, por exemplo, não penetravam nas montanhas do Alto Atlas no Marrocos.

Seria demasiado simples, portanto, pensar no campo como sendo dividido entre áreas onde camponeses fixados à terra cuidavam de suas colheitas e outros, nômades, se movimentavam com seus animais. Eram possíveis posições intermediárias entre uma vida inteiramente sedentária e uma inteiramente nômade,

142

e essas eram a norma. Era largo o espectro das formas de usar a terra. Em algumas áreas, havia gente assentada, no firme controle de sua terra, o único gado sendo cuidado por empregados; em outras, cultivadores assentados e pastores de carneiros dividiam o uso da terra; em outras ainda, a população era transumante, migrando com seus rebanhos de pastos em baixadas para regiões montanhosas, mas cultivando a terra em certas estações; e ainda em outras, era puramente nômade, mas podia controlar algumas áreas assentadas em oásis e nas margens do deserto, onde os camponeses trabalhavam para os nômades.

As relações entre os que aravam a terra e os que se movimentavam com seus animais não podem ser explicadas em termos de uma secular e inerradicável oposição entre "o deserto e a semeadura". Cultivadores assentados e pastores precisavam um do outro para o intercâmbio das mercadorias que cada um tinha para vender: os pastores puros não podiam produzir toda a comida que precisavam, cereais ou tâmaras; a gente assentada precisava da carne, couros e lã dos animais criados pelos pastores, e camelos, jumentos ou mulas para transporte. Em áreas onde os dois tipos de grupo existiam, eles usavam a mesma água e a mesma terra com sua vegetação, e precisavam, se possível, fazer acordos aceitáveis e duradouros uns com os outros.

Mas a simbiose entre cultivadores e pastores era frágil, e suscetível de mudar a favor de uns ou de outros. Por um lado, a mobilidade e a dureza dos pastores nômades tendiam a dar-lhes uma posição dominante. Isso se aplicava particularmente à relação entre os que criavam camelos no deserto e os que viviam nos oásis. Alguns dos maiores oásis em importantes rotas de comércio tinham um tipo de mercador que controlava os mercados e as palmeiras de tâmaras, mas em outros eram os pastores que controlavam a terra e a cultivavam por meio de camponeses, ou, em alguns lugares, de escravos. Nas margens do deserto, também, os pastores podiam ter força suficiente para cobrar uma espécie de tributo, *khuwwa*, sobre as aldeias assentadas. Esse relacionamento desigual era expresso, na cultura dos pastores árabes, por certo conceito hierárquico do mundo rural; eles se en-

143

caravam como possuidores de uma liberdade, nobreza e honra que faltavam aos camponeses, mercadores e artesãos. Por outro lado, havia forças em ação que continham a liberdade e a força dos pastores e os atraíam para a vida sedentária assim que chegavam a regiões de planície ou estepe.

Quando acontecia de a simbiose ser fortemente perturbada, portanto, não era por causa de um perpétuo estado de guerra entre os dois tipos de sociedade, mas por outras razões. Talvez tenha havido mudanças no clima e no abastecimento de água com o passar dos séculos; o ressecamento da região do Saara num longo período está bem atestado. Houve mudanças na demanda de produtos do campo e do deserto: uma maior ou menor demanda de azeite de oliva, grãos, couros, lã, carne ou camelos de transporte. Às vezes podia haver uma crise de superpovoação entre os nômades, que em geral viviam uma vida mais saudável que a gente das aldeias, e portanto podiam expandir-se além de seus meios de subsistência. De vez em quando, ocorriam mudanças políticas; quando os governantes estavam fortes, tendiam a ampliar a área de agricultura assentada, da qual retiravam comida para alimentar cidades e impostos para sustentar exércitos.

As conquistas árabes dos países em torno, no início do período islâmico, não foram uma invasão nômade que envolveu o mundo assentado e subverteu a simbiose. Os exércitos árabes eram pequenos, corpos razoavelmente disciplinados de soldados de origem vária; foram seguidos, pelo menos no Irã e Iraque, por grandes migrações de árabes pastoris, numa dimensão que não se pode avaliar. O interesse dos novos governantes, contudo, era preservar o sistema de cultivo e portanto de tributação e renda. Os donos anteriores da terra foram em grande parte deslocados ou absorvidos na nova elite governante, mas o campesinato indígena permaneceu, e soldados e imigrantes foram assentados na terra ou nas novas cidades. O surgimento de cidades maiores que as que existiam anteriormente, do Curasão e da Transoxiana, no Oriente, ao Andalus no Ocidente, mostra que havia um campo assentado grande e produtividade suficiente para fornecer seus alimentos. Por outro lado, o aumento do

144

comércio em grandes distâncias dentro da vasta comunidade islâmica e a peregrinação anual a Meca levaram a uma demanda de camelos e outros animais de transporte.

Quanto à ocorrência de uma perturbação da simbiose, isso ocorreu mais tarde, do século X ou XI em diante. Na periferia do mundo muçulmano, incursões de grupos nômades mudaram o equilíbrio da população. Pastores turcos entraram no Irã e na recém-conquistada região da Anatólia, e esse movimento continuou durante e depois das invasões mongóis; no Extremo Oriente, berberes das montanhas Atlas e das margens do Saara passaram para o Marrocos e Andalus, ao norte. Nas partes centrais do mundo muçulmano, porém, o processo pode ter sido diferente. Um estudo feito sobre uma dessas áreas lança luz sobre isso.[1] A área é a que fica em torno do rio Dyala, um tributário do Tigre, na grande planície irrigada do sul do Iraque, que fornecia a Bagdá alimento e matérias-primas para sua enorme população. O sistema de irrigação, desenvolvido a partir dos tempos babilônicos, precisava de um governo com a força para mantê-lo. Esse governo existiu no início do período abácida, quando o sistema foi reparado e restaurado, após um declínio no fim do período dos sassânidas. Com o passar dos séculos, a situação mudou. O crescimento de Bagdá e seu comércio significou que uma maior parte da riqueza oriunda do excedente rural foi usada mais na cidade que na manutenção do campo; a crescente fraqueza do governo central fez com que o controle do campo caísse em mãos de governadores locais ou coletores de impostos que não tinham grande interesse permanente em manter as obras de irrigação. Também pode ter havido algumas mudanças ecológicas, levando à formação de grandes pântanos. Nessas circunstâncias, o sistema de irrigação foi aos poucos decaindo com o passar dos séculos. Os próprios cultivadores não tinham os recursos necessários para mantê-lo em ordem, o fluxo de água nos canais diminuiu, áreas de cultivo foram abandonadas ou transformadas em pastagens.

A difusão do pastoralismo nômade, portanto, talvez tenha resultado do declínio da agricultura, em vez de ser uma causa dele.

O que aconteceu no Magreb, porém, pode ter sido o oposto. Historiadores modernos, adotando uma idéia talvez apresentada primeiro por Ibn Khaldun, acostumaram-se a atribuir o declínio da vida organizada no Magreb à chegada de algumas tribos árabes, em particular a de Banu Hilal, no século XI. Acha-se que as incursões e depredações delas afetaram profundamente toda a história posterior do Magreb, destruindo os governos fortes que eram os guardiães da vida organizada, mudando o uso da terra da agricultura para a atividade pastoral, e submergindo a população indígena numa maré de nova imigração árabe. A pesquisa moderna tem mostrado, no entanto, que o processo não foi tão simples assim. Elementos da tribo de Banu Hilal entraram de fato na Tunísia, vindos do Egito, na primeira metade do século XI. Participaram de tentativas, empreendidas pela dinastia fatímida no Egito, de enfraquecer o poder dos zíridas, os governantes locais de Kairuan, que tinham sido vassalos dos fatímidas mas haviam rompido sua aliança. Mas os zíridas já estavam perdendo força, devido a um declínio do comércio de Kairuan, e seu Estado se desintegrava em principados menores baseados em cidades provinciais. Pode ter sido o enfraquecimento da autoridade e o declínio do comércio, e portanto da demanda, que tornaram possível a expansão dos pastores. Sem dúvida a expansão deles causou destruição e desordem, mas não parece que a tribo de Banu Hilal fosse hostil à vida organizada como tal; estavam em bons termos com outras dinastias. Se houve uma mudança no equilíbrio rural nessa época, pode ter resultado de outras causas, e não parece ter sido nem universal nem perpétua. Partes do campo tunísio reviveram quando o governo forte foi restaurado pelos almôadas e seus sucessores, os hafsidas. A expansão da atividade pastoral, até onde existiu, foi possivelmente, assim, mais um efeito que uma causa do colapso na simbiose rural. Se mais tarde foi encarada como causa, foi uma maneira simbólica de ver um processo complicado. Além disso, não parece que os membros de Banu Hilal fossem tão numerosos para poder substituir a população berbere por árabes. Dessa época em diante, houve na verdade uma expansão da língua árabe, e com ela veio a idéia de uma ligação entre os povos rurais do Magreb e os da península Arábica, mas sua causa não foi tanto a disseminação das tribos árabes quanto a assimilação dos berberes nelas.[2]

SOCIEDADES TRIBAIS

A história do campo nesses séculos não foi escrita, e dificilmente pode sê-lo, porque faltam as fontes essenciais. Para o período otomano, existem fontes, nos vastos arquivos otomanos que só agora começam a ser estudados, e para períodos mais recentes é possível complementar os documentos com observação direta. É perigoso argumentar retrospectivamente a partir do que existia dois ou três séculos atrás, e do que existe hoje, sobre o que pode ter existido vários séculos antes. Mas talvez ajude a compreender os acontecimentos e processos daquele tempo se usarmos nosso conhecimento de épocas posteriores para construir o "tipo ideal" da aparência que poderia ter uma sociedade rural num ambiente geográfico como os do Oriente Médio e do Magreb.

Quando entregues a si mesmos, os processos econômicos e sociais nessas áreas rurais tenderam a produzir um tipo de sociedade muitas vezes chamada de "tribal", e é necessário, antes de mais nada, perguntar o que se quer dizer com tribo.

Tanto em comunidades pastoris quanto nas aldeãs, a unidade básica era a família nuclear de três gerações: avós, pais e filhos vivendo juntos em casas de aldeia feitas de pedra, adobe ou qualquer material local existente, ou nas tendas de pano do nômade. Os homens eram os principais responsáveis pelo cuidado da terra e do gado, as mulheres pela cozinha e limpeza e a criação das crianças, mas também ajudavam nos campos ou com os rebanhos. E as transações com o mundo externo eram da alçada dos homens.

É razoável supor que os valores expressos no conceito de "honra", que têm sido tão estudados por antropólogos sociais, tenham existido desde tempos imemoriais no campo, ou pelo menos naquelas partes do campo não profundamente afetadas pelas religiões organizadas das cidades. Com base nessa suposição, pode-se dizer — com muitas variações de tempo e lugar — que as mulheres nas aldeias e na estepe, embora não veladas nem reclusas por princípio, eram subordinadas aos homens em aspectos importantes. Por costume generalizado, embora não pela lei islâmica, a propriedade da terra pertencia aos homens e era transmitida por eles aos filhos homens: "os filhos homens são a riqueza da casa". Fazia parte da honra do homem defender o que era seu e responder às exigências que lhe faziam os membros da família, ou de uma tribo ou grupo maior do qual fizesse parte; a honra pertencia ao indivíduo por sua participação num todo maior. As mulheres da família — mãe e irmãs, esposas e filhas — ficavam sob sua proteção, mas o que elas faziam podia afetar a honra dele: falta de pudor ou conduta provocadora, em homens que não tinham direitos sobre elas, produziam fortes sentimentos que ameaçavam a ordem social. Misturado com o respeito dos homens às mulheres de sua família, havia portanto uma certa desconfiança ou mesmo temor a elas como um perigo. Um estudo das mulheres beduínas no deserto ocidental do Egito chamou a atenção para os poemas e as canções que elas trocam entre si e que, evocando sentimentos e amores pessoais que podem manchar deveres aceitos ou cruzar fronteiras proibidas, lançam dúvida sobre a ordem social segundo a qual elas vivem e que formalmente aceitam:

> *ele alcançou teus braços estendidos no travesseiro,*
> *esqueceu o próprio pai, e depois o avô.*[3]

À medida que a mulher envelhecia, porém, adquiria maior autoridade, como mãe de filhos homens ou esposa mais velha (se houvesse mais de uma), não só sobre as mulheres mais jovens da família, mas também sobre os homens.

Na maioria das circunstâncias, essa família nuclear não era auto-suficiente, econômica ou socialmente. Podia ser incorporada em dois tipos de unidade maior. Uma delas era o grupo de parentesco, das pessoas ligadas, ou que se diziam ligadas, por descendência de um ancestral comum quatro ou cinco gerações atrás. Era o grupo no qual os membros podiam buscar ajuda em caso de necessidade, e que assumia responsabilidade pela vingança se um membro seu fosse prejudicado ou assassinado.

O outro tipo de unidade era o criado por um interesse econômico permanente. Para os que cultivavam a terra e não se mudavam, a aldeia — ou o "bairro", quando a aldeia era grande, como podiam ser as das planícies e vales ribeirinhos — era essa unidade. Apesar das diferenças entre famílias, era necessário fazer acertos para o cultivo da terra. Isso era feito em alguns lugares pela divisão permanente da terra da aldeia entre famílias, com os terrenos de pastagem mantidos em comum. Em outros, por uma divisão periódica, feita de modo a que cada família tivesse uma parte que pudesse cultivar (o sistema de *musha'*). Em terra irrigada, também era necessário fazer acertos para a divisão da água; isso podia ser feito de várias maneiras, por exemplo pela divisão da água de um riacho ou canal num certo número de partes, cada uma das quais destinada, permanentemente ou por redistribuição periódica, ao dono de um determinado pedaço de terra. Também se podiam fazer acertos em relação ao cultivo; um cultivador cuja terra fosse insuficiente, ou que não tivesse terra própria, podia buscar a terra de outro em troca de uma proporção fixa da produção, ou plantar e cuidar de árvores frutíferas na terra de outro e ser tido como seu proprietário. Nos grupos pastoris, a unidade pastoril — os que se locomoviam juntos de uma pastagem a outra — era uma unidade de um tipo semelhante, já que o pastoreio nômade não podia ser praticado sem um certo grau de cooperação e disciplina social. Aqui não havia divisão de terra, porém; a terra de pasto e a água eram encaradas como propriedade comum de todos que as usavam.

Entre esse dois tipos de unidade, a baseada no parentesco e a outra no interesse comum, havia um relacionamento complexo. Em sociedades iletradas, poucos se lembram de seus ancestrais cinco gerações atrás, e reivindicar uma descendência comum era uma maneira simbólica de expressar um interesse comum, de dar-lhe uma força que de outro modo não teria. Em algumas circunstâncias, porém, podia haver conflito. Um membro de um grupo de parentesco chamado a ajudar podia não fazê-lo inteiramente porque isso ia contra algum outro interesse ou relação pessoal.

Além dessas unidades mínimas mais ou menos permanentes, havia outras maiores. Todas as aldeias de um distrito, ou todas as unidades pastoris de uma área de pastagem, ou mesmo grupos largamente separados uns dos outros, podiam encarar-se como pertencentes a um todo maior, uma "fração" ou "tribo", que veriam como diferente e em oposição a outros grupos semelhantes. A existência e a unidade da tribo eram em geral expressas em termos de descendência de um ancestral comum, mas quase sempre não se sabia a forma precisa pela qual qualquer fração ou família podia descender do ancestral epônimo, e as genealogias transmitidas tendiam a ser fictícias, alteradas e manipuladas de tempos em tempos para expressar relações mutantes entre as diferentes unidades. Mesmo sendo fictícias, contudo, elas podiam adquirir força e poder por endogamia.

A tribo era antes de tudo um nome que existia na mente dos que se diziam ligados uns aos outros. Isso tinha uma influência potencial sobre suas ações; por exemplo, quando havia uma ameaça comum externa, ou em épocas de migração em larga escala. Podia ter um espírito corporativo (*'asabiyya*), que levava seus membros a se ajudarem uns aos outros em épocas de necessidade. Os que partilhavam um nome também partilhavam uma crença numa hierarquia de honra. No deserto, os nômades criadores de camelos se encaravam como os mais honoráveis, porque sua vida era a mais livre e menos restringida por autoridade externa. Fora do sistema tribal, na opinião deles, estavam os mercadores das pequenas cidades de feira, os mascates e os artesãos ambulantes (como os metalúrgicos judeus no Saara, e os solubba, também metalúrgicos, no deserto árabe), e os trabalhadores agrícolas dos oásis.

Esses nomes, com as lealdades e pretensões que se agrupavam em torno deles, podiam continuar existindo durante séculos, às vezes numa única área, às vezes estendendo-se por vastas regiões. A tribo de Banu Hilal fornece um exemplo de como um nome, endeusado na literatura popular, podia persistir e dar uma espécie de unidade a grupos de origens diferentes, tanto árabes quanto berberes. Do mesmo modo, no sudoeste da Arábia, os nomes de Hashid e Bakil continuaram a existir no mesmo distrito pelo menos desde o início dos tempos islâmicos até o presente, e em partes da Palestina os antigos nomes tribais de Qays e Yemen serviram até os tempos modernos como um meio de identificação e grito de convocação para alianças de aldeias. Nas regiões berberes do Magreb, os nomes de Sanhaja e Zanata desempenharam papel semelhante.

Na unidade pastoril e na aldeia (ou bairro), qualquer autoridade que existisse ficava com os velhos, ou chefes de família, que preservavam a memória coletiva do grupo, regulamentavam os interesses comuns urgentes e conciliavam divergências que ameaçassem dilacerar o grupo. Em nível mais alto, nos grupos assentados e pastoris, surgia uma liderança de outra espécie. Em várias aldeias no mesmo vale montanhês ou distrito das planícies, ou em várias unidades pastoris usando o mesmo nome, surgia uma família dominante, da qual um membro assumia a liderança de todo o grupo, por escolha ou por suas proezas. Essas famílias podiam ter chegado de fora e adquirido sua posição por prestígio militar, posição religiosa ou habilidade na arbitragem das disputas, ou mediando para o grupo em suas relações com a cidade e seu governo. Fosse qual fosse a origem, eram encaradas como parte da tribo, com a mesma origem, real ou fictícia.

O poder de tais chefes e famílias variava dentro de um largo espectro. Num extremo, ficavam os chefes (xeques) de tribos pastoris nômades, que tinham pouco poder efetivo, a não ser o que lhes dava sua reputação na opinião pública do grupo. A menos que pudessem estabelecer-se numa cidade e tornar-se governantes de outro tipo, não tinham poder de impor sua vontade, só de atração, de modo que as tribos nômades podiam crescer ou diminuir, dependendo do sucesso ou fracasso da família chefiante; os seguidores podiam juntar-se a eles ou deixá-los, embora esse processo pudesse ser ocultado pela invenção de genealogias, de modo a parecer que os que se juntavam ao grupo sempre haviam pertencido a ele.

Perto da outra ponta do espectro, havia as famílias que lideravam comunidades agrícolas assentadas, sobretudo as comunidades mais ou menos isoladas dos vales montanheses. Podiam estar há muito estabelecidas ali, ou ser intrusas vindas de fora que haviam conquistado sua posição por meio de incursão militar ou prestígio religioso, ou ter sido colocadas ali pelo governo de uma cidade vizinha. Os laços de solidariedade tribal que as ligavam à população local podiam enfraquecer-se, mas no lugar delas tais famílias podiam ter um certo grau de força coesiva, baseada no controle de certos bastiões e na posse de forças armadas. Na medida em que o poder se concentrava em suas mãos, a *'asabiyya* de uma tribo era substituída por um relacionamento diferente, de senhor e dependentes.

7. A VIDA DAS CIDADES

FEIRAS E CIDADES

Os camponeses e os nômades produziam grande parte do que precisavam para si. Os camponeses construíam suas casas de adobe, as mulheres teciam os tapetes e as roupas, a metalurgia era feita ou consertada por artesãos itinerantes. Mas precisavam trocar a parte da produção que excedia suas exigências por bens de outros tipos, fossem estes a produção de outras partes do campo ou bens manufaturados por artesãos qualificados, as tendas, móveis, equipamentos para os animais, utensílios de cozinha e armas, necessários para suas vidas.

Nos pontos de encontro de diferentes distritos agrícolas, faziam-se feiras regulares, num lugar em geral conhecido, de fácil acesso e aceito como um território neutro; realizavam-se semanalmente — e por isso eram conhecidas, por exemplo, como *suq al-arba'a*, ou "feira da quarta-feira" — ou uma vez por ano, ou num dia relacionado com o santuário de algum homem ou mulher vistos como "amigos de Deus". Algumas dessas feiras, com o correr do tempo, tornaram-se instalações permanentes, cidadezinhas onde mercadores e artesãos, livres da necessidade de ir cultivar a própria comida ou cuidar dos rebanhos, exerciam suas atividade especializadas. Na maioria, essas cidades de feiras eram pequenas, menores mesmo que algumas aldeias: algumas centenas ou milhares de habitantes, com uma feira central, e uma rua principal com algumas lojas e oficinas. Não eram visivelmente separadas do campo em redor: além do núcleo de citadinos permanentes, a população podia mover-se entre a cidadezinha e o campo, ao sabor das circunstâncias. Nas cidadezinhas menores, distantes de cidades grandes ou nos oásis, predominava a autoridade do xeque de uma tribo vizinha, ou de um senhor local. As brigas tribais ou aldeãs não eram levadas à feira; os artesãos e os pequenos mercadores não eram considerados pertencentes ao sistema tribal, nem sujeitos ao código de honra e vingança pelo qual viviam as tribos.

Alguns vilarejos, contudo, eram mais do que simplesmente sede de feiras, constituindo um ponto de convergência para vários distritos agrícolas de diferentes tipos, no qual se realizava uma troca de produtos particularmente intensa e complexa. Alepo, no norte da Síria, por exemplo, era um local de encontro para os que vendiam ou compravam os cereais das planícies sírias interiores, a produção das árvores frutíferas e florestas dos morros ao norte, carneiros criados nos morros e camelos nas vastidões do deserto da Síria. Se os distritos em volta produziam um grande excedente de alimentos e matérias-primas, que poderiam ser levados com facilidade ao mercado, a vila tornava-se um centro de artesãos especializados, que produziam bens manufaturados em larga escala. Se ficava perto do mar ou rio, ou de rotas do deserto que a ligassem a outros vilarejos semelhantes, podia também ser um centro organizador ou porto de embarque para o comércio de bens valiosos a grande distância, em que os lucros eram tais que faziam com que valesse a pena arcar com os custos e os riscos do transporte.

Quando tais condições existiam, e havia certa estabilidade de vida por décadas ou séculos, grandes cidades surgiam e mantinham-se. A criação de um Império islâmico e depois o desenvolvimento de uma sociedade islâmica ligando o mundo do oceano Índico ao do Mediterrâneo ofereceram as condições necessárias ao surgimento de uma cadeia de grandes cidades, que iam de um extremo a outro do mundo do Islã: Córdoba, Sevilha e Granada em Andalus, Fez e Marrakesh no Marrocos, Kairuan e depois Túnis na Tunísia, Fustat e depois Cairo no Egito, Damasco e Alepo na Síria, Meca e Medina na Arábia Ocidental, Bagdá, Mosul e Basra no Iraque, e além delas as cidades do Irã, Transoxiana e norte da Índia. Algumas dessas cidades já existiam antes do advento do Islã, outras se originaram da conquista islâmica ou do poder de dinastias posteriores. A maioria ficava no interior, não na costa; o domínio muçulmano sobre a costa do Mediterrâneo era precário, e os portos estavam sujeitos a ataques de inimigos vindos do mar.

Nos séculos X e XI, as grandes cidades dos países islâmicos eram as maiores da metade ocidental do mundo. Os números não podem passar de estimativas aproximadas, mas não parece impossível, com base na área da cidade e no número e tamanho de seus prédios públicos, que no início do século XIV o Cairo tivesse 250 mil habitantes; durante esse século, a população encolheu, devido à epidemia de peste conhecida como Peste Negra, e levou algum tempo para voltar às suas dimensões anteriores. O número às vezes dado para Bagdá durante o período do maior poder abácida, 1 milhão ou mais, é quase certamente demasiado grande, mas deve ter sido uma cidade de tamanho comparável pelo menos ao do Cairo; em 1300 declinara muito, devido à decadência no sistema de irrigação no campo circundante e à conquista e ao saque da cidade pelos mongóis. Córdoba, na Espanha, também deve ter sido uma cidade dessas dimensões. Alepo, Damasco e Túnis podem ter tido populações da ordem de 50 a 100 mil habitantes no século XV. Na Europa Ocidental, nessa época, não havia cidade do tamanho do Cairo: Florença, Veneza, Milão e Paris podiam ter 100 mil habitantes, enquanto as cidades da Inglaterra, Países Baixos, Alemanha e Europa Central eram menores.

A POPULAÇÃO URBANA

Uma parte rica e dominante da população urbana compunha-se dos grandes mercadores, empenhados no abastecimento de alimentos e matérias-primas do campo, ou ligados ao comércio de bens valiosos em longas distâncias. Os principais produtos desse comércio, durante esse período, eram têxteis, vidros, porcelana da China, e — talvez mais importante de todos — especiarias, trazidas do sul e do sudeste asiáticos, nos primeiros tempos islâmicos para os portos do golfo Pérsico, Siraf e Basra, e depois mar Vermelho acima, para um dos portos egípcios, e de lá para o Cairo, de onde eram distribuídas por todo o mundo mediterrâneo, por rotas terrestres ou por mar para os portos de Damieta, Roseta e Alexandria. O ouro era levado da Etiópia Nilo abaixo e por caravana até o Cairo, e das regiões do rio Níger, através do Saara, até o Magreb; os escravos eram levados do Sudão e da Etiópia, e das terras dos eslavos.

Nem todo o comércio estava em mãos de mercadores muçulmanos. O comércio no Mediterrâneo era controlado em grande parte por navios e mercadores europeus, primeiro os de Amalfi, depois os de Gênova e Veneza; no século XV, também começaram a aparecer franceses e ingleses. Mercadores nas cidades muçulmanas controlavam as grandes rotas terrestres no Magreb e na Ásia Central, e também as rotas do oceano Índico, até que os portugueses abriram a rota em torno do cabo da Boa Esperança no fim do século XVI. A maioria desses mercadores era muçulmana, como os mercadores de Karimi, que dominaram o comércio de especiarias no Egito durante algum tempo; mas eram também judeus de Bagdá, do Cairo e das cidades do Magreb que tinham ligações de família e comunidade com as cidades da Itália, norte da Europa e Império Bizantino. Além dos mercadores das grandes cidades, havia grupos estreitamente fechados de lugares menores, que podiam controlar certos tipos de comércio. (Essa tradição continuou a existir até os tempos modernos; no Magreb, num período posterior, esses grupos vinham da ilha de Jarba, ao largo da costa tunisiana, do oásis de Mzab, à beira do deserto, e do distrito de Sus, no sul do Marrocos.)

Para empreendimentos comerciais, havia dois tipos comuns de acordo. Um era o da sociedade, muitas vezes entre membros da mesma família; dois ou mais sócios dividiam os riscos e os lucros na proporção de seus investimentos. O outro era a *commenda* (*mudaraba*), pela qual um investidor confiava bens ou capital a alguém que os usava para o comércio e depois devolvia ao investidor seu capital juntamente com uma parte combinada dos lucros. Mercadores de uma cidade podiam ter agentes em outra, e embora não existissem bancos organizados, havia vários meios de se concederem créditos em longas distâncias, por exemplo, por meio de cartas de crédito. A base do sistema comercial era a confiança mútua, baseada em valores partilhados e regras reconhecidas.

As grandes cidades também eram centros de manufatura, produzindo coisas básicas para um mercado local — têxteis, metalurgia, cerâmica, produtos de couro e alimentos processados — e bens de qualidade, em particular têxteis finos, para um mercado mais vasto. Há algum indício, porém, de que a produção para o mercado fora do mundo muçulmano se tornou menos importante a partir do século XI em diante, e o comércio de transporte de bens produzidos em outra parte, na China, Índia ou Europa Ocidental, mais importante. Essa mudança ligava-se à revivescência da vida urbana na Europa, e em particular ao surgimento de indústrias têxteis na Itália.

Em geral, as unidades de produção eram pequenas. O patrão tinha alguns trabalhadores e aprendizes em sua oficina; as indústrias maiores eram as que produziam para um governante ou exército — arsenais e oficinas reais de têxteis — e as usinas de açúcar do Egito e algumas outras partes. Os mercadores não eram a única classe com raízes firmemente plantadas na cidade. Lojistas e artesãos especializados formavam uma classe urbana com uma continuidade própria. As especializações eram transmitidas de pai para filho. A propriedade ou posse de uma loja ou oficina era passada adiante na família por gerações; o número desses estabelecimentos era limitado pela falta de espaço e às vezes por regulamentação das autoridades. Um historiador da moderna Fez observou que a situação e o tamanho dos principais bazares e as áreas de oficinas eram mais ou menos iguais no princípio do século XX ao que tinham sido, segundo um escritor da época, Leão Africano (*c.* 1485-1554), no século XVI. Os que pertenciam a essa camada da sociedade ficavam num nível inferior de renda ao dos grandes mercadores. As fortunas que se faziam com o artesanato ou o pequeno comércio não eram tão grandes quanto as que vinham do comércio a longa distância de bens valiosos. Muitos artesãos não possuíam grandes recursos de capital; um estudo do Cairo mostrou que uma considerável proporção das lojas e oficinas pertencia a grandes mercadores ou fundações religiosas. Mas eles podiam desfrutar de prestígio, como uma população estável exercendo ofícios honrados, de acordo com códigos geralmente aceitos de honestidade e trabalho decente. Havia uma hierarquia de respeito nos ofícios, que ia do trabalho em metais preciosos, papel e perfume, até os "impuros" como curtume, tinturaria e açougue.

Em torno dessa população estável de artesãos e lojistas, com lugares fixos e permanentes na cidade, havia outra, maior, daqueles empenhados em trabalhos que exigiam menos qualificação: mascates ambulantes, varredores de rua, o proletariado semi-empregado de uma grande cidade. Na maioria das circunstâncias, essa camada deve ter incluído uma grande proporção de migrantes rurais. A linha entre a cidade e o campo não era claramente definida; em torno da cidade havia chácaras como as de Ghuta, a vasta e irrigada região de cultivo de frutas em torno de Damasco, e os homens que as cultivavam podiam viver na cidade. Nos arredores das cidades havia distritos onde se reuniam as caravanas de longa distância, e compravam-se e equipavam-se animais, e isso atraía uma população flutuante do campo. Períodos de seca ou agitação também podiam trazer os camponeses que fugiam de suas aldeias.

A LEI E OS ULEMÁS

A vida nas grandes cidades tem necessidades diferentes das dos moradores de aldeias e tendas. A interação de operários especializados e negociantes de produtos agrícolas, o encontro de pessoas de origem e fé diferentes, as variadas oportunidades e problemas de vida nas ruas e na feira, tudo exigia uma divisão de expectativas sobre como outros agiriam em certas circunstâncias, e uma norma de como deviam agir, um sistema de regras e hábitos geralmente aceitos como válidos e quase sempre obedecidos. O costume local (*'urf*), preservado e interpretado pelos velhos da comunidade, não era mais adequado em si. Da época dos abácidas em diante, a *charia* era geralmente aceita pelos citadinos muçulmanos, e mantida por governantes muçulmanos, como orientação para os modos de os muçulmanos lidarem uns com os outros. Regulamentava as formas de contrato social, os limites em que se podiam obter lucros legítimos, as relações de marido e esposa, e a divisão da propriedade.

Os juízes que ministravam a *charia* eram formados em escolas especiais, as *madrasas*. Um cádi atendia sozinho em sua casa ou num tribunal, com um secretário para registrar as decisões. Em princípio, só se aceitava o depoimento oral de testemunhas respeitáveis, e surgiu um grupo de testemunhas legais (*'udul*), que atestavam e davam *status* aceitável ao testemunho de outros. Na prática, podia-se na verdade aceitar documentos escritos, se fossem reconhecidos por *uduls* e assim transformados em testemunho oral. Com o tempo, algumas dinastias passaram a aceitar todas as quatro *madhhabs*, ou escolas de lei, como igualmente válidas: sob os mamelucos, havia cádis oficialmente nomeados para todas elas. Cada cádi emitia seu julgamento de acordo com as doutrinas de sua *madhhab*. Não havia sistema de apelação e a decisão de um juiz não podia ser anulada por outro, a não ser por erros legais.

Em princípio, o juiz ministrava a única lei reconhecida, a que vinha da revelação, mas na prática o sistema não era tão universal ou inflexível quanto pode parecer. A *charia* na verdade não cobria toda a gama de atividades humanas: era mais precisa em questões de *status* pessoal (casamento, divórcio e herança), um pouco menos em assuntos comerciais, e menos que tudo em questões penais e constitucionais. O cádi tinha uma certa competência em assuntos penais, em relação a certos atos especificamente proibidos no Corão e aos quais estavam ligadas penalidades precisas (roubo, intercurso sexual ilegal e consumo de bebida); também tinha uma competência mais geral para punir atos que ofendiam a religião. (Na prática, porém, a maior parte da justiça criminal, sobretudo em relação a assuntos que afetavam o bem-estar do Estado, era ministrada pelo governante ou seus funcionários, não pelo cádis.)

Mesmo dentro do campo da justiça geralmente deixado ao cádi, a lei que ele ministrava não era tão inflexível como pode parecer pelos livros legais. Ele podia interpretar seu papel como de conciliador, que tentava preservar a harmonia social chegando a um acordo aceito para uma disputa, em vez de aplicar a estrita letra da lei. Além do cádi, havia outro tipo de especialista legal, o jurisconsulto (*mufti*), que tinha competência para dar sentenças (*fatwa*) em questões legais. As *fatwas* podiam ser aceitas pelos cádis e com o tempo incorporadas nos tratados legais.

O cádi era uma figura central na vida da cidade. Não apenas ministrava a lei, mas também era responsável pela divisão da propriedade após a morte de uma pessoa, de acordo com as leis de herança, e podia receber do governante outros poderes de supervisão.

Os que ensinavam, interpretavam e ministravam a lei, juntamente com os que exerciam certas outras funções religiosas — que puxavam as preces nas mesquitas ou faziam o sermão da sexta-feira — passaram a formar uma camada na sociedade urbana: os ulemás, homens de saber religioso, guardiães do sistema de crenças, valores e práticas comuns. Eles não podem ser encarados como uma classe única, pois espalhavam-se por toda a sociedade, exercendo diferentes funções e merecendo variados graus de respeito público. No alto deles, porém, ficava um grupo que fazia parte integral da elite urbana, os ulemás superiores: juízes dos principais tribunais, professores nas grandes escolas, pregadores nas principais mesquitas, guardiães de santuários, quando eram também conhecidos por seu saber e religiosidade. Alguns desses diziam descender do Profeta, através da filha Fátima e do marido dela, 'Abi ibn Abi Talib. A essa altura os descendentes do Profeta, os *sayyids* ou xarifes, eram vistos com respeito especial, e em alguns lugares podiam exercer a chefia; no Marrocos, as duas dinastias que governaram do século XVI em diante baseavam sua pretensão à legitimidade em seu *status* de xarifes.

Os ulemás superiores eram estreitamente ligados aos outros elementos da elite urbana, os mercadores e os mestres de ofícios respeitados. Possuíam uma cultura comum; os mercadores mandavam os filhos para ser educados por sábios religiosos nas escolas, para adquirir conhecimento do árabe e do Corão, e talvez da lei. Não era incomum um homem trabalhar tanto como professor e erudito quanto no comércio. Os mercadores precisavam dos ulemás como especialistas legais, para escrever documentos legais em linguagem precisa, acertar disputas sobre propriedade e supervisar a divisão de sua propriedade após a morte. Mercadores de peso e respeitados podiam atuar como *'udul*, homens de boa reputação cujo testemunho era aceitável por um cádi.

Há evidência de intercasamentos entre famílias de mercadores, mestres de ofícios e ulemás, e de interligação de interesses econômicos dos quais o casamento era expressão. Coletivamente, eles controlavam grande parte da riqueza da cidade. A natureza pessoal dos relacionamentos dos quais dependia o comércio favorecia a rápida ascensão e queda de fortunas investidas no comércio, mas as famílias de ulemás tendiam a durar mais; os pais formavam os filhos para sucedê-los; os que ocupavam altos cargos podiam usar sua influência em favor de membros mais jovens da família.

Mercadores ou altos ulemás, era possível os que tinham riqueza transmiti-la de geração a geração por meio do sistema religioso de doações autorizado pela *charia* (*waqf* ou *hubus*). O *waqf* era a destinação perpétua da renda de parte de uma propriedade para instituições ou fins de caridade, por exemplo, a manutenção de mesquitas, escolas, hospitais, fontes públicas ou hospedarias para viajantes, a libertação de prisioneiros ou o cuidado de animais doentes. Mas também podia ser usada em benefício da família do fundador. Este podia estipular que um membro de sua família atuaria como administrador e atribuir-lhe um salário, ou então determinar que a renda excedente da dotação seria entregue a seus descendentes enquanto vivessem, e só ser dedicada a fins de caridade quando a linhagem desaparecesse; tais cláusulas davam lugar a abusos. Os *waqfs* eram entregues aos cuidados do cádi, e em última análise do governante; proporcionavam assim certa proteção à transmissão da riqueza contra os

161

azares do comércio, a extravagância dos herdeiros ou a depredação dos governantes.

ESCRAVOS

A divisão vertical da população urbana em termos de riqueza e respeito social era cruzada por outros tipos de divisão: entre escravos e livres, muçulmanos e não-muçulmanos, homens e mulheres.

Um elemento mais ou menos distinto na população operária era o dos criados domésticos. Eles ficavam à parte porque muitos eram mulheres, uma vez que tal serviço, ou outros que pudessem ser feitos na casa, eram quase o único tipo de ocupação urbana aberto às mulheres, e também porque muitas delas eram escravas. A idéia de escravidão não tinha exatamente as mesmas associações, nas sociedades muçulmanas, que nos países das Américas do Norte e do Sul, descobertas e povoadas pelos países da Europa Ocidental a partir do século XVI. A escravidão era um *status* reconhecido na lei islâmica. Segundo essa lei, o muçulmano que nascia livre não podia ser escravizado: os escravos eram não muçulmanos, capturados em guerra ou adquiridos de outro modo, ou filhos de pais escravos e nascidos na escravidão. Eles não possuíam todos os direitos legais dos livres, mas a *charia* determinava que fossem tratados com justiça e bondade; era um ato meritório libertá-los. O relacionamento de senhor e escravo podia ser estreito, e continuar a existir depois de liberto o escravo: ele podia casar-se com a filha do senhor ou tomar conta dos negócios dele.

A categoria legal da escravidão incluía muitos grupos sociais diferentes. Desde uma época anterior ao período abácida, os califas haviam recrutado escravos dos povos turcos da Ásia Central para seus exércitos, e essa prática continuou. Militares escravos e libertos, originários sobretudo da Ásia Central e do Cáucaso, e do Magreb e de Andalus, das terras dos eslavos, foram sustentáculos de dinastias, e mesmo fundadores delas; os mamelucos que governaram o Egito e a Síria de 1250 a 1517 eram um grupo de soldados autoperpetuantes recrutados e treinados como escravos, convertidos ao Islã e libertados.

Esses escravos militares, porém, formavam uma categoria distinta, que dificilmente pode ser encarada como tendo o mesmo *status* da maioria dos escravizados. Em algumas regiões, havia escravos agrícolas. Os trazidos da África Oriental tinham sido importantes no sul do Iraque durante parte do período abácida; escravos cultivaram a terra do alto vale do Nilo e os oásis do Saara. Em sua maior parte, porém, eram criados domésticos e concubinas nas cidades. Eram trazidos da África negra, através do oceano Índico e do mar Vermelho, pelo Nilo abaixo, ou pelas rotas que cruzavam o Saara. A maioria era de mulheres, mas havia também eunucos para guardar a intimidade da casa.

MUÇULMANOS E NÃO-MUÇULMANOS NA CIDADE

A cidade era um lugar de encontro e separação. Fora da península Arábica, quase todas as cidades tinham habitantes pertencentes a uma ou outra das várias comunidades judaicas e cristãs. Eles desempenhavam um papel nas atividades públicas da cidade, mas formavam uma parte distinta da sociedade. Vários fatores os separavam dos muçulmanos. Pagavam um imposto *per capita* especial (*jizya*) ao governo. Pela lei e pelo costume islâmico, exigia-se que trouxessem alguns sinais de sua diferença: usavam roupas de um tipo especial, evitavam certas cores associadas ao Profeta e ao Islã (verde em particular), não andavam com armas nem montavam cavalos; não deviam construir novos lugares de culto, consertar os velhos sem permissão, nem construí-los de modo a ofuscar os dos muçulmanos. Mas tais restrições não eram aplicadas sempre nem uniformemente. Observadas de maneira mais estrita eram as leis sobre casamento e herança. Um não-muçulmano não podia herdar de um muçulmano; um não-muçulmano não podia casar-se com uma muçulmana, mas um muçulmano podia casar-se com uma judia ou cristã. A conversão de muçulmanos a outras religiões era estritamente proibida.

Era um sinal da existência separada de judeus e cristãos o fato de eles tenderem a ocupar uma posição de especial importância em certas atividades econômicas, mas serem praticamente excluídos de outras. Num alto nível, alguns judeus e cristãos ocupavam cargos importantes na corte de alguns governantes ou em suas administrações. No Egito dos fatímidas, aiúbidas e mamelucos, funcionários coptas eram importantes no serviço financeiro. A medicina era a profissão em que se destacavam os judeus, e médicos da corte judeus podiam ter grande influência. Se um judeu ou cristão se convertia ao Islã, podia elevar-se ainda mais alto; alguns convertidos tornaram-se primeiros-ministros e tiveram o poder de fato.

Judeus das cidades muçulmanas também desempenharam papel importante no comércio a longas distâncias com os portos da Europa mediterrânea e, até os tempos dos mamelucos, com os do oceano Índico. Entre os ofícios, os ligados a drogas e a ouro e prata tendiam a ficar nas mãos dos judeus ou cristãos, trabalhando para si mesmos ou para os muçulmanos.

A relação entre muçulmanos e não-muçulmanos era apenas uma parte do complexo de relações sociais em que se envolviam os que viviam lado a lado na mesma cidade, e as circunstâncias decidiam que parte desse complexo era dominante num determinado tempo e lugar. Nos primeiros séculos de domínio islâmico, parece ter havido muito intercâmbio social e cultural entre adeptos das três religiões. As relações entre muçulmanos e judeus na Espanha omíada, e entre muçulmanos e cristãos nestorianos na Bagdá abácida, eram estreitas e fáceis. Com o passar do tempo, porém, as barreiras foram se elevando. A conversão de cristãos e, talvez em menor grau, de judeus ao Islã transformou uma maioria numa minoria cada vez menor. À medida que o Islã passava da religião da elite dominante para a fé dominante da população urbana, desenvolveu suas próprias instituições, dentro das quais os muçulmanos podiam viver sem interagir com não-muçulmanos.

Nos longos séculos de domínio muçulmano houve alguns períodos de perseguição constante e deliberada a não-muçulmanos por governantes muçulmanos: por exemplo, o reino do califa fatímida al-Hakim (996-1021) no Egito, o dos almôadas no Magreb e o de alguns governantes mongóis no Irã e Iraque, depois de se converterem ao Islã. Essa perseguição não foi instigada nem justificada pelos porta-vozes do Islã sunita, porém; os homens de cultura religiosa, os ulemás, tratavam de assegurar que os não-muçulmanos não infringissem as leis que regulavam seu *status*, mas dentro desses limites mantinham a proteção que a *charia* concedia a eles. A pressão sobre judeus e cristãos pode ter vindo basicamente das massas urbanas, sobretudo em tempos de guerra ou dificuldade econômica, quando a hostilidade se voltava contra os funcionários não muçulmanos do governante. Nesses momentos, o governante podia reagir aplicando a lei com severidade, ou demitindo seus funcionários não muçulmanos, mas não por muito tempo. Tais crises ocorreram várias vezes durante o período de governo mameluco no Egito e na Síria.

A organização comunal de judeus e cristãos podia oferecer algum tipo de proteção e manter certa solidariedade diante de pressões ocasionais e das permanentes desvantagens de ser minoria. As várias comunidades cristãs e judaicas eram mantidas unidas pela solidariedade do agrupamento local em torno de uma igreja ou sinagoga, e por altas autoridades. Entre os judeus, no período dos califas abácidas, deu-se um primado de honra ao "Exilarca" ou "Chefe do Cativeiro", um cargo que pertencia aos que alegavam descendência do rei Davi; uma liderança mais efetiva, no entanto, era proporcionada pelos chefes dos principais colegiados ou grupos de homens cultos, dois no Iraque e um na Palestina. Eram eles que nomeavam os juízes das diferentes congregações. Mais tarde, quando o Califado se dividiu, surgiram chefes locais: juízes e sábios, e chefes "seculares", como o *nagid* ou o *ra'is al-yahud* no Egito, um cargo ocupado por descendentes do grande pensador Maimônides.

Do mesmo modo, nas várias comunidades cristãs os patriarcas e os bispos exerciam autoridade. Sob os califas abácidas, o patriarca nestoriano de Bagdá, e sob as dinastias posteriores egípcias o patriarca copta no Cairo, tinham uma posição especial de influência e respeito. Os chefes da comunidade eram responsáveis por que os termos da *dhimma*, ou contrato de proteção entre o governante muçulmano e os súditos não muçulmanos, fossem honrados: paz, obediência e ordem. Eles podem ter desempenhado um papel na avaliação da tributação *per capita*, mas normalmente ela parece ter sido recolhida por funcionários do governo. Também tinham uma função dentro da comunidade; supervisionavam as escolas e os serviços sociais, e tentavam prevenir desvios de doutrina ou da prática litúrgica. Também supervisionavam os tribunais onde os juízes ministravam a lei em casos civis envolvendo dois membros da comunidade, ou resolviam desacordos; se quisessem, porém, judeus e cristãos podiam levar seus casos para o cádi muçulmano, e parece terem feito isso com freqüência.

MULHERES NA CIDADE

Até onde vai nossa informação, as mulheres desempenhavam um papel limitado na vida econômica da cidade. Eram empregadas domésticas, algumas podem ter ajudado aos maridos em seus negócios e ofícios, e havia mulheres artistas de palco, dançarinas e cantoras. Em geral, porém, não participavam das atividades centrais das grandes cidades, da produção de bens de valor em larga escala para exportação. As francamente ativas eram mulheres de famílias pobres. Na medida em que uma família era rica, poderosa e respeitada, isolava suas mulheres numa parte especial da casa, o harém, e atrás de um véu quando elas se aventuravam a sair de casa para as ruas e lugares públicos. Um jurista egípcio da escola de Malik, Ibn al-Hajj (n. 1336), disse que as mulheres não deviam sair para comprar coisas na feira, porque podiam ser levadas a cometer atos impróprios se conversassem com os lojistas:

alguns dos velhos pios (que Deus esteja contente com eles) disseram que a mulher só deve deixar sua casa em três ocasiões: quando é conduzida à casa do marido, na morte de seus pais, e quando vai para o próprio túmulo.[1]

A reclusão do harém não significava que a mulher era totalmente excluída da vida. Dentro dos aposentos femininos das grandes famílias, em visitas umas às outras, nas casas de banho públicas, que eram reservadas para as mulheres em momentos especiais, e nas celebrações de casamentos ou nascimentos de filhos, as mulheres encontravam-se e mantinham uma cultura própria. Algumas delas tomavam parte ativa na administração de suas propriedades, através de intermediários, e há casos registrados de mulheres que recorreram ao tribunal do cádi para reivindicar seus direitos. Como no campo, quando uma mulher envelhecia, e se houvesse tido filhos homens, podia adquirir grande poder na família.

Apesar disso, a ordem social baseava-se no poder superior e nos direitos dos homens; o véu e o harém eram sinais visíveis disso. Uma opinião das relações entre homens e mulheres profundamente enraizada na cultura do Oriente Médio, que existia muitos anos antes do advento do Islã, e preservada no campo por costume imemorial, foi fortalecida mas também modificada na cidade pelo desenvolvimento da *charia*.

O Corão afirmava em termos claros a igualdade essencial de homens e mulheres: "O justo, homem ou mulher, sendo um dos crentes, entrará no Jardim".[2] Também ordenava justiça e bondade no trato entre muçulmanos. Parece provável que suas cláusulas em relação ao casamento e à herança dessem às mulheres uma posição melhor que a que tinham na Arábia pré-islâmica (embora não necessariamente nas terras conquistadas pelos muçulmanos). O sistema de lei e moralidade social ideal, a *charia*, dava expressão formal aos direitos das mulheres, mas também estabelecia seus limites.

Segundo a *charia*, toda mulher devia ter um guardião homem — o pai, irmão ou algum membro da família. O casamento da mulher era um contrato social entre o noivo e o guardião dela. O pai, como guardião, podia dar a filha em casamento sem o consentimento dela, se ela não tivesse ainda alcançado a idade da puberdade. Se tivesse, seu consentimento era necessário, mas, se não tivesse sido casada anteriormente, o consentimento podia ser dado pelo silêncio. O contrato de casamento previa um dote (*mahr*) dado pelo noivo à noiva; isso era propriedade dela, e qualquer coisa que tivesse ou herdasse também continuava sendo sua propriedade. A esposa devia ao marido obediência, mas em troca tinha direito a roupas adequadas, casa e manutenção, e a intercurso sexual com ele. Embora os autores legais aceitassem que a contracepção era permissível em certas circunstâncias, o marido não devia praticá-la sem o consentimento da esposa.

Havia, porém, várias maneiras em que as relações entre marido e mulher não eram de igual para igual. Embora a esposa só pudesse divorciar-se do marido por um bom motivo (impotência, loucura, negação dos direitos dela), e só recorrendo ao cádi, ou então por consentimento mútuo, o marido podia repudiar a esposa sem dar qualquer motivo, e por uma simples fórmula verbal na presença de testemunhas. (Na lei xiita, as regras para repúdio eram um tanto mais severas, mas por outro lado se previa o casamento temporário, *mut'a*, por um período específico.) O contrato de casamento podia oferecer alguma proteção contra isso, se estipulasse que parte do dote, a chamada parte "adiada" (*mu'ajjal*), seria paga pelo marido só e quando ele repudiasse a esposa. A esposa podia esperar o apoio e a defesa de seus parentes homens; se repudiada, podia voltar com seus bens para a casa da família paterna. Teria a custódia dos filhos do casamento e o dever de criá-los, até atingirem uma certa idade, definida diferentemente nos vários códigos legais; após isso, o pai ou a família dele ficariam com a custódia.

A *charia*, baseando-se no Corão e no exemplo do Profeta, permitia ao homem ter mais de uma esposa, até um limite de quatro, contanto que pudesse tratá-las todas com justiça e não negligenciasse seu dever conjugal com nenhuma delas. Também

168

podia ter concubinas escravas em qualquer número, e sem que elas tivessem qualquer direito sobre ele. O contrato de casamento podia, no entanto, estipular que ele não tomaria nem outras esposas nem concubinas.

A desigualdade também se mostrava nas leis de herança, igualmente extraídas pela *charia* das palavras do Corão. O homem podia legar não mais de um terço de seus bens como quisesse, para pessoas ou fins que de outro modo nada herdariam dele. O resto seria dividido segundo regras severas. A esposa receberia no máximo um terço. Se ele deixasse filhos e filhas, uma filha herdaria só a metade da parte de um filho; se deixasse só filhas, elas receberiam uma certa proporção de sua propriedade, mas o resto iria para os parentes homens dele. (Essa era a lei sunita; na xiita, porém, as filhas herdariam tudo se não houvesse filhos.) A cláusula de que as filhas só receberiam metade do que recebiam os filhos reflete outra estipulação da *charia*: num caso legal, o testemunho de uma mulher teria só metade do peso do de um homem.

A FORMA DA CIDADE

A cidade era o lugar onde os mercadores e os artesãos trabalhavam, os sábios estudavam e ensinavam, os soberanos ou governadores mantinham a corte guardada por soldados, os juízes administravam justiça, os aldeões e os moradores do deserto vinham vender seus produtos e comprar o que precisavam, mercadores de longe comprar e vender, e estudantes aprender com um mestre famoso. A estrutura da cidade tinha de acomodar todas essas necessidades.

Na *medina*, no centro de toda grande cidade (embora não necessariamente no centro geográfico), havia duas espécies de conjuntos de prédios. Um deles incluía a principal mesquita congregacional, que era um local tanto de reunião e estudo quanto de prece, e onde a consciência coletiva da população muçulmana podia manifestar-se em momentos de crise. Perto dela, ficava a casa ou tribunal do cádi principal, escolas de cultura superior, e as lojas que vendiam livros ou velas e outros objetos religiosos; também podia haver o santuário de um santo cuja vida se identificasse de algum modo especial com a vida da cidade. O outro conjunto incluía a praça central do mercado (o *suq*), principal ponto de trocas. Ali, ou perto, ficavam as lojas que vendiam têxteis, jóias, especiarias e outros bens valiosos, os armazéns de ferragens importadas, e os escritórios dos cambistas, que atuavam como banqueiros para o financiamento do comércio estrangeiro. Essas lojas, armazéns e escritórios podiam dispor-se em fila, um quadrilátero de ruas paralelas ou cruzando-se umas às outras, ou numa massa compacta de construções demasiado juntas para serem cruzadas por ruas. Um terceiro conjunto que se encontrava perto do centro das cidades modernas não tinha tanto destaque. O poder do governo estava presente em seus vigias, supervisores do mercado, e na força policial, mas não se manifestava em construções grandes e ostentosas.

A área do mercado destinava-se basicamente à troca; grande parte dela, sobretudo os lugares onde se guardavam bens valiosos, era fechada e guardada à noite. As oficinas e as casas de têxteis e metalurgia ficavam a alguma distância, o que também acontecia com os locais de residência dos que nela trabalhavam. Os mercadores e os eruditos mais ricos podiam morar perto, mas a maioria da população vivia fora do centro, em bairros residenciais, cada um deles um amontoado de ruazinhas e becos que partiam de uma rua principal; em certas épocas, os bairros tinham portões que eram fechados e guardados à noite. Um bairro podia conter centenas ou milhares de habitantes; tinha sua mesquita, igreja ou sinagoga, seu mercado subsidiário (*suwayqa*) local, que satisfazia às necessidades diárias, e talvez seu banho público (*hammam*), um ponto de encontro importante. Algumas famílias ricas e poderosas moravam no bairro, onde podiam manter influência e o patronato, mas outras tinham suas casas principais ou subsidiárias nos arredores da cidade, onde se podia construí-las mais espaçosas, cercadas por jardins. O bairro pertencia a seus habitantes e, em certo sentido, era uma extensão das casas. Sua intimidade era protegida, em caso de necessidade, pelos jovens, às vezes organizados em grupos (*zuʿar*, ou *ʿayyarun, fityan*), que tinham uma existência contínua e possuíam certa idéia moral. Tais grupos podiam ter uma esfera maior de operação em momentos de agitação na cidade.

Afastados do centro, perto dos muros ou fora deles, havia bairros mais pobres, onde viviam os imigrantes rurais. Ali, caravanas eram equipadas, formadas, despachadas e recebidas, animais de carga comprados e vendidos, e os moradores do campo traziam suas frutas, legumes e gado para venda. Ali também ficavam as oficinas onde se executavam trabalhos ruidosos ou malcheirosos, como o dos curtumes ou matadouros. Além desses bairros e fora dos muros da cidade, ficavam os cemitérios, que eram importantes pontos de encontro, e não só nos dias de funeral.

Os habitantes de um bairro tendiam a estar ligados por uma origem comum, religiosa, étnica ou regional, ou por parentesco ou casamento; esses laços criavam uma solidariedade às vezes forte. Judeus e cristãos tendiam a viver mais em certos bairros que em outros, por causa de laços de parentesco ou origem, ou porque queriam estar próximos de seus locais de culto, ou porque seus diferentes costumes em relação à reclusão das mulheres tornavam difícil a estreita proximidade com famílias muçulmanas. No Magreb, os judeus de origem berbere ou oriental podiam viver separados dos que vinham de Andalus. Mas os bairros em que moravam não eram exclusivamente cristãos ou judeus. Na maioria dos lugares, não existia o gueto. No fim do século XV, porém, o Marrocos tinha se tornado uma exceção: em Fez e outras cidades, o governante estabeleceu bairros judeus separados, para protegê-los das agitações populares.

Eram muitas as variações desse modelo geral, dependendo da natureza da terra, da tradição histórica e dos atos das dinastias. Alepo, por exemplo, era uma cidade antiga, que surgira muito antes do advento do Islã. O coração da cidade continuava onde era nos tempos helenísticos e bizantinos. As ruas principais eram mais estreitas do que antes; à medida que o trans-

171

porte por camelo ou jumento substituiu o dos veículos de rodas, só precisavam de largura suficiente para dois animais carregados passarem um pelo outro. Mas ainda se podia identificar o traçado quadrilateral das ruas principais no labirinto de alamedas com arcos de pedra no *suq*. A grande mesquita ficava no ponto onde a rua central da cidade helenística, ladeada de colunas, alargava-se no fórum ou principal local de reunião.

O Cairo, por outro lado, era criação nova. Durante os primeiros séculos de domínio islâmico no Egito, o centro de poder e governo mudara-se para o interior, passando de Alexandria para o ponto onde o Nilo entrava no Delta, e uma sucessão de centros urbanos fora construída ao norte do bastião bizantino conhecido como Babilônia: Fustat, Qata'i, e por fim al-Qahira, ou Cairo, cujo centro foi criado pelos fatímidas e ia continuar praticamente no mesmo lugar até a segunda metade do século XIX. No seu centro ficava a mesquita de Azhar, construída pelos fatímidas para ensino do Islã na forma ismaelita; ela continuou existindo como um dos maiores centros de doutrina religiosa sunita e principal mesquita congressional da cidade. Perto dela ficava o santuário de Husayn, filho do quarto califa, 'Ali, e de sua esposa Fátima, a filha do Profeta; a crença popular dizia que haviam levado a cabeça de Husayn para ali depois que ele fora morto em Karbala. A pouca distância, ficava a rua central que ia do portão norte da cidade (Bab al-Futuh) ao portão sul (Bab Zuwayla), e ao longo de ambos os lados dela, e nos becos que dela partiam, havia mesquitas, escolas e lojas e armazéns de mercadores de tecidos, especiarias, ouro e prata.

Fez se formou ainda de outro modo, pela amalgamação de núcleos dos dois lados de um pequeno rio. O centro da cidade afinal fixou-se nesse ponto, numa das duas vilas, onde estava o santuário do suposto fundador da cidade, Mawlay Idris. Perto dele ficava a grande mesquita de ensino de Qarawiyyin, com as escolas que dela dependiam, e uma rede de *suqs*, protegidos à noite por portões, onde se guardavam e vendiam especiarias, ouro e prata, têxteis importados, e as sandálias de couro típicas da cidade.

A grande mesquita e o *suq* central de uma cidade eram os pontos dos quais se irradiava o poder cultural e econômico, mas o poder do governante tinha sede em outra parte. Nos primeiros tempos islâmicos, o governante e seus governadores locais podiam manter a corte no centro da cidade, mas num período posterior tornara-se comum uma certa separação entre a *medina*, centro de atividades urbanas essenciais, e o palácio ou bairro real. Assim, os abácidas mudaram-se por um tempo da cidade que tinham criado, Bagdá, para Samarra, mais acima no Tigre, e esse exemplo foi seguido por governantes posteriores. No Cairo, os aiúbidas e os mamelucos mantinham corte na Cidadela, construída por Saladino no morro de Muqattam e voltada para a cidade; os omíadas da Espanha construíram seu palácio em Medinat al-Zahra, nos arredores de Córdoba; governantes marroquinos posteriores fizeram uma cidade real, Nova Fez, nos arredores da antiga. Os motivos para tal separação não são difíceis de encontrar: o isolamento era uma expressão de poder e magnificência; ou o governante podia desejar ficar isolado contra as pressões da opinião pública, e manter seus soldados distantes de contato com os interesses urbanos, que podiam enfraquecer a lealdade deles ao seu interesse exclusivo.

Dentro da cidade ou conjunto real, ficava o próprio palácio, com seu tesouro real, casa da moeda e escritórios para secretarias. Nos pátios externos do palácio, tratava-se de assuntos públicos: recebiam-se embaixadores, passavam-se em revista as tropas reais, o conselho reunia-se para fazer justiça e ouvir as petições. Os que tinham negócios eram admitidos nessa parte do palácio, e o próprio governante ali aparecia em certos dias e para certos fins. Os pátios internos eram só para ele: sua família, suas mulheres guardadas por eunucos, e os escravos do palácio, que formavam uma espécie de extensão de sua personalidade. Os graus de isolamento, porém, variavam de uma dinastia para outra: os hafsidas viviam em público, com pouco isolamento, os mamelucos com mais.

Na cidade real havia também os quartéis para as guardas reais, os palácios ou casas de altas autoridades e *suqs* especializa-

173

dos, produzindo bens para as necessidades da corte e do exército: o arsenal, mercados de cavalos e armas, oficinas onde se fabricavam tecidos finos para uso do palácio. Os que trabalhavam em tais ofícios podiam morar perto: o bairro onde viviam os ourives judeus ficava na cidade real de Fez.

CASAS NA CIDADE

No século XV, os *suqs* das cidades continham grandes prédios construídos em torno de pátios, com depósitos no térreo; acima, podia haver hospedarias para mercadores visitantes e outros. Esses prédios, em suas várias formas, eram conhecidos como *khans* na Síria, *wikalas* no Egito e *funduqs* no Magreb. Outro tipo de prédio, pelo menos no Magreb, era a *qaysariyya*, onde se guardavam bens valiosos. Muitos desses prédios eram construídos por governantes ou grandes homens da cidade e constituídos em *waqfs*, a fim de que a renda deles obtida fosse usada para fins religiosos ou de caridade.

Até onde se sabe, as construções domésticas da cidade encaixavam-se em três categorias. Em algumas cidades, a habitação do pobre parece ter consistido em grande parte de pátios abertos com cabanas. No amontoado centro do Cairo, os pobres, assim como os artesãos e os comerciantes a retalho que precisavam estar perto de seu local de trabalho, viviam em casas de cômodos. Uma casa típica era construída em torno de um pátio, com oficinas no andar térreo e várias escadas que levavam a dois ou três andares acima, com apartamentos separados, de vários cômodos, dando para elas.

Para famílias em condições mais confortáveis, ou vivendo em áreas menos congestionadas, desenvolveram-se aos poucos outros tipos de casas. No sudeste da Arábia, eram de um tipo distinto, construído de pedra, de desenho cuidadoso e simétrico, e erguendo-se por vários andares; os animais eram mantidos no térreo, o grão acima deles, e depois vinham dois ou três andares residenciais, e a principal sala de recepção no último, com o melhor ar e as melhores vistas. Em outras partes, a forma típica de grande casa familiar evoluiu, com muitas variações de região e época, a partir de uma mistura da casa mediterrânea greco-romana com as tradições do Irã e do Iraque.

Chegava-se à casa por uma alameda que partia de uma rua principal. Nada, a não ser o tamanho da porta, expunha a riqueza de seu proprietário à inveja dos governantes ou à curiosidade dos passantes; as casas eram construídas para ser vistas de dentro, não de fora. A porta era a principal característica externa: feita de ferro ou madeira, com batentes de pedra lavrada, e talvez uma janela acima, da qual os que chegavam podiam ser vistos. Depois da porta um corredor, virado num ângulo para que nada adiante dele pudesse ser visto da rua, levava a um pátio central para o qual se abriam vários cômodos, incluindo a sala de recepção principal (*majlis*, ou *qa'a*); em áreas congestionadas, o pátio podia ser substituído por um cômodo central coberto. A sala de recepção muitas vezes ficava ao lado do pátio, de frente para a entrada, e entrava-se nele através de uma porta ou *iwan*, o grande arco circular que se difundira do Irã para ocidente. Em alguns lugares, o cômodo principal tinha uma ante-sala na frente. No Cairo mameluco, o cômodo evoluíra para uma espécie de pátio coberto, com uma área rebaixada e uma fonte no centro, e áreas para sentar-se de cada lado. Separada dessa sala de recepção, com seus cômodos e escritórios afins, ficava a área da família, em que as mulheres, seus filhos e dependentes podiam quedar-se tão isolados quanto eles ou o senhor da casa quisessem. Em casas muito grandes, a divisão entre as áreas de recepção e as da família era expressa pela existência de dois pátios, nas menores pela diferença de função entre andar térreo e andar superior. Em casas grandes, havia uma casa de banho, ou *hammam*.

A construção em pedra era cara na maioria dos lugares, e as casas quase sempre construídas de tijolo ou adobe, as portas principais com batentes de pedra. O teto dos aposentos principais do térreo muitas vezes eram abóbadas de tijolos, para prevenir a umidade e agüentar o peso dos andares de cima; outros eram feitos de madeira. Nos tetos, vários artifícios permitiam a

175

ventilação e a circulação de ar. Paredes, portas e tetos eram decorados. Pintava-se a madeira em várias cores (a cor característica do Marrocos era o verde, a da Tunísia o azul). As paredes eram revestidas de gesso com estuque de desenhos florais. A pedra, esculpida com motivos caligráficos ou florais. As janelas tinham folhas de madeira; a treliça de madeira chamada de *mashrabiyya* era conhecida no Egito e no período fatímida, e tornou-se comum no dos mamelucos.

As casas tinham poucos móveis permanentes, além de arcas e armários. Um historiador do Cairo sugeriu que o papel desempenhado pelo mobiliário de madeira nas casas européias era aqui assumido pelos têxteis. As salas de visitas tinham sofás com almofadas. Colchões e almofadas estofadas, postas no chão ou sobre estrados de madeira ou pedra, tomavam o lugar das camas. As paredes eram cobertas de reposteiros, os pisos e as camas, de tapetes. À noite, usavam-se para iluminação lâmpadas de azeite, de cobre; no tempo frio, instalavam-se braseiros de cobre, queimando carvão ou madeiras aromáticas. As refeições eram servidas em grandes bandejas redondas de prata ou cobre, apoiadas em suportes de madeira. Usavam-se tigelas e xícaras de barro — ou, entre os ricos, de porcelana chinesa — para comer; vasos de cobre, vidro ou barro para beber. Pedaços de pão plano podiam ser usados para tirar a comida do prato central, mas entre os ricos usavam-se colheres e facas.

O pão era de importância fundamental na vida dos pobres; os governos davam grande ênfase à necessidade de assegurar o abastecimento de grãos às cidades, e explodiam revoltas populares quando eles se tornavam escassos ou caros. Feito na maioria dos lugares de trigo, era amaciado com azeite de oliva e comido com legumes — cebola, alho, ou aqueles, como as berinjelas, introduzidos no mundo mediterrâneo pela expansão do Islã. A maioria das pessoas raramente comia carne, reservada para as festas ou grandes ocasiões. A dieta dos ricos era mais variada: uma mais ampla gama de legumes, frutas (segundo as possibilidades de cultivá-las ou importá-las — uvas, laranjas, pêssegos e damascos nos países mediterrâneos, tâmaras no Iraque, nas margens do deserto e nos oásis) e carne: mais carneiro do que boi, aves, peixe perto do mar ou de rios e lagos. A carne era preparada em azeite de oliva ou gergelim e temperada com especiarias. Embora o Corão proibisse o uso de álcool, o vinho e outras bebidas fortes, feitas por cristãos locais ou importados da Europa Ocidental, parecem ter sido largamente consumidos.

A CADEIA DE CIDADES

Enquanto perduraram a ordem urbana e o controle do campo dependente, protegidos pela aliança de interesses entre governante e elite urbana, a riqueza e o poder puderam ser transmitidos de geração em geração, e com eles também se passavam uma cultura, um sistema de aprendizado, valores, modos de conduta e tipos ideais de personalidade. Sugeriu-se que o código de conduta aceitável, o *qa'ida*, que existia em Fez nos primeiros anos do século XX, era em grande parte o mesmo descrito por Leão Africano no século XVI.[3] Os cânones de comportamento e pensamento corretos, de aprendizado e altas especializações ligavam as gerações, mas também ligavam as cidades umas às outras. Uma rede de rotas cruzava o mundo do Islã e além. Por elas passavam não apenas caravanas de camelos ou jumentos levando sedas, especiarias, vidro e metais preciosos, mas idéias, notícias, modas, padrões de pensamento e conduta. Quando mercadores e chefes de caravanas se encontravam na praça da feira, trocavam-se notícias e avaliavam-se seus significados. Mercadores de uma cidade instalavam-se em outras e mantinham uma ligação estreita e permanente entre si. De vez em quando, movimentos mais violentos passavam pelas rotas, quando um exército levava o poder de outro governante ou de um contestador do poder existente; e também estes traziam consigo novas idéias sobre como viver em sociedade, e novos elementos étnicos a acrescentar à população.

Desde o início da história islâmica, também, os homens se deslocaram em busca do saber, a fim de espalhar a tradição do que o Profeta tinha feito e dito, a partir daqueles que a tinham recebido por linha de transmissão de seus Companheiros. Com o tempo, os objetivos da viagem ampliaram-se: para aprender as ciências da religião com um professor famoso, ou receber educação espiritual de um mestre da vida religiosa. Os que buscavam o conhecimento ou a sabedoria iam de aldeias e vilas para uma metrópole: do sul do Marrocos para a mesquita de Qarawiyyin em Fez, do leste da Argélia e da Tunísia para a de Zaytuna em Túnis; a de Azhar no Cairo atraía estudantes de uma área maior, como mostram os nomes das hospedarias de estudantes — *riwaq*, ou claustro dos magrebianos, sírios e etíopes. As escolas nas cidades santas xiitas do Iraque — Najaf, Karbala, Samarra e Kazimayn, nos arredores de Bagdá — atraíam estudantes de outras comunidades xiitas, na Síria e na Arábia Oriental.

A vida do famoso viajante Ibn Battuta (1304-*c.* 1377) ilustra as ligações entre as cidades e terras do Islã. Sua peregrinação, iniciada quando ele tinha 21 anos, foi apenas o início de toda uma vida de errância. Levou-o de sua cidade natal, Tânger, no Marrocos, para Meca, através da Síria; depois a Bagdá e ao sudoeste do Irã; ao Iêmen, África Oriental, Omã e o golfo Pérsico; à Ásia Menor, ao Cáucaso e ao sul da Rússia; à Índia, às ilhas Maldivas e à China; depois, de volta ao Magreb natal, e de lá a Andalus e ao Saara. Aonde foi, visitou os túmulos de santos e freqüentou sábios, aos quais o ligava o elo de uma cultura comum expressa em língua árabe. Foi bem recebido nas cortes dos príncipes, e por alguns deles nomeado para o cargo de cádi; essa honra, que lhe foi conferida em lugares tão distantes de sua terra quanto Déli e as ilhas Maldivas, mostrava o prestígio ligado aos expoentes do saber religioso em língua árabe.[4]

8. CIDADES E SEUS GOVERNANTES

A FORMAÇÃO DE DINASTIAS

A manutenção da lei e da ordem urbana precisava de um poder de imposição, um governante cuja posição fosse diferente da do xeque tribal, cuja autoridade baseava-se no costume e no consentimento.

Pelo que pode parecer um paradoxo da história islâmica (e talvez de outras histórias também), as dinastias governantes sempre extraíam sua força do campo, e algumas até tiveram origem lá, mas só podiam sobreviver estabelecendo-se nas cidades e obtendo nova força negociando seus interesses com os da população urbana.

Para sobreviver, a dinastia tinha que deitar raízes na cidade: precisava da riqueza oriunda do comércio e da indústria, e da legitimidade que só os ulemás podiam conferir. O processo de formação das dinastias implicava conquista das cidades. Um conquistador ia percorrendo uma cadeia de cidades numa rota de comércio. A criação e o crescimento das cidades, por sua vez, dependiam em grande parte do poder das dinastias. Algumas das maiores cidades no mundo do Islã foram praticamente criação de determinadas dinastias: Bagdá dos abácidas, Cairo dos fatímidas, Fez dos idrísidas, Córdoba dos omíadas. Dentro de certos limites, um poderoso governante podia desviar rotas de comércio e atraí-las para sua capital; uma cidade podia decair quando o governante a deixava ou não conseguia mais defendê-la, como Kairuan decaiu quando os zíridas deixaram de viver lá.

O primeiro objetivo de uma dinastia era manter-se no poder, e o governante portanto vivia meio apartado da população da cidade, cercado por uma corte em grande parte de origem

179

militar ou estrangeira: sua família e harém, seus mamelucos pessoais — africanos negros ou cristãos convertidos do Magreb, turcos, curdos ou circassianos mais a leste — e altos funcionários do palácio, oriundos em grande parte desses grupos mamelucos. O exército profissional que substituía aquele com que o governante obtivera o poder também vinha de fora da cidade. O exército seljúquida era basicamente de turcos, o dos aiúbidas mais mesclado: na Síria, sua chefia vinha de uma aristocracia militar de origens variadas, turcos, curdos ou gregos convertidos, no Egito basicamente de recém-chegados turcos ou curdos. Também sob os mamelucos, o exército era de composição mista: o núcleo consistia de um corpo de mamelucos reais recrutados pelo governante ou deixados por seus antecessores e treinados nas escolas do palácio, mas os altos oficiais militares tinham, cada qual, um corpo de servidores militares próprio, treinados em sua casa. A solidariedade de um grupo criado na mesma casa podia durar uma vida inteira ou mais. Os soldados mamelucos não formavam um grupo hereditário, e seus filhos não podiam tornar-se membros da força militar central. Mas havia outra força formada de mamelucos nascidos livres, e seus filhos podiam juntar-se a ela e galgar os postos. Entre os hafsidas, o exército original era oriundo das tribos do campo, mas quando a dinastia se estabeleceu com firmeza, passou a depender mais de soldados mercenários, árabes de Andalus, cristãos europeus convertidos e turcos.

À medida que uma dinastia conseguia estabelecer-se firmemente, tentava nomear governadores provinciais de dentro do grupo dominante, mas com êxito variável: a natureza do campo e a tradição da família dominante podiam dificultar isso. Os seljúquidas governavam um vasto Império de terras férteis, separadas umas das outras por montanha ou deserto, e herdaram uma tradição pela qual a autoridade era investida mais numa família que em algum membro individual dela; seu Império era portanto menos um Estado centralizado que um grupo de reinos semi-independentes sob diferentes membros da família. Na Síria, os aiúbidas governavam de modo semelhante; era uma espécie de

180

confederação de estados centrados em diferentes cidades, cada uma governada por um membro da família aiúbida, que tinham aliança formal com o chefe da família mas não o deixavam interferir demasiado. No Egito, porém, a natureza da terra e a longa tradição de governo centralizado tornaram possível aos aiúbidas manter um controle direto. Sob os mamelucos, também, os governadores provinciais na Síria, embora vindos da elite militar, ficavam menos inteiramente subordinados ao controle do Cairo que os do baixo Egito; no alto Egito, porém, os mamelucos tiveram dificuldade para reter controle completo, devido ao surgimento de uma poderosa família de xeques tribais, os Hawara. Os hafsidas também tiveram problemas para controlar as partes mais distantes de seu Estado: alguns xeques tribais e cidades distantes eram mais ou menos autônomos; com o passar do tempo, porém, ampliou-se o poder do governo central.

O forte controle de um grande Império exigia uma complicada burocracia. Na maioria dos estados, as principais divisões entre funcionários continuaram sendo as que tinham existido sob os abácidas. Havia uma chancelaria (*diwan al-insha*), onde se escreviam cartas e documentos em linguagem correta e precisa, segundo formas e precedentes reconhecidos, e onde eles eram preservados; um tesouro, que supervisionava a avaliação, coleta e gastos dos impostos; e um departamento especial que mantinha as contas e os registros do exército. Sob os seljúquidas, o vizir continuou sendo o funcionário controlador de toda a burocracia civil, como tinha sido entre os abácidas, mas sob outras dinastias suas funções e poderes eram mais limitados. No Estado mameluco, não era mais que um superintendente do tesouro; no dos hafsidas, havia um vizir distinto para cada um dos três departamentos, e o camareiro da corte (*hajib*), que controlava o acesso ao governante, podia ser mais importante que qualquer um deles.

O vizir e outros altos funcionários podiam ser oriundos da elite militar, mas em geral a administração civil era a esfera do governo em que membros da população urbana local podiam desempenhar um papel. Eram eles, e não os soldados, que tinham

181

a educação e a formação necessária para o trabalho na chancelaria ou tesouro. Em certa medida, os funcionários podiam vir daqueles que tinham a educação completa de um *'alim*, mas talvez fosse mais comum os aspirantes aos cargos públicos entrarem no serviço cedo, após uma educação básica nas ciências da língua e da religião, e aprender os ofícios especiais de redigir documentos ou fazer contabilidade por um processo de aprendizado. O aspirante podia ligar-se a um alto funcionário, na esperança de beneficiar-se não só de seu exemplo, mas de sua proteção. Nessas circunstâncias, deve ter havido um elemento hereditário no serviço público, os filhos sendo treinados e promovidos pelos pais, e parece provável que houvesse uma certa continuidade mesmo quando mudavam as dinastias; funcionários de uma dinastia anterior serviam à nova, e certamente havia uma continuidade na prática da chancelaria ou tesouro.

Dessa forma, membros da sociedade urbana governada por uma dinastia ou grupo estrangeiro podiam entrar na elite dominante, pelo menos num certo nível; funcionários persas serviram aos seljúquidas turcos, egípcios e sírios trabalharam para os mamelucos. Mas os governantes também podiam trazer funcionários que vinham de fora da elite urbana, e que assim tinham mais probabilidade de depender deles. Os aiúbidas na Síria trouxeram funcionários do Egito, Iraque e Irã Ocidental, os hafsidas usaram exilados de Andalus, e sob os mamelucos no Egito havia funcionários judeus e coptas, a maioria convertida ao Islã.

Administrar justiça era um dos principais deveres do governante muçulmano, e também aí havia uma maneira de membros educados da elite urbana poderem ser atraídos para seu serviço. Ele nomeava os cádis, entre os educados nas escolas religiosas e pertencentes à escola legal que desejava promover. Em sua maior parte, os cádis e os muftis vinham da população local, mas um governante forte podia fazer nomeações de fora; por exemplo, os hafsidas deram altos cargos a estudiosos andaluzes.

A aliança dos detentores do poder militar e membros da elite culta urbana revelava-se também quando o próprio governante, ou seu governador provincial, fazia justiça. Nem todos os casos e disputas iam para o cádi. O governante podia decidir quais delegar e quais reservar para si: a maioria dos casos criminais, os que afetavam a ordem pública ou os interesses do Estado, e também os que suscitavam difíceis problemas legais. Era particularmente importante para um governante autocrático ouvir queixas (*mazalim*) contra funcionários aos quais delegara poder. Tinha de manter uma linha de acesso aberta aos súditos. Já nos tempos abácidas um funcionário especial realizava sessões regulares para ouvir petições de reclamações. Sob dinastias posteriores, esse procedimento continuou a existir. Algumas questões eram tratadas por métodos administrativos ordinários, mas o próprio governante realizava sessões para receber petições e baixar decretos. Toda semana, o governante mameluco no Cairo reunia-se em solene conselho judicial, cercado por seus principais funcionários militares e civis, os cádis dos quatro *madhhabs*, um cádi militar especial e os principais muftis; tomava decisões após consultá-los, e não era estritamente limitado pelos códigos legais. Do mesmo modo, na Túnis dos hafsidas o governante se reunia toda semana com os principais cádis e muftis.

A ALIANÇA DE INTERESSES

Entre os dois pólos da cidade, o palácio e o mercado, as relações eram estreitas mas complexas, baseadas em necessidades mútuas mas interesses divergentes. O governante precisava das atividades econômicas da cidade, que lhe proporcionavam armas e equipamento para seu exército e navios, acessórios e adornos para sua pessoa, seu círculo e família, e o dinheiro para pagar isso, fosse por meio da tributação regular ou de tributos especiais; os mercadores proporcionavam sua reserva financeira, à qual ele podia recorrer quando precisava de mais dinheiro do que os impostos regulares podiam oferecer. Do mesmo mesmo, a classe culta formava uma reserva humana da qual ele podia extrair funcionários públicos e judiciais, e poetas e artistas embelezavam sua corte e davam-lhe uma reputação de magnificência.

183

Pelo seu lado, a população urbana, em particular a que possuía riqueza e posição, dependia do poder do governante para assegurar o fornecimento de alimentos e matérias-primas do campo, proteger as rotas de comércio e manter relações com outros governantes, para amaciar o caminho do comércio.

Também precisavam dele para manter a ordem e a lei, sem as quais não era possível a vida numa comunidade complexa e civilizada. As atividades mercantis tinham de ser regulamentadas, as ruas iluminadas, limpas e protegidas contra ladrões e perturbadores da paz, o lixo retirado, os canos d'água limpos e mantidos. Para tais fins, o governante nomeava um governador da cidade, conhecido por diferentes títulos em diferentes lugares. Ele tinha à sua disposição uma força policial (*shurta*), em geral recrutada no local, e também havia guardas para os bairros, e vigias noturnos para os mercados e ruas. No mercado, havia um funcionário especial, o *muhtasib*, que supervisionava os preços, pesos e medidas, a qualidade das mercadorias e a condução do comércio; sua autoridade vinha de um versículo do Corão que impunha aos muçulmanos o dever de "exigir o que é bom e rejeitar o que é desaprovado", e em algumas circunstâncias ele era nomeado no meio religioso, mas em outras vinha dos militares. Em algumas cidades, por exemplo Sana no Iêmen, um código escrito expressava o acordo consuetudinário sobre a maneira como se deviam realizar os negócios.

A manutenção da ordem e a coleta dos impostos estavam estreitamente relacionadas. Grande parte — talvez a maior — da renda do governante vinha de impostos sobre a produção do campo, mas os impostos e tributos urbanos eram numerosos e importantes. Além do imposto *per capita* sobre judeus e cristãos, havia tributos alfandegários sobre bens que entravam ou saíam da cidade, e outros de vários tipos pagos pelos donos de lojas e oficinas.

A cidade não podia ser governada sem algum grau de cooperação entre o governante e os habitantes, ou pelo menos entre aqueles que tinham interesse na ordem estável. Além dos funcionários no sentido pleno, havia também membros das comunidades urbanas que eram reconhecidos pelo governante como porta-vozes ou representantes delas, e como responsáveis pela manutenção da ordem e pela divisão dos impostos devidos entre os membros da comunidade. Os mais importantes para a preservação da ordem urbana eram os chefes de bairro, que coletavam os impostos aplicados a casas ou prédios residenciais. Havia também chefes dos diferentes grupos de artesãos ou mercadores. Nem todos os que praticavam o mesmo ofício eram necessariamente tratados como um grupo individual; podia haver vários grupos divididos por territórios. Não parece haver qualquer indício substancial de que esses grupos fossem organizados em "guildas" no sentido medieval europeu, com uma existência corporativa autônoma que se expressasse em ajuda mútua ou regras estritas de admissão ou aprendizado; mas o fato de o governante os tratar como um corpo individual suscetível de pagar certos tributos especiais ou proporcionar serviços especiais, e de eles trabalharem juntos na mesma parte do mercado, deve ter lhes dado uma certa solidariedade. Um terceiro tipo de grupo era composto de membros de determinada comunidade judaica ou cristã: também eles tinham de ter seus porta-vozes, responsáveis pela coleta do imposto *per capita* e por sua lealdade, que em algumas circunstâncias podia ser posta em dúvida.

Num nível mais alto, podia haver porta-vozes de interesses mais gerais. Sob os hafsidas, por exemplo, havia um *amin alumana* que falava pelos chefes de todos os ofícios. Podia haver um *ra'is al-tujjar*, o representante dos grandes mercadores empenhados no lucrativo comércio a longa distância; ele era sobretudo importante quando o governante precisava levantar somas substanciais às pressas. Num nível mais superior ainda, havia os que podiam, em certas circunstâncias, falar pela cidade como um todo; embora a cidade talvez não tivesse instituições corporativas formais, tinha uma espécie de unidade de espírito, que se manifestava em momentos de crise, por exemplo quando uma dinastia sucedia outra. O principal cádi agia deste modo: além de ser uma autoridade nomeada pelo governante, era o chefe dos que preservavam a *charia*, a afirmação normativa do que devia ser a vida em comum, e podia portanto expressar a consciência coletiva da comunidade. Em alguns lugares, havia também às vezes um "chefe" (*ra'is*) para a cidade como um todo, mas não está claro o que ele fazia.

Pouco se sabe das formas como os chefes ou porta-vozes eram nomeados, e é possível que variassem. Parece certo, porém, que não poderiam ter exercido suas funções se não tivessem a confiança tanto do governante ou seu governador quanto daqueles em nome dos quais falavam.

As ligações entre governante e cidade, mantidas por funcionários e porta-vozes, eram precárias e mutáveis, movendo-se num espectro entre aliança e hostilidade. Havia uma comunidade básica de interesse, que podia ser fortalecida por cooperação econômica. Membros da elite dominante deviam investir em empreendimentos comerciais conjuntos. Eram donos de grande parte dos prédios públicos, banhos, mercados e *khans*. Governantes e altos funcionários construíam obras públicas em grande escala e dotavam *waqfs*. Um estudo das grandes cidades do Estado mameluco demonstrou que de 171 prédios para fins religiosos construídos ou consertados em Damasco, dez foram pagos pelo próprio sultão, 82 por altas autoridades militares, onze por outras autoridades, 25 por mercadores e 43 pelos ulemás.[1] Do mesmo modo, uma pesquisa de prédios em Jerusalém durante o período mameluco mostrou que, em 86 *waqfs*, pelo menos 31 eram financiadas por funcionários mamelucos, ulemás e mercadores.[2]

A aliança de interesses manifestava-se nas grandes cerimônias de que participava toda a cidade, e nas quais o governante se mostrava ao povo. Quando um soberano assumia o trono, havia uma cerimônia de posse (*bay'a*), um vestígio da primitiva convenção islâmica de que o soberano era escolhido pelo povo. Na Tunísia hafsida, por exemplo, havia duas cerimônias dessas: na primeira, as principais autoridades do governo juravam aliança; na segunda, o soberano era apresentado ao povo da capital. Em certo sentido, essa apresentação e aceitação eram repetidas todas as sextas-feiras, quando se citava o nome do soberano legítimo no sermão da prece do meio-dia. Havia também grandes cerimônias anuais, algumas, embora não todas, com um sentido religioso, em que o soberano aparecia em público. Uma crônica do Cairo no período mameluco, de Ibn Iyas, cita em todos os anos as cerimônias do aniversário do Profeta, a abertura do dique que deixava as águas do Nilo entrarem no canal que atravessava o Cairo na estação das chuvas, o início e o fim de Ramadan, a partida da caravana de peregrinos do Cairo para Meca e sua volta. Havia também ocasiões especiais: quando se recebiam embaixadores estrangeiros ou quando nascia um filho homem do soberano, a cidade se iluminava às expensas dos mercadores e lojistas, e o soberano aparecia em público.

A aliança de interesses assim expressa podia desfazer-se, no entanto. No próprio grupo dominante, o equilíbrio de poder entre o soberano e aqueles nos quais ele se apoiava podia ser abalado. No Estado mameluco, por exemplo, algumas das funções mais importantes dos funcionários do soberano foram tomadas pelos principais chefes militares e suas famílias. Em certas circunstâncias, os soldados ignoravam a obediência e perturbavam a paz da cidade ou ameaçavam o poder do soberano; foi assim que os aiúbidas sucederam os fatímidas no Cairo, depois os mamelucos substituíram os aiúbidas, e depois uma família de mamelucos tomou o poder de outra. Do lado da população urbana, os porta-vozes que mediavam os desejos e as ordens do soberano ao povo também podiam manifestar as queixas e as reivindicações dos grupos que representavam. Quando os impostos eram demasiado altos, os soldados estavam indisciplinados, as autoridades abusavam do poder ou faltava comida, os altos ulemás tinham um papel a desempenhar. Eles tentavam preservar alguma independência em relação ao soberano.

A insatisfação das classes abastadas da cidade não assumia, em geral, a forma de franca desobediência. Elas tinham demasiado a perder com a desordem. Seus raros momentos de livre ação se davam quando o soberano era derrotado por um inimigo e rival, e os homens de destaque da cidade podiam negociar sua rendição a um novo senhor. Entre a gente comum, porém, a insatisfação podia assumir a forma de perturbação da ordem. Os artesãos especializados e os lojistas não se revoltavam facilmente, a não ser sob pressão da necessidade, opressão das autoridades, altos preços, escassez de materiais; sua condição normal era de resignação, já que também tinham interesse na preservação da ordem. O proletariado, porém, a massa de imigrantes, biscateiros não qualificados, mendigos e criminosos contumazes, nos arredores da cidade, vivia num estado de inquietação mais permanente.

Em momentos de medo ou penúria, toda a população da cidade podia ser perturbada. Levada talvez por pregadores populares que denunciavam a opressão (*zulm*) e afirmavam a visão de uma ordem islâmica justa, multidões invadiam o *suq*, os comerciantes fechavam as lojas, e alguns porta-vozes do povo traziam ao soberano queixas contra seus funcionários, ou contra mercadores suspeitos de provocar uma escassez artificial de pão. Diante de um tal movimento, o soberano podia corrigir sua política para satisfazer algumas das exigências; funcionários eram demitidos ou executados, abriam-se os depósitos dos mercadores de grãos. O mercado tornava a abrir-se, a coalizão de forças dissolvia-se, mas a massa urbana continuava lá, apaziguada ou controlada no momento, tão distante quanto antes de uma ordem islâmica justa.

O CONTROLE DO CAMPO

O soberano e a população urbana (ou pelo menos o elemento dominante nela) tinham um interesse comum no controle do campo e na garantia de que o excedente da produção rural, acima da que o lavrador precisava para si mesmo, fosse levado à cidade em termos tão favoráveis quanto possível. O soberano precisava da produção, em espécie ou transformada em dinheiro, para manter sua corte, funcionários e exército; também precisava controlar o próprio campo, a fim de prevenir ataques externos ou o processo pelo qual podia surgir uma nova dinastia para contestar seu domínio na capital. A população da cidade, por sua vez, precisava do excedente rural para alimentar-se e obter matérias-primas para seus ofícios. Os elementos dominantes nela também tendiam a encarar o campo e seus habitantes como um perigo, pois ficavam fora do mundo da civilização e da *charia* urbana, e ameaçavam-nos. Assim, um escritor egípcio do século XVI, al-Sha'rani (m. 1565), dá graças a Deus por "minha hégira, com a bênção do Profeta, do campo para o Cairo [...] da região de penúria e ignorância para a cidade da gentileza e saber".[3]

Antes da era moderna, as fronteiras não tinham uma delimitação clara e precisa, e seria melhor pensar no poder de uma dinastia não operando de maneira uniforme, dentro de uma área fixa e geralmente reconhecida, mas antes como irradiando-se de vários centros urbanos com uma força que tendia a enfraquecer com a distância e a existência de obstáculos naturais ou humanos. Dentro da área de irradiação, havia três tipos de regiões, em cada uma das quais diferiam a natureza e a extensão do controle. Antes de tudo, em região de deserto ou estepe, ou áreas montanhosas muito pobres, distantes ou inacessíveis para fazerem valer a pena o esforço da conquista, o soberano limitava-se a manter as principais rotas de comércio abertas e prevenir a revolta. Os chefes tribais locais não podiam ser fiscalizados, nem forçados a entregar seu excedente rural, se existisse, em termos desfavoráveis. Eles podiam ter uma relação econômica com a cidade, vendendo seu produto lá para comprar o que não podiam produzir. Nessas regiões, o soberano só podia assegurar alguma influência por manipulação política, lançando um chefe tribal contra outro, ou dando investidura formal a um membro da família e não a outro. Em certas circunstâncias, porém, podia ter outra espécie de influência, a que lhe era dada por prestígio religioso hereditário; isso se aplicava aos imãs zaiditas no Iêmen, aos imãs ibaditas em Omã, e aos soberanos do Marrocos, do século XVI em diante, que se diziam xarifes, descendentes do Profeta.

Havia uma segunda zona de montanha, oásis ou estepe onde o soberano exercia mais poder direto, pois estava mais próxima da cidade ou de grandes rotas de comércio, e produzia um maior excedente. Nessas regiões, o soberano não administrava diretamente, mas por intermédio de chefes locais, cuja posição era um tanto mais ambígua que a dos chefes das grandes montanhas ou desertos. Eles recebiam investidura em troca do pagamento de um tributo anual ou periódico, imposto quando necessário pelo envio de uma expedição militar ou pela retirada de apoio e sua transferência para outro.

A linha que separava essas duas zonas não era fixa. Dependia do poder do soberano, e do instável equilíbrio entre o uso da terra para agricultura e pastagem. Os distritos assentados eram mais fáceis de controlar que os dedicados ao pastoreio nômade. Há indícios de que, do século X ou XI em diante, a primeira zona tornou-se maior em detrimento da segunda. No alto Egito, grupos tribais que podiam ser controlados do Cairo (*'árabe al-ta'a*, "árabes de obediência") foram substituídos durante o período mameluco pelos hawara, um grupo pastoril de origem berbere, que iria continuar a dominar grande parte da região até o século XIX. Do mesmo modo, no Magreb, o complexo processo econômico-social — cuja expressão simbólica seria, mais tarde, a história da invasão de Banu Hilal — levou a uma redução do poder dos soberanos das cidades que iria continuar durante séculos.

Mas havia uma terceira zona: a das planícies abertas e vales ribeirinhos, e das pequenas propriedades que forneciam frutas e legumes para a cidade. Ali, o soberano e as camadas urbanas a ele vinculadas tinham de manter um controle mais forte e mais direto, sobretudo em lugares onde a produção dependia de obras de irrigação em grande escala. Guarnições militares permanentes ou expedições militares regulares mantinham essa zona em ordem e preveniam o surgimento de caudilhos locais.

Nesse campo dependente, as trocas econômicas se davam em favor da cidade. O principal meios pelo qual se obtinha o excedente rural segundo termos favoráveis era o sistema de impostos. Em princípio, era em grande parte o mesmo em todos os países islâmicos. O soberano obtinha seus recursos de três tipos de impostos: a capitação paga por membros de comunidades não muçulmanas reconhecidas, vários impostos sobre ofícios e artes urbanos, e impostos sobre a produção agrícola. Nas áreas culti-

190

vadas, o imposto podia ser aplicado sobre a terra, por uma avaliação que em alguns países mudava de tempos em tempos (por exemplo no Egito, onde a prática de reavaliação periódica era uma sobrevivência de tempos antigos), ou sobre uma proporção fixa da produção. O imposto sobre cereais e outros produtos agrícolas armazenáveis era muitas vezes pago em espécie; aquele que incidia sobre produtos perecíveis, como frutas, em dinheiro. Do mesmo modo, o imposto sobre terra de pastagem — nos lugares onde o governo tinha força suficiente para coletá-lo — podia ser avaliado por área ou por uma certa proporção do gado.

Desde os tempos dos buyidas, no século X, surgiu a prática, em alguns países, de fazer uma concessão (*iqta*) do produto desses impostos rurais. Essa concessão podia ser entregue a um membro da família governante, ou a um alto funcionário em lugar de salário. Os recursos dos impostos de toda uma província podiam ser entregues a seu governador, que arcaria com as despesas de administração e coleta de impostos e ficaria com uma certa proporção deles em lugar de salário; ou então o imposto sobre um certo pedaço de terra era concedido a um oficial do exército, em troca de serviço com um certo número de soldados que ele próprio recrutava, equipava e pagava. Este último tipo de concessão iria tornar-se particularmente importante e generalizado. Bastante desenvolvido pelos seljúquidas no Irã e no Iraque, foi levado para o oeste pelos aiúbidas e mais desenvolvido pelos mamelucos. No Magreb, surgiu um sistema análogo. O controle de certas áreas de terra era entregue a um chefe tribal em troca de serviço militar: as tribos recrutadas ou formadas desse modo eram conhecidas como *jaysh*, ou tribos do exército.

Dificilmente seria intenção de algum soberano abrir mão do imposto permanentemente, ou dar àqueles a quem se entregavam concessões um controle permanente e total sobre a terra. Empregavam-se vários meios para limitar os *iqtas*. No Egito mameluco, sobre o qual nossa informação é particularmente completa, só metade da terra era concedida como *iqta*, e o resto mantido para o soberano e sua família. A parte concedida era entregue ou aos mamelucos do próprio soberano ou a altas autoridades militares, que em princípio podiam manter uma certa proporção dela para si, e deviam usar o resto para pagar aos dez, quarenta ou cem soldados montados com que tinham de contribuir para o exército. O concessionário normalmente não tinha uma ligação pessoal com a área de seu *iqta*. Se recebia mais de um, não eram contíguos; ele próprio não coletava os impostos, mas deixava-o aos funcionários do soberano, pelo menos até os últimos tempos mamelucos; o *iqta* não passava para os filhos. Em outros países e outras épocas, contudo, o concessionário parece ter sofrido um controle menos vigoroso e permanente, e o direito de ficar com o produto do imposto tornou-se um poder de coletá-lo, supervisionar a produção e exercer senhoria sobre os camponeses.

A coleta de impostos proporcionou uma das maneiras pelas quais o controle direto do soberano sobre o interior rural se tornou o controle por indivíduos que moravam nas cidades, que podiam apropriar-se de parte do excedente rural para si. É fácil chamá-los de proprietários rurais, mas isso pode ser enganoso; o essencial é que podiam alegar direitos sobre o excedente rural, e fazê-los valer pelo uso do poder militar do soberano. Os que recebiam concessões podiam ficar com a parte do leão, mas as autoridades que participavam da coleta de impostos, os mercadores que adiantavam dinheiro para financiar o cultivo ou pagar os impostos quando estavam atrasados, e os ulemás que controlavam *waqfs* podiam estar em posição semelhante.

Na ausência de documentos, parece seguro acreditar que as formas de contrato agrícola autorizadas e regulamentadas pela *charia* eram generalizadas. Uma delas em particular parece ter existido em todas as épocas: a *muzara'a*, o regime de meia, ou *métayage*. Era um acordo entre o proprietário e o lavrador de um pedaço de terra: dividiam a produção, em proporções que dependiam da contribuição dada por cada um. Se o dono desse a semente, animais de tiro e equipamento, podia ficar com quatro quintos, e o lavrador que dava apenas seu trabalho, com um quinto. Pela lei, um acordo desses só podia ser feito por tempo limitado, mas na prática deve ter sido prolongado indefinidamente.

Muitas variações eram possíveis, e parece provável que a divisão precisa da produção dependesse de fatores como o fornecimento da terra e da mão-de-obra, e do poder relativo das duas partes. No ponto extremo, o lavrador podia ser praticamente fixado à terra por estar sempre em débito com o dono, não ter como resistir ao seu poder e não encontrar outra terra para lavrar.

IDÉIAS DE AUTORIDADE POLÍTICA

Entre o soberano e o campo longínquo — os vales montanheses, a estepe e o deserto — as relações eram demasiado distantes e indiretas para precisarem ser expressas em termos morais: o poder do soberano era aceito se não chegasse perto demais; os homens das montanhas e estepes forneciam soldados para seu exército, mas também podiam fornecê-los para o desafiante que o derrubaria. Entre o soberano e seus súditos não muçulmanos, também, a relação não era fortalecida por qualquer ligação moral. Mesmo sendo uma relação pacífica e estável, havia um senso de que cristãos e judeus estavam fora da comunidade; não podiam oferecer ao soberano a aliança forte e positiva que viria da identidade de crenças e objetivos. Os habitantes muçulmanos da cidade, porém, estavam em posição diferente. O soberano e seus funcionários se intrometiam direta e continuamente em suas vidas, coletando impostos, mantendo a ordem, administrando a justiça; exerciam o poder sem o qual a indústria e o comércio não podiam florescer, nem as tradições de lei e doutrina sobreviver. Nessas circunstâncias, era natural que os que criaram e preservaram o universo moral do Islã, os ulemás, perguntassem quem era o soberano legítimo e quais os limites dentro dos quais ele devia ser obedecido, e que o soberano, por sua vez, exigisse obediência por direito, além de poder.

Havia muitos tipos de ligações entre soberano e indivíduos ou grupos particulares: promessas de lealdade expressas em juramentos e votos, gratidão por favores recebidos, e esperança de favor futuro. Além destes, porém, havia certos conceitos de autoridade legítima que podiam ser aceitos por grupos maiores, ou pela comunidade como um todo.

A questão de quem tinha o direito de governar já fora suscitada de forma aguda durante o primeiro século de história islâmica. Quem era o sucessor legítimo do Profeta como chefe da comunidade, califa ou imã? Como devia ser escolhido? Quais eram os limites de sua autoridade? Tinha ele direito incondicional à obediência, ou era legítimo revoltar-se contra, ou depor, um soberano ímpio e iníquo? Diferentes tipos de ibaditas e xiitas tinham dado suas próprias respostas a tais questões. Os ulemás sunitas haviam aos poucos chegado à crença em que o califa era chefe da comunidade, mas não o intérprete infalível da fé, e os ulemás eram guardiães da fé, e portanto, num certo sentido, os herdeiros do Profeta. Eles tinham aceito a possibilidade de que um califa fosse iníquo, e fosse dever dos fiéis rejeitá-lo; esse fora o argumento usado pelos seguidores dos abácidas para justificar sua revolta contra os omíadas, descritos como tendo transformado sua autoridade num reinado secular.

Só no quarto século islâmico (século X d.C.) se deu à teoria do Califado a formulação mais completa. Uma mudança de circunstâncias, que ameaçava a posição dos califas abácidas, deu origem a uma tentativa de defendê-la através de sua definição. A ameaça veio de dois lados diferentes. A criação do Califado fatímida no Cairo e o revivido Califado omíada em Andalus colocavam não só a questão de quem era o califa legítimo, mas também outra: podia haver mais de um califa, ou a unidade da *umma* implicava em que só houvesse um só chefe? Dentro da região que ainda reconhecia a soberania abácida, os governantes locais tornavam-se praticamente independentes. Mesmo em Bagdá, a capital, uma dinastia militar, a dos buyidas, tomou o controle da chancelaria do califa, e podia assim baixar decretos em seu nome; às vezes os buyidas pareciam arrogar-se autoridade independente, revivendo para seu próprio uso o título iraniano de xainxá.

Foi nesse contexto que se escreveu a mais famosa exposição e defesa teórica do Califado, a de al-Mawardi (m. 1058). Ele dizia que a existência do Califado não era uma necessidade natural; sua justificação estava numa afirmação do Corão, "Ó crentes, obedecei a Deus, e ao Mensageiro, e àqueles com autoridade sobre vós",[4] e era portanto ordenada por Deus. Seu objetivo era proteger a comunidade e administrar seus assuntos com base na verdadeira religião. O califa devia possuir saber religioso, senso de justiça e coragem. Devia pertencer à tribo dos coraixitas, da qual vinha o Profeta, e só podia haver um califa de cada vez. Ele podia delegar seu poder, fosse para um propósito limitado ou sem limite, e numa província de seu Império ou nele todo; mas o vizir ou emir a quem se delegasse o poder devia reconhecer a autoridade do califa e exercer seu poder dentro dos limites da *charia*. Essa formulação tornou possível conciliar a distribuição existente de poder com a autoridade teórica do califa, e deu ao califa o direito de preservar o poder que ainda tinha e tomar de volta de outras dinastias o que lhes cedera.

Até o fim do Califado de Bagdá, pôde-se manter, de uma forma ou de outra, esse equilíbrio entre autoridade e poder; os ulemás puderam admitir que o sultão, o detentor do poder militar, tinha o direito de exercê-lo, contanto que permanecesse leal ao califa e governasse de acordo com a religião. Mas não era um equilíbrio estável. O califa ainda tinha um resíduo de poder efetivo dentro e nos arredores da capital, e tentou aumentá-lo, sobretudo na época do califa al-Nasir (1180-1225); um sultão forte tentava expandir seu poder independente; e havia uma terceira autoridade, a dos ulemás, que pretendiam determinar o que era a religião correta. Foi para definir as condições em que a relação devia ser estável que al-Ghazali (1085-1111) e outros, dentro da tradição religiosa, apresentaram a idéia de que o poder pertencia ao califa, mas o seu exercício podia ser dividido por mais de uma pessoa. O Califado (ou imanato, como os teóricos em geral o chamavam) tinha três elementos: o da sucessão legítima do Profeta, o da direção dos assuntos do mundo, e o da vigilância sobre a fé. Ghazali afirmava que, idealmente, esses três aspectos deviam ser unidos numa pessoa, mas em caso de necessidade podiam ser separados, e essa era a situação em sua época.

O califa incorporava a sucessão do Profeta; o sultão, detentor do poder militar, exercia as funções de governo; e os ulemás vigiavam a crença e a prática religiosa.

Com o tempo, a relação trilateral tornou-se bilateral. O Califado de Bagdá chegou ao fim quando os mongóis ocuparam a cidade em 1258, e os califas abácidas mantidos no Cairo pelos sultãos mamelucos não foram reconhecidos por todos. Embora a lembrança do Califado permanecesse, e ele fosse reconhecido pelos livros legais como sendo a forma ideal de autoridade islâmica, e embora alguns governantes poderosos, como os hafsidas, continuassem a usar o título, o objetivo principal do pensamento político, entre os que escreveram dentro da tradição legal, era determinar as relações entre o governante que brandia a espada e os ulemás que guardavam a religião e diziam falar em nome da *umma*. Havia um antigo ditado, vindo dos tempos sassânidas e muitas vezes repetido, de que "religião e reinado são dois irmãos, e nenhum pode dispensar o outro".[5] Aceitava-se em geral que o poder era adquirido pela espada, e pela aquiescência geral expressa na cerimônia da *bay'a*; podia, contudo, tornar-se autoridade legítima se fosse usado para manter a *charia*, e por conseguinte o tecido de vida virtuosa e civilizada. O soberano devia manter os tribunais de justiça, respeitar os ulemás e governar em consulta com eles. Dentro dos limites da *charia*, podia exercer a chefia do Estado, fazer regulamentos e decisões, e ministrar justiça criminal em assuntos que envolvessem o bem-estar da sociedade e a segurança do Estado. Os ulemás, por sua vez, deviam conceder ao sultão justo o reconhecimento perpétuo que era expresso na invocação semanal do nome do soberano no sermão da sexta-feira.

Mas nesse, como em outros assuntos, Ibn Taymiyya (1263-1328), um dos mais destacados autores religiosos do período mameluco, extraiu as inferências lógicas da situação em sua época. Para ele, a unidade da *umma* — uma unidade de crença em Deus e aceitação da mensagem do Profeta — não implicava unidade política. Devia haver autoridade na *umma* para impor justiça e manter os indivíduos dentro de seus limites, mas ela podia ser exercida por mais de um governante; a maneira como ele obtivera o poder era mais importante do que como o usava. O exercício do poder era uma espécie de serviço religioso, Ele devia exercer a chefia do Estado dentro dos limites da *charia*, e governar em cooperação com os ulemás. Essa relação de governantes e ulemás trazia em si a implicação de que o governante devia respeitar os interesses da elite urbana muçulmana. Nos países a leste do Magreb, onde do século X em diante a maioria dos governantes era de origem turca ou estrangeira, isso tinha outra implicação: a população local, de língua árabe, devia ser consultada e receber seu quinhão no processo de governo.

Mesmo que o governante fosse injusto ou ímpio, aceitava-se em geral que devia ser obedecido, pois qualquer tipo de ordem era melhor que a anarquia; como disse Ghazali, "a tirania de um sultão por cem anos causa menos dano que um ano de tirania exercida pelos súditos uns contra os outros".[6] A revolta só se justificava contra o governante que claramente fosse contra um mandamento de Deus ou de Seu Profeta. Isso não significava, porém, que os ulemás devessem encarar um governante injusto como encaravam um justo. Uma poderosa tradição entre os ulemás (sunitas e xiitas igualmente) era de que deviam manter distância dos soberanos do mundo. Ghazali citava o *hadith*: "No Inferno há um vale unicamente reservado para os ulemás que visitam reis". O *alim* virtuoso não devia visitar príncipes ou autoridades injustos. Podia visitar um soberano justo, mas sem subserviência, e devia repreendê-lo se o visse fazendo qualquer coisa repreensível; se tivesse medo, podia ficar calado, mas seria melhor não visitá-lo de modo algum. Se recebesse a visita de um príncipe, devia retribuir a sua saudação e exortá-lo à virtude. Seria melhor, porém, evitá-lo completamente. (Outros ulemás, no entanto, afirmavam que deviam apoiar o soberano em tudo que fosse lícito, mesmo que ele fosse injusto.)

Interligadas com essas idéias, expostas por teólogos e juristas, houve outras oriundas de tradições intelectuais que ajudaram a formar a cultura do mundo islâmico. No século X, o filósofo al-Farabi definiu os padrões pelos quais se deviam julgar os estados, em seu livro *Medina al-fadila* (*As idéias dos cidadãos da ci-*

dade virtuosa). O melhor dos estados é aquele governado por alguém que é ao mesmo tempo filósofo e profeta, em contato, por meio do intelecto e da imaginação, com a Inteligência Ativa que emana de Deus. Na ausência de um tal governante, o Estado pode ser virtuoso se for governado por uma combinação daqueles que possuem coletivamente as características necessárias, ou por governantes que mantenham e interpretem as leis dadas pelo fundador (como teria sido o Califado inicial). No outro extremo, há sociedades cujo elemento governante não possui o conhecimento do bem; essas sociedades não têm bem comum, e são mantidas juntas pela força, ou por alguma característica natural, como uma descendência, caráter ou língua comuns.

De influência mais geral foram teorias vindas de outra origem: a antiga idéia iraniana de reinado. Eram expressas às vezes na forma da imagem de um círculo. O mundo é um jardim; a cerca é um soberano ou dinastia; o soberano é sustentado por soldados; os soldados são mantidos pelo dinheiro; o dinheiro é adquirido dos súditos; os súditos são protegidos pela justiça; e a justiça é mantida pelo soberano. Formulando isso de uma maneira diferente, o mundo humano consiste de diferentes ordens, cada uma delas seguindo suas próprias atividades e interesses. Para que vivam juntas em harmonia e contribuam com o que têm para dar à sociedade, é necessário um poder regulador, e é para isso que existem os reinos; é a ordem natural humana mantida por Deus. "Em todo tempo e época, Deus (louvado seja) escolhe um membro da raça humana e, tendo-o dotado de boas e reais virtudes, confia-lhe os interesses do mundo e o bem-estar de Seus servos."[7] Para executar essas funções, ele precisa acima de tudo de sabedoria e justiça. Quando não as tem, ou não tem o poder de assegurá-las, "espalham-se a corrupção, a confusão e a desordem [...] a condição de rei desaparece completamente, sacam-se espadas antagônicas, e quem tem o braço mais forte faz o que quer".[8]

Para fazer o que foi escolhido por Deus para fazer, o soberano tem de permanecer fora das diferentes ordens da sociedade. Ele não é escolhido por elas — a suposição geral desses textos é de que sua posição é herdada — nem responsável perante elas, mas apenas perante sua consciência e, no Juízo Final, Deus, a quem deve prestar contas de seu governo. Deve haver uma nítida distinção entre os que governam e os que são governados; o monarca e seus funcionários devem permanecer distantes dos interesses que regulam.

Por toda a história islâmica houve uma sucessão de textos que deram expressão a tais idéias e tiraram ilações delas. Do mesmo modo como os textos dos juristas expressavam os interesses e a perspectiva dos ulemás e das classes das quais eram porta-vozes, também esse outro tipo de literatura expressava os interesses dos que estavam próximos do exercício do poder, os burocratas que podiam servir a uma dinastia após outra, preservando suas próprias tradições de serviço. O mais famoso desses textos foi o *Livro de governo*, de Nizam al-Mulk (1018-92), principal ministro do primeiro sultão seljúquida a governar Bagdá. Seu livro e outros idênticos contêm não apenas princípios gerais, mas conselhos práticos sobre a condução do Estado para governantes e para uso na educação de príncipes; daí o nome pelo qual esse gênero é às vezes conhecido, de "Espelhos dos Príncipes" (termo usado para um tipo de literatura semelhante na Europa). O príncipe é aconselhado sobre como escolher funcionários; como controlá-los obtendo informações sobre eles, como lidar com as petições e as queixas dos súditos, a fim de impedir que seus servidores abusem do poder que exercem em seu nome; como se aconselhar com os velhos e sábios e escolher os companheiros das horas de lazer; como recrutar soldados de diferentes raças e mantê-los leais a si. O conselho trata basicamente dos perigos a que se expõe o soberano absoluto: o de ficar isolado dos súditos, e de permitir que subordinados abusem do poder que exercem em seu nome.

9. OS CAMINHOS DO ISLÃ

OS PILARES DO ISLÃ

Entre essas comunidades variadas, vivendo num vasto círculo de terras que se estendiam do Atlântico ao golfo Pérsico, separadas por desertos, sujeitas a dinastias que subiam, caíam e competiam umas com as outras pelo controle de recursos limitados, havia apesar disso um laço comum: a princípio o grupo dominante, e mais tarde a maioria de seus membros, era muçulmano, vivendo sob a autoridade da Palavra de Deus, o Corão, revelada ao Profeta Maomé em língua árabe. Os que aceitavam o Islã formavam uma comunidade (*umma*). "Sois a melhor *umma* produzida para a humanidade, acolhendo o bem, rejeitando o que é desaprovado, acreditando em Deus":[1] essas palavras do Corão expressam uma coisa importante sobre os adeptos do Islã. Esforçando-se por entender e obedecer os mandamentos de Deus, homens e mulheres criaram um relacionamento correto com Ele, mas também uns com os outros. Como disse o Profeta em sua "peregrinação de adeus": "Sabei que todo muçulmano é irmão de um muçulmano, e que os muçulmanos são irmãos".[2]

Certos atos ou rituais desempenhavam um papel especial na manutenção do senso de filiação a uma comunidade. Eram obrigatórios para todos os muçulmanos capazes de observá-los, e criaram um elo não apenas entre os que os praticavam juntos, mas entre sucessivas gerações. A idéia de uma *silsila*, uma cadeia de testemunhas que se estendia do Profeta até o fim do mundo, passando a verdade por transmissão direta de uma geração para outra, foi de grande importância na cultura islâmica; num certo sentido, essa cadeia formava a verdadeira história da humanidade, por trás da ascensão e queda de dinastias e povos.

Esses atos ou rituais eram comumente conhecidos como os "Pilares do Islã". O primeiro deles era o *shahada*, o testemunho de que "só há um Deus, e Maomé é o Seu Profeta". O dar esse testemunho era o ato formal pelo qual uma pessoa se tornava muçulmana, e era repetido diariamente nas preces rituais. Continha em essência os artigos de fé pelos quais os muçulmanos se distinguiam dos descrentes e dos politeístas, e também dos judeus e dos cristãos, que se incluíam na mesma tradição de monoteísmo: que só há um Deus, que Ele revelou Sua Vontade à humanidade através de uma linha de profetas, e que Maomé é o Profeta em que a linha culmina e termina, "o Selo dos profetas". Uma afirmação ritual desse credo básico devia ser feita diariamente na prece ritual, *salat*, o segundo dos Pilares. A princípio, a *salat* era praticada duas vezes por dia, mas depois veio a aceitar-se que devia ter lugar cinco vezes por dia: ao amanhecer, ao meio-dia, no meio da tarde, após o crepúsculo e na primeira parte da noite. As horas de prece eram anunciadas por uma convocação pública (*adhan*) feita por um muezim (*mu'adhdhin*), de um lugar elevado, em geral uma torre ou minarete junto a uma mesquita. A prece tinha uma forma fixa. Após uma ablução ritual (*wudu'*), o fiel executava uma série de movimentos do corpo — curvava-se, ajoelhava-se, prostrava-se no chão — e dizia várias preces imutáveis, proclamando a grandeza de Deus e a baixeza do homem em Sua presença. Depois de ditas essas preces, podia também haver súplicas ou pedidos individuais (*du'a*).

Essas preces podiam ser ditas em qualquer parte, a não ser em algumas tidas como impuras, mas julgava-se um ato digno de louvor rezar em público com os outros, num oratório ou mesquita (*masjid*). Uma prece em particular devia ser feita em público: a prece do meio-dia na sexta-feira se fazia numa mesquita de um tipo especial (*jami'*), com um púlpito (*minbar*). Após as preces rituais, um pregador (*khatib*) subia no púlpito e fazia um sermão (*khutba*), que também seguia uma forma mais ou menos regular: louvor a Deus, invocação de bênçãos sobre o Profeta, uma homilia moral muitas vezes tratando de assuntos públicos da comunidade como um todo, e finalmente a invocação da bênção de

Deus para o soberano. Ser assim mencionado no *khutba* passou a ser encarado como um dos sinais de soberania.

Um terceiro Pilar era, em certo sentido, uma extensão do ato de culto. Era o *zakat*, as doações tiradas da própria renda para certos fins específicos: para os pobres, os necessitados, o socorro aos endividados, a libertação de escravos, o bem-estar dos viajantes. Dar o *zakat* era visto como uma obrigação para aqueles cuja renda ultrapassava uma certa quantia. Eles deviam doar uma proporção de sua renda, que era coletada e distribuída pelo soberano ou seus funcionários, mas outras esmolas podiam ser dadas a homens da religião, para que as distribuíssem, ou então diretamente aos necessitados.

Havia mais duas obrigações não menos compulsórias para os muçulmanos, mas a serem cumpridas com menos freqüência, como solenes lembranças da soberania de Deus e da submissão do homem a Ele, a certa altura do ano litúrgico. (Para fins religiosos, o calendário usado era o do ano lunar, mais ou menos onze dias mais curto que o ano solar. Assim, essas cerimônias podiam ser realizadas em diferentes estações do ano solar. O calendário usado para fins religiosos, e também nas cidades, não podia ser usado pelos lavradores, para os quais os acontecimentos importantes eram as chuvas, a inundação dos rios, as variações de calor e frio. Em sua maioria, recorriam a calendários solares mais antigos.)

Os dois Pilares eram o *sawn*, ou jejum uma vez por ano, no mês do Ramadan, e o *hadj*, ou peregrinação a Meca, pelo menos uma vez na vida. Durante o Ramadan, mês em que o Corão foi revelado, todos os muçulmanos acima dos dez anos eram obrigados a abster-se de comer e beber, e de manter relações sexuais, do amanhecer ao anoitecer; faziam-se exceções para os que se encontravam muito debilitados fisicamente, os doentes mentais, os ocupados em trabalho pesado ou na guerra, e os viajantes. Isso era encarado como um ato solene de arrependimento dos pecados, e uma negação do eu em favor de Deus; o muçulmano que jejuava devia começar o dia com uma declaração de intenção, por vezes passava a noite em preces rituais. Aproximando-se de Deus dessa maneira, os muçulmanos também estariam se aproximando uns dos outros. A experiência do jejum em companhia de toda a aldeia ou cidade fortalecia o senso de uma comunidade única espalhada no tempo e no espaço; as horas após o anoitecer podiam ser dedicadas a visitas e refeições feitas em comum; o fim do Ramadan era comemorado como uma das duas grandes festas do ano litúrgico, com dias de banquetes, visitas e presentes (*'id al-fitr*).

Pelo menos uma vez na vida, todo muçulmano que pudesse fazer a peregrinação a Meca devia fazê-la. Podia visitá-la em qualquer época do ano (*'um-ra*), mas ser um peregrino no sentido pleno era ir lá com outros peregrinos numa época especial do ano, o mês de Dhu'l-Hijja. Não eram obrigados a ir os que não eram livres nem bons da cabeça, os que não possuíam os recursos financeiros necessários, os abaixo de certa idade e, segundo algumas autoridades, as mulheres que não tinham marido nem guardião para acompanhá-las. Descrições de Meca e do *hadj* feitas no século XII mostram que nessa época havia concordância sobre como o peregrino devia conduzir-se e o que podia esperar encontrar no fim de sua jornada.

A maioria dos peregrinos ia em grandes grupos, reunidos numa das grandes cidades do mundo muçulmano. No período mameluco, as peregrinações que partiam do Cairo e Damasco eram as mais importantes. As do Magreb iam por mar ou terra até o Cairo, ali se encontravam com os peregrinos egípcios, atravessavam por terra o Sinai e desciam a Arábia Ocidental até as cidades santas, uma caravana organizada, protegida e conduzida em nome do soberano do Egito. A viagem desde o Cairo levava entre trinta e quarenta dias, e no fim do século XV talvez de 30 mil a 40 mil peregrinos a faziam todo ano. Os da Anatólia, Irã, Iraque e Síria reuniam-se em Damasco; a jornada, também em caravana organizada pelo soberano de Damasco, levava igualmente de trinta a quarenta dias, e sugeriu-se que uns 20 mil a 30 mil peregrinos podiam ir todo ano. Grupos menores partiam da África Ocidental, atravessando o Sudão e o mar Vermelho, e do sul do Iraque e dos portos do golfo Pérsico, através da Arábia Central.

Num certo ponto, ao aproximar-se de Meca, o peregrino purificava-se com abluções, punha uma roupa branca feita de uma única peça de tecido, o *ihram*, e proclamava sua intenção de fazer a peregrinação por uma espécie de ato de consagração: "Eis-me aqui, Ó meu Deus, eis-me aqui; não tendes igual, eis-me aqui; verdadeiramente Vosso é o louvor e a graça, e o império".[3]

Assim que chegava a Meca, o peregrino entrava na área sagrada, o *haram*, onde havia vários sítios e prédios de associações santas. No século XII, o mais tardar, esses lugares já tinham tomado a forma que iriam manter: o poço de Zamzam, que se acreditava tivesse sido aberto pelo anjo Gabriel para salvar Agar e seu filho Ismael; a pedra em que estava gravada a pegada de Abraão; alguns lugares associados aos imãs de diferentes *madhhabs*. No centro do *haram* ficava a Caaba, o prédio retangular que Maomé expurgara de ídolos e fizera o centro da devoção muçulmana, com a Pedra Negra incrustada numa das paredes. Os muçulmanos contornavam a Caaba sete vezes, tocando ou beijando a Pedra Negra ao passarem por ela. No oitavo dia do mês, deixavam a cidade e seguiam para o monte 'Arafa, a leste. Ali, ficavam de pé algum tempo, pois esse era um ato essencial da peregrinação. Na volta a Meca, em Mina, realizavam-se mais dois atos simbólicos: atirar pedras a uma coluna que representava o Diabo, e sacrificar um animal. Isso assinalava o fim do período de devoção que começara com o ato de vestir o *ihram*; o peregrino tirava a roupa e voltava aos costumes da vida comum.

A peregrinação era, sob muitos aspectos, o acontecimento central do ano, talvez de toda uma vida, aquele em que mais plenamente se expressava a unidade dos muçulmanos uns com os outros. Em certo sentido, era um epítome de todos os tipos de viagem. Os que iam rezar em Meca podiam ficar para estudar em Medina; podiam trazer mercadorias consigo para pagar as despesas da jornada; mercadores acompanhavam a caravana, com produtos para vender no caminho das cidades santas. A peregrinação era também uma oportunidade para o intercâmbio de notícias e idéias trazidas de todas as partes do mundo do Islã.

204

O famoso viajante Ibn Battuta expressou alguma coisa do que significava a experiência da peregrinação:

Entre os fabulosos feitos de Deus Altíssimo está este, que Ele criou os corações dos homens com um desejo instintivo de buscar esses santuários sublimes, e ansiando por apresentar-se em seus sítios ilustres, e deu ao amor a eles tal poder sobre os corações dos homens que ninguém chega a eles sem que tomem todo o seu coração, nem parte senão com mágoa pela separação.[4]

O *hadj* era um ato de obediência ao mandamento de Deus, expresso no Corão: "É dever de todos os homens para com Deus ir à Casa como peregrino, se pode fazer a jornada até lá".[5] Era uma profissão de fé no Deus único, e também uma expressão visível da unidade da *umma*. Os muitos milhares de peregrinos de todo o mundo muçulmano faziam a peregrinação ao mesmo tempo; juntos contornavam a Caaba, ficavam de pé no 'Arafa, apedrejavam o Diabo e sacrificavam seus animais. Ao fazerem isso, estavam ligados a todo o mundo do Islã. A partida e o retorno de peregrinos eram assinalados por comemorações oficiais, registrados nas crônicas locais, e em tempos posteriores pelo menos descritos nas paredes das casas. No momento em que os peregrinos sacrificavam seus animais em Mina, toda família muçulmana também matava um animal, para abrir a outra grande festa popular do ano, a Festa do Sacrifício ('*id al-adha*).

O senso de pertencer a uma comunidade de fiéis expressava-se na idéia de que era dever dos muçulmanos cuidar das consciências uns dos outros, proteger a comunidade e estender seu âmbito onde possível. A *jihad*, guerra contra os que ameaçavam a comunidade, fossem eles infiéis hostis de fora ou não-muçulmanos de dentro que rompessem seu acordo de proteção, era em geral encarada como uma obrigação praticamente equivalente a um dos Pilares. O dever da *jihad*, como os outros, baseava-se nas palavras do Corão: "Ó tu que crês, combate o infiel que tens perto de ti".[6] A natureza e a extensão da obrigação

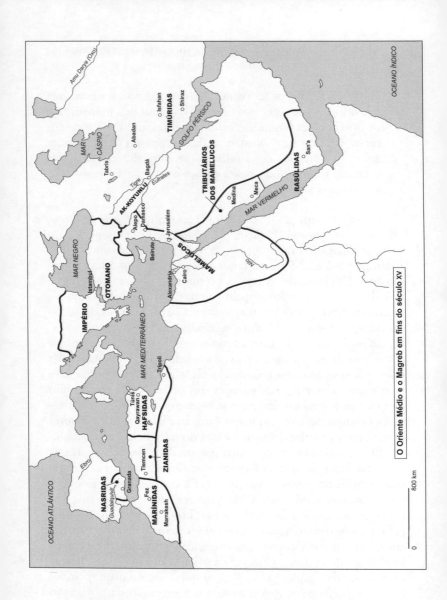

eram cuidadosamente definidas pelos autores legais. Não era uma obrigação individual de todos os muçulmanos, mas da comunidade, de fornecer um número suficiente de combatentes. Após a grande expansão do Islã nos primeiros séculos, e com o início do contra-ataque da Europa Ocidental, a *jihad* tendeu a ser encarada mais em termos de defesa que de expansão.

Claro, nem todos que se diziam muçulmanos levavam essas obrigações igualmente a sério, nem davam o mesmo sentido ao seu cumprimento. Havia diferentes níveis de convicção individual, e diferenças em geral entre o Islã da cidade, do campo e do deserto. Havia uma gama de observância que ia do estudioso ou mercador devoto da cidade, que fazia as preces diárias e o jejum anual, capaz de pagar o *zakat* e fazer a peregrinação, até o beduíno comum, que não rezava regularmente nem jejuava no Ramadan, porque vivia toda a sua vida à beira da privação, não fazia a peregrinação, mas ainda assim professava que só há um Deus e Maomé é Seu Profeta.

OS AMIGOS DE DEUS

Desde o início, houvera alguns seguidores do Profeta para os quais as observâncias externas não tinham valor algum se não manifestassem uma intenção sincera, o desejo de obedecer aos mandamentos de Deus pelo senso da grandeza d'Ele e da pequenez do homem, e se elas não fossem encaradas como as formas elementares de uma disciplina moral que devia estender-se a toda a vida.

Desde o princípio, o desejo de pureza de intenção dera origem a práticas ascéticas, talvez sob a influência dos monges cristãos orientais. Implícita nelas estava a idéia de que podia haver outra relação entre Deus e o homem, além de ordem e obediência: uma relação em que o homem obedecia à Vontade de Deus por amor a Ele e pelo desejo de aproximar-se d'Ele, e ao fazer isso tomava consciência de um amor retribuído estendido por Deus ao homem. Essas idéias, e as práticas a que deram origem, foram ainda mais desenvolvidas durante esses séculos. Houve uma articulação gradual da idéia de um caminho pelo qual o verdadeiro crente podia aproximar-se mais de Deus; os que aceitavam essa idéia e tentaram pô-la em prática vieram a ser conhecidos em geral como sufitas. Aos poucos, também, foi surgindo um consenso, embora incompleto, sobre os principais estágios (*maqam*) do caminho. Os primeiros eram o do arrependimento, um dar as costas aos pecados da vida passada. Isso levava à abstinência, mesmo de coisas que, sendo legítimas, podiam desviar a alma da busca de seu objetivo correto. O viajante nesse caminho devia prosseguir aprendendo a confiar em Deus, depender d'Ele e esperar pacientemente a Sua Vontade, e depois, após um período de temor e esperança, podia vir uma revelação do divino Ser: um despertar espiritual em que todos os objetos desapareciam e só Deus estava ali. As qualidades humanas do viajante que havia alcançado esse ponto eram aniquiladas, seu lugar tomado pelas qualidades divinas, e homem e Deus unidos no amor. Essa experiência momentânea do divino (*ma'rifa*) deixava sua marca: a alma estaria transformada assim que voltasse ao mundo do cotidiano.

Esse movimento de união com Deus afetava tanto as emoções quanto a mente e a alma, e correspondendo aos vários estágios podia haver graças (*hal*, plural *ahwal*), estados emocionais ou vividas experiências que só podiam ser expressas, se podiam, em metáfora ou imagem. Em árabe e nas outras línguas literárias do Islã, desenvolveu-se aos poucos um sistema de imagística poética pelo qual os poetas tentavam evocar os estados de graça que podiam acompanhar o caminho para o conhecimento de Deus, e a experiência de unidade que era a sua meta: imagens de amor humano, em que o amante e o amado se refletiam um ao outro, da embriaguez do vinho, da alma como uma gota d'água no oceano divino, ou como um rouxinol buscando a rosa que é uma manifestação de Deus. Mas a imagística poética é ambígua, e nem sempre é fácil dizer se o poeta está tentando expressar o amor humano ou o amor de Deus.

Muçulmanos sérios e preocupados sabiam do perigo do caminho; o viajante podia perder-se, as graças podiam seduzi-lo. Aceitava-se em geral que algumas almas humanas podiam percorrê-lo sozinhas, subitamente arrebatadas em êxtase, ou guiadas pela liderança direta de um mestre morto ou do próprio Profeta. Para a maioria dos viajantes, porém, julgava-se necessário aceitar o ensinamento e a orientação de alguém mais avançado no caminho, um mestre da vida espiritual (*murshid*, xeque). Segundo um ditado que se tornou conhecido, "para quem não tem xeque, o Diabo é o xeque". O discípulo devia seguir seu mestre implicitamente; devia ser tão passivo quanto um cadáver nas mãos do lavador dos mortos.

No fim do século X e no século XI começou a ocorrer outro fato. Os que seguiam o mesmo mestre passaram a identificar-se como uma única família espiritual, seguindo o mesmo caminho (*tariqa*). Algumas dessas famílias continuaram por um longo período, e reivindicavam uma linhagem que remontava a algum grande mestre da vida espiritual, do qual a *tariqa* recebia o nome, e por intermédio dele ao Profeta, por meio de 'Ali ou Abu Bakr. Alguns desses "caminhos" ou "ordens" estendiam-se por uma vasta área no mundo islâmico, levados por discípulos aos quais o mestre dera "autorização" para ensinar seu caminho. Em sua maior parte, não eram muito organizados. Os discípulos de um mestre podiam fundar suas próprias ordens, mas em geral reconheciam uma afinidade com o mestre que lhes havia ensinado o caminho. Entre as ordens mais disseminadas e duradouras, algumas tiveram início no Iraque; eram a Rifa'iyya, que remonta ao século XII, a Suhrawardiyya no século XIII, e — a maior de todas — a Qadiriyya, batizada segundo o nome de um santo de Bagdá, Abd al-Qadir al-Jilani (1077/8-1166), mas que só emergiu nitidamente no século XIV. Das ordens que surgiram no Egito, a Shadhiliyya iria tornar-se a mais importante, sobretudo no Magreb, onde foi organizada por al-Jazuli (m. *c.* 1465). Em outras partes do mundo muçulmano, outras ordens ou grupos de ordens se destacaram: por exemplo, a Mawlawiyya na Anatólia e a Naqshbandiyya na Ásia Central. Algumas delas iriam difundir-se também para os países de língua árabe.

Só uma minoria de adeptos de tais ordens dedicava toda a vida ao caminho, vivendo em conventos (*zawiya*, *khanqa*); alguns destes, sobretudo nas cidades, eram pequenos prédios, mas outros eram maiores, incluindo uma mesquita, um lugar para exercícios espirituais, escolas, hospedarias para visitantes, tudo agrupado em torno do túmulo do mestre cujo nome recebiam. Contudo, a maioria dos membros da ordem vivia no mundo; incluía tanto homens quanto mulheres. Para alguns deles, a filiação a uma ordem era pouco mais que nominal, mas para outros implicava alguma iniciação em doutrinas e práticas que poderiam ajudá-los a avançar no caminho para o êxtase da união.

As ordens diferiam em sua visão do relacionamento entre os dois caminhos do Islã: o da *charia*, obediência à lei oriunda dos mandamentos de Deus no Corão, e o da *tariqa*, a busca da experiência de conhecimento direto d'Ele. De um lado, ficavam as ordens "sóbrias", que ensinavam que, após o auto-aniquilamento e a embriaguez da visão mística, o fiel devia retornar ao mundo das atividades diárias da vida e viver dentro dos limites da *charia*, cumprindo suas obrigações com Deus e seus irmãos humanos, mas dando-lhes novo significado. Do outro lado, ficavam aqueles aos quais a experiência de união com Deus deixava embriagados com um senso da presença divina, de tal modo que sua vida real daí em diante era vivida em solidão; não se importavam se incorriam na censura de esquecer as obrigações determinadas pela *charia*, e podiam até acolher de bom grado tal censura, como um meio de dar as costas ao mundo (*Malamatis*). A primeira tendência era associada aos que diziam descender de Junayd, a segunda aos que viam Abu Yazid al-Bistami como seu mestre.

Havia um processo de iniciação a qualquer ordem: a prestação de um juramento de aliança ao xeque, o recebimento de um manto especial dele, a comunicação pelo xeque de uma prece secreta (*wird* ou *hizb*). Além das preces individuais, porém, havia um ritual que era o ato central da *tariqa* e a característica que a distinguia das outras. Era o *dhikr*, ou repetição do nome de Alá, com a intenção de desviar a alma de todas as distrações do mundo e libertá-la para o vôo da união com Deus. O *dhikr* podia assumir mais de uma forma. Em algumas das ordens (em particular a Naqshbandiyya), era uma repetição silenciosa, juntamente com certas técnicas de respiração, e com a concentração da atenção em certas partes do corpo, no xeque, no epônimo fundador da ordem, ou no Profeta. Na maioria, era um ritual coletivo (*hadra*), praticado regularmente em certos dias da semana numa *zawiya* da ordem. Formados em filas, os participantes repetiam o nome de Alá; podia haver acompanhamento de música e poesia; em algumas ordens, havia dança ritual, como na graciosa dança circular dos mawlawis; podia haver demonstrações de graças particulares, facas enfiadas nas bochechas ou fogo na boca. A repetição e a ação se tornavam cada vez mais rápidas, até que os participantes eram apanhados num transe em que perdiam consciência do mundo sensível.

Cercando esses atos públicos, havia uma penumbra de devoções privadas, louvor a Deus, manifestações de amor a Ele, pedidos de graças espirituais. Algumas eram breves jaculatórias louvando a Deus ou invocando bênçãos sobre o Profeta, outras eram mais elaboradas:

Glória a Ele dão as montanhas com o que nelas há;
Glória a Ele a quem louvam as árvores quando se cobrem de folhas;
Glória a Ele a quem louvam as tamareiras na madureza de seus frutos;
Glória a Ele a quem louvam os ventos nos caminhos do mar:[7]

Coletâneas delas foram atribuídas aos grandes mestres da vida espiritual.

A idéia de um caminho de acesso a Deus implicava que o homem não era só criatura e servo d'Ele, mas também podia tornar-se Seu amigo (*wali*). Essa crença encontrava justificação em trechos do Corão: "Ó Vós, Criador dos Céus e da Terra, sois meu Amigo neste mundo e no próximo".[8] Aos poucos, foi surgindo uma teoria de santidade (*wilaya*). O amigo de Deus era o único que sempre estava perto d'Ele, cujos pensamentos estavam sempre n'Ele, e que havia dominado as paixões humanas que afastavam o homem d'Ele. A mulher, tanto quanto o homem, podia ser santa. Sempre houvera e sempre haveria santos no mundo, para manter o mundo no eixo. Com o tempo, essa idéia adquiriu expressão formal: sempre haveria certo número de santos no mundo; quando um morria, era sucedido por outro; e eles constituíam a hierarquia que eram os governantes desconhecidos do mundo, tendo o *qutb*, o pólo sobre o qual o mundo girava, como seu chefe.

Os "amigos de Deus" intercediam junto a Ele em favor de outros, e sua intercessão tinha resultados visíveis neste mundo. Trazia curas para a doença e a esterilidade, ou alívio nos infortúnios, e esses sinais de graça (*karamat*) eram também provas da santidade do amigo de Deus. Veio a ser largamente aceito que o poder sobrenatural pelo qual um santo invocava graças para este mundo podia sobreviver à sua morte, e podiam-se fazer pedidos de intercessão em seu túmulo. As visitas aos túmulos dos santos, para tocá-los ou orar diante deles, passaram a ser uma prática complementar de devoção, embora alguns pensadores muçulmanos encarassem isso como uma inovação perigosa, porque interpunha um intermediário humano entre Deus e cada crente individual. O túmulo do santo, quadrangular, com um domo abaulado, caiado por dentro, isolado ou dentro de uma mesquita, ou servindo de núcleo em torno do qual surgira uma *zawiya*, era uma feição conhecida na paisagem rural e urbana islâmica.

Do mesmo modo como o Islã não rejeitou a Caaba, mas deu-lhe novo sentido, também os convertidos ao Islã trouxeram-lhe seus próprios cultos imemoriais. A idéia de que certos lugares eram moradas de deuses ou espíritos sobre-humanos estava generalizada desde tempos muito antigos: pedras de um tipo incomum, árvores antigas, nascentes que brotavam espontaneamente da terra, eram encaradas como sinais visíveis da presença de um deus ou espírito ao qual se dirigiam pedidos e faziam oferendas, pendurando-se panos votivos ou sacrificando-se animais. Em todo o mundo onde o Islã se espalhou, tais lugares se tornaram ligados aos santos muçulmanos, e com isso adquiriram um novo significado.

Alguns dos túmulos dos santos tinham se tornado centros de grandes atos litúrgicos públicos. O aniversário de um santo, ou um dia especialmente ligado a ele, era comemorado com uma festa popular, durante a qual muçulmanos do distrito em torno ou de mais longe ainda se reuniam para tocar o túmulo, rezar diante dele e participar de vários tipos de festividade. Algumas dessas reuniões tinham importância apenas local, mas outras atraíam visitantes de mais longe. Esses santuários "nacionais" ou universais eram os de Mawlay Idris (m. 791), tido como fundador da cidade de Fez; Abu Midyan (*c*. 1126-97) em Tlemcem, na Argélia Ocidental; Sidi Mahraz, santo padroeiro dos marinheiros, em Túnis; Ahmad al-Badawi (*c*. 1199-1276) em Tanta, no delta egípcio, objeto de um culto em que os estudiosos viam uma sobrevivência em nova forma do antigo culto egípcio de Bubastis; e 'Abd al-Qadir, que deu nome à ordem qadirita, em Bagdá.

Com o correr do tempo, o Profeta e sua família passaram a ser vistos na perspectiva da santidade. A intercessão do Profeta no Juízo Final, acreditava-se comumemente, atuaria para a salvação daqueles que tinham aceito a missão dele. Maomé passou a ser encarado como um *wali*, além de profeta, e seu túmulo em Medina era um local de prece e pedidos, a ser visitado por si ou como uma extensão do *hadj*. O aniversário do Profeta (*mawlid*) tornou-se uma ocasião de comemoração popular: essa prática parece ter começado a surgir na época dos califas fatímidas no Cairo, e estava generalizada nos séculos XIII e XIV.

Um santo vivo ou morto podia gerar poder mundano, sobretudo no campo, onde a ausência de governo burocrático organizado permitia a livre atuação de forças sociais. A residência ou túmulo de um santo era território neutro, onde as pessoas podiam refugiar-se, e membros de grupos diferentes que em outras partes eram distantes ou hostis reuniam-se para fazer negócios. A festa de um santo era também uma feira rural, onde se compravam e vendiam produtos, e seu túmulo por vezes era o guardião de um mercado permanente, ou do celeiro de tribos nômades. O santo, ou seus descendentes e os guardiães de seu túmulo, podiam lucrar com sua reputação de santidade; as oferendas dos peregrinos davam-lhes riqueza e prestígio, e eles podiam ser chamados a atuar como árbitros em disputas.

Homens de cultura e religiosidade, com fama de fazer milagres e resolver disputas, às vezes eram o ponto em torno do qual se reuniam movimentos políticos, em oposição a governantes encarados como injustos ou ilegítimos. Em algumas circunstâncias, o prestígio de um tal mestre religioso podia extrair sua força de uma idéia popular disseminada, a do *mahdi*, o homem guiado por Deus e por Ele enviado para restaurar o reinado da justiça que precederia o fim do mundo. Exemplos desse processo podem ser encontrados em toda a história islâmica. O mais famoso e bem-sucedido dos que foram reconhecidos pelos seguidores como o *mahdi* foi talvez Ibn Tumart (*c.* 1078-1130), um reformador religioso nascido no Marrocos que, após estudar no Oriente Médio, retornou ao Magreb e iniciou uma convocação para a restauração da pureza original do Islã. Ele e os que se reuniram à sua volta fundaram o Império Almôada, que no seu auge se estendia por todo o Magreb e as partes muçulmanas da Espanha, e cuja memória iria conferir legitimidade a dinastias posteriores, em particular a dos hafsidas da Tunísia.

10. A CULTURA DOS ULEMÁS

OS ULEMÁS E A *CHARIA*

No centro da comunidade dos que aceitavam a mensagem de Maomé estavam os sábios religiosos (ulemás), homens versados no Corão, no Hadith e na lei, que se diziam guardiães da comunidade, os sucessores do Profeta.

A luta pela sucessão política do Profeta durante os primeiros séculos islâmicos tinha trazido consigo implicações para a questão da autoridade religiosa. Quem tinha o direito de interpretar a mensagem transmitida no Corão e a vida de Maomé? Para os xiitas e os vários grupos deles derivados, a autoridade estava com uma linha de imãs, intérpretes infalíveis da verdade contida no Corão. Desde os primeiros tempos islâmicos, porém, a maioria de muçulmanos nos países de língua árabe era sunita, e por isso rejeitava a idéia de um imã infalível, que podia, num certo sentido, prolongar a revelação da Vontade de Deus. Para eles, essa Vontade fora revelada definitiva e completamente no Corão e nos *suna* do Profeta, e os que tinham capacidade de interpretá-la, os ulemás, eram os guardiães da consciência moral da comunidade.

No século XI, havia uma nítida distinção entre as várias *madhhabs*, ou escolas de interpretação moral e legal, e em particular as quatro mais disseminadas e duradouras, as shafita, malikita, hanafita e hanbalita. As relações entre seguidores das diferentes *madhhabs* às vezes foram violentas; em Bagdá, durante o período abácida, o shafismo e o hanafismo tinham dado seus nomes a facções urbanas que lutavam umas com as outras. Mais tarde, porém, as divergências tornaram-se menos polêmicas. Em algumas regiões, uma ou outra das *madhhabs* era quase universal. Os malikitas vieram a ser quase a única escola no Magreb, o shafismo era disseminado no Egito, Síria, Iraque, Irã e Hedjaz, os hanafitas na Ásia Central e na Índia. Os hanbalitas foram um elemento importante em Bagdá e nas cidades sírias do século XII em diante. Do mesmo modo como as escolas de teologia vieram a aceitar umas às outras, também o fizeram as escolas legais. Mesmo quando, como ia acontecer, uma dinastia nomeava membros de uma certa escola para cargos legais, as outras tinham seus juízes e especialistas jurídicos.

Algumas das diferenças entre as *madhhabs* relacionavam-se com a definição precisa e o peso relativo dos princípios de pensamento legal (*usl al-fiqh*). Em relação ao *ijma'*, os hanbalitas aceitavam apenas o dos Companheiros do Profeta, não o de sábios posteriores, e por conseguinte davam uma dimensão maior à *ijtihad*, contanto que fosse exercida por sábios de acordo com as regras estritas da analogia. Outra escola, a dos zahiritas, que foi forte em Andalus durante algum tempo mas depois se extinguiu, apegava-se apenas ao sentido literal do Corão e do Hadith, como interpretados pelos Companheiros, e rejeitava a *ijtihad* e consensos posteriores. Uma doutrina mais ou menos semelhante foi ensinada por Ibn Tumart, o fundador do movimento e da dinastia almôadas, mas ele reivindicava para si a posição de único intérprete infalível do Corão e do Hadith. Duas das escolas permitiam certa flexibilidade no uso da *ijtihad*: os hanafitas afirmavam que não se precisava usar sempre a analogia estrita, e os sábios podiam exercer um poder limitado de preferência individual ao interpretar o Corão e o Hadith (*istihsan*); também os malikitas acreditavam que o sábio devia ir além da estrita analogia no interesse do bem-estar humano (*istislah*).

Esses princípios não foram desenvolvidos e discutidos apenas por si mesmos, mas porque formavam a base do *fiqh*, a tentativa por esforço humano responsável de prescrever em detalhes o estilo de vida (*charia*) que os muçulmanos deviam seguir para obedecer à Vontade de Deus. Todas as ações humanas, na relação direta com Deus ou com outros seres humanos, podiam ser examinadas à luz do Corão e dos *suna*, como interpretadas pelas pessoas qualificadas para exercer *ijtihad*, e classificadas em termos de cinco normas: podiam ser encaradas como obrigatórias (ou para a comunidade como um todo, ou para cada membro individual dela), recomendadas, moralmente neutras, repreensíveis ou proibidas.

Aos poucos, sábios de diferentes *madhhabs* estabeleceram códigos de conduta humana, cobrindo todos os atos humanos em relação aos quais se podia extrair orientação do Corão e do Hadith. Um código típico, o de Ibn Abi Zayd al-Qayrawani (m. 996), um sábio da escola malikita, começa com as verdades essenciais "que a língua deve exprimir e o coração acreditar", uma espécie de profissão de fé. Depois trata dos atos imediatamente dirigidos a Deus, atos de culto (*'ibadat*): a prece e a purificação ritual a ela preliminar, jejum, doação de esmolas, realização da peregrinação, e o dever de lutar na causa do Islã (*jihad*). Depois do *ibadat*, passa para os atos pelos quais os seres humanos se relacionam uns com os outros (*mu'amalat*): primeiro que tudo, assuntos de relações humanas íntimas, casamento e as formas como pode ser contraído e encerrado; depois relações de âmbito mais amplo e menos intimidade pessoal, vendas e contratos semelhantes, incluindo acordos com fins lucrativos, herança e legados, a criação de *waqfs*; depois questões criminais, e certos atos proibidos, como adultério e consumo de bebida, em relação aos quais o Corão estabelece penalidades precisas. Depois dá regras para o procedimento a ser seguido por juízes que adjudicam em questões proibidas, e conclui com um trecho de exortação moral:

É obrigação de todo fiel ter sempre em mente, em toda palavra ou ato pio, o amor de Deus: as palavras ou atos daquele que tem um outro objetivo em vista que não o amor de Deus não são aceitáveis. A hipocrisia é um politeísmo menor. Arrepender-se de todo pecado é uma obrigação, e isso envolve não perseverar no malfeito, reparar injustiças cometidas, abster-se de atos proibidos, e a intenção de não recair. Que o pecador invoque o perdão de Deus, esperando Sua misericórdia, temendo Seu castigo, consciente de Seus benefícios, e expressando gratidão a Ele [...] O homem não deve desesperar da misericórdia divina.[1]

Em questões concretas, como em princípios de interpretação, havia algumas divergências entre as várias *madhhabs*, mas a maioria era de menor importância. Mesmo dentro de uma determinada *madhhab* podia haver divergências de opinião, pois nenhum código, por mais detalhado e preciso que fosse, podia cobrir todas as situações possíveis. Uma máxima muitas vezes repetida declarava que a partir do século X em diante não podia haver mais exercício de julgamento individual: onde se chegara a um consenso, "a porta da *ijtihad* está fechada". Parece não haver claro indício, porém, de que esse preceito tenha algum dia sido formulado ou geralmente aceito, e em cada *madhhab*, na verdade, a *ijtihad* era praticada não apenas por juízes que tinham de tomar decisões, mas por jurisconsultos (*muftis*). O mufti era, em essência, um estudioso privado conhecido por seu saber e sua capacidade de tomar decisões sobre questões em disputa pelo exercício da *ijtihad*. As opiniões (*fatwa*) emitidas por muftis famosos podiam ser incorporadas depois de algum tempo em livros de *fiqh*, de autoridade, mas a atividade de emitir *fatwas* tinha de continuar. A partir, talvez, do século XIII os soberanos nomeavam muftis oficiais, que podiam receber salários, mas o estudioso privado, que recebia um pagamento dos que buscavam dele uma decisão, e não se achava sob qualquer obrigação com o soberano, tinha uma posição de respeito especial na comunidade.

É costume referir-se ao produto do *fiqh*, a *charia*, como "lei islâmica", e isso se justifica, já que, desde os tempos dos abácidas, ela serviu como um conjunto de idéias de que dependiam os cádis nomeados pelo soberano ao fazer julgamentos ou conciliar disputas. Na verdade, porém, era ao mesmo tempo mais e menos do que o que hoje se considera em geral como lei. Mais, porque incluía atos privados que não se referiam nem ao vizinho de um homem nem ao seu soberano; atos de culto privado, de comportamento social, do que se chamaria "educação". Era um código normativo de todos os atos humanos, uma tentativa de classificá-los, e ao fazer isso dava orientação aos muçulmanos sobre o modo como Deus queria que vivessem. E menos porque algumas de suas cláusulas eram apenas teóricas, jamais ou raramente observadas na prática, e também porque ignorava campos inteiros de ação que seriam incluídos em outros códigos legais. Era muitíssimo preciso em relação a questões de *status* pessoal — casamento e divórcio, legados e herança; e menos em relação a contratos e obrigações, e tudo que se referia à atividade econômica; não cobria todo o campo do que hoje seria chamado de lei criminal —; o homicídio era encarado como uma questão privada entre as famílias dos envolvidos, em vez de uma questão em que a comunidade devia intervir por intermédio dos juízes; e não dizia praticamente nada sobre a lei "constitucional" ou administrativa.

Mesmo nos campos em que era mais precisa, sua autoridade podia ser contestada pelo poder do soberano ou a prática de fato da sociedade. Na maioria dos regimes, o soberano ou seus funcionários lidavam com muitos atos criminais, em particular aqueles que envolviam a segurança do Estado; o procedimento e as punições eram decididos por ele. No campo, do mesmo modo, as questões eram decididas de acordo com o *'urf*, o costume da comunidade, preservado e aplicado pelos mais velhos da aldeia ou tribo. Em alguns lugares, parece ter havido códigos de costumes escritos, e em outros tribunais ou concílios regulares; isso se aplicaria em particular às comunidades berberes no Magreb. Contudo, provavelmente eram excepcionais.

Do mesmo modo como a *charia* surgira por um longo e complicado processo de interação entre as normas contidas no Corão e Hadith e os costumes e as leis locais das comunidades postas sob o domínio do Islã, também houve um contínuo processo de mútuo ajuste entre a *charia*, assim que tomou sua forma definitiva, e as práticas das sociedades muçulmanas. Demonstrou-se, por exemplo, que os preceitos da lei hanafita, em relação a práticas comerciais, correspondem às práticas dos mercadores egípcios, reveladas em documentos de um tipo bastante diferente. O que a *charia* dizia sobre contratos foi modificado pela aceitação no código hanafita de certos *hiyal*, ou estratagemas legais, pelos quais práticas como a cobrança de juros foram trazidas para dentro do âmbito da lei.[2] Do mesmo modo, a emissão de regras e o exercício de jurisdição pelos governantes e seus funcionários eram justificados pelo princípio de *siyasa charia* (condução do Estado dentro dos limites da *charia*): como o soberano fora posto por Deus na sociedade humana para preservar a religião e a moralidade, e como seu poder recebia sanção ao ser aprovado pela comunidade, ele tinha o direito de baixar as regras e tomar as decisões que fossem necessárias para preservar uma ordem social justa, contanto que não infringisse os limites impostos pela *charia*. O soberano era visto como tendo o direito de decidir que casos deviam ser enviados ao cádi para julgamento, e quais manteria para sua própria decisão.

Embora '*urf* e *charia* fossem muitas vezes postos em oposição um à outra para fins retóricos, não estavam necessariamente em conflito. O que no '*urf* se opunha à *charia* era aceito por ela como permissível. Em partes do Magreb, de fato, fez-se uma tentativa de interpretar a *charia* à luz do costume. Pelo menos desde o século XV em diante há registros no Marrocos do uso pelos cádis de um procedimento conhecido como '*amal*: o cádi tinha o direito de escolher, entre as opiniões dos juristas, aquela que melhor se adequasse ao costume ou interesse local, mesmo não sendo a que tinha o apoio da maioria dos estudiosos.

Pouco sabemos da lei consuetudinária no campo durante esse período, mas estudos de práticas mais modernas sugerem que pode ter ocorrido o processo oposto, o de certa penetração do costume pela *charia*. O casamento podia ser solenizado de acordo com a terminologia islâmica, mas seus direitos e obrigações, e as questões de divórcio e herança dele derivados, eram decididos pelo costume; em muitos lugares, a herança da terra pelas filhas era contrária ao costume, embora esteja de acordo com a *charia*. As disputas sobre propriedade ou sociedades podiam ser levadas a um cádi na cidade mais próxima para decisão ou conciliação; contratos ou acordos aos quais as partes queriam dar uma certa solenidade ou permanência também podiam ser levados ao cádi, para serem formalmente expressos na linguagem da *charia*, mas o documento podia daí em diante ser interpretado à luz do costume local. Para usar as palavras de um especialista que estudou os documentos do vale do Jordão: "O costume dá sobretudo a substância, e a *charia* a forma".[3]

A TRANSMISSÃO DA DOUTRINA

Os doutores da lei, os que desenvolveram e preservaram o consenso da comunidade, foram o mais próximo equivalente a uma autoridade didática no Islã sunita, e era essencial que providenciassem para que a compreensão do *fiqh* e de suas bases fosse plenamente transmitida de uma geração a outra.

Desde os primeiros tempos, parece ter havido um procedimento formal para a transmissão da doutrina religiosa. Nas mesquitas, e sobretudo nas grandes, as congressionais, círculos de estudantes se agrupavam em torno de um professor sentado encostado a uma coluna e que expunha um tema através da leitura e comentário de um livro. Pelo menos desde o século XI, porém, surgiu um tipo de instituição dedicado em grande parte à doutrina legal, a *madrasa*: sua origem é muitas vezes atribuída a Nizam al-Mulk (1018-92), o vizir do primeiro soberano seljúquida de Bagdá, mas na verdade remonta a um tempo anterior. A *madrasa* era uma escola muitas vezes, embora não sempre, ligada a uma mesquita; incluía um lugar de residência para estudantes. Era estabelecida como um *waqf* por um doador individual; isso dava-lhe uma dotação e garantia sua permanência, uma vez que a propriedade cuja renda era dedicada a um fim pio ou caridoso não podia ser alienada. A dotação era usada para a manutenção do prédio, o pagamento de um ou mais professores permanentes, e em alguns casos estipêndios ou distribuição de alimento aos estudantes. Esses *waqfs* podiam ser estabelecidos por qualquer pessoa de posses, mas os maiores e mais duradouros foram os criados por soberanos ou altas autoridades, no Iraque e no Irã sob os seljúquidas, na Síria e Egito sob os abácidas e mamelucos, e no Magreb sob os marínidas e os hafsidas.

Algumas instituições eram estabelecidas para o ensino do Corão ou Hadith, mas o objetivo principal da maioria era o estudo e ensino do *fiqh*. Para dar um exemplo: a *madrasa* de Tankiziyya em Jerusalém, dotada durante o período mameluco, tinha quatro salões (*iwan*) que se abriam para um pátio central, um para o ensino do Hadith, outro da lei hanafita, outro do sufismo, enquanto o quarto era uma mesquita. A dotação mantinha quinze estudantes da lei, vinte do Hadith e quinze do sufismo, e professores de cada assunto; os estudantes deviam dormir na *madrasa*, e havia também um asilo para doze viúvas.[4] Uma *madrasa* podia ser dotada para o ensino de um só dos *madhhabs*, ou mais de um, ou todos quatro; assim era a *madrasa* do sultão Hasan, no Cairo, em que quatro escolas, uma para cada *madhhab*, abriam-se para um pátio central. Um curso mais ou menos regular de ensino era oferecido pelo *mudarris*, o detentor de uma cátedra dotada, e por seus assistentes, que ensinavam matérias subsidiárias. O estudante que ia para uma *madrasa* normalmente já fora para uma escola de nível inferior, uma *maktab* ou *kuttab*, na qual teria aprendido a língua árabe e provavelmente decorado o Corão. Na *madrasa*, ele estudava matérias ancilares — gramática árabe, e os anais dos primeiros períodos do Islã — mas seu currículo principal seria das ciências da religião: como ler e interpretar o Corão, o Hadith, as bases da crença religiosa (*usul al-din*) e *fiqh*. O principal método de ensino era a exposição de um texto por um *mudarris*, talvez ampliada depois por seus assistentes; a ênfase era na memorização do que se ensinava, mas também na compreensão do que se lembrava.

Na primeira fase de estudo, que costumava estender-se por vários anos, o estudante aprendia o código legal sobre o qual houvesse consenso dos doutores de uma determinada *madhhab*. Muitos estudantes não passavam disso, e nem todos estavam se formando para cargos no serviço legal; filhos de mercadores e outros podiam ter alguns anos desse tipo de educação. Num nível superior, havia uma gama de questões legais sobre as quais existiam divergências de opinião mesmo dentro de uma *madhhab*, já que a variedade de circunstâncias a que os princípios legais tinham de ser aplicados era ilimitada. Os estudantes que desejavam ser professores da lei, ou cádis num nível superior, ou *muftis*, seguiam seus estudos por mais tempo. Nesse nível superior, o treinamento na *ijtihad* dava-se pelo método do debate lógico formal: a apresentação de uma tese, que tinha de ser respondida por uma contratese, o que era seguido por um diálogo de objeções e respostas.

Quando um estudante acabava de ler um livro com o professor, podia pedir-lhe uma *ijaza*, um certificado atestando que A estudara o livro com B. Num nível superior, podia pedir um tipo diferente de *ijaza*, atestando que ele era competente para exercer *ijtihad* como *mufti*, ou ensinar um certo livro ou matéria. Nesse nível superior, era costume o estudante ir de um professor a outro, numa cidade após outra, e pedir *ijazas* de todos cujos cursos freqüentara; esse procedimento tinha sua justificação no *hadith* que mandava os muçulmanos buscarem conhecimento onde pudessem encontrá-lo.

O *ijaza* podia ser um documento complexo, mencionando toda uma cadeia de transmissão de professor a estudante através das gerações, e assim inserindo o que o recebia numa longa corrente de ancestrais intelectuais. Por implicação, expressava uma certa idéia do que devia ser a vida do muçulmano interessado e culto. Sem dúvida havia muitos abusos do sistema: lemos sobre indolência e ignorância, dotações embolsadas ou pervertidas para outro uso. Apesar disso, o estudioso era um dos tipos ideais de muçulmano que persistia através dos séculos. Eis como um sábio legal e médico de Bagdá, 'Abd al-Latif (1162/3-1231), descreve como deveria ser um estudioso:

> Recomendo que não aprendas tuas ciências em livros sem ajuda, mesmo que possas confiar em tua capacidade de compreensão. Recorre a mestres para cada ciência que busques adquirir; e se teu professor for de conhecimento limitado, toma tudo que ele tem a oferecer, até encontrares outro

mais consumado. Deves venerá-lo e respeitá-lo [...] Quando leres um livro, faz todo esforço para aprendê-lo de cor e dominar o seu sentido. Imagina que o livro desapareceu e podes passar sem ele, não sendo afetado pela perda [...] A pessoa deve ler histórias, estudar biografias e as experiências das nações. Fazendo isso, será como se, em seu curto espaço de vida, tivesse vivido contemporaneamente com pessoas do passado, privado com elas, e conhecido os bons e os maus entre elas [...] Deves modelar tua conduta na dos primeiros muçulmanos. Assim, lê a biografia do Profeta, estuda seus feitos e preocupações, segue suas pegadas, e tenta ao máximo imitá-lo. Deves desconfiar freqüentemente de tua natureza, em vez de fazer boa opinião dela, submetendo teus pensamentos aos homens de saber e suas obras, avançando com cautela e evitando a pressa [...] Aquele que não suportou a tensão do estudo não provará o prazer do saber [...] quando acabares teu estudo e reflexão, ocupa tua língua com a menção do nome de Deus, e canta louvores a Ele [...] Não te queixes se o mundo te virar as costas, ele te distrairia da aquisição de excelentes qualidades [...] sabe que o conhecimento deixa uma esteira e um cheiro que proclamam seu possuidor; um raio de luz e claridade brilhando sobre ele, apontando-o e distinguindo-o [...][5]

Um tipo importante e distinto de literatura islâmica surgiu de um impulso semelhante ao que levou à concessão de *ijazas*: o dicionário biográfico. Suas origens encontram-se na coletânea de *hadiths*. Para verificar um *hadith*, era necessário saber quem o transmitira, e de quem essa pessoa o aprendera; era importante saber que a transmissão tinha sido contínua, mas também que os que o haviam transmitido eram honestos e dignos de confiança. Aos poucos, as coletâneas de biografias foram se estendendo dos narradores de *hadiths* para outros grupos — sábios legais, doutores, mestres sufitas etc. Um tipo distinto de obra era o dicionário local, dedicado a homens notáveis, e às vezes mulheres, de determinada cidade ou região, com uma introdução sobre sua topografia e história. O primeiro exemplo importante desse gênero foi o compilado para Bagdá no século XI por al-Khatib al-Baghdadi (1002-71). Algumas cidades tiveram uma sucessão dessas obras; em Damasco, temos dicionários de pessoas importantes para os séculos IX, X, XI, XII e XIII islâmicos (séculos XV-XIX d.C.). Os autores mais ambiciosos foram os que tentaram cobrir toda a história islâmica, em particular Ibn Khaliikan (1211-82).

A obra de Khaliikan abrangia soberanos e ministros, poetas e gramáticos, além de sábios religiosos. Nesses livros, porém, os sábios da mesquita e da *madrasa* tinham um lugar central, como para mostrar que a história da comunidade muçulmana era essencialmente a da transmissão ininterrupta da verdade e da grande cultura islâmica. A biografia de um sábio começava com seus ancestrais e o lugar e data de seu nascimento. Dava detalhes de sua educação: que livros estudara e com quem, e que *ijazas* recebera. Com isso, colocava-o em duas linhagens de descendência, a física e a intelectual: as duas nem sempre eram diferentes uma da outra, pois o menino podia começar a estudar com o pai, e havia longas dinastias de sábios. Descrevia seu trabalho e viagens, que livros escrevera e a quem ensinara, e havia algumas historinhas pessoais. Continha um encômio de suas qualidades, destinado não tanto a distingui-lo de outros sábios como a inseri-lo no quadro de um tipo ideal.

KALAN

Os que estudavam o *fiqh* na *madrasa* também estudavam os princípios básicos da crença religiosa, embora o processo pelo qual estes tinham evoluído e as maneiras como podiam ser defendidos não pareçam ter desempenhado um grande papel no currículo. Quando o sistema de escolas atingiu o pleno desenvolvimento, já haviam acabado, em grande parte, as grandes discussões por meio das quais se formara o credo sunita.

Mesmo depois do período em que desfrutou do favor dos

califas abácidas, o mutazilismo continuou sendo uma florescente e importante escola de pensamento por mais ou menos um século. Seu último pensador importante e sistemático foi 'Abd al-Jabbar (c. 936-1025). Só no século XI a doutrina de Mut'azili foi suprimida em Bagdá e outras partes, sob a influência dos califas abácidas e dos soberanos seljúquidas. Continuou a desempenhar um papel importante na formação da teologia xiita, e a ser ensinado nas escolas xiitas; no mundo sunita, porém, tornou-se uma corrente submersa de pensamento, até uma certa renovação de interesse por ela nos tempos modernos.

O declínio do mutazilismo foi causado em parte pela continuação da força da doutrina tradicionalista de Ibn Hanbal, sobretudo em Bagdá e Damasco, mas também pelo desenvolvimento da linha de pensamento que começou com Ash'ari: a explicação e defesa do que era dado no Corão e Hadith pelo argumento racional, baseado nos princípios da lógica (teologia dialética, *'ilm al-kalam*). Um sinal da disseminação do asharismo, ou mesmo uma causa disso, foi que veio a ser aceito por muitos dos doutores da lei como proporcionando a base de fé em que podiam se apoiar seus *fiqh*. Isso se aplicava sobretudo aos sábios xiitas.

Essa combinação de *kalam* asharita e *fiqh* não foi de modo algum aceita universalmente. Os hanbalitas opunham-se à *kalam*, e também alguns dos shafitas. No Magreb, igualmente, a escola malikita dominante desestimulava a especulação teológica, e os almorávidas proibiram o ensino de teologia; Ibn Tumart e os almôadas, porém, estimularam a *kalam*, sobretudo em sua forma asharita, embora em jurisprudência fossem literalistas estritos da escola zahirita. No nordeste do mundo muçulmano, outra versão da *kalam*, que remontava suas origens a al-Maturidi (m. 944), era mais geralmente aceita nas escolas de direito hanafitas. Diferia do asharismo em vários pontos, em particular a questão do livre-arbítrio humano e sua relação com a onipotência e justiça de Deus: as ações humanas, ensinavam os maturiditas, ocorrem pelo poder de Deus, mas as pecaminosas não ocorrem com Seu prazer ou amor. Os primeiros sultões seljúquidas, que vinham eles próprios da região onde a combinação de *kalam* maturidita e *fiqh* hanafita era generalizada, fizeram uma tentativa de trazê-la consigo quando se deslocaram para oeste. Mas não houve qualquer tensão ou hostilidade duradouras entre pensadores asharitas e maturiditas, e as divergências entre eles não foram de importância permanente. Nas *madrasas* sunitas, os livros didáticos que resumiam os princípios básicos da fé expressavam um consenso geral de sábios.

AL-GHAZALI

Mesmo que a linha principal do pensamento sunita aceitasse a teologia asharita e as conclusões a que conduzia, fazia-o com reservas e dentro de certos limites. Essas reservas foram expressas numa forma clássica por al-Ghazali, escritor de influência duradoura e com uma visão abrangente de todas as principais correntes de pensamento de sua época. Ele próprio um mestre da *kalam* asharita, sabia dos perigosos caminhos a que ela podia conduzi-lo. Tentou definir os limites dentro dos quais a *kalam* era ilícita. Era essencialmente uma atividade defensiva: a razão e a argumentação discursiva deviam ser usadas para defender a crença correta oriunda do Corão e do Hadith contra os que a negavam, e também contra aqueles que tentavam dar-lhe interpretações falsas e especulativas. Não devia, porém, ser praticada por aqueles cuja fé podia ser perturbada por ela, nem usada para erguer uma estrutura de pensamento que fosse além do que era dado no Corão e no Hadith. Era uma questão apenas para especialistas, trabalhando independentemente e fora das escolas.

O princípio do pensamento de Ghazali era que os muçulmanos deviam observar as leis derivadas da Vontade de Deus expressa no Corão e no Hadith; abandoná-las era ficar perdido num mundo de vontade e especulação humanas sem direção. Que os seres humanos deviam obedecer à Vontade de Deus, mas fazê-lo de um modo que os aproximasse mais d'Ele, era o tema de uma das maiores e mais famosas obras religiosas islâmicas, a *Ihya 'ulum al-din* (*Revivificação das ciências da religião*), de Ghazali.

Em uma obra, *al-Munqidn min al-dalal* (*O que nos livra do erro*), muitas vezes descrita — não muito precisamente — como sua autobiografia, Ghazali traçou o caminho que o levou à sua conclusão. Após os primeiros estudos em Curasão, Tus e Nishapur, tornou-se professor da famosa *madrasa* de Bagdá, fundada por Nizam al-Mulk, o vizir do sultão seljúquida. Ali se convenceu de que a observância externa da *charia* não bastava, e viu-se mergulhado numa busca do caminho certo na vida: "Os desejos humanos começaram a puxar-me com suas exigências para que eu ficasse onde estava, enquanto o arauto da fé gritava: 'Parte! Levanta-te e parte!' ".[6]

Convenceu-se de que não podia encontrar o que buscava só pelo uso do intelecto. Seguir o caminho dos filósofos e montar a verdade do Universo a partir dos primeiros princípios era perder-se num pantanal de inovações ilícitas. O caminho xiita, de seguir a doutrina de um intérprete infalível da fé, era perigoso: podia levar ao abandono do que fora dado como revelação, em nome de uma verdade interior, e à aceitação de que quem conhece a verdade interna está livre dos freios da *charia*.

Ghazali acabou acreditando que o único mestre infalível era Maomé, e o caminho certo era aceitar sua revelação pela fé, a "luz que Deus lança nos corações de Seus servos, uma dádiva e presente dele",[7] e seguir o caminho que ele prescreve, mas fazê-lo com sinceridade e a presença do coração, e com o abandono de tudo que não o serviço de Deus.

O *Ihya 'ulum al-din* trata do relacionamento íntimo entre atos e disposição da alma, ou — em outros termos — entre as observâncias externas e o espírito que lhes dá significado e valor. Ele acreditava que havia uma relação recíproca: as virtudes e o bom caráter eram formados pela ação correta:

Aquele que deseja purificar sua alma, aperfeiçoá-la e suavizá-la com boas ações, não pode fazê-lo com só um dia de culto, nem impedi-lo com um dia de rebelião, e é isso que queremos dizer quando dizemos que um único pecado não merece castigo eterno. Mas um dia de abstenção da virtude leva a outro, e então a alma degenera pouco a pouco, até afundar na indolência.[8]

As ações só tinham valor, porém, se fossem praticadas por corpos e almas voltados para o objetivo de conhecer e servir a Deus.

É o desejo de iluminar essa relação que determina o conteúdo e a disposição da *Ihya*. A primeira de suas quatro partes examina os Pilares do Islã, as obrigações básicas de religião, a prece, o jejum, a doação de esmolas e a peregrinação, e em relação a cada uma delas vai além das observâncias externas — as regras precisas de como a obrigação deve ser praticada — e explica seu sentido, e os benefícios advindos de cada uma, se praticada no espírito certo. A prece só tem todo o seu valor se for praticada com a presença da alma: com a compreensão das palavras usadas, e com uma purificação interior, uma renúncia a tudo que não seja Deus, com veneração, temor e esperança. O jejum tem valor se praticado de modo a libertar a alma para voltar-se para Deus. A caridade deve ser praticada pelo desejo de obedecer a Deus, e de encarar os bens do mundo como de pouco valor. A peregrinação deve ser empreendida com pureza de intenção, e com pensamentos do fim da vida, de morte e julgamento.

A segunda parte do livro vai além das observâncias rituais para outros atos de implicações morais, em particular os que unem os seres humanos uns aos outros: comer e beber, casamento, aquisição de bens materiais, ouvir música. Em relação a cada um deles, a questão sobre se é certo agir e, se é, dentro de quais limites e em que circunstâncias, é examinada à luz do principal objetivo humano, que é aproximar-se de Deus. O casamento, por exemplo, é visto como apresentando um equilíbrio de vantagens e desvantagens. Proporciona ao homem progênie, salva-o de paixões carnais ilícitas, e pode dar-lhe "um antegozo do Paraíso"; por outro lado, pode desviá-lo da busca do conhecimento de Deus mediante a execução correta de seus deveres religiosos.

A terceira parte contém um exame sistemático das paixões e desejos humanos que, se impropriamente satisfeitos, impedirão o homem de obter benefícios espirituais dos atos externos de religião, e o conduzirão à perdição. O Diabo entra no coração humano através dos cinco sentidos, da imaginação e dos apetites carnais. Ghazali passa em revista os ídolos do estômago, da concupiscência, da língua — seu uso em conflitos, indecência, mentira, zombaria, calúnia e lisonja; o desejo de riqueza ou glória mundana, e o de glória espiritual que leva à hipocrisia; orgulho do saber ou religiosidade, do nascimento, saúde ou beleza física.

Tais impulsos podem ser contidos pela súplica a Deus — de preferência em momentos de observância ritual, prece, jejum e peregrinação —, pela repetição do nome de Deus, a meditação e o exame de consciência, e com a ajuda de um amigo ou orientador espiritual. Desse modo, o caminho que a alma está tomando pode ser revertido, e ela pode ser posta em outra direção que leve ao conhecimento de Deus.

A última parte do livro trata do caminho que leva a Deus, cuja meta final é a "total purificação da alma de tudo que não seja Deus Altíssimo [...] absoluta absorção do coração na lembrança de Deus".[9] Aqui o pensamento de Ghazali reflete o dos mestres sufitas. O caminho para Deus é assinalado por uma série de etapas (*maqam*). A primeira delas é o arrependimento, o desvio da alma de seu aprisionamento em falsos deuses; depois vêm a paciência, o temor e a esperança, a renúncia mesmo daquelas coisas que, não sendo pecaminosas, podem ser obstáculos no caminho, confiança em Deus e obediência a Ele. A cada etapa, correspondem certas revelações e visões, confortos espirituais para o viajante; se elas vêm, é pela graça de Deus, e não permanecem.

À medida que a alma avança no caminho, seus próprios esforços vão contando menos, e cada vez mais ela é conduzida por Deus. Sua tarefa é "purificação, purgação e polimento, depois prontidão e espera, nada mais". Em cada etapa há o perigo de ali permanecer e não ir mais adiante, ou de perder-se em ilusões; mas pode acontecer que Deus interceda e conceda à alma a dádiva de contemplá-Lo. É o ponto mais alto da subida, mas só acontece como uma graça que pode ser dada ou negada:

> Raios de verdade brilharão em seu coração. No começo, será como o rápido relâmpago, e não permanecerá. Depois voltará e pode demorar-se. Se voltar, pode ficar, ou pode ser arrebatado.[10]

É nesse ponto alto, quando o homem perdeu a consciência de si mesmo na contemplação do Deus que Se revelou pelo amor, que ele compreende o verdadeiro sentido das obrigações ordenadas pela *charia*, e pode praticá-las da maneira correta. Pode ser, porém, que também tome consciência de outra realidade. Ghazali insinua outro tipo de conhecimento (*ma'rifa*) — de anjos e demônios, Céu e Inferno, e do próprio Deus, Sua essência, atributos e nomes —, um conhecimento desvelado por Deus ao Homem no mais íntimo de sua alma. Ele não escreve sobre isso nessa obra, embora haja outros livros a ele atribuídos em que se estende sobre o assunto. Esse estado não é de completa absorção em Deus ou de união com Ele; em seu ponto mais alto, é uma proximidade momentânea d'Ele, um antegozo da vida futura, quando o homem pode ter a visão de Deus de perto, mas ainda à distância.

11. CAMINHOS DIVERGENTES
DE PENSAMENTO

O ISLÃ DOS FILÓSOFOS

Nas mesquitas e *madrasas*, o *fiqh* e suas ciências ancilares eram as principais matérias de estudo, mas além deles havia outros tipos de pensamento. Um de duradoura importância foi o dos filósofos, os que acreditavam que a razão humana, trabalhando de acordo com regras de operação estabelecidas pela lógica de Aristóteles, podia levar a uma verdade demonstrável.

Essa linha de pensamento, cujos precursores no mundo islâmico tinham sido al-Kindi e al-Farabi, atingiu seu ponto culminante na obra de Ibn Sina (Avicena, 980-1037), cuja influência no todo da cultura posterior do Islã ia ser profunda. Num breve fragmento de autobiografia, ele descreveu sua educação, a que àquela altura se tornara tradicional, no Corão e nas ciências da língua árabe, em jurisprudência e nas ciências racionais, lógica, matemática e metafísica: "Quando cheguei aos dezoito anos, já tinha concluído todas essas ciências [...] hoje meu saber é mais maduro, mas fora isso é o mesmo; nada me veio desde então".[1]

Ele iria dar contribuições a mais de uma dessas ciências, mas o que teria influência mais geral e disseminada no pensamento posterior foi sua tentativa de articular as verdades do Islã de acordo com termos extraídos da lógica aristotélica e depois da metafísica grega. O problema básico colocado pela revelação islâmica, para os que buscavam uma verdade demonstrável, estava na aparente contradição entre a unidade de Deus e a multiplicidade dos seres criados; por razões práticas, esse dilema podia ser exposto em termos de contradição entre a absoluta bondade de Deus e a aparente maldade do mundo. A linha de filósofos que culminou em Ibn Sina encontrou a resposta para essas questões na versão neoplatônica da filosofia grega, tornada mais aceitável pelo fato de que uma grande obra da escola, uma espécie de paráfrase de parte das *Enéadas* de Plotino, era em geral encarada como obra de Aristóteles (a chamada "Teologia de Aristóteles"). Essa escola concebia o Universo como sendo formado por uma série de emanações de Deus, e dessa forma podia conciliar a unidade de Deus com a multiplicidade. Na formulação de Ibn Sina, Deus era a Primeira Causa ou Criador, o Ser necessário no qual essência e existência eram uma coisa só. D'Ele emanava uma série de dez inteligências, indo da Primeira Inteligência para baixo, até a Inteligência Ativa, que governava o mundo de seres encarnados. Foi da Inteligência Ativa que as idéias se comunicaram ao corpo humano por uma radiação de luz divina, e assim se criara a alma humana.

O simbolismo da luz, que era comum no pensamento sufita como em outros pensamentos místicos, podia extrair autoridade do Corão:

> *Deus é a Luz dos Céus e da Terra*:
> *a imagem de Sua luz é como um santuário*
> *onde há uma lâmpada*
> *(a lâmpada é um vidro,*
> *o vidro por assim dizer uma estrela brilhante)*
> *alimentada por uma Árvore Bendita,*
> *uma oliveira que não é nem do Leste nem do Oeste*
> *cujo óleo quase brilharia, mesmo que nenhum fogo o tocasse*:
> *Luz sobre Luz*
> *(Deus guia para Sua Luz quem Ele quer)*.[2]

Do mesmo modo como a alma foi criada por esse processo de descendência do Primeiro Ser, um processo animado pelo transbordamento do amor divino, também a vida humana devia ser um processo de ascensão, um retorno através de diferentes níveis de seres para o Primeiro Ser, por meio de amor e desejo.

Se a luz divina é irradiada para a alma humana, e se a alma por seus próprios esforços pode retornar para seu Criador, que necessidade há de profecia, ou seja, de revelações especiais de Deus? Ibn Sina aceitava a necessidade de profetas como mestres, transmitindo verdades sobre Deus e a vida futura, e ordenando aos homens os atos que os tornavam conscientes de Deus e da imortalidade — a prece e outros atos de culto ritual. Mas acreditava que a profecia não era apenas uma graça de Deus; era um tipo de intelecto humano, e na verdade o mais alto. O profeta participava da vida da hierarquia das Inteligências, e podia elevar-se até a Primeira Inteligência. Mas isso não era um dom exclusivo apenas dos profetas; o homem de altos dons espirituais também podia atingi-la pela ascese.

Esse esquema de pensamento parecia ir contra o conteúdo da revelação divina no Corão, pelo menos se tomado no sentido literal. Na mais famosa polêmica da história islâmica, Ghazali criticou vigorosamente os principais pontos em que uma filosofia como a de Ibn Sina ia contra seu entendimento da revelação dada no Corão. Em seu *Tahafut al-falasifa* (*Incoerência dos filósofos*), enfatizou três erros, segundo ele, na maneira de pensar dos filósofos. Acreditavam na eternidade da matéria: as emanações da luz divina infundiam a matéria, mas não a criavam. Limitavam o conhecimento de Deus a conceitos universais, as idéias que formavam seres particulares, não os próprios seres particulares; essa opinião era incompatível com a imagem corânica de Deus interessado em toda criatura viva em sua individualidade. Terceiro, acreditavam na imortalidade da alma, mas não na do corpo. A alma, pensavam, era um ser separado infundido no corpo material pela ação da Inteligência Ativa, e em certo ponto em seu retorno para Deus o corpo ao qual estava ligada tornava-se um estorvo; após a morte, a alma era liberada do corpo e não precisava dele.

O que Ghazali dizia era que o Deus dos filósofos não era o Deus do Corão, falando a cada homem, julgando-o e amando-o. Em sua opinião, as conclusões que o intelecto discursivo humano podia alcançar, sem orientação de fora, eram incompatíveis com as reveladas à humanidade por intermédio dos profetas. Esse desafio foi enfrentado, um século depois, por outro defensor do caminho dos filósofos, Ibn Ruchd Averróis (1126-98). Nascido e educado em Andalus, onde a tradição da filosofia chegara tarde mas deitara raiz firme, Ibn Ruchd dispôs-se a fazer uma refutação detalhada da interpretação da filosofia por Ghazali numa obra intitulada, em referência ao livro do próprio Ghazali, *Tahafut al-tahafut* (*A incoerência da incoerência*). Em outra obra, *Fasl al-maqal* (*O tratado decisivo*), tratou especificamente do que parecia a Ghazali ser a contradição entre a revelação por meio dos profetas e as conclusões dos filósofos. A atividade filosófica não era ilegítima, afirmava; podia ser justificada por referência ao Corão: "Não examinaram eles o reino do Céu e da Terra, e as coisas que Deus criou?".[3] Era claro, por essas palavras de Deus, que não podia haver oposição entre as conclusões dos filósofos e as afirmações do Corão:

> Já que esta religião é verdadeira e convoca ao estudo que leva ao conhecimento da Verdade, nós, a comunidade muçulmana, sabemos definitivamente que o estudo demonstrativo não conduz a [conclusões] conflitantes com o que nos deu a Escritura; pois a verdade não se opõe à verdade, mas concorda com ela e dela é testemunha.[4]

Como explicar, então, que parecessem contradizer-se? A resposta de Ibn Ruchd era que nem todas as palavras do Corão deviam ser tomadas ao pé da letra. Quando o sentido literal dos versículos corâmicos parecia contradizer as verdades a que chegavam os filósofos pelo exercício da razão, esses versículos precisavam ser interpretados metaforicamente. A maioria dos seres humanos, porém, era incapaz de raciocínio filosófico ou de aceitar a interpretação metafórica do Corão. Isso não devia ser comunicado a eles, mas só aos que podiam aceitá-lo:

> Qualquer um que não seja homem de saber é obrigado a tomar esses trechos no seu sentido aparente, e a interpretação metafórica deles é para ele descrença, porque conduz à descrença [...] Qualquer um da classe interpretativa que revele

tal [interpretação] a ele está convidando-o à descrença [...] Portanto, as interpretações alegóricas devem ser anotadas apenas em livros demonstrativos, porque se estão em livros demonstrativos não são encontradas por ninguém senão homens da classe interpretativa.[5]

A filosofia era para a elite (*khass*); para as pessoas comuns ('*amm*), bastava o sentido literal. A profecia era necessária para ambas; para a *khass*, a fim de mantê-la na senda moral correta, e para a '*amm*, para expressar verdades em imagens aceitáveis. O raciocínio dialético, *kalam*, era para mentes numa posição intermediária, já que usava a lógica para apoiar o nível de verdade adequado à '*amm*: mas tinha seus perigos, já que seus princípios racionais não eram adequadamente provados.

A obra de Ibn Ruchd não parece ter tido uma influência generalizada e duradoura sobre o pensamento islâmico subseqüente, embora as traduções latinas de alguns de seus livros fossem ter um profundo impacto sobre a filosofia cristã ocidental. O pensamento de Ibn Sina, porém, continuou sendo de importância fundamental, no pensamento religioso como no filosófico. No século XII, começava, apesar de Ghazali, uma espécie de reaproximação entre a *kalam* e a filosofia. Da época de Fakhr al-Din al-Razi (1149-1209) em diante, as obras sobre a *kalam* começavam com a explicação da lógica e da natureza do ser, e daí passavam para uma articulação racional da idéia de Deus; dessa forma, erguia-se uma estrutura lógica para defender e explicar as revelações do Corão, e só depois disso é que tais obras tratavam de assuntos que deviam ser aceitos inteiramente com base na revelação.

IBN 'ARABI E A TEOSOFIA

Nos textos de Ibn Sina, havia referências à *ishraq*, a irradiação de luz divina pela qual os homens podem alcançar um contato com a hierarquia de Inteligíveis. O termo *ishraq* foi tomado por alguns outros escritores posteriores como referindo-se ao antigo saber esotérico do leste ('*sharq* é a palavra árabe para "leste"), e usado como um termo para a formulação sistemática da Realidade última por trás das palavras do Corão, e deu significado às experiências dos sufitas.

Uma tentativa de formular essa teosofia foi feita por al-Suhrawardi e causou um escândalo que levou à sua execução pelo soberano aiúbida de Alepo em 1191. A formulação mais complexa e duradoura foi a de Ibn 'Arabi (1165-1240). Era um árabe de Andalus cujo pai era amigo de Ibn Ruchd, e que conheceu pessoalmente o filósofo e compareceu ao seu funeral. Após os estudos normais em Andalus e no Magreb, realizou inúmeras viagens nas terras orientais. Fez a peregrinação a Meca, e isso parece ter sido decisivo na formação de seu pensamento; tomou consciência, através de uma visão, da Caaba como sendo o ponto onde a realidade última invade o mundo visível, e foi ali que começou a escrever sua obra mais elaborada, *al-Futuhat al-makkiyya* (*As revelações de Meca*). Após viver algum tempo no sultanato seljúquida na Anatólia, instalou-se em Damasco, onde morreu; seu túmulo, na montanha de Qasiyun, que sombreia a cidade no oeste, iria tornar-se um lugar de peregrinação.

Em *Futuhat* e outras obras, ele tentou expressar uma visão do Universo como um fluxo interminável de existência que sai do Ser Divino e retorna a ele: um fluxo cujo símbolo primário era o da Luz. Esse processo podia ser encarado, num de seus aspectos, como um transbordamento de amor de Deus, o desejo do Ser Necessário de conhecer-se vendo Seu Ser refletido em si mesmo. Como uma tradição do Profeta, freqüentemente citada pelos autores sufitas, dissera: "Eu era um tesouro oculto e desejava ser conhecido, por isso criei as criaturas para poder ser conhecido".[6]

Essa criação se deu por uma manifestação do Ser de Deus através de Seus Nomes ou atributos. Os nomes podiam ser vistos em três aspectos: em si mesmos como parte da essência do Ser Divino, como eternos arquétipos ou formas, e como realizados em seres existentes específicos e limitados. Em sua forma ativa, os Nomes eram conhecidos como Senhores: manifestavam-se em imagens produzidas pela imaginação criadora de Deus, e os seres concretos eram uma encarnação dessas imagens.

Todas as coisas criadas, portanto, eram manifestações de Nomes particulares através da mediação de imagens, mas o Homem era capaz de manifestar todas elas. Essa idéia, do *status* privilegiado dos seres humanos, estava ligada ao da aliança (*mithaq*), que, segundo o Corão, Deus tinha feito com eles, antes da criação do mundo. O arquétipo pelo qual se fez o homem foi chamado por Ibn 'Arabi e outros escritores de "Luz de Maomé" ou "Verdade de Maomé". Era o "espelho límpido" em que o Ser Divino podia ver-se inteiramente refletido. Num sentido, portanto, todos os seres humanos podiam ser vistos como perfeitas manifestações de Deus, mas havia outro sentido em que isso era privilégio de apenas alguns homens. A idéia do "Homem Perfeito" (*al-insa al-kamil*), apresentada por Ibn 'Arabi, foi continuada por um de seus seguidores, al-Jili (m. *c.* 1428). Um tal homem é o que manifesta mais plenamente a natureza de Deus, é mais plenamente feito à Sua imagem; é uma encarnação visível do arquétipo eterno, a "Luz Maometana".

Os profetas são tais seres humanos privilegiados, que manifestam os Nomes de Deus; numa obra famosa, *Fusus al-hikam* (*As sementes da sabedoria*), Ibn 'Arabi escreveu sobre a seqüência de profetas desde Adão a Maomé, e mostrou quais Nomes eram exemplificados por cada um deles. Maomé, o Selo dos Profetas, era a mais perfeita dessas manifestações proféticas. Mas havia também santos, que por ascese e a posse de um saber interior (*ma'rifa*) podiam atingir a posição de espelhos nos quais a Luz de Deus se refletia. Os profetas eram também santos, mas havia santos que não eram profetas, porque não tinham a função específica de mediar a revelação da verdade ou de uma lei. Existia uma hierarquia invisível de santos, que preservavam a ordem do mundo, e acima deles havia um "pólo" (*qutb*) para cada época. (Ibn 'Arabi achava-se claramente um *qutb*, e na verdade o Selo, ou o mais perfeito deles.)

O possuidor de *ma'rifa*, como o homem comum não iluminado, ainda assim devia viver dentro dos limites de uma lei revelada por um profeta; o próprio Ibn 'Arabi aderiu à escola de pensamento zahirita, de interpretação estrita e literal da lei revelada no Corão e Hadith. Ele acreditava, porém, que todas as revelações por intermédio de profetas e legisladores eram revelações da mesma Realidade; todos adoravam a Deus de modos diferentes.

O fluxo de Deus para fora também podia ser visto, em seu outro aspecto, como um fluxo para dentro; as criaturas são espelhos que refletem de volta a Deus o Seu conhecimento; a descida das criaturas do Ser necessário é também uma ascensão para Ele. O caminho da subida, iluminado pela *ma'rifa*, passa por várias etapas, avanços permanentes no progresso espiritual. São etapas no conhecimento de si mesmo: "Aquele que se conhece, conhece o seu Senhor". No caminho, pode alcançar as imagens arquetípicas, manifestações sensíveis dos Nomes de Deus no "mundo de imagens" (*'alam al-mithal*) intermediário. Além disso, pode receber uma visão de Deus, em que o véu é momentaneamente suspenso e Ele Se mostra ao que busca. Há dois momentos nessa visão: aquele em que o que busca deixa de ter consciência de sua própria personalidade e das outras criaturas na radiação da visão de Deus (*fana*), e aquele em que ele vê Deus em Suas criaturas (*baqa*), vive e se movimenta entre elas, mas continua consciente da visão.

Em suas tentativas de descrever a realidade do Universo como revelada nos momentos de visão, Ibn 'Arabi usou a expressão *wahdat al-wujud* (unidade de ser ou existência), e mais tarde houve muita controvérsia sobre o seu sentido. Podia ser tomada como querendo dizer que nada existe além de Deus, e tudo mais é ou irreal ou parte de Deus. Mas também podia ser tomada como referindo-se à distinção, comum aos filósofos, entre Ser Necessário e Contingente: só Deus é Ser Necessário, existindo por Sua própria natureza; todos os outros seres devem sua existência a um ato de criação ou um processo de emanação. Também podia referir-se às experiências momentâneas de visão em que o que busca perde consciência de si mesmo na consciência da manifestação de Deus: ele está presente em Deus ou Deus está presente nele, substituindo momentaneamente seus atributos humanos pelos atributos divinos.

Interpretada em algumas dessas formas, seria difícil conciliar a idéia de *wahdat al-wujud* com essa separação entre Deus e Suas criaturas, a infinita distância entre eles, que parece ser o nítido ensinamento do Corão. Um estudioso relacionou um grande número de obras críticas sobre Ibn 'Arabi escritas em épocas posteriores; dividem-se mais ou menos igualmente entre as que se opunham a seus conceitos básicos como incompatíveis com a verdade do Islã, e as que os defendiam. Numerosos *fatwas* foram emitidos por doutores da religião e da lei, sobretudo em oposição a ele, mas nem sempre.[7] A mais impressionante defesa de sua ortodoxia foi feita pelo sultão otomano Selim I (1512-20), que restaurou o túmulo de Ibn 'Arabi em Damasco após a conquista da Síria em 1516; nessa ocasião, um *fatwa* em seu favor foi emitido por um famoso sábio otomano, Kamal Pasa-zade (1468/9-1534). Mesmo entre os mestres sufitas, a obra de Ibn 'Arabi continuou sendo objeto de disputa. Enquanto algumas das ordens sufitas a aceitavam como uma expressão válida da *ma'rifa* que era a meta de suas próprias buscas, os shadhilitas no Magreb e os naqshbanditas no mundo muçulmano oriental mostravam-se mais duvidosos.

IBN TAYMIYYA E A TRADIÇÃO HANBALITA

O Islã sunita não tinha corpo de doutrina oficial apoiado pelo poder do soberano, e durante toda a sua história persistiu uma corrente de pensamento hostil a filósofos e teólogos e alheia às tentativas da *kalam* para fazer uma defesa racional do depósito de fé.

A tradição de pensamento derivada da doutrina de Ibn Hanbal continuou viva nos países muçulmanos centrais, e sobretudo em Bagdá e Damasco. Com muitas divergências entre si, os que identificavam sua ancestralidade intelectual com Ibn Hanbal uniram-se na tentativa de afirmar o que encaravam como a ver-

240

dadeira doutrina islâmica, a daqueles que aderiam estritamente à revelação de Deus por intermédio do Profeta Maomé. Para eles, Deus era o Deus do Corão e do Hadith, a ser aceito e cultuado em Sua realidade, como Ele a revelara. O verdadeiro muçulmano era o que tinha fé: não simplesmente aceitava o Deus revelado, mas agia de acordo com a Vontade revelada de Deus. Todos os muçulmanos formavam uma comunidade, que devia permanecer unida; ninguém devia ser excluído dela, a não ser os que se excluíssem recusando-se a obedecer às prescrições religiosas ou espalhando doutrinas incompatíveis com as verdades reveladas por intermédio dos profetas. Dentro da comunidade, deviam-se evitar as controvérsias e especulações que pudessem levar a dissensão e conflito.

Na Síria do século XIII, sob domínio mameluco, essa tradição foi expressa mais uma vez por uma voz poderosa e individual, a de Ibn Taymiyya (1263-1328). Nascido no norte da Síria, e tendo vivido a maior parte de sua vida entre Damasco e o Cairo, ele enfrentou uma nova situação. Os sultões mamelucos e seus soldados eram muçulmanos sunitas, mas muitos de conversão recente e superficial ao Islã, e fazia-se necessário lembrar-lhes o significado de sua fé. Na comunidade como um todo, o que Ibn Taymiyya encarava como erros perigosos estava generalizado. Alguns desses erros afetavam a segurança do Estado, como os dos xiitas e outros grupos dissidentes; alguns podiam afetar a fé da comunidade, como as idéias de Ibn Sida e Ibn 'Arabi.

Contra esses perigos, Ibn Taymiyya adotou como missão reafirmar o caminho do meio dos hanbalitas: inflexível na afirmação dos princípios da verdade revelada, mas tolerante com a diversidade dentro da comunidade daqueles que aceitavam a verdade:

O Profeta disse: "O muçulmano é irmão do muçulmano" [...] Como então se pode permitir à comunidade de Maomé dividir-se em opiniões tão diversas que um homem se junte a um grupo e odeie outro simplesmente com base em suposições ou caprichos pessoais, sem que prova alguma venha de Deus? [...] A unidade é um sinal de clemência divina, a discórdia um castigo de Deus.[8]

Deus era um e muitos: um em Sua essência, muitos em Seus atributos, que deviam ser aceitos exatamente como o Corão os descrevia. O mais importante de seus atributos para a vida humana era a Sua Vontade. Ele tinha criado tudo do nada por um ato de vontade, e fizera-Se conhecer aos seres humanos pela expressão de Sua Vontade nas escrituras reveladas à linhagem de profetas que acabara em Maomé. Estava ao mesmo tempo infinitamente distante de Suas criaturas e perto delas, conhecendo tão bem as particularidades quanto as universalidades, vendo o segredo íntimo do coração, amando os que O obedeciam.

A vida humana devia ser vivida a serviço de Deus sob a orientação do Profeta, pela aceitação de Sua palavra revelada e a sincera conformidade da vida da pessoa com o ideal humano nela implícito. Como se devia interpretar a Vontade de Deus? Como Ibn Hanbal, Taymiyya voltava-se primeiro que tudo para o Corão, entendido estrita e literalmente, depois para o Hadith, e depois para os Companheiros do Profeta, cujo consenso tinha uma validade igual à do Hadith. Além disso, a manutenção da verdade dependia da transmissão do conhecimento religioso pelo conjunto de muçulmanos interessados e bem informados. Havia uma necessidade contínua de *ijtihad* de indivíduos capazes dela; eles podiam praticá-la com uma certa flexibilidade, dando aprovação a certos atos não estritamente ordenados pela *charia*, mas cuja execução teria resultados benéficos, contanto que não fossem proibidos por ela. Ibn Taymiyya não pensava nos que praticavam a *ijtihad* como formando um corpo separado; o consenso dos sábios de uma época tinha certo peso, mas não podia ser encarado como infalível.

Sua versão do Islã ia contra as idéias apresentadas por Ibn Sina: o Universo fora criado do nada por um ato de Vontade Divina, não por emanações; Deus conhece os seres humanos em sua particularidade; eles O conhecem não pelo exercício da razão, mas por Sua revelação a eles. A oposição de Ibn Taymiyya às idéias de Ibn 'Arabi era ainda maior, porque estas colocavam problemas mais graves e urgentes para a comunidade como um todo. Para ele, como para outros hanbalitas, não era difícil aceitar a existência de santos ou "amigos de Deus". Eles eram aqueles que haviam recebido verdades por inspiração, mas não pela comunicação de uma missão profética. Podiam ser recebedores de graças divinas por meio das quais pareciam transcender os limites habituais de ação humana. Esses homens e mulheres deviam ser respeitados, mas não devia haver formas externas de devoção a eles: nada de visitas a seus túmulos nem preces ali rezadas. O ritual sufita do *dhikr*, repetição do nome de Deus, era uma forma válida de culto, mas inferior em valor espiritual à prece ritual e à recitação do Corão. Devia-se rejeitar inteiramente a teosofia especulativa pela qual Ibn 'Arabi e outros interpretavam a experiência mística: o homem não era a manifestação da Luz Divina, mas um ser criado. Não podia ser absorvido no Ser Divino; a única maneira pela qual podia aproximar-se de Deus era pela obediência à Sua Vontade revelada.

Ibn Taymiyya desempenhou um papel importante na sociedade muçulmana de seu tempo, e depois da morte suas formulações da tradição hanbalita continuaram sendo um elemento na cultura religiosa das regiões centrais islâmicas, mas em geral um elemento submerso, até que o seu conhecimento foi ampliado no século XVIII por um movimento religioso com implicações políticas, o dos wahhabitas, que levou à criação do Estado saudita na Arábia Central. Apesar da estrita contradição entre sua visão do Islã e a de Ibn 'Arabi, o instinto da comunidade sunita para a tolerância abrangente possibilitou que convivessem juntas, e alguns muçulmanos na verdade puderam conciliar as duas. Um estudioso registrou seu encontro em Alepo com um grupo de sufitas naqshbanditas que cotejavam a obra de Ibn 'Arabi e Ibn Taymiyya. Eles afirmavam que Ibn Taymiyya era o imã da *charia*, Ibn 'Arabi o da *haqiqa*, a verdade a que aspiravam os que a buscavam no caminho sufita; o perfeito muçulmano devia poder unir em si esses dois aspectos da realidade do Islã.[9]

O DESENVOLVIMENTO DO XIISMO

Vivendo entre a maioria de muçulmanos de língua árabe que aceitavam a versão sunita da fé, às vezes em conflito com eles e às vezes em paz, havia comunidades de xiitas adeptos do Duodécimo. Aos poucos, eles foram desenvolvendo sua própria visão do que acontecera na história, e do que devia ter acontecido. As pretensões de 'Ali e seus sucessores foram apoiadas, e os primeiros três califas vilipendiados e encarados como usurpadores. A história externa do Islã, a história do poder político, foi vista como divergente da verdadeira história interna.

Para os xiitas, essa história interna era a da preservação e transmissão da verdade revelada por uma linha de imãs. Segundo a teoria do imanato que aos poucos se foi desenvolvendo, a partir do século X, Deus pôs o imã como Sua prova (*hujja*) no mundo em todos os tempos, para ensinar com autoridade as verdades da religião e governo à humanidade, de acordo com a justiça. Os imãs eram descendentes do Profeta através de sua filha Fátima e do marido dela 'Ali, o primeiro imã; cada um era designado pelo antecessor; todos eram infalíveis em sua interpretação do Corão e do *suna* do Profeta, mediante o conhecimento secreto que lhes fora dado por Deus; todos eram imaculados.

Os xiitas do ramo principal afirmavam que as linhas conhecidas de imãs haviam chegado ao fim com o décimo, Muhammad, que desaparecera em 874. Esse acontecimento era conhecido como a "ocultação menor", porque por vários anos se acreditou que o imã oculto se comunicava com os fiéis por intermédio de seu representante. Depois veio a "grande ocultação", quando essa comunicação regular chegou ao fim, e o imã oculto só era visto ocasionalmente, em aparições passageiras ou em sonhos ou visões. Iria surgir na plenitude do tempo para trazer o reinado de justiça; nesse reaparecimento, seria o *mahdi*, "o guiado" (um termo que tinha um sentido mais preciso no pensamento xiita que na tradição popular sunita).

Até o surgimento do imã, a humanidade ainda precisaria de orientação. Os xiitas acreditavam que o Corão e o Hadith, transmitidos e interpretados pelos imãs, serviam como guias: outros, porém, afirmavam que havia uma necessidade contínua de interpretação e liderança, e a partir do século XIII voltaram-se para homens de saber, competentes pelo intelecto, o caráter e a educação para interpretar o depósito de fé por meio do esforço intelectual, *ijtihad* (daí o nome por que eram conhecidos, *mujtahid*). Eles não eram infalíveis, e não tinham orientação direta de Deus, mas podiam simplesmente interpretar a doutrina dos imãs segundo o melhor de si mesmos; em toda geração, eram necessários novos *mujtahids*, e os muçulmanos comuns eram obrigados a seguir os ensinamentos dos *mujtahids* de seu tempo.

Com o tempo, surgiu uma teologia racional para explicar e justificar a fé dos muçulmanos xiitas. Os primeiros xiitas parecem ter sido tradicionalistas, mas no fim do século X al-Mufid (*c.* 945-1022) afirmou que as verdades da revelação deviam ser defendidas pela *kalam*, e um seguidor dele, al-Murtada (966-1044), afirmou que as verdades da religião podiam ser estabelecidas pela razão. Dessa época em diante, a doutrina xiita mais amplamente aceita continha elementos extraídos da escola mutazilita.

Pensadores xiitas posteriores incorporaram em seu sistema elementos tirados das teorias neoplatônicas a que Ibn Sina e outros haviam dado forma islâmica. Maomé, Fátima e os imãs eram vistos como encarnações das Inteligências por meio das quais o Universo foi criado. Os imãs eram vistos como guias espirituais no caminho do conhecimento de Deus: para os xiitas, vieram a ter a posição que os "amigos de Deus" tinham para os sunitas.

A mesma ênfase no uso da razão humana para elucidar a fé levou ao desenvolvimento de uma escola de jurisprudência xiita. Isso foi produto de um grupo de sábios do Iraque, em particular os conhecidos como al-Muhaqqiq (1205-77) e al-'Allama al-Hilli (1250-1325). A obra deles foi continuada por Muhammad ibn Makki al-'Amili (1333/4-84), conhecido como o "Primeiro Mártir" pela maneira de sua morte na Síria. Em sua maior parte, os princípios de jurisprudência xiita foram tirados dos dos sunitas, mas havia algumas diferenças importantes, que vinham da visão específica xiita da religião e do mundo. Só se aceitavam os *hadiths* do Profeta que tivessem sido transmitidos por um membro de sua família; os *hadiths* do que os imãs tinham dito ou feito eram encarados como tendo o mesmo *status* dos do Profeta, embora não pudessem anular o Corão ou um *hadith* profético. O consenso da comunidade não tinha a mesma importância que no sunismo; se havia um imã infalível, o único *ijma* válido era o da comunidade reunida em torno do imã. A '*aql*, a razão usada com responsabilidade pelos que tinham competência para usá-la, ocupava uma posição importante como fonte da lei.

A obra de sucessivos *mujtahids* sobre as fontes acabou produzindo um corpo de obra de lei xiita que diferia em alguns aspectos do das quatro escolas sunitas. Permitia-se uma espécie de casamento temporário, em que os direitos e as obrigações das duas partes não eram os mesmos que no casamento integral; as regras de herança também diferiam das da lei sunita. Algumas questões permaneceram em disputa entre os sábios, em particular as obrigações dos xiitas para com os que governavam o mundo na ausência do imã. Eles não podiam ser vistos como tendo autoridade legítima no mesmo sentido que os imãs, mas seria legal pagar-lhes impostos ou entrar a seu serviço, se usassem seu poder em apoio à justiça e à lei? Na ausência do imã, seriam válidas as preces da sexta-feira, e o sermão que delas fazia parte? Podia-se proclamar a *jihad*, e se se podia, quem podia? Sábios legais argumentavam que os *mujtahids* podiam proclamar a *jihad*, e também atuar como coletores e distribuidores de *zakat*, as esmolas canônicas; essa tarefa era que lhes dava um certo papel social independente, e fazia de sua integridade uma preocupação da comunidade como um todo.

A partir do século X, pelo menos, os túmulos dos imãs eram locais de peregrinação. Quatro deles foram enterrados em Medina, seis no Iraque — em Najaf (onde ficava o túmulo de 'Ali), Karbala (que tinha o túmulo de Husayn), Kazimayn e Samarra — e um em Mashhad, no Curasão. Em torno de seus santuários ergueram-se escolas, hospedarias e cemitérios, aos quais os

246

xiitas mortos eram levados para enterro. Também se reverencia-vam os túmulos dos filhos dos imãs, Companheiros do Profeta e sábios famosos.

Mas não se devem fazer distinções demasiado estritas entre locais de culto sunitas e xiitas. Todos, igualmente, faziam a pe-regrinação a Meca e visitavam o túmulo do Profeta em Medina. Xiitas iam a santuários de santos sufitas, e em alguns lugares a população sunita reverenciava os imãs e suas famílias; no Cairo, o santuário onde se supunha que estivesse enterrada a cabeça do imã Husayn era um centro de devoção popular.

Uma celebração anual, porém, tinha um significado espe-cial para os xiitas. Era a 'ashura, a comemoração da batalha de Karbala, na qual o imã Husayn fora morto no décimo dia do mês de Muharram, no ano de 680. Para os xiitas, esse era um dos dias mais importantes da história. Marcava o ponto em que o curso visível do mundo se desviara daquele que Deus tinha querido para ele. A morte de Husayn era vista como um martí-rio, um sacrifício voluntário para o bem da comunidade, e uma promessa de que no fim Deus ia restaurar a ordem das coisas. Nesse dia, os xiitas usavam sinais de luto, e pregavam-se ser-mões nas mesquitas, narrando o sacrifício de Husayn e explican-do o seu significado. Numa certa época, a narração da história de Husayn transformou-se em sua encenação teatral.

Desde um primeiro estágio do desenvolvimento do xiismo, a reverência pelos imãs tendeu a transformá-los em mais que fi-guras humanas, manifestações visíveis do espírito de Deus, e acreditava-se que por trás do claro significado externo do Corão havia uma verdade oculta. Essas idéias tiveram o apoio dos cali-fas fatímidas que governavam o Egito e a Síria. Os ismaelitas, grupo xiita do qual vinham os fatímidas, ou ao qual eles diziam pertencer, mantinham crenças mais tarde obscurecidas por um sistema de pensamento desenvolvido por sábios patrocinados pelos fatímidas e espalhado com a ajuda do poder fatímida.

A doutrina favorecida pelos fatímidas dava legitimidade à sua pretensão de que o imanato passara de Ja'far al-Sadiq para seu neto Muhammad, como sétimo e último imã visível de sua linhagem. Para explicar e justificar essa crença, apresentou-se uma definição do que era ser imã, baseada numa certa visão da história. Durante toda a história, dizia-se, a humanidade precisou de um mestre divinamente guiado e imaculado, e houve sete ciclos de tais mestres. Cada ciclo começava com um mensageiro (*natiq*), que revelava uma verdade ao mundo; ele era seguido por um intérprete (*wasi*), que ensinava aos poucos escolhidos o significado interior da revelação do mensageiro. Esse significado era a base das formas externas de todas as religiões: Deus era Uno e incognoscível, d'Ele vinha a Inteligência Universal que continha as formas de todas as coisas criadas, e essas formas manifestavam-se mediante um processo de emanação. Cada *wasi* era seguido por uma sucessão de sete imãs, o último dos quais era o mensageiro da próxima era. O *natiq* da sétima e última era seria o *mahdi* esperado, que ia revelar a verdade interior a todos; a era de lei externa ia acabar, e começaria a do conhecimento indisfarçado da natureza do Universo.

Durante algum tempo, a versão do xiismo encorajada pelos fatímidas generalizou-se, embora mais na Síria que no Egito ou no Magreb. Quando o poder fatímida declinou e foi finalmente substituído pelo dos aiúbidas, as comunidades xiitas encolheram, mas continuaram existindo nas montanhas ao longo da costa norte da Síria e no Iêmen, e também no Irã. Misturadas com elas, nas montanhas costeiras da Síria, havia duas outras comunidades que professavam variedades diferentes de crença xiita. A fé dos drusos vinha da doutrina de Hamza ibn 'Ali; ele levou em frente a idéia ismaelita de que os imãs eram encarnações das Inteligências emanadas do Deus Único, e afirmava que o próprio Uno estava presente para os seres humanos, e havia finalmente encarnado no califa fatímida al-Hakim (966-1021), que desaparecera das vistas humanas mas ia voltar. A outra comunidade, os nusairitas, remontava sua descendência a Muhammad ibn Nusayr, que ensinava que o Deus Único era inexprimível, mas que d'Ele emanara uma hierarquia de seres, e 'Ali era a encarnação do mais alto deles (daí o nome alawitas pelo qual eram geralmente conhecidos).

248

De origens mais obscuras eram duas comunidades encontradas sobretudo no Iraque. Os yazidas no norte tinham uma religião que incluía elementos extraídos tanto do cristianismo quanto do Islã. Acreditavam que o mundo fora criado por Deus, mas era mantido por uma hierarquia de seres subordinados, e os seres humanos iriam aos poucos se aperfeiçoando numa sucessão de vidas. Os mandeus, no sul do Iraque, também preservavam relíquias de antigas tradições religiosas. Acreditavam que a alma humana ascendia por uma iluminação interior para a reunião com o Ser Supremo: parte importante de sua prática religiosa era o batismo, um processo de purificação.

Isolados das fontes de poder e riqueza nas grandes cidades, e vivendo na maioria dos lugares sob certa suspeita, senão hostilidade, dos soberanos sunitas, essas comunidades recolheram-se para dentro de si mesmas e desenvolveram práticas diferentes das da maioria. Enquanto as doutrinas e leis ibaditas e zaiditas não eram muito diferentes das dos sunitas, entre os drusos e nuzairitas as divergências chegaram a um ponto em que eles foram encarados pelos juristas sunitas como estando, na melhor das hipóteses, à margem do Islã, e sob os mamelucos houve um período em que foram perseguidos. Tinham seus próprios lugares de observância religiosa, diferentes dos dos sunitas e xiitas: a simples *khalwa* dos drusos, em cima de um morro dando para uma aldeia ou vila, onde os homens de saber religioso e fé viviam em reclusão, ou o *majlis* dos ismaelitas. A tradição da doutrina era transmitida por sábios religiosos em escolas ou em suas casas, e na ausência de imãs eram eles que detinham a autoridade moral em suas comunidades.

O ENSINO JUDEU E CRISTÃO

Até o início dos tempos modernos, os principais centros de população e cultura religiosa judaica ficavam em países governados por muçulmanos. A maioria dos judeus pertencia à corrente principal da vida judia que aceitava a autoridade do Talmude,

Muçulmanos na Espanha: 1) Califado Omíada; 2) Reconquista cristã

corpo de interpretação e discussão da lei judaica recolhido na Babilônia ou Iraque, embora houvesse comunidades menores: os karaítas, que afirmavam que a Torá, a doutrina revelada de Deus incorporada na escritura, era a única fonte de lei, e todo sábio devia estudá-la por si mesmo; e os samaritanos, que se haviam separado do corpo principal dos judeus em tempos antigos.

Durante a primeira metade do período islâmico, o Iraque continuou a ser o principal centro de ensinamento religioso judaico. Em suas duas grandes academias, atuavam os sábios vistos como guardiães da longa tradição oral da religião judaica, e aos quais os judeus de todo o mundo enviavam perguntas sobre questões de interpretação. Mais tarde, porém, à medida que o Império Abássida se desintegrava, uma autoridade independente era exercida por colégios (*ieshivot*) surgidos nos principais centros de população judaica, Cairo, Kairuan e as cidades da Espanha muçulmana.

Numa data dos primeiros tempos do período islâmico, os judeus que viviam em países onde o árabe se tornou a principal língua de governo e da população muçulmana adotaram-na como sua língua para a vida secular, embora continuassem a usar o hebraico para fins litúrgicos e religiosos. A influência das idéias religiosas e legais judaicas sobre a articulação do Islã num sistema de pensamento teve seus reflexos no próprio judaísmo, e desenvolveram-se uma teologia e uma filosofia judaicas fortemente influenciadas pela *kalam* e a filosofia islâmicas. Houve também um florescer de poesia hebraica, tanto religiosa quanto secular, em Andalus, sob o estímulo das convenções e estilos poéticos árabes. Com o advento dos almôadas no século XII, porém, chegou ao fim o pleno desenvolvimento da cultura e vida judaica em Andalus. A maior figura do judaísmo medieval, Musa ibn Maymun (Maimônides, 1135-1204), encontrou um ambiente mais livre no Cairo dos aiúbidas do que no Andalus de onde vinha. Seu *Guia dos perplexos*, escrito em árabe, dava uma interpretação filosófica da religião judaica, e outras obras, em árabe e hebraico, explicavam a lei judaica. Ele foi médico da corte de Saladino e de seu filho, e sua vida e pensamento atestam as relações cômodas entre muçulmanos e judeus de educação e posição no Egito da época. Nos séculos seguintes, porém, a distância ampliou-se, e embora alguns judeus continuassem prósperos como mercadores e poderosos como funcionários no Cairo e outras grandes cidades muçulmanas, o período criativo da cultura judia no mundo do Islã chegou ao fim.

Como aconteceu com os judeus, o primeiro período de domínio islâmico foi de relações frutíferas entre cristãos e muçulmanos. Os cristãos ainda formavam a maioria da população, pelo menos na parte do mundo islâmico a oeste do Irã.

O advento do Islã melhorou a posição da Igreja nestoriana e da monofisista, afastando as restrições que elas tinham sofrido sob o domínio bizantino. O patriarca nestoriano era uma personalidade importante na Bagdá dos califas abácidas, e a Igreja da qual ele era chefe estendeu-se para leste pela Ásia adentro, até a China. À medida que o Islã se desenvolvia, fazia-o em grande parte num ambiente cristão, e sábios cristãos desempenharam um papel importante na transmissão do pensamento científico e filosófico grego para o árabe. As línguas que os cristãos tinham falado e escrito anteriormente continuaram a ser usadas (grego, siríaco e copta no leste, latim em Andalus), e alguns dos mosteiros foram importantes centros de pensamento e erudição: Dayr Za'faran no sul da Anatólia, Mar Mattai no norte do Iraque, e Wadi Natrun no deserto ocidental do Egito. Com o passar do tempo, porém, a situação mudou. A minoria muçulmana dominante tornou-se maioria, e adquiriu uma forte vida intelectual e espiritual, autônoma e autoconfiante. No Oriente, a Igreja nestoriana mundial foi quase extinta pelas conquistas de Tamerlão; no Magreb, o cristianismo desapareceu; em Andalus, a gradual expansão dos estados cristãos do norte levou a um aumento de tensão entre muçulmanos e cristãos. Tanto em Andalus quanto nos países orientais onde viviam os cristãos — Egito, Síria e Iraque —, a maioria abandonou suas línguas em favor do árabe; mas o árabe não ia ter o mesmo efeito revigorante entre eles que teve nas comunidades judias até o século XIX.

Por mais fáceis e estreitas que fossem as relações entre muçulmanos, judeus e cristãos, continuou havendo um abismo de ignorância entre eles. Cumpriam seus deveres religiosos separados e tinham seus próprios altos locais de culto e peregrinação; Jerusalém para os judeus, outra Jerusalém para os cristãos, e santuários e santos locais. Mas as divergências talvez tenham sido maiores nas cidades que no campo. Comunidades morando próximas umas das outras, sobretudo em regiões onde não se sentia diretamente a mão do governo urbano, podiam viver em estreita simbiose, baseada na necessidade mútua, ou na obediência e na lealdade comum a um senhor local. Fontes, árvores e pedras vistas como lugares de intercessão ou cura desde antes do advento do Islã, ou mesmo do cristianismo, eram às vezes sagradas para adeptos de diferentes fés. Alguns exemplos disso foram observados nos tempos modernos: na Síria, o *khidr*, o misterioso espírito identificado com são Jorge, era reverenciado em fontes e outros lugares santificados; no Egito, coptas e muçulmanos comemoravam igualmente o dia de santa Damiana, martirizada durante a última perseguição aos cristãos no Império Romano; no Marrocos, muçulmanos e judeus participavam igualmente de festas nos santuários de santos judeus e muçulmanos.

12. A CULTURA DAS CORTES E DO POVO

SOBERANOS E PATRONOS

A desintegração do Califado Abássida e sua extinção final afastaram a instituição central de poder e patronato que tornara possível o surgimento de uma cultura islâmica árabe universal. Poetas e homens de saber religioso e secular haviam se reunido em Bagdá, e diferentes tradições culturais haviam se misturado umas com as outras e produzido algo novo. A divisão política das terras do Califado trouxe consigo uma certa dispersão de energia e talento, mas também levou ao surgimento de várias cortes e capitais que serviram de focos de produção artística e intelectual. A divisão não foi muito completa: a essa altura, havia uma língua comum de expressão cultural, e a movimentação de sábios e escritores de uma cidade para outra preservou-a e desenvolveu-a. Com o tempo, porém, as diferenças de estilo e ênfase que sempre haviam existido entre as principais regiões do mundo muçulmano árabe foram se alargando. Pondo as coisas em termos simples, o Iraque continuou dentro da esfera de irradiação do Irã; a Síria e o Egito formaram uma unidade cultural, cuja influência se estendeu a partes da península Arábica e ao Magreb; e no Extremo Ocidente desenvolveu-se uma civilização andaluza diferente em alguns aspectos da que existia no Oriente.

A sociedade andaluza era formada por uma fértil mistura de diferentes elementos: muçulmanos, judeus e cristãos; árabes, berberes, espanhóis nativos, e mercenários da Europa Ocidental e Oriental (os saqaliba ou "eslavos"). Era mantida unida pelo Califado Omíada em Córdoba, e em torno da corte do califa uma elite de famílias alegava origem árabe, descendentes dos primeiros colonos e com riqueza e poder social derivados de posições oficiais e controle da terra. Foi dentro e em torno da corte dos últimos omíadas que apareceu pela primeira vez uma grande cultura distinta. Os teólogos e os advogados eram sobretudo da *madhhab* malikita, mas alguns deles aderiam à *madhhab* zahirita, que pregava uma interpretação literal da fé e iria depois desaparecer; doutores e funcionários estudavam filosofia e as ciências naturais; o poder dos soberanos e da elite se manifestava em esplêndidos prédios e em poesia.

A cultura continuou a florescer em torno de algumas cortes dos pequenos reinos nos quais se dividiu o Califado Omíada, os *muluk a-tawa'if*, ou "reis de partido". Os almorávidas, que vinham das margens do deserto do Magreb, trouxeram um austero gênio de estrita aderência à lei malikita e desconfiança da livre especulação racional. O poder de seus sucessores, os almôadas, também foi criado por um impulso de renovação da religião, com ênfase na unidade de Deus e na observância da lei; mas apoiava-se no pensamento religioso do mundo muçulmano oriental, onde seu fundador, Ibn Tumart, estudara e formara a mente, e os que a levaram por todo o Magreb e até Andalus vinham dos povos berberes assentados das montanhas Atlas. A deles foi a última grande época de cultura andaluza, e num certo sentido sua culminação: o pensamento de Ibn Ruchd foi a expressão final em árabe do espírito filosófico; o de Ibn 'Arabi iria exercer influência sobre a tradição sufita no Ocidente e no Oriente por muitos séculos. Após os almôadas, o processo de expansão cristã foi extinguindo um centro de vida muçulmana após outro, até restar apenas o Reino de Granada. A tradição que ela criara foi continuada, porém, de várias formas nas cidades do Magreb, e do Marrocos em particular, para onde migraram os andaluzes.

Os edifícios mais duradouros dos artefatos humanos sempre foram as expressões da fé, riqueza e poder de soberanos e elites. As grandes mesquitas foram as marcas permanentes deixadas pelos primeiros soberanos muçulmanos nas terras que conquistaram, e o surgimento de centros locais de poder e riqueza, à medida que o enfraquecimento dos abácidas e depois seu desaparecimento deram origem a uma proliferação de edifícios, destinados, de modos diferentes, à preservação da religião e, com ela, da vida civilizada. O desenvolvimento do sistema de *waqfs* estimulou a criação de tais prédios: *madrasas*, *zawiyas*, mausoléus, hospitais, chafarizes e caravançarás para os mercadores. Alguns foram estabelecidos por súditos ricos e poderosos, mas os maiores o foram por soberanos, que também construíam palácios e cidadelas. Os centros de cidade cujos vestígios ainda existem no Cairo e em Túnis, Alepo e Damasco, e em Fez, e centros de peregrinação como Jerusalém, foram em grande parte criações dos últimos séculos dessa era. O Cairo era o maior e mais importante deles, com a Cidadela e o palácio dos mamelucos num baixo esporão dos morros de Muqattam, as mesquitas-túmulos dos sultões nos vastos cemitérios fora das muralhas da cidade, e conjuntos como a mesquita e a *madrasa* que o sultão Hasan construiu nos quatro lados de um pátio.

No século X, a forma básica dos grandes prédios públicos já estava criada: a mesquita com seus *qibla*, *mihrab* e minaretes, a que se chegava atravessando um pátio murado onde havia uma fonte para abluções; e o palácio do soberano, isolado por muros ou pela distância da cidade, e levando sua própria vida numa seqüência de salões e quiosques dispostos em jardins. Nesses prédios do primeiro período, a fachada externa pouco contava, eram as paredes internas que manifestavam o poder ou crença, decoradas com desenhos vegetais ou geométricos, ou inscrições. No período posterior, prédios em cidades bem distantes continuaram a partilhar, em certa medida, uma linguagem decorativa: de Bagdá a Córdoba, paredes de estuque, azulejos ou madeira lavrada traziam desenhos ou inscrições em árabe. Em alguns aspectos, porém, surgiram estilos distintos. Dava-se mais ênfase à aparência externa — fachadas, portais monumentais, domos e minaretes — e aí havia diferenças importantes. Nas cidades sírias e egípcias sob domínio aiúbida e depois mameluco, as fachadas eram revestidas de pedra em faixas de cores alternadas; era o estilo *ablaq*, um legado romano que foi usado na Síria, espalhou-se para o Egito, e também pode ser visto em igrejas na Úmbria e Toscana, na Itália. O domo tornou-se mais destacado;

externamente, podia ser decorado com uma variedade de desenhos geométricos ou outros; internamente, a transição do salão quadrado para o domo redondo colocou um problema que foi solucionado pelo uso de batentes ou pendículos, muitas vezes tendo estalactites como decoração.

No extremo oeste do mundo muçulmano árabe, um estilo distinto de construção de mesquitas foi iniciado pela grande mesquita de Córdoba, com suas muitas naves, sua decoração de mármore esculpido e suas colunas de uma forma diferente, com colunas retas encimadas por um arco em forma de ferradura. As dinastias almorávida e almôada deixaram seus memoriais em grandes mesquitas em Andalus, Marrocos, Argélia e Tunísia. A mesquita de Qarawiyyin em Fez, criação dos almorávidas, pode ser tomada como exemplo desse estilo, com seu pátio estreito, longo, os dois minaretes dispostos simetricamente nos extremos, o salão de preces com filas de colunas paralelas à parede na qual ficava o *mihrab*, e os azulejos verdes do teto. O minarete, no Magreb, tendia a ser quadrado, com um quadrado menor erguendo-se de uma plataforma no topo. Alguns eram muito altos e destacados: o Giralda em Sevilha, o Kutubiyya em Marrakesh.

O mais impressionante monumento sobrevivente no estilo andaluz não é uma mesquita, mas um palácio, o Alhambra em Granada. Construído basicamente no século XIV, não era apenas um palácio, mas antes uma cidade real separada da cidade principal lá embaixo. Dentro de seus muros, havia um conjunto de prédios: quartéis e fortificações do lado de fora, e no centro dois pátios reais, o Pátio da Mirta e o dos Leões, onde espelhos d'água eram cercados por jardins e prédios, e nas pontas salões cerimoniais. O material usado era tijolo, ricamente decorado com estuque ou azulejos, trazendo inscrições do Corão ou de poemas árabes especialmente escritos para a ocasião. A presença de água indica uma característica comum dos estilos andaluz e do Magreb: a importância do jardim. No centro de um jardim havia um curso d'água ou poço, cercado por um retângulo de jardins e pavilhões; flores e plantas eram escolhidas e plantadas cuidadosamente; o todo era encerrado por altos muros de alvenaria cobertos de estuque.

O principal adorno do interior dos edifícios era a decoração das paredes, em azulejos, estuque ou madeira. Nos palácios e casas de banho parece ter havido murais, com figuras de seres humanos e animais, empenhados na caça, guerra ou festas: temas que teriam sido impossíveis de ilustrar nas mesquitas, porque a estrita doutrina religiosa desaprovava a descrição de seres vivos, encarando-a como uma tentativa de imitar o poder criativo único de Deus. Nas paredes não havia quadros, mas os livros podiam ser ilustrados. Há manuscritos de *Kalika wa Dimma*, dos séculos XII e XIII, contendo desenhos de pássaros e animais; os de *Maqamat*, de al-Hariri, têm cenas da vida — a mesquita, a biblioteca, o bazar e a casa; outros ainda ilustram aparelhos científicos. Essa tradição continuou no período mameluco, mas não tão forte como no Irã, mais a leste.

Mais destaque no adorno de casas particulares e prédios públicos igualmente tinham as obras de vidro, cerâmica e metal, importantes não só para uso ou pela beleza da forma, mas como portadores de imagens que podiam ser símbolos das verdades da religião ou do poder real: árvores, flores, animais ou soberanos. As primeiras cerâmicas eram vitrificadas, mas depois se produziu louça esmaltada. A porcelana azul e branca chinesa foi importada e imitada a partir do século XIV. O Egito era o principal centro de produção, mas após a destruição de Fustat, no século XII, os artesãos migraram para a Síria e além. Em Mosul, Damasco, Cairo e outras partes no interior faziam-se vasos de cobre, bronze e latão. Produziam-se elaboradas lâmpadas de vidro para pendurar nas mesquitas.

POESIA E HISTÓRIA

A poesia desempenhou um papel importante na cultura dos soberanos e dos ricos. Sempre que houve patronos, houve poetas para louvá-los. Muitas vezes o louvor tomava uma forma conhecida: a da *qasida*, desenvolvida por poetas do período abácida. Em Andalus, porém, dentro e em torno das cortes dos omíadas e alguns de seus sucessores, desenvolveram-se novas formas poéticas. A mais importante foi o *muwashshah*, que surgiu no final do século X e ia continuar sendo cultivado durante centenas de anos, não apenas em Andalus, mas no Magreb. Era um poema estrófico: quer dizer, um poema onde todos os versos não acabavam na mesma rima, mas havia um esquema de rimas em cada estrofe ou série de versos, e isso se repetia por todo o poema. A métrica e a linguagem usadas eram basicamente as mesmas da *qasida*, mas cada estrofe acabava com uma oferta (*kharja*), sobre cuja origem tem havido especulação dos estudiosos; era escrito em linguagens mais próximas do vernáculo, e às vezes não em árabe, mas no romance vernacular da época; expressavam muitas vezes sentimentos de amor romântico, em linguagem posta na boca de outra pessoa que não o poeta. Os temas do *muwashshah* incluíam todos os da poesia árabe: descrições da natureza, louvor aos soberanos, amor, e exaltação a Deus e ao caminho do conhecimento místico d'Ele. Um tanto tardiamente, surgiu outra forma, o *zajal*, também um poema estrófico, mas composto no árabe coloquial de Andalus.

Em alguns poemas de amor andaluzes, o tom pessoal é forte, a expressão de um destino individual, como nos poemas de Ibn Zaydun (1003-71). Criado em Córdoba, na época do declínio do Califado Omíada, envolveu-se profundamente na vida política de seu tempo. Preso pelo governo do califa, buscou refúgio primeiro junto a um soberano local, depois a outro em Sevilha; quando o soberano de Sevilha conquistou Córdoba, ele voltou para lá por algum tempo. A maior parte de sua vida, porém, foi passada no exílio de sua cidade, e lamentos pela terra natal perdida, misturados com outros pela juventude que passara, ecoam alguns dos temas tradicionais da *qasida* clássica, mas de um modo que revela sua personalidade. Num poema sobre Córdoba, ele lembra a cidade e sua juventude:

Deus despejou aguaceiros sobre as moradas abandonadas daqueles que amamos. Teceu sobre elas uma veste listrada, multicolorida de flores, e ergueu entre elas uma flor igual a uma estrela. Quantas moças que pareciam imagens roçaram suas vestes entre essas flores, quando a vida era nova e o tempo nos servia [...] Como eram felizes aqueles dias passados, dias de prazer em que vivíamos com as jovens de soltos cabelos negros e ombros alvos [...] Agora diz ao Destino cujos favores se foram — favores que tenho lamentado com o passar das noites — que sua brisa me tocou de leve em meu entardecer. Mas para aquele que caminha na noite as estrelas ainda brilham: saudações a ti, Córdoba, com amor e saudade.[1]

O mesmo tom pessoal de lamento e angústia se pode ouvir em seus poemas de amor dirigidos a Wallada, a princesa omíada a quem amara na juventude, mas que o deixara por outro:

Sim, lembrei-te com saudade em al-Zahra, quando o horizonte fulgia e a face da terra embevecia, e a brisa soprava suave no fim da tarde, como com pena de mim. O jardim faiscava com suas águas de prata, parecendo colares arrancados de colos e nele atirados. Era um dia como aqueles de nossos prazeres, que agora se foram. Passamos a noite como ladrões, a roubar aquele prazer, aproveitando o sono da fortuna [...] Uma rosa brilhava em seu leito exposta ao sol, e o meio-dia tornava-se mais radiante à visão dela; um lírio passou, espalhando sua fragrância, um adormecido de olhos abertos pelo amanhecer [...] Meu mais precioso bem, mais brilhante, mais amado — se é que os amantes podem ter bens — não compensaria a pureza de nosso amor, naquele tempo em que vagávamos soltos no jardim do amor. Agora dou graças a Deus pelo tempo que passei contigo; tu encontraste consolo para isso, mas eu continuei apaixonado.[2]

Foi o último florescer de uma poesia lírica original e pessoal antes dos tempos modernos. Continuou-se a escrever poesia em abundância, como uma atividade de homens cultos, mas poucas de suas produções prenderam a atenção de épocas posteriores. A principal exceção a isso é parte da poesia inspirada pelo sufismo, como a de 'Umar ibn al-Farid (1181-1235), com suas imagens de amor e embriaguez, de mais de um sentido.

Um dos motivos para o florescimento de Andalus pode ter sido a mistura de povos, línguas e culturas. Pelo menos cinco línguas se usavam ali. Duas eram coloquiais, o distinto andaluz árabe e o dialeto romance que mais tarde se transformaria no espanhol; as duas eram usadas em variados graus por muçulmanos, cristãos e judeus. Também havia línguas escritas: o árabe, o latim e o hebraico clássicos; os muçulmanos usavam árabe, os cristãos latim, os judeus árabe e hebraico. Os judeus que escreviam sobre filosofia ou ciência usavam sobretudo o árabe, mas os poetas usavam o hebraico de uma forma nova. Quase pela primeira vez, a poesia em hebraico foi usada para outros fins além dos litúrgicos; sob o patronato de judeus ricos e poderosos, que desempenhavam um papel importante na vida das cortes e cidades, os poetas adotaram formas de poesia árabe como a *qasida* e o *muwashshah*, e usaram-nas para fins tanto seculares quanto litúrgicos. O poeta que conquistou fama mais duradoura foi Judah Halevi (1075-1141).

A grande poesia era escrita em linguagem estritamente gramatical, celebrava certos temas e ressoava com ecos de poemas passados, mas em torno dela havia uma literatura mais largamente difundida, que seria demasiado simples chamar de "popular", mas que pode ter sido apreciada por vastas camadas da sociedade. Grande parte dela era efêmera, composta de modo mais ou menos improvisado, não escrita mas transmitida oralmente, e depois perdida nos recessos do tempo, embora algumas tenham sobrevivido. O *zajal*, que apareceu pela primeira vez em Andalus no século XI, espalhou-se pelo mundo de língua árabe. Há também uma tradição teatral. Algumas peças de sombras, escritas por um autor do século XIII, Ibn Daniyal, para ser interpretadas por bonecos ou mãos diante de uma luz e por trás de uma tela, ainda existem.

O gênero mais difundido e duradouro foi o do romance. Grandes ciclos de histórias sobre heróis surgiram com o passar dos séculos. Suas origens se perdem nas névoas do tempo, e podem-se encontrar diferentes versões em várias tradições culturais. Podem ter existido na tradição oral antes de escritos. Entre eles, havia a história de 'Antar ibn Shaddad, filho de uma escrava, que se tornou um herói tribal árabe; Iskandar, ou Alexandre, o Grande; Baybars, o vencedor dos mongóis e fundador da dinastia mameluca no Egito; e o Banu Hilal, a tribo árabe que migrou para os países do Magreb. Os temas dos ciclos são variados. Alguns são histórias de aventura ou viagem contadas pelo simples prazer da história; outros evocam o universo de forças sobrenaturais que cercam a vida humana, espíritos, espadas com poderes mágicos, cidades de sonho; no centro delas está a idéia do herói ou grupo heróico, um homem ou grupo de homens lutando contra as forças do mal — homens ou demônios, ou suas próprias paixões — e vencendo-as.

Essas composições eram recitadas numa mistura de poesia, prosa rimada (*saj'*) e prosa comum. Havia motivos para isso: a rima era uma ajuda à memória, e também separava a narrativa da vida e do discurso comuns; a mistura de estilos diferentes possibilitava ao narrador passar de um tom para outro, de acordo com a platéia e a impressão que queria deixar-lhe — uma platéia rural tinha expectativas diferentes das dos moradores da cidade, e os cultos esperavam outra coisa que os analfabetos. Com o tempo, as histórias foram escritas, por autores de certa habilidade literária, e os que as recitavam podiam ter conhecimento dos textos escritos, mas sempre havia espaço para improvisação ou adaptação às necessidades de uma época e lugar determinados.

A história do surgimento desses ciclos não foi muito estudada, e talvez não possa ser. Está claro, porém, que foram surgindo aos poucos com os séculos, e variaram de um país para outro. Um estudo do ciclo de 'Antar mostrou que ele se originou em algumas histórias folclóricas perdidas da Arábia pré-islâmica, mas foi aos poucos acumulando outros materiais, ao passar de um lugar para outro; o texto como hoje o temos foi composto não depois do fim do século XIV. Sugeriu-se que esse processo de desenvolvimento tinha mais que um significado puramente literário; servia para dar legitimidade aos povos recém-islamizados ou arabizados, encaixando sua história num plano árabe; as tribos nômades do Saara, ao contarem sua versão da história de 'Antar ou Banu Hilal, reivindicavam para si uma origem árabe.

O ciclo de histórias conhecido como *As mil e uma noites*, ou, na Europa, *Noites árabes*, embora em muitos aspectos diferente dos romances, reflete alguns de seus temas e parece ter surgido de modo mais ou menos semelhante. Não era um romance construído em torno da vida e aventuras de um único homem ou grupo, mas uma coletânea de histórias de vários tipos, reunidas pelo artifício de uma só narradora contando histórias ao marido noite após noite. Pensa-se que o germe da coletânea veio de um grupo de histórias traduzidas do pálavi para o árabe nos primeiros séculos islâmicos. Há algumas referências a ela no século X, e um fragmento de um dos primeiros manuscritos, mas o manuscrito completo mais antigo data do século XIV. O ciclo de histórias parece ter se formado em Bagdá, entre os séculos X e XII; expandiu-se mais no Cairo durante o período mameluco, e histórias ali inventadas ou acrescentadas foram atribuídas a Bagdá na época do califa abácida Harun al-Rashid. Fizeram-se acréscimos ainda mais tarde; algumas das histórias nas primeiras traduções em línguas européias no século XVIII e as primeiras versões impressas árabes no século XIX não aparecem de modo algum nos primeiros manuscritos.

Uma obra narrativa bastante diferente dessas foi produzida na última grande época da cultura andaluza, a dos almôadas: *Hayy ibn Yaqdhan*, de Ibn Tufayl (m. 1185/6). Tratado filosófico em forma de história, fala de um menino criado no isolamento de uma ilha. Pelo exercício solitário da razão, ele ascende através das várias etapas de compreensão do Universo, cada etapa levando sete anos e tendo sua forma própria de pensamento. Por fim, atinge o cume do pensamento humano, quando apreende o processo que é a natureza última do Universo, o eterno ritmo de emanação e retorno, as emanações do Uno descendo de nível em nível até as estrelas, ponto no qual o espírito assume forma material, e o espírito lutando para subir em direção ao Uno.

Essa apreensão é só para uns poucos, porém. Quando Hayy afinal conhece outro ser humano e os dois partem por algum tempo da ilha para o mundo habitado, ele compreende que há uma hierarquia de intelectos humanos. Só os poucos podem alcançar a verdade apenas pelo uso da razão; outra minoria pode alcançá-la usando a razão para decifrar o que lhe é dado por meio dos símbolos da revelação religiosa; ainda outros aceitam as leis baseadas nesses símbolos, mas não podem interpretá-los pela razão. O grosso da humanidade não liga para a verdade racional nem para as leis da religião, mas só para as coisas deste mundo. Cada um dos três primeiros grupos tem sua própria perfeição e seus próprios limites, e não devem lutar por mais. Falando, em sua visita ao continente, a homens do terceiro grupo,

Hayy disse-lhes que era da opinião deles, e admitiu ser necessário que eles permanecessem dentro dos limites das leis divinas e da observância externa, se abstivessem de aprofundar-se no que não era da sua conta, tivessem fé no que obscuramente entendiam e o aceitassem, evitassem a inovação e fantasias subjetivas, tomassem como modelo os pios ancestrais e abandonassem as idéias novas. Exortou-os a evitar os costumes das pessoas comuns que esquecem os caminhos da religião e aceitam o mundo [...] Esse era o único caminho para pessoas como eles, e se tentassem elevar-se acima dele às alturas da compreensão, o que possuíam seria perturbado: não conseguiriam alcançar o nível dos abençoados, mas vacilariam e cairiam.[3]

MÚSICA

Na maioria das épocas e lugares, a música tem sido um adorno da vida dos poderosos e ricos, e acompanhamento para um certo tipo de poesia. Os *muwashshah* de Andalus eram escritos para ser cantados, e prolongavam uma tradição que começara a surgir nos primeiros tempos islâmicos, e que era ela própria uma continuação de uma tradição iraniana mais antiga. No tempo dos omíadas, o músico era uma figura da corte, tocando para o soberano, que marcava a distância ocultando-se atrás de uma cortina. Uma famosa antologia, *Kitab al-aghani* (*O livro de canções*), registra uma dessas ocasiões na corte abácida. Fala o compositor de uma canção:

> Levaram-me a um grande e esplêndido salão, no fim do qual pendia uma suntuosa cortina de seda. No meio do salão, vários assentos voltavam-se para a cortina, e quatro deles já tinham sido tomados pelos músicos, três mulheres e um homem, com alaúdes nas mãos. Puseram-me junto ao homem, e deu-se a ordem para que começasse o concerto. Depois de cantarem os quatro, eu me voltei para meu companheiro e pedi-lhe que me acompanhasse com seu instrumento [...] Cantei então uma melodia de minha composição [...] Finalmente a porta se abriu; Fadl ibn Rabi' exclamou: "O Comandante da Fé", e Harun apareceu.[4]

A certa altura, a arte foi levada por um músico da corte dos abácidas para a dos omíadas em Córdoba; ali surgiu uma tradição andaluza e do Magreb, diferente da tradição iraniana das cortes orientais.

Como a música era passada por transmissão oral direta, praticamente não há registros do que se tocava ou cantava até séculos depois, mas alguma coisa se pode saber pelas obras de escritores de teoria musical. Segundo os pensadores gregos, os filósofos muçulmanos viam a música como uma das ciências: podia-se explicar a ordenação de sons de acordo com princípios matemáticos. Explicá-la era particularmente importante para eles, pois ouviam nos sons ecos da música das esferas: dos movimentos celestes que davam origem a todos os movimentos do mundo sublunar. Além dessas especulações filosóficas, obras sobre música como as de Ibn Sina dão detalhes dos estilos de composição e execução, e dos instrumentos. Mostram que a música da corte era basicamente vocal. Cantavam-se os poemas com acompanhamento de instrumentos: instrumentos de corda dedilhados e de arco, flautas, percussão. Os sons eram organizados segundo um número de "modos" reconhecidos, mas dentro desses padrões fixos havia espaço para o improviso de variações e floreios. A música era também um acompanhamento da dança, executada por dançarinas profissionais em palácios e casas particulares.

Todas as camadas da sociedade, no deserto, campo e cidade, tinham sua música para ocasiões importantes: guerra e colheita, trabalho e casamento. Cada região tinha suas próprias tradições, suas canções, cantadas sem acompanhamento ou acompanhadas de tambores, flautas de caniço ou rabecas de uma corda só; algumas ocasiões também eram festejadas com danças, executadas não por dançarinos profissionais, mas por homens e mulheres em filas ou grupos. A migração de povos e a difusão da língua árabe e tudo que ia com ela levavam essas tradições para a uniformidade, mas as diferenças continuaram, de uma aldeia ou tribo para outra.

A música cortesã associava-se ao mundanismo da vida na corte, e a música do povo também podia ser um acompanhamento de comemorações mundanas. Os homens de religião desaprovavam-na, mas não podiam condenar inteiramente a música, já que ela logo passou a desempenhar um papel na prática religiosa: a chamada à prece tinha seu próprio ritmo, o Corão era cantado de maneiras formais, e o *dhikr*, a repetição solene do nome de Deus, era acompanhado de música, e até mesmo de movimentos corporais, em algumas das irmandades sufitas. Era importante, assim, para aqueles que compunham dentro da tradição legal, definir as condições em que se permitiam a execução e audição da música. Num famoso trecho do *Ihya 'ulum al-din*, Ghazali reconhecia o poder da música sobre o coração humano:

Não há entrada para o coração senão pela antecâmara dos ouvidos. Os tons musicais, medidos e agradáveis, revelam o que está no coração e tornam evidentes suas belezas e defeitos [...] sempre que a alma da música e do canto alcança o coração, desperta nele o que nele prepondera.[5]

É necessário, portanto, regulamentar o uso dessa força poderosa. A poesia e a música não são proibidas em si, mas de acordo com as circunstâncias. São permissíveis quando despertam a vontade da peregrinação, ou exortam os homens à guerra numa situação em que é lícita a guerra, ou evocam sofrimentos dignos de louvor — "o sofrimento de um homem por suas deficiências em questões de religião, ou por seus pecados" — [6] ou o amor quando o tema do amor é permissível, ou o amor a Deus: "Nenhum som alcança o ouvido humano que ele não ouça d'Ele e n'Ele".[7] São proibidas, porém, se o declamador ou cantor desperta tentação, ou se a canção é obscena ou blasfema, ou desperta luxúria; certos instrumentos — flautas e instrumentos de corda — são proibidos porque estão associados a bêbedos ou efeminados.

COMPREENDENDO O MUNDO

Não apenas os sábios e os estudantes religiosos nas *madrasas*, mas também membros de famílias urbanas que se haviam alfabetizado liam livros. A essa altura, havia um grande volume de obras escritas em árabe para eles lerem, e desenvolveu-se uma espécie de autoconsciência cultural, um estudo e reflexão sobre a cultura acumulada expressa em árabe.

A condição de tal atividade era que houvesse livros de fácil acesso. A difusão da fabricação e uso do papel a partir do século IX tornou mais fácil e barato copiá-los. Um livro era ditado a escribas por seu autor ou um sábio famoso, que depois ouvia ou lia a cópia e autenticava-a com a *ijaza*, um atestado de transmissão autêntica. Esse processo se propagou, à medida que os que tinham copiado um livro autorizavam outros a copiá-lo. As cópias eram vendidas por livreiros, cujas lojas muitas vezes ficavam perto das principais mesquitas de uma cidade, e algumas eram adquiridas por bibliotecas.

As primeiras grandes bibliotecas de que temos registro foram criadas por soberanos: a "Casa do Saber" (*Bayt al-hikma*) em Bagdá, pelo califa Ma'mum (813-33), e depois a "Casa da Cultura" (*Dar al-'ilm*), fundada no princípio do século XI no Cairo fatímida. As duas eram mais que simples repositórios de livros; eram também centros de estudo e propagação de idéias favorecidas pelos soberanos: as das ciências racionais sob Mam'um, as dos ismaelitas no Cairo. Mais tarde, as bibliotecas multiplicaram-se, em parte porque se passou a aceitar que os livros que contribuíam para o estudo e ensino da religião podiam ser constituídos em dotações religiosas (*waqf*). Muitas mesquitas e *madrasas* tinham bibliotecas anexas, não apenas para uso dos sábios em seus estudos privados, mas como centros para copiar manuscritos e, assim, transmiti-los adiante.

Os advogados religiosos só reconheciam como objetos de *waqf* livros que levassem ao saber religioso, mas os soberanos e os ricos não faziam necessariamente tais distinções. Palácios e mansões tinham bibliotecas, algumas delas contendo livros escritos em bela caligrafia e ilustrados com imagens.

Grande parte da produção dos que liam e escreviam livros pertencia ao que o estudioso moderno chamou de "literatura de referência", dicionários, comentários sobre literatura, manuais de prática administrativa, sobretudo historiografia e geografia. Escrever história era uma característica de todas as sociedades muçulmanas letradas, e o que se escrevia parece ter sido amplamente lido. Obras de história e temas afins proporcionam o maior volume de textos nas principais línguas do Islã, tirando a literatura religiosa. Embora não fazendo parte do currículo central da *madrasa*, os livros de história parecem ter sido muito lidos por sábios e estudantes, bem como por um público letrado mais amplo. Para uma parte do público leitor, eram de importância especial: para os soberanos e os que os serviam, a história oferecia não apenas um registro das glórias e feitos de uma dinastia, mas também uma coletânea de exemplos com os quais se podiam aprender lições de estadismo.

Quando a unidade do Califado desapareceu e surgiram as

dinastias, com suas cortes, burocracias e burguesia agrupadas em torno delas, também se desenvolveram por todo o mundo islâmico tradições de escrita de história local. Sábios, funcionários ou historiadores da corte escreviam os anais de uma cidade ou região. Nessas obras, podia haver um resumo de história universal, extraído dos grandes autores do período abácida, mas era seguido por uma crônica de acontecimentos locais ou de uma dinastia, registrados ano a ano; acrescentavam-se as biografias dos que morriam no tal ano. Assim, na Síria, Ibn al-Athir (1163-1233) situou os acontecimentos de seu tempo e lugar no contexto de uma história universal. No Egito, histórias locais escritas por al-Maqrisi (m. 1442) e Ibn Iyas (m. 1524) cobriram o período dos mamelucos. No Magreb, a história das dinastias árabes e berberes escrita por Ibn Khaldun foi precedida por seu famoso *Muqaddima* (*Prolegômenos*), em que se apresentam os princípios de escolha e interpretação do texto responsável de história:

> Muitas pessoas competentes e historiadores especializados erraram em relação a tais histórias e opiniões, e aceitaramnas sem exame crítico [...] e assim a história tem sido confundida [...] Quem pratica esta ciência precisa conhecer as regras do estadismo, a natureza das coisas existentes e a diferença entre nações, regiões e tribos em relação a estilo de vida, qualidades de caráter, costumes, seitas, escolas de pensamento, e assim por diante. Deve distinguir as semelhanças e diferenças entre o presente e o passado, e conhecer as várias origens das dinastias e comunidades, os motivos porque vieram a existir, as circunstâncias das pessoas nelas envolvidas, e sua história. Deve prosseguir até ter completo conhecimento das causas de cada acontecimento, e então examinar a informação que lhe chegou, à luz de seus princípios de explanação. Se estiverem em harmonia, essa informação é sólida, de outra forma é espúria.[8]

A preocupação com a variedade da experiência humana também se mostrava em outro tipo de literatura, a de geografia e viagem. Os que escreviam sobre geografia combinavam conhecimento obtido da literatura grega, iraniana e indiana com as observações de soldados e viajantes. Alguns deles interessavam-se sobretudo em contar as histórias de suas próprias viagens e o que tinham observado; as de Ibn Battuta (m. 1377) eram as mais extensas, e transmitiam uma sensação da extensão do mundo do Islã e da variedade de sociedades humanas nele contida. Outros dispunham-se a estudar sistematicamente os países do mundo em suas relações uns com os outros, a registrar as variedades de suas propriedades naturais, povos e costumes, e estabelecer também as rotas que os ligavam e as distâncias entre eles. Assim, al-Muqaddasi (m. 1000) escreveu um compêndio da geografia física e humana do mundo conhecido, baseado em suas próprias observações e nas de testemunhas dignas de crédito, e al-Yaqut (m. 1229) compôs uma espécie de dicionário geográfico.

Os gostos da burguesia talvez não fossem exatamente os mesmos dos sábios e dos estudantes religiosos das *madrasas*. Em particular, as famílias que forneciam secretários, contadores e doutores aos soberanos tinham uma atração, devido à natureza de seu trabalho, pelo pensamento relutante da observação e dedução lógica de princípios racionais. As especulações dos filósofos eram encaradas com desconfiança por algumas escolas de lei religiosa e alguns soberanos, mas outras maneiras de usar a razão para elucidar a natureza das coisas despertavam menos suspeita e tinham usos práticos.

A astronomia tinha valor prático porque oferecia os meios de calcular datas e horas. Essa era uma das esferas em que o uso da língua árabe numa ampla área, do mar Mediterrâneo ao oceano Índico, tornou possível reunir a tradição científica grega com as do Irã e da Índia.

Outra ciência tinha uso ainda mais geral. Os doutores em medicina eram pessoas de grande importância nas sociedades muçulmanas; cuidando da saúde de soberanos e dos poderosos, podiam adquirir muita influência política. Não podiam fazer seu trabalho sem uma certa compreensão da natureza e atividades do corpo humano, e dos elementos naturais de que se compunha o

270

corpo. O núcleo do saber médico muçulmano vinha da teoria médica e fisiológica grega, em particular da obra de Galeno, o grande sintetizador. A base dessa teoria era a crença de que o corpo humano se compunha dos quatro elementos que compunham o mundo material: fogo, ar, terra e água. Esses elementos podiam misturar-se de vários modos, e as várias misturas davam origem a diferentes temperaturas e "humores". O equilíbrio correto dos elementos preservava a saúde do corpo, e a falta de equilíbrio levava à doença, que exigia a arte curativa do médico.

Os princípios da arte médica tinham sido expostos durante o período abácida em duas grandes obras de síntese: o *Hawi* (*Livro abrangente*), de Abu Bakr Muhammad al-Razi (863-925), e o *Qanun* (*Princípio de medicina*), de Ibn Sina. Baseando-se nas obras de grandes cientistas, mostravam apesar disso o desenvolvimento de uma tradição islâmica distinta, que sob certos aspectos levava a arte da medicina mais adiante; o livro de Ibn Sina, traduzido para o latim e outras línguas, iria ser o principal manual de medicina europeu até, pelo menos, o século XVI.

A arte da medicina, como os médicos muçulmanos a entendiam, era ensinada não nas *madrasas*, mas por aprendizado ou em *bimaristans*, os hospitais dotados como *waqf* que existiam nas grandes cidades. Foi como praticantes da arte da cura que os médicos muçulmanos deram suas mais importantes contribuições. Levaram adiante as técnicas de cirurgia. Observaram o curso das doenças e descreveram-nas; Ibn al-Khatib (1313-74) foi talvez o primeiro a compreender o modo como a peste se espalha por contágio. Eles estudaram a fabricação de drogas a partir de plantas medicinais e seus efeitos no corpo humano, e a farmacopéia era extensa; já se disse que a farmácia como instituição é uma invenção islâmica. Eles também entenderam a importância dos fatores capazes de prevenir o desequilíbrio dos elementos, que, acreditavam, levava à doença: dieta saudável, ar fresco e exercício.

Nos séculos posteriores, tentou-se criar um sistema alternativo de ciência médica, a "medicina profética" (*tibb nabawi*). Era uma reação contra a tradição vinda de Galeno. Seu sistema baseava-se no que o Hadith registrava das práticas do Profeta e seus Companheiros em relação à saúde e à doença. Mas não foi criada por médicos, e sim por advogados e tradicionalistas que mantinham a opinião estrita de que o Corão e o Hadith continham tudo que era necessário para a condução da vida humana. Era a opinião de uma minoria mesmo entre os sábios religiosos, e uma opinião crítica foi expressa, com seu robusto bom senso, por Ibn Khaldun. Esse tipo de medicina, afirmou, podia ocasional e acidentalmente estar certa, mas não se baseava em qualquer princípio racional. Os fatos e as opiniões que por acaso haviam sido registrados em relação à vida do Profeta não faziam parte da revelação divina:

> O Profeta (que a paz esteja com ele) foi enviado para nos ensinar a lei religiosa, não medicina ou qualquer outro assunto comum [...] Nenhuma das declarações sobre medicina que ocorra em tradições autênticas deve ser considerada como tendo força de lei.[9]

Em torno do ensino formal das ciências religiosas, e das especulações dos filósofos, havia uma ampla penumbra de crenças e práticas com as quais os homens esperavam poder entender e controlar as forças do Universo. Essas crenças refletiam temor e perplexidade diante do que pareceria um destino incompreensível e às vezes cruel, mas podiam ser mais que isso. A linha entre "ciência" e "superstição" não era traçada no mesmo plano que hoje, e muitos homens e mulheres cultos aceitavam tais crenças e práticas porque se baseavam em idéias amplamente aceitas, e que só alguns dos filósofos e teólogos rejeitavam, por diferentes motivos.

As pretensões da astrologia baseavam-se numa idéia largamente aceita e de respeitável ancestralidade: que o mundo celeste determinava as coisas do mundo sublunar, humano. A fronteira entre os dois mundos era representada pelos planetas e estrelas, e um estudo de sua configuração, e dos movimentos dos planetas, não apenas explicaria o que acontecia no mundo do nascer e morrer, mas talvez pudesse modificá-lo. Essa era uma idéia comum entre os gregos, e foi adotada por alguns pensadores muçulmanos e revestida de uma forma especificamente islâmica pelos teósofos sufitas: os objetos do mundo celeste eram vistos como emanações de Deus. Astrólogos muçulmanos desenvolveram técnicas de previsão e influência: por exemplo, por meio da inscrição solene de figuras ou letras em certas disposições em materiais de vários tipos. Mesmo alguns pensadores de destaque aceitavam as alegações dos astrólogos, e achavam que os astros podiam ter influência sobre a saúde do corpo. Juristas estritos e filósofos racionais, porém, condenavam isso; Ibn Khaldun achava que não tinha base na verdade revelada, e que negava o papel de Deus como único agente.

Largamente aceita também era a crença dos alquimistas, de que ouro e prata podiam ser produzidos de metais inferiores, bastando apenas descobrir a maneira de fazê-lo. Também a alquimia tinha bases numa teoria científica tirada dos gregos: a idéia de que todos os metais formavam uma única espécie natural, e só se distinguiam uns dos outros por seus acidentes, e que esses acidentes estavam mudando lentamente para torná-los mais preciosos. Tentar transformá-los em ouro e prata, portanto, não era ir contra as leis da natureza, mas apressar, por intervenção humana, um processo que já ocorria. Mais uma vez, houve uma controvérsia sobre isso entre os doutos. Ibn Khaldun julgava possível produzir ouro e prata por bruxaria ou por milagre divino, mas não por arte humana; mesmo que fosse possível, seria indesejável, uma vez que, se o ouro e a prata não mais fossem escassos, não poderiam servir como medidas de valor.

Mais difundida, na verdade praticamente universal, era a crença em espíritos e a necessidade de descobrir um meio de controlá-los. Os *jinns* eram espíritos com corpos de vapor ou chama que apareciam aos sentidos, muitas vezes sob a forma de animais, e podiam influenciar as vidas humanas; às vezes eram maus, ou pelo menos travessos, e portanto era necessário controlá-los. Também podia haver seres humanos com poderes sobre as ações e a vida de outros, ou devido a alguma característica sobre a qual não tinham controle — o "olho mau" — ou pelo exercício deliberado de certas artes, por exemplo a execução de atos rituais solenes em circunstâncias especiais, que podiam despertar forças sobrenaturais. Era um reflexo distorcido do poder que os virtuosos, os "amigos de Deus", podiam adquirir por graça divina. Mesmo o cético Ibn Khaldun acreditava na existência da bruxaria, e que certos homens podiam descobrir meios de exercer poder sobre outros, mas achava isso repreensível. Havia uma crença geral em que tais poderes podiam ser controlados ou contestados por encantos e amuletos colocados em certas partes do corpo, disposições mágicas de palavras e figuras, sortilégios ou rituais de exorcismo ou propiciação, como o *zar*, um ritual de propiciação, ainda difundido no vale do Nilo.

Acreditava-se comumente, em todas as culturas antes dos tempos modernos, que os sonhos e as visões podiam abrir uma porta para um mundo outro que não o dos sentidos. Podiam trazer mensagens de Deus; revelar uma dimensão oculta da alma da própria pessoa; vir de *jinns* ou demônios. O desejo de destrinçar o significado dos sonhos deve ter sido generalizado, e era em geral encarado como legítimo; os sonhos diziam-nos alguma coisa que era importante saber. Ibn Khaldun, na verdade, encarava a interpretação de sonhos como uma das ciências religiosas: quando as percepções sensórias comuns eram afastadas pelo sono, a alma tinha um vislumbre de sua própria realidade; libertada do corpo, recebia percepções de seu próprio mundo, e depois disso retornava ao corpo com elas; passava a percepção para a imaginação, que formava as imagens apropriadas, que a pessoa adormecida percebia como através dos sentidos. Os autores muçulmanos tomaram a ciência da interpretação dos sonhos dos gregos, mas acrescentaram alguma coisa própria; já se disse que a literatura islâmica sobre os sonhos é a mais rica de todas.

Parte III
A ERA OTOMANA
SÉCULOS XVI-XVIII

Durante os séculos XV e XVI, a maior parte do mundo muçulmano foi integrada em três grandes impérios, dos otomanos, safávidas e grão-mongóis. Todos os países de língua árabe foram incluídos no Império Otomano, com capital em Istambul, excetuando-se partes da Arábia, o Sudão e o Marrocos; o Império também incluía a Anatólia e o sudeste da Europa. O turco era a língua da família governante e da elite militar e administrativa, em grande parte oriunda de convertidos ao Islã vindos dos Bálcãs e do Cáucaso; a elite legal e religiosa era de origem mista, formada nas grandes escolas imperiais de Istambul e transmitindo um corpo de literatura jurídica escrita em árabe.

O Império era um Estado burocrático, contendo diferentes regiões dentro de um único sistema administrativo e fiscal. Foi também, no entanto, a última grande expressão da universalidade do mundo do Islã. Preservou a lei religiosa, protegeu e ampliou as fronteiras do mundo muçulmano, guardou as cidades santas da Arábia e organizou a peregrinação a elas. Igualmente um Estado multirreligioso, deu um *status* reconhecido às comunidades cristã e judaica. Os habitantes muçulmanos das cidades provinciais foram atraídos para o sistema de governo, e os países árabes ali desenvolveram uma cultura otomana árabe, preservando a herança e, em certa medida, desenvolvendo-a em novas formas. Além das fronteiras, o Marrocos desenvolveu-a de maneira um tanto diferente, sob suas próprias dinastias, que também reivindicavam autoridade baseando-se na proteção que davam à religião.

No século XVIII, o equilíbrio entre os governos locais e central otomano mudou, e em algumas partes do Império famílias reinantes ou grupos otomanos tiveram relativa autonomia, mas permaneceram fiéis aos grandes interesses do Estado otomano. Também houve uma mudança nas relações entre o Império e os estados da Europa. Enquanto em seus primeiros séculos o Império se expandira na Europa, na última parte do século XVIII estava sob ameaça militar do oeste e do norte. Também houve um início de mudança na natureza e na direção do comércio, à medida que governos e comerciantes europeus se tornaram mais fortes no oceano Índico e no mar Mediterrâneo. No fim do século, a elite otomana reinante tomava consciência de um relativo declínio de poder e independência, e começava a dar as primeiras respostas hesitantes à nova situação.

13. O IMPÉRIO OTOMANO

OS LIMITES DO PODER POLÍTICO

A aceitação do soberano pelos ulemás, e por aqueles em nome dos quais eles falavam, era uma faca de dois gumes. Enquanto o soberano tivesse o poder de manter-se, e de defender os interesses urbanos associados aos seus, podia esperar a aquiescência das cidades e das regiões rurais que delas dependiam, o reconhecimento pelos doutores da lei, e certo grau de cooperação; apesar da advertência sobre as visitas a príncipes emitida por Gazhali e outros, sempre havia ulemás ávidos por servir ao soberano como juízes ou funcionários e justificar os atos dele. Se o poder do soberano falhasse, porém, a cidade podia nada fazer para salvá-lo, e transferia sua aliança para o novo soberano que tivesse o poder de fato. O momento em que uma cidade caía era o único ponto em que a cidade podia agir autonomamente: o cádi e outros chefes podiam sair ao encontro do novo soberano e entregar-lhe a cidade.

Durante o meio milênio depois que o Império Abácida começou a desintegrar-se, e antes da tomada do poder sobre a maior parte do mundo islâmico pelos otomanos, a ascensão e a queda de dinastias repetiram-se sem parar. Isso exige dois tipos de explicação, um em termos do enfraquecimento do poder de uma dinastia existente, o outro em termos do acúmulo de poder pelo seu desafiante. Observadores e escritores contemporâneos inclinaram-se a enfatizar a fraqueza interna da dinastia, e a explicá-la em termos morais. Para Nizam al-Mulk, havia uma interminável alternância na história humana. Uma dinastia podia perder a sabedoria e a justiça com que Deus a dotara, e então o mundo caía em desordem, até aparecer um novo soberano, destinado por Deus e dotado das qualidades necessárias.

278

A mais sistemática tentativa de explicar por que as dinastias tombavam vítimas de sua própria fraqueza foi a de Ibn Khaldun. Era uma explicação complexa: a *'asabiyya* do grupo governante, uma solidariedade voltada para a aquisição e manutenção do poder, dissolvia-se aos poucos sob a influência da vida urbana, e o soberano começava a buscar apoio em outros grupos:

> O soberano só pode obter poder com a ajuda de seu próprio povo [...] Ele usa as pessoas de seu povo para lutar contra os que se revoltam contra a sua dinastia. Elas preenchem os cargos de sua administração e ele as nomeia vizires e coletores de impostos. Ajudam-no a conseguir ascendência e partilham de todos os seus negócios importantes. Isso se aplica enquanto dura o primeiro estágio de uma dinastia, mas com a aproximação do segundo estágio o soberano mostra-se independente de seu povo: reclama toda a glória para si e afasta dela a sua gente [...] Como resultado, eles tornam-se seus inimigos e, para impedir que tomem o poder, ele precisa de outros amigos, não de sua gente, que possa usar contra seu próprio povo.[1]

Com o tempo, também, o soberano deixa de manter a *charia*, a base da prosperidade urbana e de seu pacto com a população da cidade. As pessoas em torno dele sucumbem ao desejo de fausto e gastos que exaurem os recursos do povo, que por sua vez cai naquela "apatia que acomete as pessoas quando elas perdem o controle sobre seus próprios negócios e se tornam instrumento de outros e dependentes deles".[2]

Quando as exigências do governante iam além da capacidade da sociedade de satisfazê-las, isso não se dava necessariamente devido a um aumento do desregramento do palácio; podia dever-se aos limites da capacidade produtiva da sociedade. Para o Estado ser estável, o campo sob seu controle precisava produzir alimentos suficientes para sua população e a das cidades, e matérias-primas para a manufatura; os que criavam gado, lavravam a terra e fabricavam bens também precisavam produzir um excedente suficiente para manter, por meio dos impostos, a corte do soberano, o governo e o exército. Se isso era possível ou não, dependia de muitos fatores, alguns dos quais podiam mudar. Podia haver alterações nas técnicas de produção: melhorias — por exemplo, com a introdução de novas colheitas ou métodos de irrigação — que possibilitavam um aumento na produção e no excedente, ou então uma perda de qualificação técnica, que teria o efeito inverso. Mudanças no volume do excedente, por sua vez, afetavam a capacidade de investir na produção, abrindo novas terras produtivas ou renovando o cultivo das existentes. A demanda de produtos agrícolas ou manufaturados, por outros países, podia aumentar ou diminuir, e alterações nos métodos ou custo de transporte, ou na segurança da viagem por terra ou mar, afetavam a capacidade de um país satisfazer tais demandas. A médio e longo prazo, a taxa de natalidade ou mortalidade podia crescer ou decrescer, devido a mudanças na ciência médica ou nos costumes e na moral da sociedade.

Todos esses eram processos cujos efeitos se verificavam após um extenso período. Mas também podia haver acontecimentos súbitos de resultados cataclísmicos: uma guerra que perturbava as rotas de comércio, destruía cidades e seus ofícios, e devastava o campo; uma má colheita, ou uma sucessão delas, devido a uma seca nas áreas irrigadas pela chuva, ou um volume insuficiente de água nos grandes rios. Uma doença contagiosa podia matar grande parte da população. Numa época em que a disseminação de uma doença tornou-se em grande parte controlável, e algumas praticamente desapareceram, é difícil compreender o efeito súbito e devastador das epidemias, sobretudo do grande mal epidêmico daqueles séculos, a peste bubônica. Transmitida pelo rato negro, era trazida de certas áreas em que era endêmica, como o norte do Iraque e partes da Índia, por rotas terrestres ou marítimas, para o mundo mediterrâneo, onde espalhava-se com rapidez em cidades e aldeias, matando grande parte da população e seu gado. (Em 1739-41, período sobre o qual temos conhecimento estatístico mais confiável, o porto marítimo mediterrâneo de Izmir perdeu 20% de sua população numa epidemia de peste, e uma proporção ainda maior de sua gente em outra epidemia trinta anos depois.)

Esses processos interagiam uns com os outros, e alguns deles eram cumulativos e se perpetuavam. Ajudam a explicar as mudanças na relação entre as necessidades dos detentores do poder e a capacidade de satisfazê-las da sociedade, e o aparecimento de desafios de chefes ou grupos que podiam gerar poder e usá-lo para ampliar seu controle sobre os recursos. Uma mudança dessas podia dar-se dentro de um sistema de governo existente: os soldados de um soberano tomavam dele o poder de fato. Também podiam ocorrer por um acúmulo de poder fora da área do controle efetivo do soberano. Um chefe mobilizava a força humana das montanhas ou da estepe, por meio de um apelo pessoal ou de uma idéia religiosa. Quer a tomada do governo viesse de dentro ou de fora, o poder motivador tendia a vir de soldados recrutados de fora das regiões centrais do Estado, das montanhas ou estepes, ou de além-fronteiras. Eles tinham a ousadia e a habilidade necessária de lidar com cavalos e armas na guerra da época, antes que as armas decisivas passassem a ser a artilharia e a infantaria treinada no uso de armas de fogo. Há certos indícios de que, até o advento do moderno atendimento médico, os povos das montanhas e estepes eram mais saudáveis que os outros, e produziam um excedente de rapazes que podiam ser alistados nos exércitos. Um chefe que aspirasse a ser soberano preferiria recrutar soldados fora da sociedade que desejava controlar, ou pelo menos em suas regiões distantes; os interesses deles estariam ligados aos seus. Assim que o governante se estabelecia, o exército perdia a coesão ou passava a adquirir interesses diferentes dos da dinastia, e ele tentava substituí-lo por um novo exército profissional e um séquito de dependentes pessoais, e para isso também se voltava para o campo distante ou além-fronteiras. Os soldados treinados em sua casa eram encarados como seus mamelucos, ou escravos, num sentido que não implicava degradação pessoal, mas a fusão de suas personalidades e interesses nos do senhor. Com o tempo, o novo soberano podia emergir de dentro do exército ou casa e fundar uma nova dinastia.

Este é o contexto dentro do qual se pode entender o que parece um aleatório desfile de dinastias na história islâmica. Nos primeiros séculos, um novo grupo dominante vindo das pequenas cidades da Arábia Ocidental pôde criar e manter um exército, uma burocracia e um sistema de leis que possibilitaram o florescimento de uma vida assentada e civilizada. Manteve-se a ordem no interior em torno das grandes cidades imperiais: restauraram-se ou ampliaram-se obras de irrigação, introduzi-ram-se novos produtos e técnicas, a incorporação de terras em torno do Mediterrâneo e em torno do oceano Índico numa única área política e cultural gerou um vasto comércio interna-cional. A pouca evidência existente indica um aumento da po-pulação. Foi um período de regimes estáveis em cidades flores-centes e no campo em torno delas: Bagdá no sul do Iraque, as cidades do Curasão, Damasco na Síria, Fustat no Egito, Kairuan na Tunísia, Córdoba na Espanha.

Do século X ou XI em diante, porém, deu-se um longo pe-ríodo de deslocamento, cujos sintomas óbvios são a desintegra-ção do Califado Abácida, a formação de califados rivais no Egito e em Andalus, e a chegada ao mundo do Islã de novas dinastias que extraíam sua força de outros elementos étnicos, alguns de-les movidos por fervor religioso: os cristãos na Espanha, ex-pandindo-se às expensas dos estados muçulmanos nos quais se dissolvera o Califado Omíada ocidental; os almorávidas e os al-môadas no Magreb e em Andalus, oriundos de movimentos re-ligiosos que mobilizaram berberes das montanhas e margens do deserto do Marrocos; turcos e mongóis no leste. Essas mudan-ças podem ter sido sintomas de uma perturbação mais profunda no equilíbrio entre governo, população e produção, resultante de outras causas: o encolhimento das áreas de população assen-tada no Iraque e na Tunísia, devido ao colapso de antigos siste-mas de irrigação ou à ampliação da área de movimento de po-vos pastoris; talvez um declínio na população de alguns lugares; um declínio na demanda de produtos das cidades muçulmanas, ligado com a renovação da vida urbana e da produção na Itália.

Houve um momento de recuperação no século XIII. Enquanto o poder e a riqueza do Iraque encolhiam, com a destruição causada pelas invasões mongóis no fim do Califado Abácida, algumas dinastias conseguiram estabelecer uma ordem estável, não contestada por forças poderosas de fora do mundo islâmico assentado: em particular, os hafsidas em Túnis, um Estado sucessor do Império Almôada, e os mamelucos no Egito e na Síria, uma elite militar autoperpetuante que surgira no serviço da dinastia anterior, a dos aiúbidas. O cultivo foi feito numa área vasta e talvez crescente, os servidores públicos puderam levar o excedente da produção rural para as cidades, e a produção urbana e o comércio floresceram dentro do esquema de uma *charia* sunita geralmente aceita; manteve-se uma certa simbiose entre os grupos dominantes e as populações urbanas.

Mas era uma ordem frágil, e no século XIV ela começou a ser abalada por várias forças. Talvez a mais importante tenha sido a grande epidemia de peste conhecida na história européia como a Peste Negra, que atacou a maioria dos países da parte ocidental do mundo em meados do século XIV, mas continuou durante quase um século depois, em surtos recorrentes. Numa estimativa por cima, um terço da população do Cairo morreu na primeira epidemia, e em meados do século XV a população da cidade era menos da metade do que fora cem anos antes (cerca de 150 mil, em vez de 250 mil). O motivo para isso foi não só que ao primeiro ataque da peste seguiram-se outros, mas também que a peste afetou tanto o campo quanto a cidade, de modo que os migrantes rurais não puderam reabastecer a população urbana. Devido ao declínio da população rural e seu gado, reduziu-se a produção agrícola, e com ela os recursos arrecadados pelo governo com os impostos.

Aos efeitos cumulativos da peste, acrescentaram-se outros fatores. O crescimento da produção têxtil na Itália e outros países europeus e a expansão da navegação européia no Mediterrâneo afetaram o equilíbrio comercial, e assim tornaram mais difícil para os governos muçulmanos obter os recursos de que precisavam. Também houve mudanças nas artes da guerra, construção naval e navegação, e o novo uso da pólvora em artilharia e armas de fogo.

Nessas circunstâncias modificadas, a ordem política existente no Estado mameluco e nos do Magreb ficou exposta a desafios de novas dinastias, que podiam encontrar os recursos, em força humana e riqueza, para criar grandes e eficazes exércitos, controlar um campo produtivo e pegar seu excedente, e promover a manufatura e o comércio das cidades. No Mediterrâneo Ocidental, o desafio era tanto religioso quanto político, vindo dos reinos cristãos da Espanha, unidos num só pouco antes da extinção da última dinastia muçulmana em 1492, e que em breve teria a riqueza gerada pela conquista de um império na América. No Mediterrâneo Oriental, o novo e ascendente poder era de uma dinastia muçulmana, batizada com o nome de seu fundador, 'Uthman, ou (na grafia turca) Osman: daí seu nome islâmico de osmanli ou algum equivalente, ocidentalizado para otomano.

GOVERNO OTOMANO

Por origem, o Estado otomano era de principados turcos criados pela expansão dos seljúquidas e de imigrantes turcos para a Anatólia, a oeste. Na disputada e instável fronteira com o Império Bizantino, surgiram vários desses principados, que nominalmente aceitavam a suserania dos seljúquidas, mas na verdade eram autônomos. O fundado por Osman situava-se no noroeste da Anatólia, no principal ponto de contato com os bizantinos. Atraía para si combatentes das guerras de fronteiras e nômades turcos que se deslocavam para oeste em busca de terras de pastagem, mas também tinha dentro de suas fronteiras terras agrícolas relativamente extensas e produtivas, e cidades mercantis, algumas delas importantes pontos nas rotas comerciais que iam do Irã e mais longe na Ásia até o Mediterrâneo. Ao expandir-se, suas forças aumentaram, e ele pôde fazer uso das novas armas e técnicas de guerra e criar um exército organizado. No fim do século XIV, suas forças haviam cruzado o estreito de Dardanelos para a Europa Ocidental e expandiam-se rapidamente ali. O Império

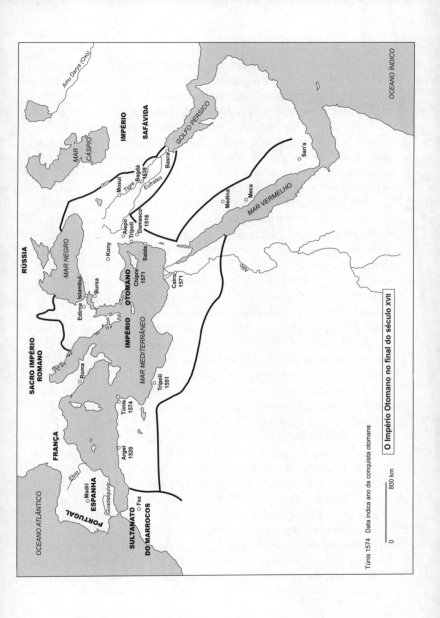

Túnis 1574   Data indica ano da conquista otomana

O Império Otomano no final do século XVII

europeu de Osman aumentou sua força de várias maneiras. Entrou em contato e estabeleceu relações diplomáticas com os estados da Europa, e adquiriu novas fontes de força humana: antigos grupos dominantes foram incorporados ao seu sistema de governo, e tomaram-se conscritos das aldeias balcânicas em seu exército. Com essa força aumentada, o Império pôde então voltar-se contra a Anatólia, apesar de um revés temporário, quando seu exército foi derrotado pelo de outro conquistador turco do leste, Tamerlão. Em 1453, absorveu o que restava do Império Bizantino e tomou Constantinopla como sua nova capital, Istambul.

No leste, porém, seu poder era desafiado pelo dos safávidas, outra dinastia em ascensão de origem incerta, em torno da qual se haviam reunido tribos turcas. Houve uma longa luta pelo controle das regiões de fronteira entre seus principais centros de poder, a Anatólia Oriental e o Iraque; Bagdá foi conquistada pelos otomanos em 1534, perdida para os safávidas, e só tomada de novo pelos otomanos em 1638. Foi em parte como conseqüência da luta com os safávidas que os otomanos se deslocaram para o sul, nas terras do sultanato mameluco. Em grande parte devido ao seu poder de fogo superior e sua organização militar, puderam ocupar a Síria, o Egito e a Arábia Oriental em 1516-17.

O Império Otomano era agora a principal potência militar e naval no Mediterrâneo Oriental, e também no mar Vermelho, e isso o pôs em conflito potencial com os portugueses no oceano Índico e os espanhóis no Mediterrâneo Ocidental. Na área do mar Vermelho, sua política era de defesa, para impedir o avanço dos portugueses, mas no Mediterrâneo usou seu poderio naval para conter a expansão espanhola e estabelecer uma cadeia de pontos fortes em Argel (na década de 1520), Trípoli (na década de 1550) e Túnis (1574), mas não mais a oeste no Marrocos. A guerra marítima prosseguiu por algum tempo entre otomanos e espanhóis, mas as novas energias espanholas se dirigiam sobretudo para o Novo Mundo da América. Surgiu uma divisão mais ou menos estável de poder naval no Mediterrâneo, e de 1580 em diante a Espanha e o Império Otomano mantiveram relações pacíficas.

Num certo sentido, a formação do Estado otomano foi mais um exemplo do processo que ocorrera muitas vezes na história dos povos muçulmanos, o desafio a dinastias estabelecidas por uma força militar oriunda de povos em grande parte nômades. Sua origem foi semelhante à dos dois outros grandes estados que surgiram mais ou menos ao mesmo tempo, o dos safávidas no Irã e dos mughals na Índia. Todos os três baseavam sua força, no início, em áreas habitadas por tribos turcas, e todos deviam seu sucesso militar à adoção de armas que usavam a pólvora, já entrando em uso na metade ocidental do mundo. Todos conseguiram criar políticas estáveis e duradouras, militarmente poderosas, centralizadas e burocraticamente organizadas, capazes de coletar impostos e manter a lei e a ordem numa vasta área e por um longo tempo. O Império Otomano era uma das maiores estruturas políticas que a parte ocidental do mundo conhecera desde a desintegração do Império Romano: dominou a Europa Oriental, a Ásia Ocidental e a maior parte do Magreb, e manteve juntas terras de tradições políticas muito diferentes, muitos grupos étnicos — gregos, sérvios, búlgaros, romenos, armênios, turcos e árabes — e várias comunidades religiosas — muçulmanos sunitas e xiitas, cristãos de todas as Igrejas históricas, e judeus. Manteve seu domínio sobre a maioria deles por mais ou menos quatrocentos anos, e sobre alguns por até seiscentos anos.

No ápice do sistema de controle desse vasto Império, ficavam o soberano e sua família, a "casa de Osman". A autoridade repousava mais na família que em algum membro claramente designado. Não havia lei rígida de sucessão, mas alguns costumes da família levavam, em geral, a sucessões pacíficas e longos reinados. Até o início do século XVII, o soberano era geralmente sucedido por um de seus filhos, mas daí em diante passou-se a aceitar que quando o soberano morria, ou deixava de governar, devia ser seguido pelo membro mais velho da família. O soberano vivia no meio de uma vasta família, que incluía as mulheres do harém e os que as guardavam, servidores pessoais, jardineiros e guardas do palácio.

À testa do sistema de governo pelo qual o soberano mantinha seu controle estava o *sadr-i azam*, o alto funcionário cujo título ocidental mais conhecido era o de vizir. Após o primeiro período otomano, ele era visto como tendo poder absoluto abaixo do soberano. Abaixo dele havia vários outros vizires. Eles controlavam o exército e os governos provinciais, além do funcionalismo público.

Na primeira fase de expansão, o exército otomano fora em grande parte uma força de cavalaria composta de turcos e outros habitantes da Anatólia e do campo balcânico. Dava-se aos oficiais de cavalaria (*sipahis*) o direito de coletar impostos sobre certas terras agrícolas e ficar com eles, em troca de serviço em épocas de necessidade, com um número específico de soldados; isso é conhecido como sistema de *timar*. Com o passar do tempo, essa força foi se tornando menos efetiva e importante, tanto por causa das mudanças na arte da guerra quanto porque o detentor de um *timar* estava menos ávido por ausentar-se de sua terra para longas campanhas em partes distantes do crescente Império. Desde cedo criou-se um outro exército, uma força ativa de infantaria (janízaros) e cavalaria altamente disciplinada, formada através do *desvirme*, ou seja, da convocação periódica de rapazes das aldeias cristãs dos Bálcãs convertidas ao Islã.

No decorrer do século XVI, surgiu uma complexa burocracia (a *kalemiye*). Consistia basicamente de dois grupos: os secretários que redigiam os documentos — ordens, regulamentos e respostas a petições — na forma correta, e preservavam-nos; e os que mantinham os registros financeiros, a avaliação de bens tributáveis e a contabilidade de quanto se coletara e como se usara. (Os documentos e contas foram cuidadosamente preservados, e formam um arquivo sem paralelo no mundo do Islã, e da maior importância para a história de grande parte da metade ocidental do mundo; só recentemente se começou o exame disso.)

Os mais altos funcionários do exército e do governo reuniam-se regularmente no palácio, num conselho (*divan*) que tomava decisões políticas, recebia embaixadores estrangeiros, redigia ordens, investigava queixas e respondia a petições, particularmente as que se referiam a abusos de poder; nos primeiros tempos, o próprio soberano presidia as reuniões do conselho, mas depois a chefia coube ao grão-vizir.

Esse sistema de controle reproduzia-se por todo o Império. À medida que se anexavam novas terras, governadores eram nomeados para cidades importantes e seus interiores, e colocavam-se nelas guarnições de tropas imperiais; mais tarde, os numerosos governos locais (*sancak*) foram reunidos num menor número de províncias maiores (*eyalet*). O governo provincial era como o central em miniatura: o governador tinha sua complexa casa, seus secretários e contadores, e seu conselho de altos funcionários que se reuniam regularmente.

Entre os principais deveres do governo, estava o de coletar os impostos dos quais dependia. Os registros financeiros, cuidadosamente mantidos pelo menos no primeiro período, e preservados nos arquivos, contêm detalhes de avaliação de impostos sobre casas e terras cultiváveis, e orçamentos regulares de receita e despesa. Como em estados muçulmanos anteriores, havia três tipos de impostos regulares. Primeiro, sobre a produção do campo, colheitas, pesca e gado; em alguns lugares, os impostos sobre grãos e outros produtos agrícolas eram aplicados como uma proporção da colheita (em princípio, um décimo, embora na prática muito mais), em outros eram avaliados sobre a área cultivável; alguns impostos eram coletados em dinheiro, outros em espécie, particularmente os que incidiam sobre os grãos, que podiam ser estocados por um longo tempo. Segundo, havia vários impostos e tributos sobre atividades urbanas: produtos agrícolas vendidos nos mercados, lojas, banhos e *khans*, atividades industriais (tecelagem, tinturaria, curtume) e bens importados e exportados; havia pedágios nas principais estradas, para pagar a sua manutenção. Terceiro, havia os impostos pessoais (*jizya*) pagos por cristãos e judeus; os muçulmanos não pagavam impostos pessoais regulares. Além desses impostos regulares, havia tributos ocasionais de quando em quando. Nos primeiros tempos do Império, estes eram cuidadosamente atribuídos a vários fins: a bolsa particular do soberano ou dos membros de sua família, os salários e as despesas dos governadores de *eyalets* e *sancaks*, a recompensa dos detentores de *timars*. No século XVII, porém, esse sistema estava em declínio, porque as necessidades fiscais do governo (e de seu exército, em particular) eram demasiado grandes para permitir que as receitas dos impostos fossem assim atribuídas. Portanto, foi substituído por um sistema de fazendas fiscais, pelo qual indivíduos, mercadores ou funcionários faziam a coleta de um certo imposto e destinavam a receita aos fins que o governo decidisse, após deduzirem uma certa proporção como comissão. No fim do século XVII, algumas fazendas fiscais haviam se tornado propriedades hereditárias.

No primeiro período do Império, os cargos de mando do governo eram ocupados em grande parte por comandantes do exército, membros de antigos grupos ou estados dominantes incorporados no Império, e a população culta das cidades. No século XVI, porém, as posições de comando — vizires, chefes do exército, governadores provinciais — vinham sobretudo da casa do próprio soberano. Os membros da casa vinham dos recrutados para o exército pelo *devsirme*, de escravos comprados no Cáucaso, ou de membros de antigas famílias dominantes. Também era possível que filhos dos que tinham cargos importantes no governo entrassem na casa; qualquer que fosse sua origem, porém, todos eram encarados como "escravos" do soberano. Eram cuidadosamente treinados para servir no palácio, depois promovidos a cargos ali ou no exército ou governo. A promoção dependia em parte de apadrinhamento (*intisap*): um funcionário poderoso podia obter cargos para as pessoas ligadas a ele por família, casamento, origem étnica ou de outro modo. Secretários e funcionários financeiros parecem ter sido formados por um sistema de aprendizado, após uma educação básica numa *madrasa*, e havia um elemento de hereditariedade na *kalemiye*; os filhos eram levados para o serviço pelos pais.

Dessa forma, o soberano podia manter seu controle sobre todo o sistema de governo. Fazer isso, porém, dependia de sua capacidade de exercer controle, e na primeira metade do século

XVII houve um período durante o qual seu poder se enfraqueceu. Houve vários motivos para isso; um deles foi a inflação causada pela desvalorização da moeda e pela importação para a área do Mediterrâneo de metais preciosos das colônias espanholas na América. Seguiu-se a isso uma renovação da força do governo, mas numa forma diferente: o grão-vizir tornou-se mais poderoso, e a estrada para a promoção passava menos pela casa do soberano do que pelas do grão-vizir e de outros altos funcionários. O Império tendeu a tornar-se menos uma autocracia, mais uma oligarquia de poderosos funcionários ligados pela *asabiyya* da criação na mesma casa, por uma educação comum e muitas vezes por parentesco ou casamento.

A organização e os modos de agir do governo refletiam o ideal persa de reinado que fora expresso por Nizam al-Mulk e outros autores desse tipo. O soberano justo e sábio devia manter-se à parte das diferentes ordens da sociedade, para poder regulamentar as atividades delas e manter a harmonia do todo. Em princípio, a sociedade otomana dividia-se nitidamente em dominantes (*asker*, literalmente soldados) e súditos (*reaya*, literalmente o rebanho). Os *asker*, por definição, incluíam os altos funcionários, detentores de *timars* e membros dos vários corpos armados, regulares e auxiliares. Eram isentos dos tributos especiais ocasionais que se tornaram uma espécie de imposto pessoal, e tinham seu próprio regime judicial. Em princípio, só os que tinham esse *status* podiam ser nomeados para cargos no governo. Os janízaros, em particular, eram mantidos sob um regime estritamente separado. Não podiam casar-se enquanto estivessem no serviço ativo; se se casassem após reformar-se, seus filhos não podiam entrar nas corporações. Essa separação mostrava-se na vida do soberano, isolado nos pátios internos de seu Palácio Topkapi, num monte que dava para o Bósforo, vivendo entre seus escravos e harém, jamais — após o reinado de Suleiman (1520-66) — contraindo casamento com famílias otomanas, que podiam assim dar-lhe demasiada influência. Expressava-se também na existência de uma cultura da corte: refinados códigos de maneiras, uma língua turca otomana enriquecida com empréstimos do persa, além do árabe, uma educação que incluía a polida literatura dos textos persas, além da literatura religiosa árabe.

Num certo nível, porém, não se podia manter a ordem nem coletar os impostos sem a colaboração do *reaya*. O soberano e seus *asker* viam o *reaya* não como um conjunto de indivíduos com quem tratavam diretamente, mas antes como vários grupos (em turco, *taife*, ou *cemaat*). Se se tinha de tratar separadamente com uma determinada categoria de súditos, para fins de impostos ou outro serviço ao Estado, eles eram encarados como uma unidade, e um deles era reconhecido como um intermediário, por meio do qual o governo podia tratar com a unidade como um todo. Normalmente, era alguém aceitável tanto para o grupo quanto para o governo, e podia assim possuir uma certa posição moral e mesmo alguma autonomia de ação, tanto mediando as ordens e as exigências do governo ao grupo quanto manifestando as queixas e os pedidos do grupo ao governo. Ajudava a preservar a paz e a ordem no grupo, e a resolver suas disputas e conflitos por arbitragem, antes que atingissem o ponto em que seria necessária a intervenção do governo.

Essas unidades eram de diferentes tipos. Para fins de impostos, o *sancak* dividia-se em unidades menores, uma pequena vila, uma aldeia ou tribo pastoril. As cidades dividiam-se em quarteirões (*mahalle, hara*), embora o uso do termo pareça ter variado amplamente: um quarteirão podia incluir algumas centenas de pessoas ou vários milhares. Tanto para tributação quanto para mão-de-obra qualificada, as diferentes artes e ofícios organizavam-se separadamente; em certas ocasiões oficiais, formavam desfiles solenes; no período otomano, é possível falar desses grupos como mais ou menos equivalentes às guildas da Europa medieval, tendo algumas funções além das de levantar impostos ou oferecer mão-de-obra qualificada. Não eram auto-suficientes, porém; num certo sentido, constituíram-se por consentimento otomano.

As várias comunidades judaicas e cristãs tinham uma posição especial, porque pagavam a capitação e possuíam seus próprios sistemas legais de lei pessoal, e também porque o governo precisava assegurar-se de sua lealdade. Na capital e nas províncias, o governo reconhecia um chefe espiritual de cada comunidade como tendo certa jurisdição legal e sendo responsável pela coleta do *jizya* e a manutenção da ordem. Dessa forma, os não-muçulmanos eram integrados no corpo político. Não pertenciam inteiramente a ele, mas o indivíduo podia galgar uma posição de poder ou influência: os judeus eram importantes no serviço financeiro no século XVI, e no fim do século XVII os gregos tornaram-se os intérpretes principais no gabinete do grão-vizir e governadores das duas províncias romanas, Valáquia e Moldávia. Mas não parecem ter vivido em isolamento ou sob pressão: pertenciam a *cemaats* de comércio ou artes, e tinham liberdade de culto e educação, dentro de certos limites. Podiam exercer a maior parte das atividades econômicas; os judeus eram importantes como banqueiros, os gregos no comércio marítimo, e no século XVI os armênios começavam a ser importantes no comércio de seda iraniana.

OS OTOMANOS E A TRADIÇÃO ISLÂMICA

Os títulos do soberano muçulmano, como paxá ou sultão, assinalavam sua ligação com a tradição de reinado persa, mas ele também era herdeiro de uma tradição especificamente islâmica, e podia pretender o exercício da autoridade legítima em termos islâmicos. Essa dupla pretensão é mostrada nos títulos usados em documentos oficiais:

Sua Majestade, o vitorioso e bem-sucedido sultão, soberano com a ajuda de Deus, cuja roupa de baixo é a vitória, paxá cuja glória chega ao Céu, rei de reis que são como astros, coroa da cabeça real, sombra do Provedor, culminação da realeza, quintessência do livro da fortuna, linha equinocial de justiça, perfeição da maré primaveril da majestade, mar de benevolência e humanidade, mina das jóias da generosidade, fonte dos memoriais de coragem, manifestação das luzes da felicidade, estabelecedor dos padrões do Islã, autor de justiça nas páginas do tempo, sultão dos dois continentes e dos dois mares, soberano dos dois lestes e dos dois oestes, servo dos dois santuários sagrados, homônimo do apóstolo dos homens e dos *jinns*, Sultão Muhammad Khan.[3]

Os otomanos também usaram ocasionalmente o título de califa, mas o título não trazia consigo, na época, qualquer pretensão à autoridade universal ou exclusiva que se reconhecia possuírem os califas anteriores. Tinha antes a implicação de que o sultão otomano era mais que um soberano local, e usava seu poder para fins sancionados pela religião. De vez em quando, autores otomanos reclamavam para o sultão uma posição predominante no mundo islâmico, um "califado excelso".

Os otomanos defenderam as fronteiras do Islã e as ampliaram quando possível. Enfrentavam ameaças de todos os lados. No leste estavam os safávidas do Irã; a luta de otomanos e safávidas pelo controle da Anatólia e do Iraque foi aos poucos adquirindo nuances religiosas, pois os safávidas proclamavam o xiismo como religião oficial da dinastia, enquanto os otomanos se tornavam cada vez mais sunitas estritos, à medida que seu Império se expandia e incluía os principais centros da grande cultura urbana do Islã. Do outro lado deles ficavam as potências da Europa cristã. O Império Bizantino desaparecera com a queda de Constantinopla em 1453; o Estado otomano, surgindo na Rússia, e dizendo-se herdeiro de Bizâncio, só começou a avançar para o sul, em direção ao mar Negro, no fim do século XVII. O principal desafio vinha não de lá, mas das três grandes potências católicas do norte e do oeste da bacia do Mediterrâneo: Espanha, o Sacro Império Romano com sua extensão sul na Itália, e Veneza com suas colônias no Mediterrâneo Oriental. Durante o século XVI, houve uma luta com a Espanha pelo controle do Mediterrâneo Ocidental e o Magreb, com Veneza pelas ilhas do Mediterrâneo Oriental, e com o Sacro Império Romano pelo controle da bacia do Danúbio. No fim do século, criara-se uma fronteira mais ou menos estável: a Espanha controlava o mar Mediterrâneo Ocidental (mas só alguns pequenos pontos na costa do Magreb); os otomanos dominavam a bacia do Danúbio até a Hungria; Veneza perdera Chipre e outras ilhas, mas mantinha Creta. Esse equilíbrio foi em parte modificado durante o século XVII: os otomanos conquistaram Creta, último grande posto avançado veneziano, mas perderam a Hungria para o Sacro Império Romano, e outras partes de suas terras européias numa guerra que terminou com o Tratado de Carlowitz (1699).

O sultão era não apenas o defensor das fronteiras do Islã, mas também o guardião de seus lugares santos. Meca e Medina no Hedjaz, Jerusalém e Hebron na Palestina. Como soberano de Meca e Medina, tinha o altivo título de Servo de Dois Santuários. Também controlava as principais rotas pelas quais os peregrinos chegavam a elas. Organizar e chefiar a peregrinação anual era uma de suas principais funções; realizada com grande formalidade e um grande ato público, a peregrinação era uma asserção anual da soberania otomana no coração do mundo muçulmano.

Todo ano, milhares de peregrinos iam às cidades santas, de todo o mundo do Islã: um viajante europeu que se achava em Meca durante a peregrinação de 1814 calculou que havia lá 70 mil peregrinos. Partiam grupos para as cidades santas: do Iêmen, da África Central, pelos portos do Sudão, e do Iraque pela Arábia Central, mas as principais caravanas organizadas de peregrinos continuavam a partir do Cairo e Damasco. Das duas, a de Damasco tinha maior importância no período otomano, porque estava ligada a Istambul por uma grande rota comercial e podia ser mais firmemente controlada. Todo ano, um delegado especial nomeado pelo sultão partia de Istambul para Damasco, acompanhado por altos funcionários ou membros da família otomana que pretendiam fazer a peregrinação, levando consigo o *surra*, dinheiro e provisões destinados às populações das cidades santas, e pagos em parte pelas receitas de *waqfs* imperiais dedicadas a esse fim. (Até o século XVIII, esse *surra* era enviado por mar ao Egito, e levado com a peregrinação do Cairo.) Em Damasco, eles juntavam-se à caravana organizada pelo governador da cidade e chefiada por um funcionário nomeado chefe da peregrinação (*amir al-hadj*); a partir do início do século XVIII, esse cargo era exercido pelo próprio governador de Damasco. Séculos depois, na última era otomana, e pouco antes de novos meios de comunicação mudarem o modo de fazer a peregrinação, um viajante inglês, C. M. Doughty, descreveu sua partida de Damasco:

> Surgindo a nova madrugada, não nos deslocamos ainda. Nascido o dia, as tendas foram desmontadas, os camelos conduzidos prontos para seus grupos, e detidos ao lado de suas cargas. Esperamos ouvir o tiro de canhão que inauguraria a peregrinação daquele ano. Eram quase dez horas quando ouvimos o sinal do canhão disparado, e então, sem qualquer desordem, as liteiras foram de repente suspensas e amarradas sobre as bestas, as cargas postas sobre os camelos ajoelhados, e os milhares de cavaleiros, todos nascidos nos países das caravanas, montaram em silêncio. Quando tudo está carregado, os condutores quedam-se de pé, ou sentam-se sobre os calcanhares para repousar os últimos momentos: eles, com outros criados de acampamento e tenda, terão de palmilhar essas 3 mil léguas nas solas dos pés, mesmo que desmaiem; e terão de voltar a medir o terreno na volta dos lugares santos com os pés cansados. Ao segundo tiro de canhão, disparado alguns momentos depois, avança a liteira do paxá, e depois dela segue a coluna do chefe da caravana: por mais quinze ou vinte minutos, nós, que estamos na retaguarda, temos de ficar parados, ou seja, até que o longo séquito desfile à nossa frente; então tocamos nossos camelos, e a grande caravana está em marcha.[4]

Os peregrinos saíam da cidade em solene cortejo, levando consigo o *mahmal*, uma estrutura de madeira coberta com um pano bordado, e o estandarte do Profeta, que era guardado na cidadela de Damasco. Percorriam uma série de locais de descanso, dispondo de fortalezas, guarnições e provisões, até chegarem a Meca; uma vez lá, o governador de Damasco era visto como um supervisor geral de toda a peregrinação. Organizar e conduzir a caravana de peregrinos era na verdade uma de suas tarefas mais importantes, e pagá-la era um dos principais encargos da receita de Damasco e das outras províncias sírias. A caravana que partia do Cairo não era menos importante. Incluía peregrinos do Magreb, que vinham para o Egito por terra ou mar, além de egípcios. Também chefiada por um *amir al-hadj*, e levando consigo seu próprio *mahmal* e um *kiswa*, um véu para cobrir o exterior da Caaba, atravessava o Sinai e a Arábia Ocidental até Meca. Levava consigo subsídios para as tribos que encontrava no caminho. Nem sempre era possível, no entanto, impedir ataques de tribos a uma ou outra das caravanas, ou porque não se haviam pago os subsídios, ou por causa da seca, que levava os beduínos a tentar pegar a provisão de água da caravana.

O dever mais fundamental de um soberano muçulmano, e que expressava e fortalecia sua aliança com a população muçulmana, era manter a *charia*. No período otomano, as instituições por meio das quais se mantinha a *charia* mais do que nunca foram postas em união mais estreita com o soberano. A escola legal favorecida pelos otomanos era a hanafita, e os juízes que a administravam eram nomeados e pagos pelo governo. Os otomanos criaram um corpo de ulemás oficiais (os *ilmiye*), paralelo aos corpos político-militar e burocrático, de natureza política; havia uma equivalência entre os postos nos diferentes corpos. Esses ulemás oficiais desempenharam um papel importante na administração do Império. À testa deles havia dois juízes militares (*kadiasker*), que eram membros do *divan* do sultão. Abaixo deles ficavam os cádis das grandes cidades, e abaixo destes os das cidades menores e distritos; para fins judiciais, a província dividia-se em distritos (*qada*), cada um com um cádi residente. As funções desses cádis não eram apenas judiciais: tratavam de casos civis, tentando chegar a acordos ou tomando decisões nas disputas; registravam as transações financeiras — vendas, empréstimos, doações, contratos — de modo coerente com a *charia*; tratavam de heranças, dividindo propriedades entre os herdeiros segundo as determinações da *charia*. O cádi era também o intermediário através do qual o sultão e seus governadores emitiam ordens e proclamações. (Todos esses documentos de vários tipos eram cuidadosamente registrados e preservados nos arquivos dos tribunais dos cádis; são nossa mais importante fonte para a história administrativa e social das terras governadas pelos otomanos, e os historiadores começam agora a usá-los.)

Os *muftis* hanafitas eram nomeados pelo governo para interpretar a lei. Na chefia deles estava o *mufti* de Istambul, o *xeque a-islam*, que atuava como consultor religioso do sultão. Era encarado como o personagem mais excelso em toda a ordem religiosa: o não ser membro do *divan* de altos funcionários do sultão era um sinal de sua liberdade de opinião e de seu poder para conter e censurar os detentores do poder.

Os nomeados para altos cargos na hierarquia legal eram formados em escolas imperiais, sobretudo as da capital: um grande complexo de escolas foi estabelecido por Mehmet II, o sultão que conquistou Constantinopla no século XV, e outro criado por Suleiman, "o Magnífico", como o chamam fontes européias, no século XVI. Praticamente todos os altos funcionários do serviço eram diplomados dessas escolas. Aqui, como em outros serviços, havia um elemento de apadrinhamento e privilégio hereditário, que foi se tornando mais importante com o tempo; filhos de altos funcionários podiam saltar etapas no caminho da promoção. Também era possível que os educados, para servir no *ilmiye*, passassem para a burocracia, ou mesmo para o serviço político-militar, por apadrinhamento ou por outros meios.

Em princípio, o sultão usava seu poder para manter a *charia*, e uma expressão disso era o fato de os que administravam a lei serem vistos como *asker*, membros da elite dominante e possuidores de privilégios financeiros e judiciais; também o eram os *sayyids*, os reconhecidos como descendentes do Profeta, cujos nomes vinham relacionados num registro mantido por um deles, o "marechal da nobreza", *naquib al-ashraf*, nomeado pelo sultão. O chefe da ordem dos *sayyids*, o *naqib* em Istambul, era um grande personagem no Império.

Na verdade, a *charia* era não apenas a lei do Império. Como soberanos anteriores, o sultão otomano julgava necessário emitir suas próprias ordens e regulamentos, a fim de preservar sua autoridade ou assegurar que se fizesse justiça. Dizia fazer isso em virtude do poder que a própria *charia* dava aos governantes, contanto que o exercessem dentro dos limites dela. Todos os governantes muçulmanos haviam emitido regulamentos e tomado decisões, mas o que parece ter sido único no sistema otomano é que eles formaram uma tradição acumulada enfeixada em códigos (*kanun-name*), geralmente associados aos nomes de Mehmet II ou Suleiman, conhecido na tradição otomana como o *Kanuni* (o legislador). Esses códigos eram de vários tipos. Alguns deles regulamentavam os tradicionais sistemas de impostos das várias províncias à medida que eram conquistadas; outros tratavam de questões criminais, e tentavam pôr as leis e costumes das províncias conquistadas de acordo com o código único de justiça otomana; ainda outros relacionavam-se com o sistema de promoção no governo, o cerimonial da corte e os assuntos da família reinante. Os cádis administravam esses códigos, mas as questões criminais mais importantes, e em particular as que afetavam a segurança do Estado, eram levadas ao *divan* do sultão ou de seu governador provincial. Em tempos posteriores, esse código criminal parece ter caído em desuso.

O GOVERNO NAS PROVÍNCIAS ÁRABES

O Império Otomano era uma potência européia, asiática e africana, com interesses vitais a proteger e inimigos a enfrentar em todos os três continentes. Durante a maior parte de sua existência, muitos de seus recursos e energia foram dedicados à expansão na Europa Oriental e Central, e ao controle de suas províncias européias, que continham grande parte da população do Império e proporcionavam muito de sua receita; de fins do século XVII em diante, preocupou-se com a defesa contra a expansão austríaca no oeste e a russa no norte, na área em torno do mar Negro. O lugar das províncias árabes no Império deve ser visto no contexto dessa preocupação com os Bálcãs e a Anatólia. Mas elas tinham sua própria importância. A Argélia no oeste era um bastião contra a expansão espanhola, e Bagdá no leste contra a dos safávidas. Síria, Egito e Hedjaz não se achavam até então expostos ao mesmo tipo de ameaça de potências estrangeiras, uma vez que haviam cessado os esforços portugueses no século XVI de estender seu poder marítimo ao mar Vermelho. Mas eram importantes de outros modos. As receitas do Egito e da Síria formavam uma grande parte do orçamento, e eram os lugares onde se concentrava a peregrinação anual a Meca. A posse das cidades santas dava aos otomanos uma espécie de legitimidade e um direito à atenção do mundo islâmico que nenhum outro Estado muçulmano tinha.

Era necessário, portanto, que o governo do sultão mantivesse as províncias árabes sob seu controle, mas isso podia ser feito de várias formas. Em províncias muito distantes de Istambul, longe demais para o envio de exércitos imperiais, o método não podia ser o mesmo que nas mais próximas e nas grandes estradas imperiais. Com o tempo, após as primeiras conquistas, surgiram diferentes sistemas de governo, com equilíbrios variados entre o poder central e o local.

As províncias sírias de Alepo, Damasco e Trípoli tinham de ser controladas diretamente, devido às suas receitas, ao lugar de Alepo no sistema internacional de comércio, ao de Damasco como um dos centros a partir dos quais se organizava a peregrinação, e ao de Jerusalém e Hebron como cidades santas (Jerusalém, lugar de onde se acreditava que o Profeta ascendera ao Céu em sua viagem noturna; Hebron, o túmulo do patriarca Abraão). O governo em Istambul podia reter o controle direto tanto pelas estradas através da Anatólia quanto por mar, mas isso se limitava às grandes cidades e às planícies produtoras de grão em torno delas, e aos portos da costa. Nas montanhas e no deserto, o controle era mais difícil por causa do terreno, e menos importante porque a terra produzia menos receita. Bastava, ao governo otomano, reconhecer famílias de senhores locais,

300

desde que elas coletassem e repassassem a receita e não ameaçassem as rotas pelas quais passavam o comércio e os exércitos. Do mesmo modo, chefes de tribos pastoris no deserto sírio, e as que ficavam na rota dos peregrinos para Meca, recebiam reconhecimento formal. Uma política de manipulação, de pôr uma família ou membro de uma família contra outro, em geral bastava para preservar o equilíbrio entre interesses imperiais e locais, mas às vezes isso era ameaçado. No início do século XVII, um governador rebelde em Alepo e um superpoderoso senhor nas montanhas Shuf no Líbano, Fakhr al-Din al-Ma'ni (m. 1635), com certo encorajamento de soberanos italianos, pôde desafiar durante algum tempo o poder otomano. Fakhr al-Din acabou sendo capturado e executado, e depois disso os otomanos estabeleceram uma quarta província com capital em Sayda, para vigiar os senhores do Líbano.

O Iraque era importante sobretudo como bastião contra uma invasão vinda do Irã. A riqueza do campo diminuíra muito desde que o sistema de irrigação entrara em declínio, e vastas áreas estavam sob o controle de tribos pastoris e seus caudilhos, não apenas a leste do Eufrates, mas na terra entre ele e o Tigre. O controle direto otomano limitava-se em grande parte a Bagdá, centro a partir do qual se podia organizar a defesa da fronteira com o Irã, e às principais cidades na rota de Istambul a Bagdá, em particular Mosul e o alto Tigre. No noroeste, várias famílias curdas foram reconhecidas como governadores locais ou coletores de impostos, a fim de manter a fronteira contra os iranianos; manteve-se um governador provincial otomano em Shahrizor, para exercer um certo controle sobre essas famílias. No sul, Basra era importante como base naval enquanto houve uma ameaça portuguesa ou holandesa ao golfo Pérsico, mas depois deixou-se degenerar a marinha otomana. Havia um ponto fraco no sistema otomano, porém: as cidades santas xiitas de Najaf e Karbala, estreitamente ligadas aos centros xiitas do Irã, e pontos dos quais o xiismo se irradiava para o campo em volta.

O Egito, como a Síria, era importante por razões estratégicas, financeiras e religiosas: era um dos bastiões do controle otomano do Mediterrâneo Oriental, um país que produzia grandes receitas de impostos, um antigo centro de ensino islâmico e um ponto a partir do qual se organizava a peregrinação. Mas era mais difícil de manter que a Síria, por causa de sua distância de Istambul e da extensão da rota terrestre através da Síria, e porque tinha recursos para sustentar um centro independente de poder: um rico campo, produzindo um grande excedente para uso do governo, e uma grande cidade, com uma longa tradição como capital. Desde o início, o governo otomano relutou em dar demasiado poder a seu governador no Cairo. Ele era substituído freqüentemente, e seu poder cercado de restrições. Quando os otomanos conquistaram o Egito, estabeleceram vários corpos militares. Durante algum tempo, no século XVII, esses corpos foram recrutados na sociedade egípcia: soldados casaram-se em famílias egípcias e entraram no comércio e nos ofícios. Os egípcios adquiriram direitos de pertencer aos corpos. Embora os comandantes dos corpos fossem enviados de Istambul, outros oficiais eram otomanos locais, com uma solidariedade local.

Do mesmo modo, surgiu uma solidariedade entre alguns grupos mamelucos. Quando os otomanos ocuparam o Cairo, absorveram em seu sistema de governo parte da antiga elite militar do Estado mameluco. Não está claro se esses mamelucos puderam perpetuar suas casas importando novos recrutas do Cáucaso, ou se foram oficiais militares que criaram novas casas usando um sistema semelhante de recrutamento e treinamento; qualquer que tenha sido a origem, no século XVII surgiram grupos de mamelucos militares do Cáucaso e outras partes suficientemente fortes para ocupar os principais postos do governo e obter o controle da riqueza urbana e rural do Egito. A partir de 1630, mais ou menos, as casas mamelucas detinham um poder predominante. Na década de 1660, os governadores puderam restaurar a posição deles, mas isso foi mais uma vez contestado por altos oficiais de um dos corpos militares, os janízaros, no fim do século.

O processo de devolução do poder começou portanto no Egito, e foi continuado em algumas das regiões mais periféricas do Império. No Hedjaz, bastava aos otomanos manterem o controle do porto de Jedá, onde havia um governador otomano, e afirmar sua autoridade nas cidades santas uma vez por ano, quando vinha a peregrinação, chefiada por um alto funcionário do governo e trazendo subsídios para os habitantes de Meca e Medina e as tribos nos caminhos. A província era pobre demais para proporcionar receitas a Istambul, remota e difícil demais de ser estreita e permanentemente controlada; o poder local nas cidades santas foi deixado nas mãos de membros nomeados de uma família de xarifes, ou descendentes do Profeta. Mais ao sul, no Iêmen, não se pôde manter permanentemente nem mesmo esse grau de controle. A partir de meados do século XVII, não houve presença otomana, mesmo nos portos da costa onde o comércio do café ganhava importância crescente. Nas montanhas, a ausência de poder otomano possibilitou o estabelecimento de uma nova linhagem de imãs.

No Magreb, a área sob domínio otomano foi controlada primeiro pelo governador de Argel, mas a partir da década de 1570 houve três províncias, com capitais em Trípoli, Túnis e Argel. Ali estabeleceu-se uma forma de governo provincial otomano típico: um governador enviado de Istambul com sua casa, uma administração na qual serviam otomanos locais, um corpo de janízaros profissionais recrutados na Anatólia, um cádi hanafita (embora a maioria dos habitantes fosse malikita), e uma marinha recrutada de várias fontes, incluindo europeus convertidos ao Islã, e usada basicamente para pirataria contra os navios comerciais dos estados da Europa com os quais o sultão ou os governadores locais otomanos estavam em guerra.

Dentro de um século, porém, o equilíbrio entre o poder central e o local já começara a mudar em favor do último. Em Trípoli, os janízaros tomaram o poder de fato no início do século XVII, e o porta-voz eleito deles, ou *dey*, dividia o poder com o governador. Mas era um poder precário. A amplitude da vida na província era tal que tornava impossível uma administração e um exército grandes, permanentes: as vilas eram pequenas, o campo assentado e cultivado era limitado. Quase não era possível ao governo controlar os capitães navais, cuja pirataria levou mais de uma vez ao bombardeio de Trípoli por marinhas européias.

Em Túnis, o domínio direto otomano durou ainda menos tempo. Antes do fim do século XVI, os oficiais inferiores dos janízaros revoltaram-se, formaram um conselho e elegeram um chefe (*dey*), que dividiu o poder com o governador. Em meados do século XVII, uma terceira pessoa, o bei, que comandava o corpo de janízaros responsável pela coleta dos impostos rurais, tomou uma parcela do poder; no início do século XVIII, um deles conseguiu fundar uma dinastia de beis, os husainidas. Os beis e seu governo conseguiram deitar raízes locais e criar uma aliança de interesses com a população de Túnis, cidade de tamanho, riqueza e importância consideráveis. Os principais cargos políticos e militares foram em grande parte para as mãos de uma elite de mamelucos circassianos e georgianos, com alguns gregos e europeus ocidentais convertidos ao Islã, formados na casa do bei. Essa elite, porém, tendia a tornar-se mais tunisina, por intercasamentos ou de outras formas, e membros das famílias tunisinas locais exerciam cargos como secretários ou administradores. Tanto a elite dominante turco-tunisina quanto os membros das famílias locais de posição tinham um interesse comum no controle do campo e seu excedente de produção. A área de terra plana produtiva de fácil acesso, o Sahel, era grande, e os beis tinham um exército local com o qual arrancavam dela os impostos anuais. Os capitães de navio e marinheiros do governo vinham basicamente de europeus convertidos, ou das províncias orientais do Império, mas os navios eram fornecidos e equipados em parte pelo governo local e em parte pelas famílias ricas de Túnis.

Dos três centros de poder otomano no Magreb, Argel era o mais importante. Era essencial para o sultão otomano manter um forte posto de fronteira ocidental na era da expansão espanhola: mesmo quando a principal atenção da Espanha se desviou da região do Mediterrâneo para as colônias na América, ainda havia um perigo de que a Espanha tomasse portos da costa do Magreb; Wahran (Orã) esteve sob domínio espanhol grande parte do período de 1509 a 1792. Argel era a sede de uma força naval otomana que defendia os interesses otomanos no Mediterrâneo Ocidental e praticava pirataria contra navios mercantes europeus em tempos de guerra. (Os estados europeus se entregavam igualmente à pirataria, e usavam argelinos capturados como escravos de galés.) Também era sede de uma importante força de janízaros, talvez a maior do Império fora de Istambul. Com essas forças de peso, o governador de Argel podia exercer influência sobre todo o litoral do Magreb. Também aqui, porém, o equilíbrio se modificou. Até meados do século XVII, o poder continuou formalmente nas mãos do governador, enviado de Istambul e substituído de poucos em poucos anos. Mas os capitães da marinha quase não estavam sob seu controle, e os janízaros só eram obedientes na medida em que ele podia coletar impostos e pagar seus estipêndios. Em meados do século XVII, um conselho de altos oficiais dos janízaros conseguiu tomar o controle da coleta de impostos, e escolher um *dey* para coletá-los e assegurar que recebessem o que lhes era devido. No início do século XVIII, o processo chegou à sua conclusão lógica, e o o *dey* pôde obter do governo central o cargo e o título de governador.

Como em Trípoli e em Túnis, interesses comuns uniam a elite governante e os mercadores de Argel; juntos, equiparam as atividades piratas dos capitães da marinha, e partilharam os lucros da venda de bens capturados e do resgate de cativos. No século XVII, navios argelinos chegaram até as costas da Inglaterra e mesmo à Islândia. Argel não era o centro de uma cultura urbana antiga como Túnis, Cairo, Damasco ou Alepo, ou de uma rica burguesia nativa. Era dominada por três grupos: os janízaros, trazidos sobretudo da Anatólia e outras partes orientais do Império; os capitães de navios, muitos deles europeus; e os mercadores, muitos deles judeus, que vendiam os bens capturados pelos piratas por intermédio de seus contatos no porto italiano de Livorno. Os centros de vida urbana argelinos ficavam no interior, dentro e em torno de vilas nos grandes planaltos. Ali, governadores nomeados pelo *dey* de Argel mantinham suas próprias forças armadas, recrutadas entre argelinos ou membros das famílias de janízaros que não podiam entrar nos corpos de janízaros em Argel; também ali existia uma burguesia local estreitamente ligada ao governo. Além do interior dessas cidades, o domínio de Argel era mediado por caudilhos rurais, que coletavam impostos e levavam a receita para a expedição anual de coleta de impostos. Havia distritos, porém, onde não podia existir nem mesmo esse controle mediado, e no máximo havia uma certa aquiescência com a autoridade da Argel otomana e Istambul; assim eram os principados das montanhas Kabyle (Kabylia), as áreas dos nômades criadores de camelos do Saara, e as vilas do oásis de Mzab, povoadas por ibaditas e vivendo sob o governo de um conselho de velhos cultos e religiosos.

14. SOCIEDADES OTOMANAS

POPULAÇÃO E RIQUEZA DO IMPÉRIO

Os principais países incorporados no Império Otomano, vivendo dentro de seu sistema de controle burocrático e sob a jurisdição de uma só lei, formavam uma vasta área comercial, em que pessoas e bens podiam deslocar-se com relativa segurança, ao longo de rotas comerciais mantidas por forças imperiais e providas de *khans*, e sem pagar impostos alfandegários, embora tivessem de pagar vários tributos locais. Essa área ligava-se de um lado ao Irã e à Índia, onde o domínio dos safávidas e dos mughals também mantinha uma estrutura de vida estável, e onde a chegada dos europeus ao oceano Índico — portugueses, holandeses, franceses e ingleses — ainda não havia perturbado os esquemas tradicionais de comércio e navegação. No oeste, ligava-se aos países da Europa Ocidental, em processo de expansão econômica por causa da existência de fortes monarquias centralizadas, do crescimento da população e da agricultura, e da importação de metais preciosos do novo mundo da América espanhola e portuguesa. Novos tipos de bens de grande valor, além dos antigos produtos básicos do comércio internacional, eram transportados pelas longas rotas comerciais. O negócio de especiarias ainda passava pelo Cairo, até que, em algum momento do século XVII, os holandeses começaram a transportar grande parte dele em torno do cabo da Boa Esperança; a seda persa era levada através de uma cadeia de cidades comerciais, do Império Safávida do Irã para Istambul, Bursa ou Alepo, passando pela Anatólia; o café, introduzido no século XVI, era importado do Iêmen para o Cairo, e dali distribuído pelo mundo mediterrâneo; no Magreb, escravos, ouro e marfim eram trazidos dos prados ao sul do Saara.

Os fabricantes das cidades otomanas não eram mais tão importantes no mercado mundial quanto antes, mas os têxteis da Síria e a *shashiya*, o turbante típico fabricado em Túnis, estavam em demanda no próprio Império. Em algumas partes desse comércio ocidental os europeus desempenhavam um papel cada vez maior, mas o comércio mais importante ainda era o feito com os países do oceano Índico, e aí os mercadores otomanos ficavam com a parte principal.

Governo forte, ordem pública e comércio florescente estavam ligados a outros fenômenos do período de poder otomano. Um deles foi o crescimento da população. Isso mostrou-se comum a todo o mundo mediterrâneo no século XVI, em parte com a recuperação do longo declínio causado pela Peste Negra, mas também por causa de outras mudanças da época. Uma estimativa geral, que parece geralmente aceita, é de que a população do Império pode ter aumentado em torno de 50% no decorrer do século. (Na Anatólia, a população pagadora de impostos duplicou, mas isso pode ser explicado em parte não por aumento natural, mas por um controle mais firme, que possibilitou registrar e coletar impostos de uma parcela maior da população.) No fim do século, a população total pode ter sido da ordem de 20-30 milhões, mais ou menos igualmente dividida entre as partes européia, asiática e africana do Império; a essa altura, a população da França era talvez de 16 milhões, a dos estados italianos de 13 milhões, e a da Espanha de 3 milhões. Istambul passou de uma cidade relativamente pequena, no período imediatamente anterior e posterior à conquista otomana, para uma de 700 mil habitantes no século XVII; era maior que as maiores cidades européias, Nápoles, Paris e Londres. Mas esse aumento não parece ter continuado nem nas partes muçulmanas nem cristãs da bacia do Mediterrâneo durante o século XVII.

A população rural parece ter crescido tanto quanto a urbana. Os indícios existentes mostram ampliação da agricultura e aumento na produção rural, pelo menos em algumas partes do Império; isso resultou da manutenção da ordem, um sistema mais eqüitativo de tributação, maior demanda da população urbana, e a geração de capital para investimento pela prosperidade das cidades. No século XVII, porém, há indícios de um deslocamento da vida rural assentada. As perturbações em parte da Anatólia durante os primeiros anos do século, conhecidas como revoltas *celali*, podem ter sido um sinal de superpovoação rural, assim como de declínio na capacidade do governo de manter a ordem no campo.

Como sempre, foram as cidades as principais beneficiárias da ordem e do crescimento econômico otomanos, ou pelo menos algumas classes das cidades. Quando Mehmet II entrou em Constantinopla, pouco restava do que fora a grande cidade imperial. Ele e seus sucessores estimularam ou mesmo obrigaram muçulmanos, cristãos e judeus de outras partes a instalar-se lá, e dotaram a nova Istambul de grandes conjuntos de prédios. No morro que dá para o Chifre Dourado ficava o Palácio Topkapi. Na corte externa, cuidava-se dos negócios públicos; nas internas, viviam o sultão e seu séquito. O palácio era na verdade uma cidade interna, com muitos milhares de habitantes, cercada por muralhas. Além dele ficava o coração da cidade produtiva, o grupo central de mercados e as fundações imperiais, conjuntos de mesquitas, escolas, asilos e bibliotecas; sinais característicos da grande cidade otomana eram os *waqfs* imperiais, pelos quais as receitas de lojas e mercados eram dedicadas a usos religiosos e caridosos. Um terceiro pólo de atividade ficava do outro lado do Chifre Dourado, no subúrbio de Pera, onde viviam os mercadores estrangeiros, e que era praticamente uma cidade italiana.

O abastecimento da cidade era uma preocupação fundamental do governo. A população urbana precisava de cereal para o pão, carne de carneiro e outros alimentos, e a preço que pudesse pagar. Em princípio, o cereal produzido num distrito devia ser consumido ali, mas fazia-se uma exceção para as regiões que serviam a uma grande cidade. Para alimentar a enorme população de Istambul, as regiões costeiras do mar Negro, a Trácia e o norte da Anatólia eram particularmente importantes. Alguns mercadores eram autorizados a negociar com cereais, comprá-

309

lo a preços fixos sob a supervisão do cádi, transportá-lo, em grande parte por mar, e vendê-lo a preços fixados pelo governo; navios e portos eram estritamente supervisionados para assegurar que o cereal não fosse mandado para outra parte.

A riqueza da vasta área de produção e comércio que era o Império fluía em parte como receita para as mãos do governo, para sustentar o exército e a burocracia, e em parte para mãos particulares. A elite dominante da cidade continuava a ser aquela combinação de grandes mercadores e altos ulemás que era um traço característico das cidades no mundo do Islã. Os mercadores empenhados em comércio em grandes distâncias, os fabricantes de têxteis finos, os *sarrafs* ou banqueiros que emprestavam dinheiro ao governo ou aos mercadores lucravam com o maior volume de comércio e a maior facilidade com que podia ser praticado. Tinham uma posição relativamente protegida e privilegiada, porque era para eles que o governo se voltava se precisava levantar dinheiro para fins excepcionais. Os altos ulemás lucravam não apenas com os salários e a consideração que recebiam do sultão, mas também com os *waqfs* que administravam e que aumentavam seus estipêndios. A riqueza deles, e a dos mercadores, era superada, no entanto, pela dos altos funcionários militares e civis; eles lucravam com as unidades tributárias que lhes eram atribuídas. Essa riqueza era precária, sujeita a ser tomada pelo sultão se caíssem em desgraça, pois eles eram encarados oficialmente como seus escravos, e por isso incapazes de herdar, mas com sorte e habilidade podiam passá-la para suas famílias. Quando surgiu o sistema de fazendas tributárias, parece ter surgido uma combinação entre os detentores de riqueza rural e urbana — funcionários, mercadores e outros — para obter a concessão delas; no século XVIII, os detentores de *malikanes* — concessões de fazendas para a vida toda — tinham se tornado uma nova classe terratenente, cultivando a terra em base comercial.

AS PROVÍNCIAS ÁRABES

Até onde foi estudada, a história das províncias de língua árabe do Império parece mostrar muitas das mesmas características das regiões européias e anatólias. A população parece ter aumentado no período imediatamente após a conquista otomana, por causa da melhor segurança e da prosperidade geral do Império, mas depois disso parece ter permanecido estacionária ou até diminuído um pouco. Depois de Istambul, as grandes cidades árabes eram as maiores do Império. A população do Cairo tinha aumentado para talvez 200 mil em meados do século XVI, e 300 mil no fim do século XVII. Na mesma época, Alepo era uma cidade de seus 100 mil habitantes, Damasco e Túnis provavelmente menores, mas na mesma ordem de grandeza. Bagdá jamais se recuperara do declínio do sistema de irrigação do sul do Iraque, da invasão mongol e da passagem do comércio do oceano Índico do golfo Pérsico para o mar Vermelho; tinha uma população um tanto menor que as grandes cidades sírias. Argel foi em grande parte criação muçulmana, como um bastião contra os espanhóis; tinha entre 50 mil e 100 mil habitantes no fim do século XVII.

O crescimento da população estava ligado à mudança física e à expansão das cidades. O domínio muçulmano manteve a ordem urbana, com forças policiais distintas para o dia e a noite, e guardas nos vários quarteirões, cuidadosa supervisão dos serviços públicos (abastecimento d'água, limpeza e iluminação das ruas, combate a incêndios), e controle das ruas e mercados, supervisionados pelos cádis. Seguindo o exemplo do sultão de Istambul, governadores otomanos e comandantes militares iniciaram grandes obras públicas nos centros das cidades, particularmente no século XVI. Construíram-se mesquitas e escolas, com prédios comerciais cuja renda era usada para mantê-las; por exemplo, a fundação de Duqakin-zade Mehmet Paxá em Alepo, onde três *qaysariyyas*, quatro *khans* e quatro *suqs* proviam a manutenção de uma grande mesquita; a Takiyya em Damasco, um conjunto de mesquita, escola e hospedaria para peregrinos construída por Suleiman, o Magnífico; um tanto tardiamente, o complexo construído pelo notável militar Ridwan Bey no Cairo.

Os muros da maioria das grandes cidades não tinham mais utilidade, tanto por causa da ordem que os otomanos mantinham no campo em redor quanto porque o desenvolvimento da artilharia tornara-os ineficazes para a defesa. Alguns foram derrubados, alguns caíram em desuso; as cidades expandiram-se para subúrbios residenciais destinados às populações crescentes. Os ricos moravam no centro da cidade, perto da sede do poder, ou num quarteirão onde tinham influência, ou então nos arredores, onde o ar era puro e a terra abundante. Artesãos, pequenos comerciantes e o proletariado viviam nos bairros populares que se espalharam ao longo das linhas de comércio: em Alepo, Judayda, Bab Nayrab e Banqusa; em Damasco, Suq Saruja e o Maydan, estendendo-se ao longo da estrada para o sul, pela qual o grão era trazido de Hawran e os peregrinos partiam para as cidades santas; no Cairo, Husayniyya, no norte do velho centro da cidade, ao longo da linha pela qual as caravanas sírias iam e vinham, e Bulaq, o porto no rio.

Nesses bairros residenciais, há indícios de que as famílias, com exceção das mais pobres, tinham suas casas próprias, e portanto de que a população era estável. Parece ter havido uma tendência no período otomano de os bairros organizarem-se segundo linhas religiosas ou étnicas; Judayda, em Alepo, era basicamente cristão, havia um bairro curdo em Damasco, o distrito em torno da mesquita de Ibn Tulun no Cairo era em grande parte habitado por gente do Magreb. Agrupado em torno de sua mesquita, chafariz público e pequeno mercado, o bairro era o foco da vida para seus habitantes, unidos por cerimônias, públicas (a partida e retorno dos peregrinos, a Páscoa) ou privadas (nascimento, casamento e morte), protegidos à noite por guardas e portões. Em suas atividades econômicas, porém, os homens, pelo menos, cruzavam fronteiras e todos os setores da população se encontravam no mercado.

A política fiscal otomana e o crescimento do comércio com a Europa levaram a um aumento da importância dos cristãos e judeus na vida das cidades. Os judeus eram influentes como emprestadores de dinheiro e banqueiros para o governo central ou os governadores provinciais, e como administradores de fazendas fiscais; em outro nível, como artesãos e negociantes de metais preciosos. Os mercadores judeus eram importantes no comércio de Bagdá, e em Túnis e Argel judeus, muitos deles de origem espanhola, destacavam-se nas trocas com os países mediterrâneos do norte e do oeste. As famílias gregas que viviam no bairro de Phanar, em Istambul, controlavam grande parte do comércio com o mar Negro, em grão e peles. Os armênios desempenharam um papel importante no comércio da seda com o Irã. Em Alepo e outros lugares onde viviam mercadores europeus, os cristãos atuavam como seus intermediários, ajudando-os a comprar produtos de exportação e distribuir os trazidos da Europa; os cristãos sírios eram importantes no comércio entre Damieta e a costa síria; cristãos coptas trabalhavam como contadores e administradores de funcionários e donos de fazendas fiscais no Egito.

À medida que o Império Otomano deitava raízes permanentes nos grandes centros provinciais, foram surgindo grupos dominantes locais. Nas províncias sob controle otomano direto, o governador e o cádi eram nomeados de Istambul, e mudados freqüentemente. Os funcionários locais das chancelarias, porém, tendiam a vir de famílias otomanas estabelecidas nas cidades provinciais, e os cargos passados, em sua especialidade, de pai para filho. Forças janízaras locais também eram atraídas para a comunidade, passando adiante seus privilégios de geração em geração, embora se fizessem tentativas de impedir isso enviando-se novos destacamentos de Istambul. Os governadores ou chefes das forças armadas podiam, se ficassem muito tempo na cidade, criar suas próprias casas de mamelucos e instalá-los em postos importantes.

Esses grupos locais eram atraídos a alianças com mercadores e ulemás. Os maiores possuidores de riqueza urbana eram os prestamistas e banqueiros, e os mercadores que se dedicavam ao comércio em longas distâncias. Apesar do aumento de importância dos estrangeiros europeus e dos mercadores cristãos e judeus, o comércio mais importante e lucrativo, o que se fazia entre diferentes partes do Império ou com os países do oceano Índico, estava nas mãos de mercadores muçulmanos: eles controlavam o comércio do café do Cairo, aquele associado à peregrinação a Meca, e as rotas de caravanas que atravessavam os desertos da Síria e do Saara. Poucas fortunas de mercadores parecem ter sobrevivido muitas gerações; mais permanentes eram as famílias com tradição de cultura religiosa. Formavam, numericamente, uma classe importante: no Egito, no século XVII, estima-se que os ulemás no mais *lato sensu*, incluindo todos os que exerciam funções na lei, educação e culto, chegavam até a 4 mil, numa população adulta de 50 mil pessoas. Nas cidades árabes, tinham um caráter diferente dos de Istambul. Os altos ulemás de Istambul eram parte importante da máquina do governo, treinados em escolas imperiais, nomeados para o serviço imperial e esperando ascender a altos cargos nele. Os das cidades árabes eram de origem local, porém. Muitos deles vinham de linhagem antiga, remontando aos mamelucos de tempos ainda anteriores, e alguns se diziam (nem sempre com razão) *sayyids*, descendentes do Profeta. Eram em sua maioria educados em escolas locais (a Azhar no Cairo, a Zaytuna em Túnis, as escolas de Alepo e Damasco), e herdavam uma tradição lingüística e cultural que remontava a muito antes da chegada dos otomanos. Embora retivessem certa independência, mostravam-se apesar disso dispostos a deixar-se atrair para o serviço local do sultão. O cádi hanafita das maiores cidades era normalmente enviado de Istambul, mas seus assistentes diretos, a maioria dos *muftis*, o *naqib al-ashraf* e os professores das *madrasas* eram nomeados principalmente do corpo de ulemás locais. Nas cidades em que a população muçulmana pertencia a mais de uma *madhhab*, cada uma tinha seu cádi e *mufti*. Em Túnis, toda a população muçulmana, tirando a de origem turca, era malikita por *madhhab*, e o cádi malikita tinha uma posição oficial comparável à do hanafita.

Entre otomanos, mercadores e ulemás locais, existiam relações de vários tipos, dando a cada um dos grupos uma permanência e *status* que de outro modo talvez não tivessem. Em certa medida, tinham uma cultura comum. Os filhos de mercadores eram mandados para a *madrasa*. Funcionários e militares também mandavam os filhos para lá, dando-lhes assim uma possibilidade de um futuro menos precário: Bayram, um oficial turco na província de Túnis, fundou uma linhagem de sábios famosos; al-Jabarti, historiador do Egito do século XVIII, vinha de uma família de mercadores. Eles casavam-se entre si, e também tinham ligações financeiras, entrando como sócios em empreendimentos comerciais. À medida que se difundia o sistema de fazendas fiscais, funcionários e mercadores podiam cooperar ao se candidatarem a elas. Em geral, eram os militares e funcionários que controlavam as fazendas de impostos rurais, porque estes não podiam ser coletados sem o poder e o apoio dos governadores. Os mercadores e os ulemás tinham uma parcela maior nas fazendas de impostos e tributos locais. Os ulemás administravam *waqfs* importantes, e assim podiam conseguir capital para investir em empreendimentos comerciais ou fazendas fiscais.

Em outro nível, havia uma aliança diferente. Apesar da tentativa do sultão de manter seu exército profissional separado da população local, com o tempo eles começaram a misturar-se. No fim do século XVII, janízaros exerciam ofícios e o comércio, e a filiação às corporações militares tornou-se uma espécie de propriedade, conferindo direito a privilégios e pensões, que podiam ser passados para os filhos, ou comprados por membros da população civil. A aliança de interesses às vezes manifestava-se em movimentos violentos, com as casas de café servindo de ponto onde a conversa explodia em ação. Essa ação podia ser de dois tipos. Às vezes era política. Em Istambul, facções no palácio ou no funcionalismo público ou militar em luta pelo poder usavam os janízaros para mobilizar a massa urbana. Em 1703, uma rebelião de uma parte do exército transformou-se num movimento de revolta política, em que altos funcionários de algumas das grandes casas, janízaros, ulemás e mercadores — cada grupo com seus próprios interesses, mas todos unidos na exigência de justiça — provocaram a queda do *xeque al-islam*, cuja influência sobre o sultão Mustafá II os desagradava, e depois a deposição do próprio sultão. Nas cidades provinciais, podia haver movimentos semelhantes, e também explosões espontâneas, quando a comida escasseava e os preços subiam, e funcionários do governador ou detentores de fazendas fiscais eram acusados de causar escassez artificial, retendo o grão até o aumento dos preços. Esses movimentos podiam ter um sucesso imediato, na substituição de um governador ou funcionário impopular, mas a elite da cidade encarava-os com sentimentos contraditórios. Os altos ulemás, como porta-vozes da população urbana, podiam juntar-se ao protesto, mas no fim seus interesses e sentimentos estavam do lado da ordem estabelecida.

A CULTURA DAS PROVÍNCIAS ÁRABES

A conquista otomana deixou sua marca, nas cidades das províncias de língua árabe, em grandes monumentos arquitetônicos, alguns criados pelos próprios sultões, como sinais de sua grandeza e religiosidade, alguns por patronos locais movidos pela força da imitação despertada pelo poder e o sucesso. Nas capitais provinciais, as mesquitas eram construídas, nos séculos XVI e XVII, no estilo otomano: um grande pátio levava a um salão de prece abobadado, acima do qual se erguiam um, dois ou quatro minaretes, compridos, finos e pontiagudos. O salão era decorado com ladrilhos coloridos no estilo Iznik favorecido pela corte otomana, com desenhos de flores em verde, vermelho e azul. Assim eram a mesquita de Khusrawiyya em Alepo, projetada pelo maior arquiteto otomano, Sinan; a de Suleimã Paxá, na Cidadela do Cairo; a mesquita sobre o santuário de Sidi Mahraz em Túnis; e a "Mesquita Nova" em Argel. A mais espetacular das criações provinciais otomanas foi o Takiyya em Damasco, um grande conjunto de prédios, também projetados por Sinan, dedicados às necessidades da peregrinação. Era em Damasco que se reunia uma das duas grandes caravanas de peregrinos, num certo sentido a mais importante das duas, pois era para lá que ia o emissário do sultão, e às vezes membros de sua família.

Uma cadeia de caravançarás estendia-se ao longo da rota de peregrinos que vinha de Istambul, passando pela Anatólia e o norte da Síria, e o Takiyya era o mais completo: uma mesquita com domo e dois altos minaretes simetricamente dispostos de cada lado, construída de pedra com as faixas brancas e pretas alternadas que havia muito eram uma característica do estilo sírio; em torno do pátio distribuíam-se quartos, refeitórios e cozinhas para os peregrinos. Também na cidade santa de Jerusalém, o sultão Suleiman deixou sua marca, nos azulejos das paredes externas do Domo da Rocha, e nos grandes muros que cercavam a cidade. Só em Bagdá, entre as grandes cidades otomanas, pouco se sentiu a influência do novo estilo; o velho estilo persa continuou predominante. Nas outras cidades, também, mesquitas e prédios públicos menores continuaram sendo construídos em estilos tradicionais, embora alguns elementos otomanos fossem aos poucos entrando na decoração.

Sob o domínio otomano, o lugar da língua árabe não foi diminuído, mas antes reforçado. As ciências da religião e da lei eram ensinadas em árabe nas grandes escolas de Istambul, não menos que nas do Cairo e Damasco. Os autores otomanos que escreviam um certo tipo de livro inclinavam-se a fazê-lo em árabe. Poesia e obras seculares podiam ser escritas na língua turca otomana que se desenvolveu nesse período como um veículo de alta cultura, mas as obras de religião e lei, e mesmo de história e biografia, usavam o árabe. Assim, Hajji Khalifa (1609-57), funcionário do governo em Istambul, escrevia nas duas línguas, mas suas obras mais importantes foram escritas em árabe: uma história universal e um dicionário bibliográfico de autores árabes, *Kashf al-zunun*.

Nas grandes cidades árabes, continuou a tradição literária: não tanto poesia e *belles-lettres* quanto história, biografia e compilações de *fiqh* e *hadith* locais. As grandes escolas continuaram sendo centros de estudo das ciências da religião, mas com uma diferença. Com algumas exceções, os mais altos cargos no serviço legal eram exercidos não por diplomados da Azhar ou das escolas de Damasco e Alepo, mas das fundações imperiais em Istambul; mesmo os principais cádis hanafitas das capitais provinciais eram em sua maioria turcos enviados de Istambul, e os cargos oficiais mais elevados a que os diplomados locais podiam aspirar eram os de subjuiz (*na'ib*) ou *mufti*. (Em Túnis, porém, a força da tradição local da lei malikita era tanta que havia dois cádis, um hanafita e um malikita, igualmente influentes e próximos do governante local, e o último era um diplomado da grande escola de Túnis, a da mesquita de Zaytuna.)

A chegada dos otomanos trouxe estímulo a algumas ordens sufitas, mas também controle sobre elas. Um dos primeiros atos do sultão Selim II, após a ocupação da Síria, foi erguer um pródigo túmulo sobre a sepultura de Ibn 'Arabi em Damasco. Uma das irmandades cuja doutrina foi influenciada pela de Ibn 'Arabi, a khalwatiyya, espalhou-se da Anatólia por todo o Império Otomano, e deu origem a ramificações na Síria, Egito e outras partes. A shadhiliyya também era difundida, provavelmente por causa da influência dos sufitas do Magreb; um dos membros da família 'Alami do Marrocos que se assentou em Jerusalém foi o representante shadilita ali, e seu túmulo no monte das Oliveiras tornou-se um local de peregrinação.

No fim do século XVII, chegou uma nova influência do mundo islâmico oriental. A irmandade naqshbandita já estava presente em Istambul e outras partes desde um período anterior, mas por volta de 1670 um mestre sufita de Samarcanda, Murad, que estudara na Índia, foi viver em Istambul e depois Damasco, e levou consigo a nova doutrina naqshbandita desenvolvida por Ahmad al-Sirhindi, no norte da Índia, na primeira parte do século. Ele recebeu favores do sultão e fundou uma família em Damasco. Dos escritores influenciados por essa nova doutrina naqshbandita, o mais famoso foi 'Abd al-Ghani al-Nabulsi (1641-1731), um damasquino cujas volumosas obras incluíam comentários sobre a doutrina de Ibn 'Arabi e várias descrições de viagens a santuários, que são também registros de progresso espiritual.

Fora da cultura sunita das grandes cidades, patrocinada pelas autoridades muçulmanas, continuavam a existir outras formas de cultura religiosa. À medida que os otomanos foram se tornando mais estritamente sunitas, a posição dos xiitas na Síria foi se tornando mais difícil. Sua tradição de aprendizado tinha a essa altura recuado para as pequenas vilas e aldeias do sul do Líbano, mas ainda era transmitida por famílias de sábios. Um escritor do primeiro período otomano, Zayn al-Din al-'Amili (m. 1539), foi convocado a Istambul e executado; é conhecido na tradição xiita como "o segundo mártir" (*al-shahid al-thani*). A doutrina xiita continuou a florescer, porém, fora do alcance da autoridade otomana direta, nas cidades santas do Iraque e nos distritos de al-Hasa e Bahrain, no lado ocidental do golfo Pérsico. Recebeu força nova com a proclamação do xiismo como religião oficial do Império Safávida; o governo do xá precisava de juízes e professores, e não conseguia encontrá-los no próprio Irã; assim, foram sábios do Iraque, Bahrain e do sul do Líbano para a corte do xá, e alguns deles ocuparam cargos importantes. Um deles, Nur al-Din 'Ali al-Karaki, do Líbano (c. 1466-1534), escreveu obras extensas e influentes sobre os problemas criados pela adoção do xiismo como religião do Estado: se os fiéis deviam pagar impostos ao soberano, se os ulemás deviam servir a ele, e se as preces de sexta-feira deviam se realizar sem a presença do imã.

No século XVII, o mundo da cultura xiita foi despedaçado por um conflito sobre o lugar do *ijtihad* na formação da lei. Enquanto a posição dominante fora a dos usulitas, que aceitavam a necessidade de argumento racional na interpretação e aplicação dos preceitos do Corão e do Hadith, agora surgia outra escola de pensamento, a dos akhbaritas, que desejava limitar o uso da interpretação racional por meio de *qiyas* (analogia), e dava ênfase à necessidade de aceitar o significado literal da tradição dos imãs. Essa escola predominou nas cidades santas durante a segunda parte do século.

Influências vindas de fora também foram sentidas nas comunidades judias do Império Otomano, mas de outro tipo. A reconquista cristã de Andalus levou à destruição das comunidades judias ali. Elas foram para o exílio, algumas para a Itália e outros lugares da Europa, mas muitas para Istambul e outras cidades do Império Otomano. Levaram consigo as tradições distintas da judiaria sefaradita ou andaluza, sobretudo a interpretação mística da fé, a Cabala, ali desenvolvida. De meados do século XVI em diante, o mais criativo centro de pensamento místico judeu foi Safed, na Palestina. Um pensador de grande originalidade, Isaac Luria (1534-72), chegou a Safed no fim da vida e teve uma profunda influência sobre os seguidores da Cabala de lá.

Um dos sinais de seus ensinamentos foi uma certa doutrina sobre o Universo. A vida do Universo entrara em desordem, e era tarefa dos homens, mas sobretudo dos judeus, ajudar a Deus na obra de redenção, vivendo uma vida de acordo com a Vontade d'Ele. Essa doutrina criava uma expectativa apocalíptica, de que a redenção estava próxima, e a atmosfera era propícia ao surgimento de um redentor. Em 1665, Zabbatai Zevi (1629-76), nascido em Izmir e conhecido por realizar estranhos atos quando em estado de iluminação, foi reconhecido por um profeta local como o Messias, quando visitava a Terra Santa. Sua fama espalhou-se quase instantaneamente por todo o mundo judeu, até mesmo no norte da Europa Oriental, onde as comunidades judias eram perturbadas por massacres na Polônia e na Rússia. A volta dos judeus à Terra Santa parecia próxima, mas as esperanças desmoronaram quase imediatamente: intimado a comparecer perante o *divan* do sultão, mandaram Zabbatai Zevi escolher entre a morte e a conversão ao Islã. Ele escolheu a conversão, e, embora alguns de seus seguidores continuassem fiéis, a maioria não pôde mais acreditar nele.

Entre as populações cristãs das províncias de língua árabe, particularmente as da Síria, ocorreu durante esses séculos uma certa mudança nas idéias e no conhecimento. Isso foi causado pela disseminação de missões católicas romanas. Elas já andavam pela área, intermitentemente, havia muito tempo; os franciscanos estavam lá desde o século XV, como guardiães dos santuários católicos na Terra Santa; jesuítas, carmelitas, dominicanos e outros chegaram depois. A partir de fins do século XVI, vários colégios foram criados pelo papado em Roma para formar padres das Igrejas orientais: os Colégios Maronita e Grego em 1584, o Colégio da Congregação para a Propagação da Fé em 1627. No século XVII, aumentou o número de padres missionários em países do Oriente Médio. Esse processo teve dois resultados. Aumentou o número daqueles que, nas Igrejas orientais, aceitavam a autoridade do papa, mas queriam reter suas próprias liturgias, costumes e lei religiosa. Os maronitas estavam nessa posição desde o tempo das Cruzadas, e no início do século XVIII fizeram uma concordata com o papado definindo suas relações. Nas outras Igrejas, a questão da supremacia papal era mais divisiva; em Alepo, no norte da Síria, sobretudo, havia conflitos entre grupos católicos e não católicos pelo controle de Igrejas. No início do século XVIII, dera-se uma virtual separação. A partir dessa época houve duas linhas de patriarcas e bispos no patriarcado ortodoxo de Antióquia, uma reconhecendo o primado do patriarca ecumênico de Constantinopla, e outra, a "Uniata", ou "Católica Grega", aceitando a autoridade do papa. Acontecimentos semelhantes se deram em diferentes épocas nas Igrejas nestoriana, ortodoxa síria, armênia e copta, embora só no século XIX o sultão otomano reconhecesse formalmente os uniatas como *millets*, ou comunidade, separada.

O segundo resultado foi o desenvolvimento de uma cultura cristã distinta expressa em árabe. Alguma coisa assim existia havia muito tempo, mas então mudou de natureza. Padres formados em colégios de Roma voltavam sabendo latim e italiano; alguns deles levaram a sério o estudo do árabe; alguns estabeleceram ordens monásticas no modelo ocidental, sobretudo na atmosfera livre das montanhas do Líbano, e elas se tornaram centros tanto de cultivo do solo quanto de estudo de teologia e história.

ALÉM DO IMPÉRIO: ARÁBIA, SUDÃO, MARROCOS

Além das fronteiras otomanas na Arábia ficavam regiões com pequenas vilas ou portos de mercadores e campos esparsos, onde os recursos urbanos eram limitados e o governo só podia existir em pequena escala: os principados das vilas de oásis na Arábia Central e Oriental e os portos da costa ocidental do golfo Pérsico. Um deles era mais importante que os outros. No canto sul da península, Omã, havia uma comunidade rural relativamente estável e próspera, nos férteis vales montanheses de Jabal Akhdar, do lado do mar. Os habitantes eram ibaditas, e seu imanato, restaurado no início do século XVII sob a dinastia do clã Ya'ribi, dava uma certa unidade precária à sociedade dos vales montanheses. Na costa, o porto de Masqat tornou-se um importante centro para o comércio do oceano Índico; foi tomado pelos omanitas aos portugueses em meados do século XVII, e mercadores omanitas estabeleceram-se ao longo da costa leste africana. Nessas periferias árabes, os otomanos não exerciam suserania, mas um dos portos do golfo Pérsico, Bahrain, esteve sob domínio iraniano de 1602 a 1783. Ali, e em outras regiões do golfo Pérsico, grande parte da população era xiita; a região de al-Hasa, ao norte de Bahrain, era de fato um importante centro de doutrina xiita. No sudoeste da península, o Iêmen não estava mais sob controle otomano; também ali os portos tinham comércio com a Índia e o sudeste asiático, sobretudo de café, e emigrantes do sul da Arábia serviam nos exércitos de governantes indianos.

Ao sul do Egito, a autoridade otomana era limitada: estendia-se pelo vale do Nilo acima até a Terceira Catarata, e na costa do mar Vermelho havia guarnições em Sawakin e Massawa, sujeitas ao governador de Jedá. Além delas, surgiu um Sultanato de relativamente grande poder e estabilidade, o de Funj, estabelecido na área de cultivo que ficava entre o Nilo Azul e o Nilo Branco; ia durar mais de três séculos (do início do século XVI até 1821).

Além da fronteira ocidental do Império, no extremo oeste do Magreb, ficava um tipo diferente de Estado — o antigo Império do Marrocos. As operações navais otomanas não se estendiam além do Mediterrâneo nas águas do Atlântico, e o governo otomano não se enraizou nas partes costeiras do Marrocos, nem impôs controle sobre as montanhas de planaltos Rif e Atlas. Ali, autoridades locais, algumas com sanção religiosa, mantinham o domínio; em certas condições, uma cristalização de forças em torno de uma chefia com sanção religiosa produzia uma entidade política maior. No século XV, surgiu um novo fator que mudou a natureza desses movimentos: a reconquista cristã da Espanha e Portugal ameaçou transbordar para o Marrocos, e também levou à emigração de muçulmanos de Andalus para as cidades marroquinas. Qualquer movimento que parecesse poder e estivesse disposto a defender o país contra os novos cruzados tinha portanto um apelo especial. Esses movimentos, daí em diante, tenderam a alegar legitimidade inserindo-se numa linhagem espiritual central do mundo muçulmano. Em 1510, uma família que dizia descender do Profeta, a dos xarifes Sa'did, conseguiu fundar um Estado na região sul de Sus, obter o controle da cidade-mercado de Marrakesh, e depois marchar para o norte. Os Sa'did criaram um sistema de governo que pôde governar a maior parte do país, embora de modo limitado. A corte e a administração central, a *makhzan*, modelavam-se de certo modo nas dos otomanos. O sultão apoiava-se em dois tipos de força: seu exército pessoal de soldados negros, oriundo dos habitantes com *status* de escravos nos oásis do sul e do vale do rio Níger, e certos grupos árabes das planícies, as tribos *jaysh*, ou "militares"; estas eram isentas de impostos, com a condição de os coletarem e manterem a ordem no campo, e ocasionalmente nas cidades. Essa foi uma época de crescente prosperidade: as cidades comerciais do norte, os portos atlânticos e as cidades interioranas de Fez e Titwan renasceram, em parte por causa da chegada dos andaluzes, que trouxeram qualificações industriais e contatos com outras partes do mundo mediterrâneo. Após um período em meados do século XVI, quando a Espanha, Portugal e os otomanos lutaram pelo controle do país, os Sa'dids puderam manter uma certa independência, e até se expandir para o sul. De seu bastião em Marrakesh, os sultões puderam controlar o comércio de ouro e escravos do oeste africano; no fim do século XVI, conquistaram e mantiveram por pouco tempo as vilas nas rotas comerciais do Saara até Timbuctu.

O governo dos xarifes sempre foi mais fraco que o dos sultões otomanos, porém. A riqueza e o poder urbano eram mais limitados. O mais importante centro urbano, Fez, era uma cidade com uma considerável tradição de cultura urbana, mas só com metade do tamanho de Alepo, Damasco ou Túnis, e muito menor que Istambul ou o Cairo. Das outras cidades pequenas, os portos do Atlântico eram centros de comércio e pirataria estrangeiros; os capitães dos portos gêmeos de Rabat e Salé rivalizaram por algum tempo com os de Argel. Nem o comércio das cidades pequenas nem a produção do campo bastavam, porém, para possibilitar ao sultão manter uma burocracia complexa ou um grande exército ativo. Além de certas regiões limitadas, ele exercia algum poder com expedições militares ocasionais, manipulação política e o prestígio de sua linhagem do Profeta. Ele e sua *makhzan* assemelhavam-se menos aos governos burocratizados centrais do Império Otomano e de alguns estados europeus da época do que a uma tateante monarquia medieval: o soberano, sua corte e ministros, seus poucos secretários e tesouro, e suas tropas pessoais, faziam um avanço regular através dos distritos rurais mais próximos, coletando dinheiro suficiente para pagar o exército e tentar, mediante delicadas manobras políticas, reter pelo menos uma soberania final sobre uma área tão ampla quanto possível. Mesmo nas cidades seu domínio era precário. Tinha de controlar Fez, Maknas e outras para sobreviver: seus ulemás davam-lhe legitimidade, e ele precisava da renda de tributos sobre o comércio e a indústria. Em certa medida, podia governá-las por intermédio de funcionários nomeados, ou dando ou negando favores, mas num certo sentido permanecia externo às cidades. A gente da cidade não queria o poder do sultão inteiramente ausente, pois precisava dele para proteger rotas comerciais e defendê-los de ataques europeus na costa, mas queriam que a relação se fizesse em seus próprios termos: não pagar impostos, não ser intimidada pelas tribos *jaysh* em torno, ter um governador e cádi de sua própria escolha ou pelo menos que lhe fossem aceitáveis. Às vezes conseguia mobilizar suas próprias forças para isso.

Com tais limites a recursos e poder, os xarifes Sa'did não puderam criar um sistema permanente e autoperpetuante de governo como o dos otomanos e safávidas. Após mais ou menos um século, houve uma cisão na família, e mais uma vez surgiram combinações locais de forças em torno de chefes que alegavam legitimidade em termos religiosos. Após um período de conflito, em que intervieram os otomanos de Argel e mercadores europeus dos portos, outra família de xarifes, os Filalis, ou 'Alawis do oásis de Tafilalt, conseguiram unir todo o país com habilidade política e a ajuda de algumas das tribos árabes: primeiro o leste, onde atuaram como chefes da oposição à disseminação do poder otomano, depois Fez e o norte, depois o centro e o sul em 1670. (Essa dinastia continua a governar o Marrocos até hoje.)

Sob um dos primeiros soberanos da dinastia, Mawlay Isma'il (1672-1727), o governo assumiu a forma que ia manter mais ou menos até o início do século XX: uma casa real composta em grande parte de escravos negros ou outros do sul; ministros vindos das principais famílias de Fez ou das tribos *jaysh*; um exército de europeus convertidos, negros de origem escrava, as tribos *jaysh* das planícies; e tributos urbanos em tempos de necessidade. O sultão manteve uma luta contra duas ameaças: o temor permanente de ataques da Espanha e de Portugal, e a expansão do poder otomano de Argel. Com seu exército, sua legitimidade religiosa e sua bem-sucedida resistência a esses perigos, pôde por algum tempo gerar o poder que lhe possibilitou mudar o equilíbrio entre governo e cidade a seu favor, e exercer controle político sobre grande parte do campo.

A conquista cristã de Andalus empobreceu a civilização do Marrocos. A expulsão final dos muçulmanos da Espanha no século XVII levou mais colonos andaluzes para as cidades marroquinas, mas eles não mais traziam consigo uma cultura que enriquecesse o Magreb. Ao mesmo tempo, os contatos com as partes orientais do mundo muçulmano eram limitados pela distância e a barreira das montanhas Atlas. Alguns marroquinos iam de fato para leste, para comércio ou peregrinação; reunindo-se no oásis de Tafilalt, seguiam pela costa norte-africana ou por mar até o Egito, onde se juntavam à caravana de peregrinos que se reunia no Cairo. Alguns dos mercadores ficavam lá, e alguns dos estudiosos também, para estudar nas mesquitas e escolas do Cairo, Medina ou Jerusalém. Alguns poucos se tornavam eles mesmos professores, e fundavam famílias cultas; assim foi com a família 'Alami em Jerusalém, tida como descendente de um sábio e mestre sufita de Jabal 'Alam, no norte do Marrocos. Poucos estudiosos do leste, porém, visitavam o extremo oeste ou se assentavam lá.

A cultura do Marrocos nesse tempo era portanto distinta e limitada. Os poetas e os homens de letras eram poucos e sem distinção. Mas continuou-se a tradição de escrever história e biografia. No século XVIII, al-Zayyani (1734-c. 1833), um homem que ocupara cargos importantes e viajara extensamente, escreveu uma história universal, a primeira escrita por um marroquino, que mostrava algum conhecimento de história européia e mais da otomana.

Nas escolas, a principal matéria era o *fiqh* malikita, com suas ciências ancilares. Era ensinado na grande mesquita de al-Qarawiyyin em Fez, com suas *madrasas* anexas, e também no Marrakesh e outras partes; um compêndio de lei malikita, o *Mukhtasar*, era particularmente importante. Nessas cidades, como em outras partes do mundo do Islã, grandes famílias de sábios preservavam a tradição de alta cultura de uma geração para outra; uma dessas era a família Fasi, de origem andaluza, mas assentada em Fez desde o século XVI.

A influência dos juristas das cidades estendia-se em certa medida ao campo, onde os ulemás podiam atuar como tabeliões, dando expressão formal a contratos e acordos. A principal fonte de alimento intelectual, porém, era proporcionada por mestres e guias espirituais pertencentes a irmandades sufitas, sobretudo os ligados à shadhiliyya. Esta fora fundada por al-Shadhili (m. 1258), um marroquino de nascimento que se instalara no Egito. Espalhou-se largamente pelo Egito, e foi trazida de volta ao Marrocos por al-Jazuli no século XV (m. *c.* 1465); foi um membro da família Fasi que a levou a Fez. A influência do caminho pregado pela shadhiliyya e outras irmandades era sentida em todos os níveis da sociedade. Entre os cultos, oferecia uma explicação do significado interior do Corão e uma análise dos estados espirituais no caminho que levava ao conhecimento de Deus por meio da experiência. Os mestres e os homens santos, afiliados a uma escola ou não, ofereciam esperanças de intercessão junto a Deus para ajudar homens e mulheres nas provações da vida terrena. Ali como em outras partes, os túmulos dos homens santos eram centros de peregrinação; entre os mais famosos, estavam os de Mawlay Idris, tido como fundador de Fez, numa cidade santuário com o seu nome, e de seu filho, também chamado Idris, na própria Fez.

Ali como em outras partes, também, homens de cultura e religião tentavam preservar a idéia de uma sociedade muçulmana justa, contra os excessos da superstição ou da ambição mundana. Um estudo de um especialista francês revelou a vida e a obra de um deles, al-Hasan al-Yusi (1631-91). Homem do sul, foi atraído para a ordem culta e ensinou em Fez por algum tempo, em escolas de Marrakesh e outras partes. Seus escritos são variados, e incluem uma série de conversas (*muhadarat*) em que tentou definir e preservar o meio caminho dos ulemás cultos e religiosos entre tentações opostas. De um lado, estavam as tentações e corrupções do poder. Num ensaio famoso, em que expressa a visão que tinham os ulemás de seu próprio papel, advertiu ao sultão Isma'il contra a tirania praticada em seu nome por seus funcionários. A terra, proclamou, pertence a Deus, e todos os homens são escravos d'Ele: se o sultão trata seu povo com justiça, é o representante de Deus na terra, a sombra de Deus sobre Seus escravos. Ele tem três tarefas: coletar impostos justamente, fazer a *jihad*, mantendo a força das defesas do Reino, e impedir a opressão dos fortes sobre os fracos. Todas as três são negligenciadas em seu Reino: os coletores de impostos exercem opressão, as defesas são negligenciadas e os funcionários oprimem o povo. A lição que ele extrai é conhecida: assim que termina a profecia, os ulemás permanecem como guardiães da verdade; que o sultão faça como faziam os califas, e aceite o conselho de expoentes da santa lei dignos de confiança.[1]

Dos dois lados do caminho do meio havia a corrupção espiritual levada à gente comum do campo por falsos e ignorantes mestres sufitas:

Nos primeiros tempos, as palavras de homens como os das ordens qadirita e shadhilita, e dos mestres dos estados espirituais, chegavam aos ouvidos do povo comum e tocavam seus corações. Essas palavras emocionavam as multidões, que se lançavam à imitação deles. Mas que se pode esperar de um homem ignorante que dá rédeas às suas próprias fantasias e nem mesmo conhece os aspectos externos da santa lei, quanto mais compreender seu significado interior, e que não ocupa qualquer alta posição espiritual? Encontramo-lo falando com veemência, referindo-se a conhecimento racional e revelado. Encontramos isso acima de tudo entre os filhos de homens santos, que desejam adornar-se com as graças de seus pais, e fazem seus adeptos seguirem-nos sem qualquer direito ou verdade, mas apenas pelas vaidades deste mundo [...] Um homem desses não deixará ninguém amar alguém por Deus, ou conhecer ou seguir ninguém além dele mesmo [...] Promete-lhes o Paraíso, quaisquer que sejam os atos deles, graças à sua intercessão por eles no Juízo Final [...] A gente ignorante fica satisfeita com isso, e permanece a seu serviço, filho após pai.[2]

15. A MUDANÇA NO EQUILÍBRIO DE PODER NO SÉCULO XVIII

AUTORIDADES CENTRAIS E LOCAIS

No século VII, os árabes criaram um novo mundo, ao qual outros povos foram atraídos. Nos séculos XIX e XX, eles próprios foram atraídos para um novo mundo criado na Europa Ocidental. Esta é, naturalmente, uma forma demasiado simples de descrever um processo muito complicado, e as explicações também podem ser demasiado simples.

Uma explicação comumente dada seria a seguinte: no século XVIII, os antigos reinos do mundo muçulmano e as sociedades que eles governavam estavam em declínio, enquanto a força da Europa crescia, e isso tornou possível uma expansão de bens, idéias e poder que levou à imposição do controle europeu, e depois a uma revificação da força e vitalidade das sociedades árabes numa nova forma.

Porém, a idéia de declínio é de difícil aplicação, o que não impediu que alguns autores otomanos tenham recorrido a ela. A partir do século XVI, os que compararam o que viam em torno com o que acreditavam ter existido antes afirmaram com freqüência que as coisas não eram o que tinham sido numa era anterior de justiça, e que as instituições e o código de moralidade em que se apoiava a força otomana estavam em decomposição. Alguns deles leram Ibn Khaldun; no século XVII, o historiador Naima refletiu algumas de suas idéias, e no XVIII parte de seu *Muqaddima* foi traduzida para o turco.

Para esses autores, a solução estava numa volta às instituições da era de ouro, real ou imaginada. Para Sari Mehmed Pasha (m. 1717), que foi em certa época tesoureiro ou *defterdar*, escrevendo no início do século XVIII, o que importava era que a antiga distinção entre governantes e governados fosse restaurada, e que os governantes agissem com justiça:

Deve-se evitar cuidadosamente a entrada do *reaya* na classe militar. A desordem virá com certeza quando aqueles que não são filhos ou netos de *sipahis* se transformam de repente em *sipahis* [...] Que [os funcionários] nem oprimam os pobres *reaya* nem os submetam a vexames com a exigência de novas imposições, além dos conhecidíssimos impostos anuais que estão acostumados a pagar [...] O povo das províncias e os moradores das cidades devem ser protegidos e preservados pelo afastamento de injustiças, e deve-se dar uma atenção muito grande a tornar próspera a condição dos súditos [...] Contudo, não se deve mostrar demasiada indulgência com o *reaya*.[1]

Em vez de falar em declínio, talvez fosse mais correto dizer que o que ocorrera fora um ajuste, a circunstâncias em transformação, dos métodos administrativos otomanos e do equilíbrio interno do Império. No fim do século XVIII, a dinastia otomana já completava quinhentos anos, e governava a maioria dos países árabes havia quase trezentos; era simplesmente de esperar que suas formas de governo e a extensão de seu controle mudassem de um lugar e época para outro.

Houve dois tipos de mudança particularmente importantes no século XVIII. No governo central de Istambul, o poder tendera a passar da casa do sultão para uma oligarquia de altos funcionários públicos dentro e em torno dos gabinetes do grão-vizir. Embora diferentes grupos entre eles competissem pelo poder, estavam ligados uns aos outros, e com os altos dignitários do serviço judicial e religioso, em muitos aspectos. Tinham uma cultura comum, em que havia elementos árabes e persas, além de turcos. Partilhavam uma preocupação com a força e o bem-estar do Império e da sociedade que ele protegia. Não eram mantidos distantes da sociedade, como tinham sido os escravos da casa, mas envolviam-se em sua vida econômica, me-

330

diante controle que exerciam das dotações religiosas e fazendas fiscais, e da associação com mercadores para investimento no comércio e na terra.

O exército profissional também fora atraído para dentro da sociedade; janízaros tornavam-se mercadores e artesãos, e mercadores e artesãos adquiriam filiação nos corpos de janízaros. Esse processo estava ligado, como causa e efeito, à outra mudança importante: o surgimento nas capitais provinciais de grupos governantes locais, capazes de controlar os recursos fiscais das províncias e usá-los para formar seus próprios exércitos locais. Esses grupos existiam na maioria das capitais provinciais, exceto nas que podiam ser facilmente controladas de Istambul. Eram de diferentes tipos. Em alguns lugares, havia famílias reinantes, com suas casas e dependentes; seus membros podiam obter reconhecimento de Istambul de uma geração para outra. Em outros, havia grupos de mamelucos autoperpetuantes: eram homens dos Bálcãs ou Cáucaso que tinham vindo para uma cidade como escravos militares ou aprendizes na casa de um governador ou comandante de exército, ascendido a cargos importantes no governo ou exército locais, e podido passar seu poder para outros membros do mesmo grupo. Esses governantes locais faziam alianças de interesses com mercadores, terratenentes e ulemás da cidade. Mantinham a ordem necessária à prosperidade da cidade, e em troca lucravam com ela.

Essa era a situação na maioria das províncias otomanas na Anatólia e na Europa, com exceção daquelas que podiam ser alcançadas com facilidade a partir de Istambul, e em praticamente todas as províncias árabes. Alepo, no norte da Síria, localizada junto a uma grande estrada imperial, e com acesso relativamente fácil de Istambul, permaneceu sob controle direto; mas em Bagdá e Acra, na costa da Palestina, membros de grupos mamelucos mantinham o posto de governador; em Damasco e Mosul, famílias que tinham ascendido no serviço otomano podiam ocupar o cargo de governador por várias gerações. No Hedjaz, os xarifes de Meca, uma família que dizia descender do Profeta, governavam as cidades santas, embora houvesse um governador otomano em Jedá, na costa. No Iêmen, não havia mais presença otomana, e a autoridade central que existia estava nas mãos de uma família de imãs reconhecidos pelos habitantes zaydistas.

No Egito, a situação era mais complicada. Ainda havia um governador mandado de Istambul, e que não podia ficar muito tempo, para não adquirir demasiado poder; mas a maioria dos altos cargos e o controle das fazendas fiscais haviam caído nas mãos primeiro de grupos de mamelucos e oficiais do exército rivais, e depois de um deles. Nas três províncias otomanas do Magreb, chefes de exércitos locais tinham tomado o poder de uma maneira ou de outra. Em Trípoli e Túnis, comandantes militares criaram dinastias, reconhecidas por Istambul como governadores, mas mantendo o título local de bei. Em Argel, os corpos militares nomearam sucessivos governantes (os *deys*); mas com o tempo o *dey* conseguia criar um grupo de altos funcionários que podia perpetuar-se e manter o cargo de *dey* em suas mãos. Em todas as três localidades, funcionários, oficiais do exército e mercadores haviam se unido a princípio pelo interesse comum de equipar navios piratas (os "piratas da Barbária") para capturar os navios de estados europeus com os quais o sultão otomano estava em guerra e vender seus bens; mas essa prática quase cessara no fim do século XVIII.

Por maiores que fossem essas mudanças, não devem ser exageradas. Em Istambul, o sultão ainda tinha poder final. Mesmo o mais forte funcionário podia ser deposto e executado, e seus bens confiscados; os funcionários do sultão ainda eram encarados como seus "escravos". Com algumas exceções, mesmo os governantes locais mais fortes satisfaziam-se em permanecer dentro do sistema otomano; eram "otomanos locais", não monarcas independentes. O Estado otomano não era alheio a eles, ainda era a encarnação da comunidade muçulmana (ou pelo menos de grande parte dela). Os governantes locais podiam ter seus próprios negócios com potências estrangeiras, mas usavam sua força para promover os grandes interesses e defender as fronteiras do Império. Além disso, o governo central ainda tinha um resíduo de força na maioria das partes do Império. Podia dar ou negar reconhecimento formal; mesmo o bei de Túnis e o *dey* de Argel desejavam ser formalmente investidos pelo sultão como governadores. O Império podia usar rivalidades entre diferentes províncias, ou diferentes membros de uma família ou de um grupo mameluco, ou entre o governante provincial e notáveis locais. Onde podia usar as grandes estradas imperiais ou as rotas marítimas do Mediterrâneo Oriental, podia mandar um exército para reafirmar seu poder; isso aconteceu no Egito, por breve tempo, na década de 1780. A peregrinação, organizada pelo governador de Damasco, levando presentes de Istambul para as cidades santas, guardada por uma força otomana, percorrendo uma estrada mantida por guarnições muçulmanas, ainda era uma afirmação anual de soberania otomana por todo o caminho que partia de Istambul, atravessava a Síria e a Arábia Ocidental, e chegava até o coração do mundo muçulmano.

Um novo equilíbrio de forças fora criado dentro do Império. Era precário, e cada parte tinha de aumentar seu poder quando pudesse; mas conseguiu manter uma aliança de interesses entre governo central, otomanos provinciais e os grupos sociais que possuíam riqueza e prestígio, os mercadores e ulemás. Há indícios de que em algumas regiões essa combinação de fortes governos locais e ativas elites urbanas manteve ou aumentou a produção agrícola, base da prosperidade urbana e da força dos governos. Isso parece ter acontecido nas províncias européias; o crescimento da população na Europa Central ampliou a demanda de alimentos e matérias-primas, e as províncias dos Bálcãs puderam satisfazê-la. Na Tunísia e na Argélia, produziam-se grãos e couros para exportar para Marselha e Livorno; no norte da Palestina e no oeste da Anatólia, aumentou a produção de algodão para atender à demanda da França. Na maioria das províncias, porém, o controle por um governo local e seus aliados urbanos não se estendia longe das cidades. No Magreb, o poder otomano não chegou a alcançar o interior até o planalto. No Crescente Fértil, algumas tribos de nômades criadoras de camelos haviam se deslocado da Arábia Central para o norte; a área usada para pasto aumentou às custas da usada para o cultivo, e o

333

mesmo aconteceu com a área em que os chefes tribais, e não os funcionários urbanos, controlavam os lavradores que restavam.

Em terras além da fronteira do Império haviam ocorrido processos do mesmo tipo. Em Omã, uma nova família governante, que a princípio reivindicara o imanato dos ibaditas, estabelecera-se em Masqat, na costa, e uma aliança de governantes e mercadores pôde espalhar o comércio de Omã pelas costas do oceano Índico. Em outros portos do golfo Pérsico, Kuwait, Barhain e alguns menores, surgiram famílias governantes estreitamente ligadas a comunidades de mercadores. No Sudão, ao sul do Egito, havia dois sultanatos longevos: um, o dos Funj, ficava na terra fértil entre o Nilo Azul e o Nilo Branco, onde rotas comerciais que partiam do Egito para a Etiópia cruzavam as que iam do oeste da África para o mar Vermelho; o outro era o de Darfur, a oeste do Nilo, numa rota comercial que ia do oeste da África ao Egito.

No Marrocos, o extremo Magreb, os 'Alawis governavam desde meados do século XVII, mas sem a força militar ou burocrática de bases firmes com que mesmo os governantes otomanos locais podiam contar. Como seus antecessores, jamais puderam dominar inteiramente a cidade de Fez, com suas poderosas famílias de mercadores, seus ulemás reunidos em torno da mesquita de Qarawiyyin, e suas famílias santas guardando os santuários de seus ancestrais; fora da cidade, podia, na melhor das hipóteses, controlar partes do campo por manipulação política e o prestígio de sua descendência. Com base insegura, sua força flutuava; grande no início do século XVIII, depois se enfraqueceu, mas estava revivendo na segunda metade do século seguinte.

SOCIEDADE E CULTURA OTOMANA ÁRABE

No século XVIII, a marca do poder e da cultura otomanos sobre as províncias árabes parece ter se aprofundado. Enraizou-se nas cidades mediante o que foi chamado de famílias e grupos "otomanos locais". Por um lado, comandantes militares e funcionários públicos instalaram-se em capitais provinciais e fundaram famílias ou casas que podiam reter cargos no serviço otomano de uma geração para outra; as famílias governantes e grupos mamelucos locais eram apenas o nível superior de um fenômeno que também existia em outros níveis. Alguns deles ocupavam cargos na administração local, outros adquiriam riqueza pela aquisição de fazendas fiscais, e outros ainda enviavam os filhos para escolas religiosas locais, e de lá para o serviço legal. Por outro lado, membros de famílias locais com tradição de cultura religiosa tendiam cada vez mais a conseguir postos no serviço religioso e legal, e através disso adquirir controle dos *waqfs*, incluindo os mais lucrativos, que haviam sido estabelecidos em benefício das cidades santas ou de instituições fundadas pelos sultões; grande parte disso era desviada de seu uso original para uso particular. Estimou-se que, enquanto havia 75 cargos oficiais no sistema religioso-legal em Damasco no início do século XVIII, em meados do século esse número crescera para mais de trezentos. Um acompanhamento disso foi que muitas famílias locais, que por tradição aderiam a *madhhabs* shafitas ou malikitas, passaram a aceitar o código hanafita, o oficialmente reconhecido pelos sultões otomanos. (Isso não parece ter acontecido no Magreb, porém; ali, o grosso da população, com exceção dos de origem turca, permaneceu malikita.)

No fim do século XIX, portanto, existiam, pelo menos em algumas das grandes cidades árabes, famílias poderosas e mais ou menos permanentes de "notáveis locais", algumas mais turcas, outras mais árabes. Uma expressão do poder e da estabilidade delas foi a construção de elaboradas casas e palácios em Argel, Túnis, Damasco e outras partes. Um dos mais magníficos era o palácio de 'Azm em Damasco, um grupo de salas e suítes em torno de dois pátios, um para os homens da família e seus visitantes, o outro para as mulheres e a vida doméstica. Em escala menor, mas ainda esplêndidas, eram as casas construídas em Judayda, um bairro cristão em Alepo, por famílias enriquecidas pelo florescente comércio com a Europa. Nas montanhas do sul do Líbano, o palácio do emir do Líbano, Bashir II, foi construído por artesãos de Damasco: um inesperado palácio urbano numa encosta de montanha distante. Essas casas eram construídas por arquitetos e artesãos locais, e o projeto e o estilo arquitetônicos expressavam tradições locais, mas também aqui, como nas mesquitas, via-se a influência de estilos decorativos otomanos, sobretudo no uso de azulejos; misturado com isso, havia um indício de estilos europeus, como nos murais e no uso de cristal da Boêmia e outros produtos manufaturados na Europa para o mercado médio-oriental. Em Túnis, um viajante francês na primeira parte do século constatou que o antigo palácio dos beis, o Bardo, fora mobiliado com peças em estilo italiano.

A sobrevivência e o poder social das famílias de notáveis estavam ligados a escolas locais. Um estudo do Cairo sugeriu que considerável parte da população masculina — talvez até a metade — era alfabetizada, mas só poucas mulheres. Isso implica que as escolas primárias, as *kuttabs*, eram numerosas. Num nível superior, um historiador da época fala de cerca de vinte *madrasas* e do mesmo número de mesquitas onde se oferecia ensino superior. A instituição central, a mesquita de Azhar, parece ter florescido às expensas de algumas das *madrasas* menores e menos dotadas; atraía estudantes da Síria, Tunísia, Marrocos e das regiões do alto Nilo. Do mesmo modo, em Túnis a mesquita de Zaytuna cresceu em tamanho e importância durante o século; sua biblioteca foi ampliada, e suas dotações suplementadas pela receita da *jizya*, a capitação de não-muçulmanos.

Nessas escolas superiores, ainda se seguia o currículo antigo. Os estudos mais importantes eram a exegese corânica, o Hadith e o *fiqh*, para os quais se usavam coleções de *fatwas*, além de tratados formais; como introdução a eles, estudavam-se matérias lingüísticas. As doutrinas básicas de religião eram ensinadas sobretudo em compêndios posteriores, e as obras de Ibn 'Arabi e outros sufitas parecem ter sido largamente lidas. Ciências racionais como matemática e astronomia eram estudadas e ensinadas, em sua maior parte, fora do currículo formal, mas parece ter havido grande interesse por elas.

Dentro dos limites de um currículo um tanto rígido e imutável, ainda havia espaço para a produção literária de alta qualidade. Em Túnis, uma família fundada por um soldado turco, que tinha vindo para o país com a força expedicionária otomana no século XVI, produziu quatro homens em gerações sucessivas, todos eles chamados Muhammad Bayram, que foram renomados sábios e muftis hanafitas. Na Síria, a família fundada por Murad, o naqsh-bandita da Ásia Central, também ocupou o cargo de mufti por mais de uma geração. Um deles, Muhammad Khalil al-Muradi (1760-91), exerceu uma tradição especificamente síria de coletar biografias de homens de saber e fama; seu dicionário biográfico cobre o século XII islâmico.

Para ajuda na coleta de biografias, Muradi recorreu a um famoso sábio morador do Egito, Murtada al-Zabidi (1732-91). Sua carta expressa a consciência de alguém que sabe que é o último de uma longa tradição a ser preservada:

> Quando estive em Istambul com um de seus grandes homens [...] falou-se de história, e de seu declínio em nossa época, e da falta de interesse entre os homens deste tempo, embora seja a maior das artes; lamentamos isso com tristeza.[2]

De origem indiana, Zabidi tinha vivido durante algum tempo em Zabid, no Iêmen, uma importante parada na rota que vinha do sul e sudeste asiático para as cidades santas, e um importante centro de cultura da época; mudara-se para o Cairo, e de lá sua influência se irradiara largamente, pela reputação que ele tinha de possuir o poder de intercessão, e através de seus escritos. Entre estes, havia obras sobre o Hadith, um comentário sobre o *Ihya 'ulum al-din*, de Ghazali, e um grande dicionário árabe.

Murtada al-Zabidi, por sua vez, pediu a um sábio mais jovem, 'Abd al-Rahman al-Jabarti (1753-1825), que o ajudasse a coletar material biográfico, e esse foi o impulso que orientou a mente deste para escrever história; com o tempo, ia produzir a última grande crônica no estilo tradicional, cobrindo não apenas acontecimentos políticos, mas também vidas de sábios e homens famosos.

Também no mundo xiita prosseguiu a tradição de alta cultura, mas os estudiosos estavam claramente divididos. Durante a maior parte do século, a escola de pensamento akhbarita predominou entre os sábios das cidades santas, mas lá pelo fim houve uma revivescência da escola usulita, sob a influência de dois sábios importantes, Muhammad Baqir al-Bihbihani (m. 1791) e Ja'far Kashfi al-Ghita (c. 1741-1812); apoiada pelos governantes locais no Iraque e Irã, aos quais a flexibilidade dos usulitas oferecia algumas vantagens, esta ia tornar-se mais uma vez a escola principal. Mas a akhbarita continuou forte em algumas regiões do golfo Pérsico. Lá pelo fim do século, tanto os usulitas quanto os akbaritas foram contestados por um novo movimento, a Shaykhiyya, que surgiu da tradição mística, a da interpretação espiritual dos livros sagrados, endêmica no xiismo: foi condenada pelas duas outras escolas, e vista como fora do xiismo imanita.

Não há indicação de que o pensamento dos sunitas ou xiitas tenha sido penetrado nessa época pelas novas idéias que surgiam na Europa. Alguns dos padres sírios e libaneses que haviam aprendido latim, italiano ou francês conheciam teologia católica e a cultura européia de seu tempo. Alguns deles ensinaram na Europa, e tornaram-se eruditos de fama européia: o mais famoso foi Yusuf al-Sim'ani (Joseph Assemani, 1687-1768), um maronita do Líbano, estudioso de manuscritos siríacos e árabes, que se tornou bibliotecário da Biblioteca do Vaticano.

O MUNDO DO ISLÃ

Quer vivessem dentro do Império Otomano ou fora de suas fronteiras, os que professavam a fé do Islã e se expressavam em língua árabe tinham alguma coisa em comum que era mais profunda que uma aliança política ou os mesmos interesses. Entre eles, e entre eles e os que falavam turco ou persa, ou as outras línguas do mundo muçulmano, havia a sensação comum de pertencer a um mundo duradouro e inabalado, criado pela revelação final de Deus por intermédio do Profeta Maomé, e expressando-se em diferentes formas de pensamento e atividade social: o Corão, as Tradições do Profeta, o sistema de lei ou conduta social ideal, as ordens sufitas voltadas para os túmulos de seus fundadores, as escolas, as viagens de estudiosos em busca de saber, a circulação de livros, o jejum do Ramadan, observado ao mesmo tempo e da mesma forma por muçulmanos em toda parte, e a peregrinação que trazia muitos milhares de todo o mundo muçulmano a Meca no mesmo momento do ano. Todas essas atividades preservavam o senso de fazer parte de um mundo que continha tudo que era necessário ao bem-estar nesta vida e à salvação na próxima.

Mais uma vez, é de esperar que uma estrutura que dura anos venha a mudar, e a Morada do Islã, como existia no século XVIII, era sob muitos aspectos diferente do que fora antes. Uma onda de mudanças veio do extremo oriente do mundo muçulmano, do norte da Índia, onde a outra grande dinastia sunita, dos mughals, governava muçulmanos e hindus. Ali, vários pensadores, dos quais o mais famoso foi Shah Waliullah, de Deli (1703-62), pregavam que os soberanos deviam governar de acordo com os preceitos do Islã, e que o Islã devia ser purificado por mestres que usassem sua *ijtihad* com base no Corão e no Hadith; as diferentes *madhhabs* deviam fundir-se num único sistema de moralidade e lei, e as devoções dos sufitas mantidas dentro de seus limites. Sábios e idéias que circulavam da Índia para o Ocidente encontravam-se e misturavam-se com outros nas grandes escolas e grandes cidades na época da peregrinação, e dessa mistura veio um fortalecimento daquele sufismo que enfatizava a estrita observância da *charia*, por mais adiantado que estivesse um muçulmano na estrada que levava à experiência de Deus. Os naqshbanditas haviam se espalhado antes da Ásia Central e da Índia para os países otomanos, e sua influência crescia. Outra ordem, a Tijaniyya, foi fundada na Argélia e no Marrocos por um mestre que voltara de Meca e do Cairo, e espalhou-se pela África Ocidental.

Houve um outro movimento que pode ter parecido menos

339

importante na época, mas ia ter largo significado depois. Surgiu na Arábia Central, no início do século XVIII, quando um reformador religioso, Muhammad ibn 'Abd al-Wahhab (1703-92), começou a pregar a necessidade de os muçulmanos voltarem à doutrina do Islã como a entendiam os seguidores de Ibn Hanbal: estrita obediência ao Corão e ao Hadith, como interpretados por sábios responsáveis em cada geração, e rejeição de tudo que se pudesse interpretar como inovações ilegítimas. Entre essas inovações estava a reverência prestada a santos mortos como intercessores junto a Deus, e as devoções especiais das ordens sufitas. O reformador fez uma aliança com Muhammad ibn Sa'ud, governante de uma pequena cidade-mercado, Dir'iyya, e isso levou à formação de um Estado que dizia viver sob a direção da *charia* e tentou reunir todas as tribos pastoris em torno dele e também sob sua orientação. Ao fazer isso, o Estado afirmou os interesses da frágil sociedade urbana dos oásis contra o interior pastoril, mas ao mesmo tempo rejeitou as pretensões dos otomanos de que eram os protetores do autêntico Islã. Nos primeiros anos do século XIX, os exércitos do novo Estado haviam se ampliado; tinham saqueado os santuários xiitas no sudoeste do Iraque e ocupado as cidades santas do Hedjaz.

MUDANÇAS NAS RELAÇÕES COM A EUROPA

Por mais vivo, crescente, auto-suficiente e incontestado que possa ter parecido o mundo do Islã para a maioria daqueles que a ele pertenciam, no último quartel do século XVIII pelo menos alguns membros da elite otomana sabiam-no ameaçado por forças que provocavam uma mudança em suas relações com o mundo em torno. O governo otomano sempre tivera consciência de um mundo além dele mesmo: a leste, o Império xiita do Irã, e além dele o Império dos mughals; a norte e oeste, os estados cristãos. Desde cedo, os otomanos entraram em contato com a Europa Ocidental e Central; controlavam as margens leste e sul do Mediterrâneo, e sua fronteira ocidental ficava na bacia do Danúbio. Os contatos não eram apenas de inimizade. Isso sem dúvida existiu, quando a frota otomana lutou com os venezianos e espanhóis pelo controle do Mediterrâneo, e o exército chegou às portas de Viena; nessa medida, o relacionamento podia ser expresso em termos de cruzada de um lado e *jihad* do outro. Mas havia outros tipos de relacionamento. O comércio era praticado sobretudo por mercadores europeus, venezianos e genoveses nos primeiros séculos do Império Otomano, britânicos e franceses no século XVIII. Havia alianças com reis europeus que tinham um inimigo comum com o sultão; em particular com a França contra os Habsburgo da Áustria e Espanha. Em 1569, a França recebeu concessões (Capitulações), regulamentando as atividades de mercadores e missionários; eram modeladas em privilégios anteriores concedidos a mercadores de algumas das cidades italianas, e mais tarde a outras potências européias. Os principais estados da Europa tinham embaixadas e consulados permanentes no Império, que se tornou parte do sistema de estados da Europa, embora não enviasse missões permanentes às capitais européias até muito depois. (Do mesmo modo, o Marrocos e a Inglaterra tinham boas relações quando ambos eram hostis à Espanha.)

Até meados do século XVIII, o relacionamento ainda podia ser encarado pelos otomanos como sendo, em geral, de força igual. Em fins do século XV, o disciplinado exército do sultão, usando armas de fogo, estivera à altura de qualquer um na Europa. No século XVII, os otomanos fizeram sua última grande conquista, a ilha de Creta, tomada aos venezianos. No início do século XVIII, tratavam com os estados europeus em pé de igualdade diplomática, em vez da superioridade que tinham podido manter numa época anterior, e seu exército era visto como tendo ficado para trás dos outros em organização, tática e uso de armas, embora não tanto que não se pudesse tentar fortalecê-lo dentro do sistema de instituições existentes. O comércio ainda se fazia dentro dos limites das Capitulações.

No último quartel do século, porém, a situação começou a mudar rápida e dramaticamente, à medida que se ampliava a dis-

341

tância entre as qualificações técnicas de alguns países do oeste e do norte da Europa e as do resto do mundo. Durante os séculos de domínio otomano não houvera nenhum avanço em tecnologia, e houvera um declínio no nível de conhecimento e entendimento científicos. Além dos gregos e outros educados na Itália, havia pouco conhecimento das línguas da Europa Ocidental e dos avanços científicos e técnicos que ali se faziam. As teorias astronômicas associadas ao nome de Copérnico só foram citadas pela primeira vez em turco, e mesmo assim de passagem, no fim do século XVII, e os avanços na medicina européia só lentamente começavam a ser conhecidos no século XVIII.

Alguns países da Europa já tinham passado a um nível diferente de poderio militar. A peste deixara de devastar as cidades da Europa com a implantação dos sistemas de quarentena, e a introdução do milho e o aumento da terra cultivada encerraram a ameaça de fome e possibilitaram alimentar uma população maior. Melhorias na construção naval e na arte da navegação tinham levado marinheiros e mercadores europeus a todos os oceanos do mundo, e ao estabelecimento de pontos de comércio e colônias. O comércio e a exploração das minas e campos das colônias tinham dado origem ao acúmulo de capital que estava sendo usado para produzir bens manufaturados de novas formas e em maior escala. O crescimento da população e da riqueza tornou possível aos governos manterem maiores exércitos e marinhas. Assim, alguns países da Europa Ocidental — Inglaterra, França e Holanda em particular — haviam entrado num processo de contínua acumulação de recursos, enquanto os países otomanos, como outras partes da Ásia e da África, ainda viviam numa situação em que a população era contida pela peste e a fome, e em alguns lugares diminuíra, e a produção não gerava o capital necessário para mudanças fundamentais em seus métodos ou qualquer aumento no poder organizado do governo.

Ainda não se sentia diretamente o crescimento do poder militar da Europa Ocidental. No Mediterrâneo Ocidental, o poder espanhol desaparecera, e o *dey* de Argel pôde em 1729 capturar Orã, que estava em mãos espanholas; no Mediterrâneo

Oriental, o poder veneziano estava em declínio, e os da Inglaterra e da França ainda não eram sentidos. O perigo parecia vir do norte e do leste. A Rússia, cujos exército e governo haviam se reorganizado nas linhas ocidentais, avançava para o sul. Numa guerra decisiva com os otomanos (1768-74), uma frota sob comando russo navegava no Mediterrâneo Oriental, e um exército russo ocupou a Criméia, que foi anexada ao Império Russo alguns anos depois. A partir dessa época, o mar Negro deixou de ser um lago otomano; o novo porto russo de Odessa tornou-se um centro de comércio.

Mais a leste, na Índia, começava algo não menos sinistro. Navios europeus tinham contornado pela primeira vez o cabo da Boa Esperança em fins do século XIV, e postos comerciais europeus haviam se estabelecido aos poucos nas costas da Índia, no golfo Pérsico e nas ilhas do sudeste asiático, mas durante o século seguinte ou mais o comércio deles foi limitado. A rota do cabo da Boa Esperança era longa e arriscada, e as especiarias e outros bens ainda eram enviados pelo golfo Pérsico ou o mar Vermelho para as cidades do Oriente Médio, para serem vendidos nos mercados locais ou distribuídos mais a oeste e norte. A Europa queria comprar especiarias, mas pouco tinha a oferecer em troca, e seus navios e mercadores no oceano Índico estavam em grande parte ocupados em vender e comprar entre portos asiáticos. No início do século XVII, o comércio de especiarias foi desviado para o cabo pelos holandeses; mas em certa medida a perda para os mercadores otomanos foi compensada pelo novo comércio de café, cultivado no Iêmen e distribuído no mundo ocidental por mercadores do Cairo. Mais tarde, empresas de comércio européias começaram a expandir-se além de seus portos e tornaram-se coletoras de impostos e, na prática, governantes de vastas áreas. A Companhia das Índias Orientais, holandesa, estendeu seu controle à Indonésia, e a empresa britânica assumiu a administração de uma grande região do Império Mughal, Bengala, na década de 1760.

Nos últimos anos do século XVIII, mudava visivelmente a natureza do comércio europeu com o Oriente Médio e o Magreb.

Alguns grupos de mercadores e marinheiros árabes ainda podiam manter sua posição no comércio do oceano Índico, em particular os de Omã, cujas atividades e poder espalhavam-se pela costa oriental africana. Em geral, porém, as trocas entre diferentes regiões do mundo caíram nas mãos dos mercadores e armadores europeus; navios ingleses iam a Moka, na costa do Iêmen, comprar café; especiarias da Ásia eram trazidas ao Oriente Médio por mercadores europeus. Não apenas os mercadores, mas também os produtores sentiram o desafio. Bens produzidos na Europa, ou sob controle europeu nas colônias da Ásia e do Novo Mundo, começaram a competir com os do Oriente Médio tanto no mercado europeu quanto no médio-oriental. O café da Martinica era mais barato que o do Iêmen, e os mercadores que lidavam com ele tinham melhores técnicas comerciais que os do Cairo; também tinham o monopólio dos mercados europeus. Em fins do século XVIII, o café de Moka praticamente perdera o comércio europeu, e enfrentava a concorrência do das Antilhas no Cairo, Túnis e Istambul. O açúcar das Antilhas, refinado em Marselha, ameaçava a indústria açucareira do Egito. Têxteis franceses de boa qualidade eram comprados tanto por homens e mulheres comuns quanto pelas cortes. Em troca, a Europa comprava em sua maior parte matérias-primas: seda do Líbano e algodão do norte da Palestina, grãos da Argélia e Tunísia, couros do Marrocos.

Quanto ao comércio com a Europa, os países do Oriente Médio e do Magreb passavam para a posição de fornecedores de matérias-primas e compradores de bens manufaturados. Mas os efeitos disso ainda eram limitados. O comércio com a Europa era menos importante para as economias dos países árabes do que aquele que estes mantinham com países mais a leste, ou o que passava pelas rotas do Nilo ou do Saara entre as terras costeiras e a África. O principal efeito talvez tenha sido a redução das trocas, entre diferentes partes do Império Otomano, daqueles bens em cujo comércio a Europa tornava-se um concorrente.

Por mais limitado que fosse, era um sinal de deslocamento de poder. Se navios britânicos chegavam até Moka, podiam ir mais além no mar Vermelho e ameaçar a segurança das cidades santas e as receitas do Egito; a expansão do poder britânico em Bengala, região de grande população muçulmana e parte do Império Mughal, era conhecida pelo menos do grupo governante otomano. A ocupação russa da Criméia, terra de população principalmente muçulmana, governada por uma dinastia ligada aos otomanos, e os movimentos da frota russa no Mediterrâneo eram largamente conhecidos. No fim do século, havia uma crescente consciência dos perigos. Entre as pessoas comuns, isso encontrou expressão em profecias messiânicas; entre a elite otomana na idéia de que se devia fazer alguma coisa. Embaixadas ocasionais às cortes da Europa, encontros com diplomatas e viajantes europeus, haviam trazido algum conhecimento das mudanças que se davam na Europa Ocidental. Tornou-se claro para alguns dos altos funcionários otomanos que as defesas do Império precisavam ser fortalecidas. Fizeram-se algumas tentativas de introduzir corpos com treinamento e equipamento modernos no exército e na marinha, e na década de 1790, por iniciativa de um novo sultão, Selim III (1789-1807), fez-se um esforço mais constante para criar um novo exército-modelo; mas acabou dando em nada, porque a criação de um novo exército, e as reformas fiscais que isso envolvia, ameaçava interesses demasiado poderosos.

Parte IV
A ERA DOS
IMPÉRIOS EUROPEUS
1800-1939

O século XIX foi a era em que a Europa dominou o mundo. O surgimento da produção fabril em larga escala e as mudanças nos métodos de comunicação — o advento dos vapores, estradas de ferro e telégrafos — levaram a uma expansão do comércio europeu. Isso foi acompanhado por um aumento no poderio armado dos grandes estados europeus; a primeira grande conquista de um país de língua árabe foi a da Argélia pela França (1830-47). Os estados e as sociedades muçulmanas não mais podiam viver num sistema estável e auto-suficiente de cultura herdada; precisavam agora gerar a força para sobreviver num mundo dominado por outros. O governo otomano adotou novos métodos de organização e administração militar, e novos códigos modelados nos da Europa, e assim fizeram os governantes das províncias praticamente autônomas do Império, o Egito e a Tunísia.

Nas capitais desses governos reformadores, e nos portos que surgiram como resultado da expansão do comércio com a Europa, formou-se uma nova aliança de interesses entre governos reformadores, mercadores estrangeiros e uma elite nativa de terratenentes e mercadores empenhados no comércio com a Europa. Mas era um equilíbrio instável, e com o tempo o Egito e a Tunísia caíram sob controle europeu, seguidos pelo Marrocos e a Líbia. O Império Otomano também perdeu a maioria de suas províncias européias, e tornou-se mais um Estado turco-árabe.

Embora a cultura religiosa e legal do Islã continuasse sendo preservada, surgiu um novo tipo de pensamento, tentando explicar os motivos da força da Europa e mostrar que os países muçulmanos podiam adotar idéias e métodos europeus sem trair suas próprias crenças. Os que desenvolveram esse novo tipo de pensamento eram em grande parte formados em escolas criadas por governos reformadores ou missionários estrangeiros, e podiam expressar suas idéias por meio de um novo veículo: o jornal e o periódico. Suas idéias dominantes eram as da reforma da lei islâmica; a criação de uma nova base para o Império Otomano, a da igual cidadania; e — no fim do século XIX — o nacionalismo. Tirando raros momentos de levante, as novas idéias mal afetaram a vida das pessoas no campo ou no deserto.

O término da Primeira Guerra Mundial assinalou também o desaparecimento final do Império Otomano. Das ruínas do Império emergiu um novo Estado independente na Turquia, mas as províncias árabes foram postas sob controle britânico e francês; todo o mundo de língua árabe achava-se agora sob domínio europeu, a não ser por algumas partes da península Arábica. O controle estrangeiro trouxe mudança administrativa e algum avanço na educação, mas também estimulou o surgimento do nacionalismo, sobretudo entre as camadas educadas da sociedade. Em alguns países, chegou-se a um acordo com o poder dominante sobre o grau, limitado, de governo autônomo, mas em outros a relação continuou sendo de oposição. O estímulo dado pelo governo britânico à criação de um lar nacional judeu na Palestina gerou uma situação que ia afetar a opinião nacionalista em todos os países de língua árabe.

16. PODER EUROPEU
E GOVERNOS REFORMADORES
(1800-1860)

A EXPANSÃO DA EUROPA

As primeiras tentativas para recuperar a força do governo imperial ganharam urgência com as guerras entre a França da Revolução, e depois de Napoleão, e as outras potências européias, que convulsionaram a Europa de 1792 a 1815, e foram travadas onde quer que exércitos europeus pudessem marchar ou marinhas navegar. Exércitos franceses, russos e austríacos em diferentes épocas ocuparam partes das províncias européias do sultão. Pela primeira vez, o poderio naval britânico e francês mostrou-se no Mediterrâneo Oriental. A certa altura, uma frota britânica tentou entrar no estreito que leva a Istambul. Em 1798, uma força expedicionária francesa comandada por Napoleão ocupou o Egito, como um incidente na guerra com a Inglaterra; os franceses dominaram o Egito durante três anos, e tentaram passar de lá para a Síria, mas foram obrigados a recuar por intervenção britânica e otomana, após a primeira aliança militar formal entre os otomanos e estados não muçulmanos.

Foi um episódio breve, e sua importância tem sido contestada por alguns historiadores; outros o consideram como a abertura de uma nova era no Oriente Médio. Foi a primeira grande incursão de uma potência européia num país central do mundo muçulmano, e o primeiro contato de seus habitantes com um novo tipo de poder militar e as rivalidades dos grandes estados europeus. O historiador islâmico al-Jabarti vivia no Cairo na época e registrou extensamente e com vívidos detalhes o impacto causado pelos invasores, e a incompetência dos governantes do Egito para enfrentar o desafio. Quando chegou aos chefes dos mamelucos no Cairo a notícia do desembarque francês em Alexandria, conta-nos al-Jabarti, eles não acharam nada

350

demais: "Confiando em sua força, e na alegação de que, mesmo que viessem todos os francos, não poderiam resistir-lhes, e seriam esmagados sob os cascos de seus cavalos".[1] Isso foi seguido por derrota, pânico e tentativas de revolta. Misturada com a oposição de al-Jabarti aos novos governantes, porém, havia certa admiração pelos sábios e cientistas que vieram com eles:

> se algum dos muçulmanos os procurava para dar uma olhada, eles não o impediam de entrar em seus mais caros lugares [...] e se descobrissem nele algum apetite ou desejo de conhecimento, mostravam-lhe sua amizade e amor por ele, e traziam todos os tipos de ilustrações e mapas, e animais, pássaros e plantas, e histórias dos antigos e de nações, e histórias dos profetas [...] Fui a eles muitas vezes, e me mostraram tudo isso.[2]

Esses acontecimentos perturbaram a vida das terras otomanas e árabes. Os exércitos franceses no Mediterrâneo compravam grãos da Argélia, e o exército britânico na Espanha prava-os do Egito. Navios mercantes britânicos e franceses não podiam se movimentar com facilidade no Mediterrâneo Oriental, e isso proporcionou uma abertura para mercadores e armadores gregos. A criação de repúblicas pelos franceses em partes dos Bálcãs não passou despercebida aos gregos e sérvios; alguns ecos da retórica da Revolução Francesa foram captados por súditos cristãos do sultão, embora não em grau significativo por muçulmanos turcos ou árabes.

Assim que acabaram as guerras napoleônicas, o poder e a influência européia espalharam-se ainda mais. A adoção de novas técnicas de manufatura e novos métodos de organização da indústria tinham recebido um impulso com as necessidades e energias que as guerras liberam. Agora que as guerras tinham acabado e mercadores e bens podiam se mover livremente, o mundo estava aberto ao algodão, aos tecidos de lã e aos produtos de metal baratos feitos, primeiro e principalmente, na Inglaterra, mas também na França, Bélgica, Suíça e Alemanha Ocidental. Nas décadas de 1830 e 1840, teve início uma revolução nos transportes, com o advento dos vapores e das estradas de ferro. Antes, o transporte, sobretudo por terra, era custoso, lento e arriscado. Agora tornava-se rápido e digno de confiança, e a proporção que representava do preço total dos bens era menor; tornou-se possível transportar não só objetos de luxo, mas bens volumosos para um grande mercado em longas distâncias. Homens e notícias também se deslocavam com maior rapidez, e isso possibilitou o surgimento de um mercado de câmbio internacional: bancos, bolsas, moedas, ligados à libra esterlina. Os lucros do comércio podiam ser aplicados para gerar novas atividades produtivas. Por trás do mercador e do marinheiro estava o poder armado dos estados europeus. As guerras napoleônicas haviam mostrado a superioridade deles, não tanto em armas, pois as grandes mudanças na tecnologia militar iriam chegar um pouco tarde, ms na organização e uso dos exércitos.

Ligado a essas mudanças estava o crescimento contínuo da população. Entre 1800 e 1850, a população da Grã-Bretanha aumentou de 16 milhões para 27 milhões, e a da Europa como um todo em cerca de 50%. Londres tornou-se a maior cidade do mundo, com uma população de 2,5 milhões de habitantes em 1850; outras capitais também cresceram, e surgiu um novo tipo de cidade industrial dominada por escritórios e fábricas. Em meados do século, mais da metade da população da Inglaterra era urbana. Essa concentração nas cidades fornecia mão-de-obra para a indústria e os exércitos, e um crescente mercado para os produtos das fábricas. Isso exigiu e possibilitou, ao mesmo tempo, governos que iriam intervir mais diretamente na vida da sociedade. Simultaneamente, a disseminação da alfabetização e dos jornais ajudava a expansão de idéias geradas pela Revolução Francesa, e criava um novo tipo de política, que tentava mobilizar a opinião pública em apoio ativo a um governo ou em oposição a ele.

As repercussões dessa vasta expansão de energia e poder europeu foram sentidas em outras partes do mundo. Entre as décadas de 1830 e 1860, linhas regulares de vapores ligavam os portos do Mediterrâneo Sul e Oriental a Londres e Liverpool, Marselha e Trieste, e têxteis e produtos de metal encontraram um vasto e crescente mercado. As exportações britânicas para os países do Mediterrâneo Oriental aumentaram 800% em valor entre 1815 e 1850; a essa altura, beduínos no deserto da Síria usavam camisas feitas de algodão de Lancashire. Ao mesmo tempo, a necessidade européia de matérias-primas para as fábricas e alimentos para a população que nelas trabalhava estimulava a produção de safras para venda e exportação: a exportação de grãos continuou, embora se tornasse menos importante quando aumentaram as exportações de grãos russos; estavam em demanda azeite de oliva tunisiano para a fabricação de sabão, seda libanesa para as fábricas de Lyon, sobretudo algodão egípcio para as fábricas de Lancashire. Em 1820, um engenheiro francês, Louis Jumel, iniciara o cultivo de um algodão de fibra longa própria para têxteis de alta classe, que encontrara num jardim egípcio. Dessa época em diante, um volume cada vez maior da terra cultivável do Egito foi destinada à produção de algodão, quase todo para exportação para a Inglaterra. Nos quarenta anos após a iniciativa de Jumel, o valor das exportações de algodão egípcio aumentou de quase nada para 1,5 milhão de libras egípcias em 1861. (A libra egípcia equivalia mais ou menos à libra esterlina.)

Diante dessa explosão de energia européia, os países árabes, como a maior parte da Ásia e da África, não podiam gerar um poder contrabalançante próprio. A população não mudou muito durante a primeira metade do século XIX. A peste foi sendo aos poucos controlada, pelo menos nas cidades costeiras, à medida que se introduziam sistemas de quarentena sob supervisão européia, mas a cólera ainda vinha da Índia. Os países árabes ainda não tinham entrado na era da estrada de ferro, a não ser por pequenos começos no Egito e na Argélia; as comunicações internas eram ruins e ainda podia ocorrer fome. Enquanto a população do Egito aumentava, passando de 4 milhões em 1800 para 5,5 milhões em 1860, na maioria dos outros países permaneceu estacionária, e na Argélia, por motivos especiais, caiu consideravelmente, passando de 3 milhões em 1830 para 2,5 milhões em 1860. Alguns dos portos da costa aumentaram de tamanho, sobretudo Alexandria, principal porto de exportação de algodão egípcio, que movimentava 10 mil toneladas em 1800 e passou para 100 mil em 1850. A maioria das cidades, porém, continuou mais ou menos do mesmo tamanho que antes, e não surgiram aquelas cidades especificamente modernas que geravam o poder dos estados modernos. Tirando as áreas que produziam safras para exportação, a produção agrícola permaneceu no nível da subsistência, e não pôde levar ao acúmulo de capital para o investimento produtivo.

OS PRIMÓRDIOS DO IMPÉRIO EUROPEU

Por trás dos mercadores e armadores da Europa estavam os embaixadores e cônsules das grandes potências, apoiados em última instância pelo poder armado de seus governos. Durante a primeira metade do século XIX, eles puderam trabalhar de um modo que antes não havia sido possível, adquirindo influência junto a governos e funcionários, e usando-a para promover os interesses comerciais de seus cidadãos, e os grandes interesses políticos de seus países, e também para estender ajuda e proteção a comunidades com as quais seus governos tinham vínculos especiais. A França tinha uma relação especial, que remontava ao século XVII, com os uniatas cristãos, com as partes das Igrejas orientais que aceitavam o primado do papa e, mais especificamente, com os maronitas no Líbano; no fim do século XVIII, a Rússia apresentava uma reivindicação semelhante para proteger as Igrejas ortodoxas orientais.

Com seu novo poder, não apenas a França e a Rússia, mas os estados europeus em geral começaram a intervir agora coletivamente nas relações entre os sultões e seus súditos cristãos. Em 1808, os sérvios no que era até bem pouco tempo a Iugoslávia revoltaram-se contra o governo otomano local, e o resultado, após muitas vicissitudes, foi o estabelecimento, com ajuda européia, de um Estado sérvio autônomo em 1830. Em 1821, aconteceu algo de importância mais geral: um levante entre os gregos, que havia muito mantinham uma posição relativamente favorecida entre os povos súditos, e cuja riqueza e contatos com a Europa vinham se expandindo. Em parte foi uma série de levantes contra governantes locais, em parte um movimento religioso contra a dominação muçulmana, mas era também movido pelo novo espírito de nacionalismo. A idéia de que aqueles que falavam a mesma língua e partilhavam as mesmas memórias coletivas deviam viver juntos numa sociedade política independente fora disseminada pela Revolução Francesa, e entre os gregos estava ligada a uma revivescência do interesse pela Grécia antiga. Também aqui o resultado foi a intervenção européia, militar e diplomática, e a criação de um Reino independente em 1833.

Em alguns lugares, os estados europeus puderam impor seu próprio domínio direto. Isso se deu não nas partes centrais do mundo otomano, mas nas margens, onde um Estado europeu podia agir sem deferência aos interesses de outros. No Cáucaso, a Rússia se expandiu para o sul em terras largamente habitadas por muçulmanos, e dominou através de dinastias que tinham vivido dentro da esfera de influência otomana. Na península Arábica, o porto de Áden foi ocupado pelos britânicos da Índia em 1839, e se tornaria porto de escala na rota de vapores para a Índia; no golfo Pérsico, houve uma presença britânica crescente, baseada no poderio naval e corporificada em alguns lugares em acordos formais com os pequenos governantes dos portos, pelos quais eles se obrigavam a manter tréguas uns com os outros no mar (daí o nome pelo qual alguns eram conhecidos, "Estados Truciais": entre eles, Abu Dhabi, Dubai e Sharja).

O que aconteceu no Magreb foi ainda mais importante. Em 1830, um exército francês desembarcou na costa argelina e ocupou Argel. Tinha havido várias expedições navais européias para conter um renascimento da pirataria durante e após as guerras napoleônicas, mas esse seria um acontecimento de um tipo diferente. Originava-se, em parte, na política interna da França sob a monarquia restaurada, em parte na obscura questão das dívidas surgidas do abastecimento de grãos à França durante as guerras, porém mais profundamente no novo dinamismo expansivo criado pelo crescimento econômico: os mercadores de Marselha queriam uma forte posição de comércio na costa argelina. Uma vez instalados em Argel, e pouco depois em algumas cidades costeiras, os franceses não souberam a princípio o que fazer. Dificilmente poderiam retirar-se, porque não se podia entregar levianamente uma posição de força, e porque haviam desmontado a administração otomana local. Logo foram levados inexoravelmente a expandir-se pelo interior. Funcionários e mercadores viram perspectivas de ganho através da aquisição de terras; os militares desejavam tornar sua posição mais segura e proteger o abastecimento de alimentos e o comércio com o interior; e o afastamento do governo otomano local enfraquecera o sistema tradicional de relacionamento entre as autoridades locais. O governo do *dey* estivera no ápice desse sistema, regulando até onde podia a medida em que cada autoridade local podia estender seu poder; assim que foi afastado, os vários chefes locais tiveram de encontrar seu próprio equilíbrio uns com os outros, e isso levou a uma luta por supremacia. O contestante mais bem-sucedido foi 'Abd al-Qadir (1808-83) na região ocidental. Extraindo prestígio do fato de pertencer a uma família de posição religiosa, ligada à ordem qadirita, tornou-se o ponto em torno do qual forças locais podiam reunir-se. Durante algum tempo, ele governou um Estado praticamente independente, com o centro no interior, e estendendo-se do oeste para a parte oriental do país. Isso inevitavelmente o pôs em conflito com o poder francês que se expandia a partir da costa. Os símbolos de sua resistência aos franceses eram tradicionais — sua guerra era uma *jihad*, ele justificava sua autoridade pela escolha dos ulemás e o respeito à *charia* — mas havia aspectos modernos de sua organização de governo.

'Abd al-Qadir acabou sendo derrotado e mandado para o exílio em 1847; passou seus últimos anos em Damasco, muito respeitado pela população e em bons termos com os representantes da França e de outras potências européias. Para derrotá-lo, o domínio francês fora se estendendo para o sul, atravessando o alto planalto até a margem do Saara, e mudara de natureza. Imigrantes franceses e outros haviam começado a chegar e a tomar a terra, posta à disposição por confisco, pela venda de bens do Estado e de outras formas. Na década de 1840, o governo começou a tomar mais sistematicamente uma parte do que encarava como terra coletiva de aldeias para colonização por emigrantes (*colons*). Essa terra ia em grande parte para os que tinham capital para cultivá-la, usando camponeses imigrantes vindos da Espanha ou Itália, ou mão-de-obra árabe. Supunha-se que o que sobrava seria suficiente para as necessidades dos aldeões, mas a divisão na verdade destruiu antigos modos de uso da terra e levou à destituição de pequenos lavradores, que se tornaram meeiros ou trabalhadores sem terra das novas propriedades.

Em 1860, a população européia da Argélia era de quase 200 mil pessoas, entre uma população muçulmana de cerca de 2,5 milhões (menos que antes, por causa das perdas sofridas na guerra de conquista, epidemias e fome nos anos de más colheitas). Argel e outras cidades costeiras tinham se tornado em grande parte européias, e a colonização agrícola se espalhara para o sul, além da planície costeira, e nos altos planaltos. A vida econômica passara a ser dominada por uma aliança de interesses entre autoridades, os proprietários de terra com capital para praticar a agricultura comercial e negociantes que controlavam as trocas entre a Argélia e a França, alguns deles europeus, alguns judeus nativos. Esse processo econômico teve uma dimensão política. O aumento da colonização suscitou com urgência a questão do que a França devia fazer na Argélia. Os distritos inteiramente conquistados e intensamente colonizados foram assimilados no sistema administrativo francês na década de 1840; eram governados diretamente por funcionários, com o governo local nas mãos da população imigrante, e os notáveis nativos, que haviam antes atuado como intermediários entre o governo e a população muçulmana, foram reduzidos à posição de funcionários subalternos. As áreas onde a colonização não estava tão adiantada permaneceram sob domínio militar, mas este foi diminuindo de tamanho à medida que a colonização se expandia. Os imigrantes queriam que essa situação continuasse, e que o país se tornasse inteiramente francês: "Não há mais um povo árabe, há homens que falam uma língua diferente da nossa". Tornavam-se suficientemente fortes em número, e bem relacionados com os políticos franceses, para formar um corpo efetivo.

Essa política colocava um problema, o da futura população muçulmana, árabe e berbere, e no início da década de 1860 o governante da França, o imperador Napoleão III, começou a favorecer outra política. Em sua opinião, a Argélia era um reino árabe, uma colônia européia e um acampamento francês; era preciso conciliar três interesses distintos: do Estado francês, dos *colons* e da maioria muçulmana. Essa idéia encontrou expressão num decreto de 1863 (o *senatus consultus*), que estabeleceu que se devia encerrar a política de dividir terras de aldeias, reconhecer os direitos dos lavradores da terra e fortalecer a posição social dos chefes locais, a fim de conquistá-los para apoiar a autoridade francesa.

GOVERNOS REFORMADORES

O poder político e econômico europeu aproximava-se mais dos centros vitais do mundo muçulmano árabe, vindo de várias direções, mas naquelas terras ainda havia alguma liberdade de reação, em parte porque os interesses em conflito dos estados europeus não permitiriam que nenhum deles fosse demasiado longe. Era portanto possível que vários governos nativos tentassem criar uma estrutura própria, dentro da qual a Europa defendesse seus interesses, mas com uma intervenção limitada, e os súditos, muçulmanos e não-muçulmanos igualmente, continuassem a aceitar esses governos.

Depois que as medidas hesitantes de Selim III deram em nada, só na década de 1820 outro sultão, Mahmud II (1803-29), e um pequeno grupo de altos funcionários convencidos da necessidade de mudança tiveram força suficiente para empreender uma ação decisiva. Sua nova política envolvia a dissolução do velho exército e a criação de um novo, formado por serviço militar obrigatório e treinado por instrutores europeus. Com esse exército, era possível estabelecer aos poucos controle direto sobre algumas das províncias na Europa e Anatólia, Iraque e Síria, e Trípoli na África. Mas o plano de reforma ia mais além. A intenção era não apenas restaurar a força do governo, mas organizá-la de um novo modo. Essa intenção foi proclamada num decreto real (o Hart-i serif de Gülhane), emitido em 1829, pouco depois da morte de Mahmud:

> Todo o mundo sabe que, desde os primeiros dias do Estado otomano, os altos princípios do Corão e as leis da *charia* sempre foram perfeitamente preservados. Nosso poderoso Sultanato alcançou o mais alto grau de força e poder, e todos os seus súditos de comodidade e prosperidade. Mas nos últimos 150 anos, devido a uma sucessão de causas difíceis e diversas, a sagrada *charia* não foi obedecida nem as benéficas regras seguidas; conseqüentemente, sua antiga força e prosperidade transformaram-se em fraqueza e pobreza. É evidente que os países não governados pela *charia* não podem sobreviver [...] Cheios de confiança na ajuda do Altíssimo, e certos do apoio de nosso Profeta, julgamos necessário e importante introduzir de agora em diante uma nova legislação para conseguir administração efetiva do governo e províncias muçulmanas.[3]

Os funcionários deviam livrar-se do medo de execução arbitrária e confisco de bens; e governar de acordo com regras traçadas por altas autoridades reunidas em conselho. Os súditos deviam viver sob leis derivadas de princípios de justiça, e que lhes permitissem buscar livremente seus interesses econômicos; as leis não deviam reconhecer qualquer diferença entre otomanos muçulmanos, cristãos e judeus. Novas leis comerciais possibilitariam aos estrangeiros comerciar e viajar livremente. (A reorganização que se seguiu a esse decreto ficou conhecida como Tanzimat, da palavra árabe e turca para ordem.)

Controle central, burocracia conciliar, governo da lei, igualdade: por trás dessas idéias mestras havia uma outra, a da Europa como exemplo de civilização moderna e do Império Otomano como seu parceiro. Quando os reformadores emitiram o decreto de Gülhane, ele foi comunicado aos embaixadores das potências amigas.

Em duas das províncias árabes, políticas mais ou menos semelhantes foram iniciadas por dois governantes otomanos. No Cairo, a perturbação do equilíbrio de poder local provocada pela invasão francesa levou à tomada do poder por Muhammad 'Ali (1805-48), um turco da Macedônia que chegara ao Egito com as forças otomanas enviadas contra os franceses; ele arregimentou apoio entre a população urbana, foi mais esperto que seus rivais, e praticamente impôs-se no governo otomano como governador. Em torno de si, formou seu próprio grupo governante otomano de turcos e mamelucos, um exército moderno e uma elite de funcionários educados, e usou-os para impor seu controle na administração da coleta de impostos de todo o país, e para expandi-lo além, no Sudão, Síria e Arábia. O domínio egípcio na Síria e Arábia não durou muito; foi obrigado a retirar-se por um esforço conjunto dos poderes europeus, que não queriam ver um Estado egípcio praticamente independente enfraquecendo o dos otomanos. Em troca da retirada, Muhammad 'Ali obteve em 1841 o reconhecimento do direito de sua família a governar o Egito sob suserania otomana (o título especial que seus sucessores adotaram foi o de quediva). O domínio egípcio continuou, porém, no Sudão, que pela primeira vez constituía uma unidade política individual.

Sob certos aspectos, o que Muhammad 'Ali tentou fazer foi mais simples do que os estadistas em Istambul estavam tentando. Não havia idéia explícita de cidadania ou mudança na base moral do governo. Em outros aspectos, porém, as mudanças introduzidas no Egito iam além das do resto do Império, e a partir dessa época o país ia seguir uma linha separada de desen-

360

volvimento. Houve uma tentativa constante de treinar grupos de oficiais, médicos, engenheiros e funcionários em novas escolas e por missões da Europa. Numa sociedade menor e mais simples que o corpo principal do Império, o governante pôde pôr toda a terra agrícola sob seu controle, confiscando fazendas fiscais e dotações religiosas, e usar seu poder para ampliar o cultivo do algodão, comprar a produção a um preço fixo e vendê-la aos exportadores de Alexandria; isso envolveu um novo tipo de irrigação, a construção de represas desviando água do rio para canais que a levassem aonde era necessária. A princípio, ele tentou produzir têxteis e outros bens em fábricas, mas o mercado interno pequeno, a escassez de energia e a falta de qualificação técnica tornaram essas tentativas ineficazes, embora houvesse alguma exportação de têxteis durante certo tempo. Nos últimos anos de seu reinado, a pressão da Europa obrigou-o a abrir mão de seu monopólio sobre a venda de algodão e outros produtos, e o Egito passou para a posição de economia de plantação, fornecendo matérias-primas e importando produtos acabados a preços determinados pelo mercado mundial. A essa altura, o governante concedia terra a membros de sua família e *entourage*, ou a outros que podiam pô-la em cultivo e pagar o imposto territorial, e assim se criou uma nova classe de proprietários de terra.

Em Túnis, houve uns começos de mudança no reinado de Ahmad Bei (1837-55), membro da família que detinha o poder desde o início do século XVIII. Alguns membros do grupo dominante de turcos e mamelucos receberam uma educação moderna, formou-se o núcleo de um novo exército, ampliaram-se a administração e tributação diretas, emitiram-se algumas novas leis, e o governante tentou criar um monopólio de certos produtos. Sob seu sucessor, em 1857, emitiu-se uma proclamação de reforma: segurança, direitos civis, impostos e serviço militar regulares, o direito de judeus e estrangeiros possuírem terras e exercerem todos os tipos de atividades econômicas. Em 1861, decretou-se uma espécie de constituição, a primeira no mundo muçulmano: haveria um conselho de sessenta membros, cuja aprovação seria necessária para as leis, e o bei comprometia-se a governar dentro dos limites dela.

Além das fronteiras do Império, na península Arábica, o poder europeu mal foi sentido. Na Arábia Central, o Estado wahhabita foi destruído por algum tempo pela expansão do poder egípcio, mas logo reviveu, em menor escala; em Omã, a família reinante que se estabelecera em Masqat pôde estender seu domínio até Zanzibar e a costa oriental africana. No Marrocos, houve uma expansão do comércio europeu, abriram-se consulados e iniciaram-se serviços regulares de vapor. O poder do governo continuou sendo demasiado limitado para controlar essas mudanças. O sultão 'Abd al-Rahman (1822-59) tentou criar um monopólio de importações e exportações, mas sob pressão estrangeira o país foi aberto ao livre comércio.

Mesmo no melhor dos casos, os governos nativos que tentaram adotar novos métodos de governo e preservar sua independência só podiam agir dentro de estreitos limites. Esses limites eram impostos acima de tudo pelos estados europeus. Fossem quais fossem as rivalidades destes, eles tinham certos interesses comuns e podiam unir-se para promovê-los. Preocupavam-se, primeiro que tudo, em ampliar o campo em que seus comerciantes podiam trabalhar. Todos se opunham às tentativas dos soberanos de manter monopólios sobre o comércio. Por uma série de acordos comerciais, provocaram uma mudança nas leis alfandegárias: no Império Otomano, o primeiro desses foi o acordo anglo-otomano de 1838; no Marrocos, fez-se um semelhante em 1856. Obtiveram o direito dos comerciantes de viajar e negociar livremente, manter contatos diretos com produtores, e decidir disputas comerciais em tribunais especiais, e não nos islâmicos, sob a lei islâmica. Devido à influência dos embaixadores e cônsules, as Capitulações se transformaram num sistema pelo qual os moradores estrangeiros ficavam praticamente fora do alcance da lei.

Além disso, as potências preocupavam-se com a situação dos súditos cristãos do sultão. Nos anos seguintes ao decreto de Gülhane, eles intervieram coletivamente mais de uma vez para assegurar que os compromissos dele com os não-muçulmanos fossem cumpridos. Contra esse senso do "Concerto da Europa", porém, iam os esforços das várias potências para assegurar uma influência dominante. Em 1853, isso levou à Guerra da Criméia, em que os otomanos receberam ajuda da Inglaterra e da França contra a Rússia; mas terminou numa reafirmação do "Concerto da Europa". O Tratado de Paris, em 1856, incluiu mais uma declaração do sultão reafirmando suas garantias aos súditos. Num certo sentido, assim, o relacionamento de governante e governado foi posto sob os cuidados oficiais da Europa. A partir dessa época, o sultão foi tratado formalmente como um membro da comunidade de monarcas europeus, mas com matizes de dúvida: enquanto a Inglaterra e a França achavam que seria possível o Império Otomano tornar-se um Estado moderno nas linhas européias, a Rússia tinha mais dúvidas e acreditava que o futuro estaria na concessão de amplo autogoverno às províncias da Europa. Nenhuma potência, contudo, desejava encorajar ativamente a desmontagem do Império, com suas conseqüências para a paz da Europa; ainda estavam vivas as lembranças das guerras napoleônicas.

Mesmo dentro dos limites impostos pela Europa, as reformas só puderam ter um sucesso limitado. Eram atos de soberanos individuais, com pequenos grupos de conselheiros, estimulados por alguns dos embaixadores e cônsules estrangeiros. Uma mudança de governantes, uma mudança no equilíbrio de poder entre diferentes grupos de funcionários, as idéias e os interesses conflitantes de estados europeus, podiam provocar uma mudança na orientação da política. Em Istambul, a elite de altos funcionários era suficientemente forte e estável, e dedicada aos interesses do Império, para assegurar uma certa continuidade na política, mas no Cairo, Túnis e Marrocos tudo dependia do soberano; quando Muhammad 'Ali morreu, algumas linhas da política foram revertidas pelo seu sucessor, 'Abbas I (1849-54), mas depois restauradas pelo soberano seguinte, Sa'id (1854-63).

Até onde as reformas se realizavam, podiam ter resultados inesperados. Ocorreram algumas mudanças nos métodos pelos quais os governos trabalhavam: organizaram-se os departamentos de novas formas, e esperava-se que os funcionários agissem de acordo com novas regras; emitiram-se algumas novas leis; exércitos foram treinados de modo diferente, e formados por serviço militar obrigatório; supunha-se que os impostos seriam coletados diretamente. Tais medidas destinavam-se a proporcionar maior força e justiça, mas na primeira fase tenderam também a enfraquecer o relacionamento entre governos e sociedades. Os novos métodos e políticas, executados por funcionários formados de um novo modo, eram menos compreensíveis para os súditos, e não tinham raízes num sistema moral santificado por longa aceitação. Também perturbaram um antigo relacionamento entre governos e certos elementos na sociedade.

Quem lucrou com as novas formas de governo? Evidentemente, as famílias reinantes e seus altos funcionários. Maior segurança de vida e propriedade tornava possível acumular riqueza e passá-la adiante na família. Exércitos e administrações mais fortes possibilitavam-lhes ampliar o poder do governo sobre a terra. No Egito e na Tunísia, isso levou à formação de grandes propriedades por membros das famílias reinantes ou a elas chegados. Nos países centrais otomanos, teve lugar um processo análogo. A nova administração e o novo exército precisavam ser mantidos, mas ainda não estavam bastante fortes para coletar impostos diretamente; o velho sistema de fazendas fiscais continuou, e os fazendeiros de impostos podiam tirar sua fatia do excedente rural.

Além das elites reinantes, as novas políticas favoreciam aos negociantes empenhados no comércio com a Europa. O comércio de importação e exportação crescia, e os negociantes que a ele se dedicavam desempenhavam um papel cada vez maior não apenas no comércio, mas na organização da produção, adiantando capital para os proprietários de terra ou lavradores, decidindo o que eles deviam produzir, comprando, processando — descaroçando algodão e enrolando seda — e depois exportando. Os grandes comerciantes eram europeus, que levavam uma nítida vantagem, porque conheciam o mercado europeu e tinham acesso ao crédito dos bancos. Outros eram cristãos e judeus locais: gregos e armênios, cristãos sírios, judeus de Bagdá, Túnis e Fez. Eles conheciam os mercados locais e estavam em boa posição para atuar como intermediários com os comerciantes estrangeiros. Em meados do século XIX, muitos deles conheciam línguas estrangeiras, aprendidas em escolas de um novo tipo, e alguns também tinham nacionalidade e proteção estrangeiras, por uma extensão do direito de embaixadas e consulados a nomear um certo número de súditos locais como agentes ou tradutores; alguns tinham estabelecido seus próprios escritórios em centros de negócios europeus, Manchester ou Marselha. Em alguns lugares, grupos de mercadores muçulmanos havia muito estabelecidos puderam fazer a passagem para o novo tipo de comércio: árabes do sul da Arábia eram ativos no Sudeste asiático; mercadores muçulmanos de Damasco e Fez haviam se instalado em Manchester em 1860; alguns muçulmanos marroquinos tinham até se tornado *proteges* de consulados estrangeiros.

Por outro lado, grupos dos quais dependiam antes os governos, e com os quais seus interesses tinham estado ligados, agora se viam em grande parte excluídos de uma fatia de poder. Os ulemás que tinham controlado o sistema legal foram contestados pela criação de novos códigos legais e tribunais. As famílias de notáveis das cidades, que tinham atuado como intermediárias entre governo e população urbana, viram sua influência desaparecer. Mesmo que os que retinham a posse da terra pudessem, em alguns lugares, ter lucros cultivando safras para venda e exportação, sua posição e seu domínio sobre os lavradores eram ameaçados pelas atividades em expansão dos comerciantes dos portos. Indústrias havia muito estabelecidas, como a tecelagem na Síria, o refino de açúcar no Egito, e a fabricação do turbante *shashiya* na Tunísia, sofriam com a concorrência dos produtos europeus, embora em alguns casos conseguissem ajustar-se às novas condições e até expandir-se. Pouco se sabe da condição da população rural, mas não parece ter melhorado, e em alguns lugares pode ter piorado. A produção de alimentos provavelmente aumentou em geral, porém más colheitas e comunicações deficientes ainda causavam fome, embora com menos freqüência que antes. Em dois aspectos a condição dessa população pode ter piorado: o serviço militar obrigatório levava uma proporção de seus jovens para os exércitos; os impostos eram mais pesados e coletados com mais eficiência.

O deslocamento da economia, a perda de poder e influência, a sensação de que o mundo político do Islã era ameaçado de fora: tudo isso se expressou, em meados do século, em vários movimentos violentos contra as novas políticas, contra a crescente influência da Europa, em alguns lugares contra os cristãos locais que lucravam com ela. Na Síria, tudo isso atingiu o auge em 1860. Nos vales montanheses do Líbano, havia uma antiga simbiose entre as principais comunidades religiosas, os cristãos maronitas e os drusos. Um membro de uma família local, a de Shihab, fora reconhecido pelos otomanos como principal fazendeiro de impostos, e os Shihab tinham se tornado na verdade príncipes hereditários da montanha, e chefes de uma hierarquia de famílias proprietárias de terra, cristãs e drusas, entre as quais havia interesses comuns, alianças e relacionamentos formais. Da década de 1830 em diante, porém, a simbiose se rompeu, por causa de mudanças na população e no poder local, do descontentamento dos camponeses com seus senhores, de tentativas otomanas de introduzir controles diretos e das interferências britânica e francesa. Em 1860 houve uma guerra civil no Líbano, e isso provocou um massacre de cristãos em Damasco, uma manifestação de oposição às reformas otomanas e aos interesses europeus a elas ligados, num momento de depressão comercial. Isso por sua vez levou à intervenção de potências estrangeiras, e à criação de um regime especial para o monte Líbano.

Na Tunísia, em 1864, num período de más colheitas e epidemia, houve uma revolta violenta contra o governo do bei e as classes que lucravam com ele, os mamelucos e comerciantes estrangeiros, e contra o aumento de impostos necessário para pagar as reformas. Começando entre as tribos, espalhou-se para as cidades da planície costeira de plantações de oliveiras, o Sahel; os rebeldes exigiam uma redução dos impostos, o fim do domínio mameluco e justiça de acordo com a *charia*. O poder do bei esteve ameaçado por um momento, mas a unidade de interesses entre governo e comunidades estrangeiras se manteve, e ele pôde esperar até que a aliança de rebeldes se desfizesse e depois suprimiu-a.

17. IMPÉRIOS EUROPEUS
E ELITES DOMINANTES
(1860-1914)

OS LIMITES DA INDEPENDÊNCIA

O Tratado de Paris de 1856 criou uma espécie de equilíbrio entre os interesses europeus e os dos grupos nativos governantes, no Império Otomano, dedicados à reforma. As potências que assinaram o tratado, embora "reconhecendo o alto valor" do decreto de reforma do sultão, prometiam respeitar a independência do Império. Na verdade, porém, não podiam evitar a intervenção em seus assuntos internos, devido à discrepância de poderio militar entre elas e os otomanos, ao modo como vários grupos de funcionários buscavam ajuda nas embaixadas, às relações dos diferentes estados com as várias comunidades cristãs, e a sua preocupação comum com a paz européia. Foi a intervenção delas que trouxe um acordo no Líbano após a guerra civil de 1860. Poucos anos depois, as duas províncias romenas se uniram e tornaram-se praticamente independentes. Na década seguinte, porém, uma arrastada crise "oriental" mostrou os limites à intervenção de fato. A agitação das províncias européias do Império foi enfrentada com severa repressão: os governos europeus protestaram, e finalmente a Rússia declarou a guerra em 1877. O exército russo avançou sobre Istambul, e os otomanos assinaram um tratado de paz que dava autonomia às regiões búlgaras do Império. Isso foi visto como indicação de que a Rússia pretendia ampliar sua posição de influência, e provocou uma forte reação britânica. Por algum tempo, pareceu possível uma guerra européia, mas as potências acabaram assinando o Tratado de Berlim (1878), sob cujos termos dois distritos búlgaros separados receberam diferentes graus de autonomia, o governo otomano prometeu melhorar as condições nas províncias de grandes populações cristãs, e as potências prometeram mais uma vez não intervir nos assuntos internos do Império.

Era claro que nenhum Estado europeu deixaria outro ocupar Istambul e o estreito, e nenhum deles desejava arriscar a explosão que resultaria de uma tentativa de desmontar o Império. O processo pelo qual as regiões de fronteira se separavam na verdade continuou. As duas províncias búlgaras uniram-se num Estado autônomo em 1885; a ilha de Creta recebeu autonomia em 1898 e foi incorporada à Grécia em 1913. Naquele ano, após uma guerra com os estados balcânicos criados por antigos súditos, o Império perdeu a maior parte de seus territórios europeus restantes. Por outro lado, à medida que as rivalidades européias se tornavam mais intensas e a ascensão a potência da Alemanha acrescentava mais um elemento ao equilíbrio europeu, o governo otomano conseguiu um pouco mais de liberdade de ação em suas regiões centrais. Isso se mostrou na década de 1890, quando partidos nacionalistas em outra comunidade cristã, a armênia, começaram a trabalhar ativamente pela independência; os otomanos puderam suprimir o movimento com grandes perdas de vida, e sem ação efetiva européia, embora o nacionalismo armênio continuasse forte sob a superfície.

A perda da maior parte das províncias européias mudou a natureza do Império. Mais ainda que antes, parecia a seus cidadãos muçulmanos, turcos ou árabes, a última manifestação de independência de um mundo muçulmano sitiado por inimigos. Era mais urgente que nunca executar as políticas de reforma. A burocracia e o exército foram mais modernizados: oficiais e funcionários eram treinados em escolas militares e civis. Melhores comunicações possibilitaram a ampliação do controle direto. Com o advento dos vapores, guarnições otomanas podiam ser reforçadas rapidamente em regiões perto dos mares Mediterrâneo e Vermelho. O telégrafo, um canal essencial de controle, foi estendido por todo o Império nas décadas de 1850 e 1860. No fim do século XIX estradas de ferro tinham sido construídas na Anatólia e na Síria. Nos primeiros anos do século XX, a estrada de ferro do Hedjaz foi estendida de Damasco a Medina; isso possibilitava o transporte de peregrinos para as cidades santas, e também tornou possível ao governo otomano ter mais controle sobre os xarifes de Meca. Também pôde restaurar sua presença direta no Iêmen. Na Arábia Central, uma dinastia sustentada pelos otomanos, a de Ibn Rashid, pôde por algum tempo suprimir o Estado saudita, que foi depois revivido por um jovem e vigoroso membro da família, 'Abd al-Aziz, e em 1914 estava desafiando o poder de Ibn Rashid. Na Arábia Oriental, porém, sua expansão era limitada pela política britânica. Para prevenir a crescente influência de outros estados, Rússia, França e Alemanha, o governo britânico dava mais expressão formal a suas relações com os governantes do golfo Pérsico; fizeram-se acordos pelos quais os governantes de Bahrain, Omã, os Estados Truciais e o Kuwait colocavam suas relações com o mundo externo nas mãos do governo britânico. Esses acordos tiveram o efeito de impedir a expansão otomana, embora os otomanos mantivessem uma pretensão de soberania sobre o Kuwait.

Mesmo dentro de suas fronteiras mais estreitas, o poder de Istambul não era tão firme quanto poderia parecer. A coalizão de forças dentro da elite dominante, que tornara possível a reforma, desmoronava. Havia uma divisão entre os que acreditavam em governo por funcionários em conselho, guiados por suas consciências e princípios de justiça, e os que acreditavam em governo representativo, responsável perante a vontade do povo expressa através de eleições; muitos dos funcionários mais velhos achavam isso perigoso num Estado sem um público educado, e onde diferentes grupos nacionais ou religiosos podiam usar suas liberdades políticas para trabalhar por independentizar-se do Império. Em 1876, no auge da "crise oriental", outorgou-se uma Constituição e elegeu-se e reuniu-se um Parlamento, mas foi suspenso pelo novo sultão, Abdülhamid II (1876-1909), assim que este se sentiu suficientemente forte. A partir de então, abriu-se uma cisão mais profunda. O poder passou da elite de altos funcionários para o sultão e seu *entourage*, e isso enfraqueceu a ligação entre a dinastia e o elemento turco do qual dependia, em última análise, o Império.

Em 1908, uma revolução apoiada por parte do exército restaurou a Constituição. (A Romênia e a Bulgária aproveitaram-se disso para declarar sua independência formal.) A princípio, pareceu a muitos que essa revolução seria o início de uma nova era de liberdade e cooperação entre os povos do Império. Um missionário americano que havia muito morava em Beirute escreveu que a revolução era vista como uma transição

> de um governo irresponsável, de paxás famintos e aceitadores de suborno, para um Parlamento de representantes de todas as partes do Império, eleito por pessoas de todas as seitas, muçulmanos, cristãos e judeus! Todo o Império explodiu em júbilo universal. A imprensa disse o que pensava. Realizaram-se assembléias, cidades e vilas enfeitaram-se, viram-se muçulmanos abraçando judeus e cristãos.[1]

Nos poucos anos seguintes, porém, o poder sobre o governo foi tomado por um grupo de oficiais e funcionários turcos (o Comitê de União e Progresso, ou "Jovens Turcos"), que tentou fortalecer o Império aumentando o controle central.

Embora o governo otomano pudesse preservar sua liberdade de ação política, outro tipo de intervenção européia tornou-se mais importante. Da década de 1850 em diante, o governo otomano passou a precisar de cada vez mais dinheiro para pagar o exército, a administração e algumas obras públicas, e encontrara uma nova fonte de dinheiro na Europa, onde o desenvolvimento da indústria e do comércio levara a uma acumulação de capital que era canalizado, através de um novo tipo de instituição, os bancos, para investimentos em todo o mundo. Entre 1854 e 1879, o governo otomano tomou empréstimos em larga escala, e em termos desfavoráveis; de uma quantia nominal de 256 milhões de libras turcas (a libra turca equivalia a 0,9 da libra esterlina), recebeu apenas 139 milhões, o resto sendo descontado. Em 1875, não conseguia arcar com o fardo dos juros e pagamentos, e em 1881 criou-se uma Administração da Dívida Pública, representando os credores estrangeiros; deram-lhe o controle de grande parte das receitas otomanas, e dessa forma ela tinha virtual controle sobre os atos do governo na área financeira.

A PARTILHA DA ÁFRICA: EGITO E MAGREB

Um processo semelhante se deu no Egito e na Tunísia, mas terminou de modo diferente, na imposição do controle direto por um Estado; os dois eram países onde, por vários motivos, um único Estado podia intervir decisivamente. Na Tunísia, o aumento do endividamento com bancos europeus teve o mesmo resultado imediato que no Império: a criação de uma comissão financeira internacional em 1869. Seguiu-se outra tentativa de reformar as finanças, reorganizar a justiça e estender a educação moderna. Quanto mais o país se abria à empresa estrangeira, porém, mais atraía o interesse de governos estrangeiros, em particular o da França, já instalado do outro lado da fronteira, na Argélia. Em 1881, um exército francês ocupou a Tunísia, em parte por razões financeiras, em parte para conter o aumento de uma influência rival, a da Itália, e em parte para garantir a fronteira argelina. Dois anos depois, fez-se um acordo com o bei pelo qual a França assumiria um protetorado oficial e se responsabilizaria pela administração e as finanças.

Também no Egito as aberturas para a empresa estrangeira deram maiores incentivos à intervenção. Sob os sucessores de Muhammad 'Ali, e sobretudo sob Isma'il (1862-79), prosseguiu a tentativa de criar as instituições de uma sociedade moderna. O Egito tornou-se praticamente independente do Império. Estendeu-se a educação, abriram-se algumas fábricas, acima de tudo levou-se mais longe o processo pelo qual o país se tornou uma plantação de algodão para o mercado inglês. A guerra civil americana de 1861-65, que cortou o abastecimento de algodão por algum tempo, foi um incentivo à maior produção. Isso continuou depois da guerra, e envolveu gastos com irrigação e comunicações; o Egito entrou cedo na era da estrada de ferro, da década de 1850 em diante. Realizou-se outra grande obra pública: o canal de Suez, construído basicamente com capital francês e egípcio e com mão-de-obra egípcia, foi aberto em 1869. Sua inauguração foi uma das grandes ocasiões do século. O quediva Isma'il aproveitou a oportunidade para mostrar que o Egito não fazia mais parte da África, mas pertencia ao mundo civilizado da Europa. Entre os convidados estavam o imperador da Áustria, a imperatriz Eugênia, esposa de Napoleão III da França, o príncipe herdeiro da Prússia, escritores e artistas franceses — Théophile Gautier, Émile Zola, Eugène Fromentin —, Henrik Ibsen, e cientistas e músicos famosos. As cerimônias foram oficiadas por religiosos muçulmanos e cristãos, e a imperatriz, no iate imperial, abriu o primeiro desfile de navios pelo novo canal; quase ao mesmo tempo, a Ópera no Cairo era inaugurada com uma cantata em honra de Isma'il e uma apresentação do *Rigoletto*, de Verdi. A abertura do canal atraiu inevitavelmente a atenção da Grã-Bretanha, com seu comércio marítimo com a Ásia e seu império indiano para defender.

A exportação e o processamento de algodão eram lucrativos para os financistas europeus, e também o eram o canal e outras obras públicas. Entre 1862 e 1873, o Egito tomou emprestados 68 milhões de libras, mas recebeu apenas dois terços, o resto sendo descontado. Apesar dos esforços para aumentar seus recursos, incluindo a venda de suas ações no canal ao governo britânico, em 1876 não podia pagar suas obrigações, e poucos anos depois impôs-se o controle financeiro anglo-francês. O aumento da influência estrangeira, a crescente carga de impostos para satisfazer às exigências de credores estrangeiros e outras causas levaram a um movimento para limitar o poder do quediva, com matizes de nacionalismo, e tendo um oficial do exército, Ahmad 'Urabi (1839-1911), como porta-voz; emitiu-se uma lei criando uma Câmara de Deputados em 1881, e quando a Câmara se reuniu, tentou afirmar sua independência de ação. A perspectiva de um governo menos maleável a interesses estrangeiros levou por sua vez à intervenção européia, primeiro diplomática pela Grã-Bretanha e pela França juntas, depois militar pela Grã-Bretanha sozinha, em 1882. O pretexto para a invasão britânica foi a alegação de que o governo estava em revolta contra a autoridade legítima, e que a ordem se desintegrara; a maioria das testemunhas contemporâneas não confirma isso. O verdadeiro motivo foi aquele instinto para o poder que têm os estados num período de expansão, reforçado pelos porta-vozes dos interesses financeiros europeus. Um bombardeio britânico de Alexandria, seguido pelo desembarque de tropas na zona do canal, despertou sentimentos mais religiosos que nacionais, mas a opinião pública egípcia estava polarizada entre o quediva e o governo, e o exército egípcio não pôde oferecer resistência efetiva. O exército britânico ocupou o país, e daí em diante a Grã-Bretanha virtualmente governou o Egito, embora o domínio britânico não fosse expresso em termos formais, devido à complexidade de interesses estrangeiros; só em 1904 a França reconheceu a posição predominante da Inglaterra ali.

A ocupação da Tunísia e do Egito foi um passo importante no processo pelo qual as potências européias definiram suas respectivas esferas de interesse na África, como uma alternativa para a luta entre si, e esse passo abriu caminho para outros. O domínio britânico estendeu-se para o sul, pelo vale do Nilo, até o Sudão. O motivo apresentado para isso foi o surgimento de um movimento religioso, o de Muhammad Ahmad (1844-85), visto por seus seguidores como o *mahdi*, com o objetivo de restaurar o domínio da justiça islâmica. O domínio egípcio no país terminou em 1884, e criou-se a forma islâmica de governo, mas não foi tanto o receio de sua expansão como o da entrada de outros governos europeus que levou a uma ocupação anglo-egípcia, destruindo o Estado islâmico e estabelecendo, em 1899, um novo sistema de governo, formalmente um "condomínio" anglo-egípcio, mas na verdade com uma administração basicamente britânica.

Pouco depois, o crescimento da influência inglesa no Reino do Marrocos atingiu uma conclusão semelhante. As tentativas do sultão de manter o país livre de intervenção praticamente acabaram em 1860, quando a Espanha invadiu o país, em parte para estender sua influência além dos dois portos de Ceuta e Melilla, que estavam em mãos espanholas havia séculos, e em parte para opor-se à disseminação da influência britânica. A invasão acabou num tratado pelo qual o Marrocos tinha de pagar uma indenização financeira além de suas posses. Os esforços para pagá-la e os acordos comerciais feitos com os estados europeus levaram a um rápido aumento de atividade européia. Sob o sultão Hasan (1873-94), o governo tentou realizar reformas idênticas às realizadas em outros países, para oferecer um esquema dentro do qual se pudesse conter a penetração européia: um novo exército, uma administração reformada, um meio mais eficaz de levantar e usar receitas. A política teve êxito apenas limitado, já que o governo não possuía controle suficiente sobre o país para torná-la possível. Os senhores rurais, com sua posição enraizada em solidariedades religiosas ou tribais, eram praticamente independentes, e no sul seu poder aumentava; nas cidades, as novas medidas de tributação e administração enfraqueceram a autoridade moral do soberano. Chefes locais estabeleceram relações diretas com representantes estrangeiros, e os mercadores se puseram sob a proteção deles. Para sobreviver, o governo começou a tomar empréstimos a bancos europeus; isso aumentou os interesses estrangeiros, e a conclusão lógica veio em 1904, quando a Inglaterra e a Espanha, duas das três potências mais profundamente envolvidas, reconheceram o interesse predominante da terceira, a França (a Grã-Bretanha em troca de liberdade de ação no Egito, a Espanha por uma parte no controle eventual). Em 1907, os principais estados europeus concordaram com o virtual controle franco-espanhol da administração e finanças. As duas potências ocuparam partes do país, a Espanha no norte e a França na costa atlântica e na fronteira argelina. Houve uma rebelião contra o sultão, que se colocou sob proteção francesa, mas a expansão do poder francês continuou, e em 1912 um novo sultão assinou um acordo aceitando o protetorado francês; o mais importante dos caudilhos do sul também o aceitou. Pelo acordo franco-espanhol, parte do norte seria administrada pela Espanha; e Tânger, o centro dos interesses estrangeiros, ficaria sob um regime internacional especial.

A ALIANÇA DE INTERESSES DOMINANTES

Ao estourar a Primeira Guerra Mundial, mal se viam as implicações do controle italiano na Líbia e do francês e espanhol no Marrocos, mas o domínio francês deixara sua marca na Argélia e na Tunísia, e o britânico no Egito e no Sudão. Em alguns aspectos, isso assinalou um rompimento com o passado e com o que acontecia no Império Otomano: predominavam os grandes interesses estratégicos e econômicos de um único Estado europeu, e embora no Egito, na Tunísia e no Marrocos existissem governos nativos nominais, eles foram aos poucos perdendo poder, à medida que se expandia o domínio de autoridades européias, e não possuíam sequer o espaço limitado de ação independente que permitia ao governo de Istambul jogar uma potência contra outra e buscar o que encarava como interesse nacional.

Sob outros aspectos, as políticas seguidas pela Inglaterra e pela França podiam ser encaradas, num certo sentido, como continuações, de um modo mais efetivo, das dos reformadores nativos. Por baixo da fachada de governos autóctones, introduziam-se mais autoridades estrangeiras, que aos poucos foram adquirindo um vasto controle; mudou o equilíbrio entre elas e as autoridades nativas. (No Sudão, não havia essa fachada, mas administração direta do tipo colonial, com quase todos os altos postos em mãos britânicas, e os egípcios e outros em postos subalternos.) Os governos trabalhavam com mais eficiência, mas também mais distantes. Soldados estrangeiros, ou soldados nativos sob comando estrangeiro, e uma polícia disciplinada possibilitavam que o controle do governo se expandisse mais para o interior. Melhores comunicações aproximavam mais as províncias da capital: estradas de ferro tanto na Tunísia quanto no Egito, na Tunísia estradas de rodagem também. Criaram-se ou estenderam-se tribunais seculares, administrando códigos de estilo europeu. Severo controle financeiro e coleta de impostos mais eficiente levaram a uma redução das dívidas externas, deixando-as em proporções controláveis. Finanças mais vivas e acesso ao capital estrangeiro em termos mais favoráveis possibilitaram a execução de algumas obras públicas: em particular, obras de irrigação no vale do Nilo, culminando na barragem de Assuan, através da qual se introduziu irrigação perene no alto Egito. Estabeleceu-se um número limitado de escolas, ou mantiveram-se outras do período anterior: o suficiente para formar funcionários e técnicos no nível para o qual se julgava possível empregá-los, mas não o bastante para produzir uma grande classe de intelectuais descontentes.

Nas áreas governadas a partir de Istambul, Cairo, Túnis e Argel, a aliança de interesses em torno dos novos tipos de governo estendeu-se e fortaleceu-se na segunda metade do século XIX. Além dos funcionários, dois outros grupos foram particularmente favorecidos pelas políticas dos governos. O primeiro foi o ligado ao comércio e às finanças. O crescimento da população e da indústria na Europa, a melhoria de portos, a construção de estradas de ferro e (no Líbano, Argélia e Tunísia) de rodagem, tudo levou a uma expansão do comércio com a Europa, bem como com diferentes partes do Oriente Médio e do Magreb, apesar de períodos de depressão. Quase sempre, foi nas mesmas linhas de antes: exportação de matérias-primas (algodão egípcio, seda libanesa, lã e couros do Magreb, fosfatos tunisianos), alimentos (laranjas da Palestina e vinho da Argélia, azeite de oliva da Tunísia) para a Europa; importação de têxteis, produtos de metal, chá, café e açúcar. Em geral, havia uma balança de comércio desfavorável com a Europa; isso era compensado em grande parte pela importação de capital para obras públicas e, em alguns lugares, remessas feitas pelos que haviam emigrado para o Novo Mundo e o fluxo para fora de ouro e prata.

A fatia maior do comércio estava em mãos de empresas e comerciantes europeus, basicamente britânicos e franceses, com uma parte crescente para os alemães, à medida que a população e a indústria da Alemanha se expandiam. Mas grupos de comerciantes nativos também desempenhavam um papel importante no comércio internacional, e dominante no comércio local: no Oriente Médio, cristãos sírios e libaneses, judeus sírios e iraquianos e coptas egípcios no comércio do Nilo; no Magreb, judeus locais e também alguns outros com longa tradição de comércio, mercadores de Sus no Marrocos, do oásis de Mzab na Argélia, e da ilha de Jarba ao largo da costa tunisiana.

Os interesses financeiros europeus iam além dos comerciais. Os primeiros grandes investimentos foram nos empréstimos a governos que levaram ao estabelecimento do controle financeiro; depois disso outros empréstimos foram levantados por governos, mas a existência de controle estrangeiro possibilitou levantá-los em termos menos onerosos que antes. O investimento agora estendia-se, além dos empréstimos a governos, a serviços públicos para os quais as empresas estrangeiras ganhavam concessões. Após o canal de Suez, deram-se concessões, em várias regiões, para portos, bondes, água, gás, eletricidade e, acima de tudo, estradas de ferro. Em comparação com isso, houve pouco investimento na agricultura, com exceção das partes do Egito e Argélia, onde uma grande e regular demanda de certos produtos e uma administração sob controle europeu garantiam um retorno grande e seguro. Também houve pouco investimento na indústria, a não ser por indústrias de bens de consumo em pequena escala, e nuns poucos lugares extração de minérios (fosfatos na Tunísia, petróleo no Egito).

Não apenas bancos e empresas inteiramente europeus, mas alguns agora estabelecidos em Istambul, Cairo e outras partes, como o Banco Otomano, participavam do investimento. O capital desses bancos locais, porém, era em grande parte europeu, e muitos dos lucros com investimento não eram mantidos nos países interessados, a fim de gerar mais riqueza e capital nacional, mas exportado para os países de origem, para inchar sua riqueza e capital.

CONTROLE DA TERRA

Os outros grupos cujos interesses se associavam aos dos novos governos eram dos proprietários de terras. Tanto no corpo principal do Império Otomano quanto no Egito, a base legal para a posse de terras foi mudada em meados do século XIX. No

Império, a Lei da Terra de 1858 definia as várias categorias de terra. A terra agrícola mais cultivada era encarada, de acordo com tradição de longa data, como pertencente ao Estado, mas os que a cultivavam, ou pretendiam fazê-lo, podiam obter um título que lhes possibilitava desfrutar do uso pleno e incontestado dela, vendê-la ou transmiti-la a seus herdeiros. Um dos objetivos da lei parece ter sido estimular a produção e fortalecer a posição dos cultivadores de fato. Em alguns lugares, pode ter tido esse resultado: em partes da Anatólia, e no Líbano, onde aumentaram os pequenos tratos de terra produtora de seda, em parte por causa das remessas feitas por emigrantes para suas famílias. Na maioria dos lugares, porém, os resultados foram diferentes. Em regiões próximas às cidades, empenhadas na produção de alimentos e matérias-primas para as cidades ou para exportar, a terra tendia a cair em mãos de famílias urbanas. Elas podiam fazer melhor uso da maquinaria administrativa para registrar títulos; estavam em melhor posição que os camponeses para obter empréstimos de bancos comerciais ou empresas de hipoteca, ou do banco agrícola do governo; podiam adiantar dinheiro aos camponeses, para possibilitar-lhes pagar os impostos ou financiar suas operações; em áreas que produziam para exportação, os comerciantes urbanos que tinham ligações com os mercados externos podiam controlar a produção, decidindo o que devia ser cultivado, adiantando o dinheiro para isso e comprando a produção. Alguns desfrutavam de monopólios: a compra de seda e tabaco em todo o Império era monopólio de empresas concessionárias com capital estrangeiro. Dessa forma, criou-se uma classe de proprietários ausentes, essencialmente moradores da cidade, em posição de apelar ao governo para apoiar suas pretensões a uma fatia da produção; os camponeses que a cultivavam eram trabalhadores sem terra ou meeiros, ficando com o bastante da produção para sobreviver. Dessas propriedades privadas, talvez as maiores, e entre as mais bem administradas, eram as do próprio sultão Abdülhamid.

No campo mais distante, além do controle efetivo das cidades, surgiu outro tipo de grande proprietário de terras. Grande parte da terra, sobretudo em áreas de pastagem, sempre fora encarada, tanto pelo governo como por aqueles que dela viviam, como pertencendo coletivamente a uma tribo; agora muitas delas eram registradas pela família principal da tribo em seu nome. Se a área era grande, porém, o controle efetivo da terra podia não ficar com o chefe tribal, mas com um grupo intermediário de agentes, mais próximos da terra e do processo de cultivo do que podia estar um proprietário rural da cidade ou um grande xeque tribal.

Esses novos proprietários rurais incluíam mercadores e prestamistas cristãos e judeus, mas alguns estrangeiros na maior parte do Império ainda governavam de Istambul. A principal exceção era a Palestina, onde da década de 1880 em diante houve uma crescente comunidade de um novo tipo de judeus: não os judeus orientais havia muito estabelecidos, mas judeus da Europa Central e Oriental, e não vindos a Jerusalém para estudar, rezar e morrer, mas de acordo com uma nova visão de uma nação judia restaurada com raízes na terra. Em 1897, essa aspiração foi expressa na resolução do primeiro Congresso Sionista, que pedia a criação para o povo judeu de um lar na Palestina, garantido por lei pública. Apesar da oposição do governo otomano e da crescente ansiedade entre parte da população árabe local, em 1914 a população judia da Palestina tinha aumentado para aproximadamente 85 mil, ou 12% do total. Cerca de um quarto deles assentara-se na terra, parte dela comprada por um fundo nacional e declarada propriedade inalienável do povo judeu, em que não se podiam empregar não-judeus. Alguns viviam em assentamentos agrícolas de um novo tipo (o *kibutz*), com controle coletivo da produção e vida comunal.

No Egito, o processo pelo qual a terra passou das mãos do governante para mãos particulares, iniciado nos últimos anos de Muhammad 'Ali, teve continuidade entre 1858 e 1880 por uma série de leis e decretos que acabou levando à propriedade privada completa, sem as limitações que a lei otomana retinha. Também nesse processo, a intenção talvez não fosse criar uma classe de grandes proprietários rurais, mas na verdade foi isso o que aconteceu, devido a vários processos inter-relacionados. Até a ocupação britânica em 1882, grande parte da terra era entregue pelo quediva em concessões a membros de sua família ou a altos funcionários a seu serviço; grande parte ficava nas mãos dele mesmo, como domínio privado; importantes famílias aldeãs também puderam estender suas terras à medida que aumentava a demanda do algodão. Após a ocupação, a terra que era entregue pelo governante para pagar o serviço da dívida externa e a terra recém-posta em produção caíram nas mãos de grandes proprietários ou de empresas de terra e hipoteca. Pequenos proprietários endividavam-se com prestamistas urbanos e perdiam sua terra; mesmo quando a retinham, não obtinham acesso ao crédito para financiar melhorias; as leis de herança levavam a fragmentação de posses a um ponto em que não podiam mais sustentar uma família. Na época da Primeira Guerra Mundial, mais de 40% da terra cultivada estavam nas mãos de grandes proprietários (os que possuíam mais de cinqüenta *feddans*), e cerca de 20% dividiam-se em propriedades de menos de cinco *feddans*. (Um *feddan* iguala-se aproximadamente a um acre ou 0,4 hectare.) Cerca de um quinto das grandes propriedades pertencia a indivíduos ou empresas estrangeiras, sobretudo no norte. O padrão normal passara a ser o do grande proprietário cuja terra era cultivada por camponeses, que entravam com a mão-de-obra e podiam alugar ou cultivar um pedaço de terra para si mesmos; abaixo deles havia uma crescente população de trabalhadores sem terra, cerca de um quinto da população trabalhadora.

Na Tunísia, a apropriação de terra por donos estrangeiros foi levada ainda mais adiante. Já havia uma grande comunidade francesa e italiana na época da ocupação francesa. Durante os primeiros dez anos, mais ou menos, do protetorado, as medidas tomadas pelo governo eram em favor de grandes interesses que desejavam comprar terra: as questões de terra deveriam ser resolvidas por tribunais especiais com um componente europeu; os que arrendavam terra de *waqf* podiam comprá-la. A partir de 1892, adotou-se uma nova política, de encorajar a imigração e assentamento, em parte sob pressão dos *colons*, em parte para aumentar o elemento francês entre eles. Uma grande quantidade de terra foi posta à venda; terras de *waqf*, propriedades do Estado, terra coletiva das tribos onde se adotara a mesma política seguida na Argélia, de espremer os habitantes numa menor proporção dela. Aos compradores, ofereciam-se termos favoráveis: crédito rural, equipamento, estradas. As condições econômicas também eram favoráveis: continuava a demanda de grãos, e a de vinho e azeite de oliva aumentou. Assim, a quantidade de terra em mãos européias aumentou, sobretudo nas áreas de cultivo de grãos do norte e da região de cultivo de oliveiras do Sahel; em 1915, os *colons* possuíam cerca de um quinto da terra cultivada. Relativamente poucos deles eram pequenos proprietários; o padrão típico era o do grande proprietário rural cultivando com a ajuda de trabalhadores sicilianos, italiano do sul ou tunisianos, ou cobrando aluguel de camponeses tunisianos. Havia uma abundante oferta de mão-de-obra, porque o processo de expropriar a terra piorara a situação dos camponeses; eles foram privados de acesso ao capital, e da proteção que lhes davam os proprietários nativos. A mudança econômica trouxe consigo uma mudança no poder político. Os *colons* exigiam uma parte maior na determinação da política; queriam que o governo se encaminhasse para anexar o país à França, dominando a população nativa pela força, e mantendo-a dentro de uma cultura e de um estilo de vida tradicionais que a impedissem de partilhar efetivamente do exercício do poder. Tiveram certo êxito nisso: grande parte dos funcionários do governo era francesa; a conferência consultiva para questões de finanças e economia consistia basicamente de *colons*. Por outro lado, o governo em Paris e os altos funcionários de lá enviados desejavam manter o protetorado na base da cooperação entre franceses e tunisianos.

A política francesa na Tunísia em 1914 atingira um estágio semelhante ao da Argélia na década de 1860, mas enquanto isso, na Argélia, as coisas tinham mudado. A derrota da França na Guerra Franco-Prussiana de 1870-71 e a queda de Napoleão III haviam enfraquecido a autoridade do governo em Argel. Os *colons* tomaram o poder por um momento, mas no leste do país ocorreu uma coisa diferente — uma generalizada revolta entre árabes e berberes, com muitas causas: da parte da nobreza, o desejo de recuperar sua posição política e social, enfraquecida à medida que se ampliava a administração direta; da parte dos aldeões, oposição à perda de sua terra e ao crescente poder dos *colons*, e a pobreza após um período de epidemia e más colheitas; entre a população em geral, o desejo de independência, ainda não expresso em termos nacionalistas, porém mais de religião, e recebendo liderança e orientação de uma das ordens sufitas. Os levantes foram suprimidos, com graves resultados para os muçulmanos argelinos. Impuseram-se multas e confiscos de terra coletivos como punição; estimou-se que os distritos envolvidos na rebelião perderam 70% de seu capital.

Os resultados a longo prazo foram ainda mais graves. A destruição da liderança local e a mudança de regime em Paris afastaram as barreiras contra a disseminação da propriedade de terra européia. Por venda ou concessão de terras do Estado ou confiscadas, pela tomada de terras coletivas e subterfúgios legais, grandes tratos de terra passaram para as mãos de *colons*. Em 1914, europeus possuíam aproximadamente um terço da terra cultivada, e era a terra mais produtiva, dando grãos como antes, ou então vinhos, pois o vinho argelino agora encontrava um grande mercado na França. Grande parte do cultivo em terra produtora de vinho era feita por imigrantes europeus, espanhóis e italianos, além de franceses, mas pertencia sobretudo a proprietários relativamente ricos com acesso ao capital. Confinados a áreas menores de terra não favorecida, sem capital, e com minguados recursos de gado, os pequenos proprietários argelinos tendiam a tornar-se meeiros ou trabalhadores braçais em propriedades européias, embora em algumas partes passasse a existir uma nova classe de proprietários rurais muçulmanos.

Em parte por causa das novas oportunidades em relação à terra, a população européia da Argélia aumentou rapidamente, de 200 mil em 1860 para aproximadamente 750 mil em 1911; esta última cifra inclui os judeus argelinos que haviam recebido nacionalidade francesa. A população nativa subira agora para 4,74 milhões; os europeus somavam portanto 13% da população total. Nas grandes cidades, eles eram um elemento ainda maior: em 1914, três quartos dos habitantes de Argel eram europeus. Essa crescente população européia praticamente controlava o governo local em 1914. A essa altura, tinham representantes no Parlamento francês e formavam importante corpo político em Paris. Aos poucos, à medida que aumentava uma nova geração nascida na Argélia, e imigrantes de outros países adotavam cidadania francesa, eles desenvolveram uma identidade separada e um interesse separado que o *lobby* podia promover: assimilar a Argélia o máximo possível à França, mas controlar a administração francesa local. Em geral, conseguiram. A vasta maioria das autoridades locais era francesa, e quase todos os que ocupavam os altos postos. Aumentaram as áreas administradas por conselhos municipais locais com maioria francesa, e nessas áreas os muçulmanos não tinham virtualmente poder algum. Pagavam impostos diretos muito mais altos que os *colons*, mas as receitas eram usadas sobretudo em benefício dos europeus; estavam sujeitos a um código penal especial administrado por magistrados franceses; pouco se gastava com sua educação. No fim do século, o governo em Paris tomava consciência do "problema árabe": da importância de assegurar que a administração permanecesse independente de pressão dos *colons* e pudesse usar seu poder para "salvaguardar a dignidade dos derrotados".[2] Agora fazia-se alguma coisa pela educação muçulmana em nível primário, mas em 1914 o número de argelinos com educação secundária ou superior se contava em dezenas ou centenas, não em milhares.

A CONDIÇÃO DO POVO

Nas partes do Oriente Médio e do Magreb onde o controle do governo se tornara mais efetivo, foram feitas obras públicas, novas leis fundiárias garantiam direitos de propriedade assegurados, bancos ou empresas de hipoteca ofereciam acesso ao capital e os produtos encontravam mercado no mundo industrializado, a área de cultivo cresceu e aumentou a produção nos anos entre 1860 e 1914. Está claro, apesar da pobreza de estatística, que isso se deu na Argélia e na Tunísia, onde dobrou a área cultivada. No Egito, as condições eram particularmente favoráveis. A essa altura, o controle do governo não era contestado nem no alto Egito, o mercado de algodão expandia-se, apesar das flutuações a que estava sujeito, e as grandes obras de irrigação tornaram possível aumentar a produtividade da terra; a área de plantio aumentou em aproximadamente um terço entre a década de 1870 e 1914. Esse aumento não deixou de ter seus riscos: a lucratividade do cultivo de algodão para exportação era tão grande que se dedicava a ele cada vez mais terra, e por volta de 1900 o Egito tornara-se um visível importador de alimentos, além de produtos manufaturados.

Para Síria, Palestina e Iraque, as estatísticas são mais incompletas, mas existem indicações no mesmo sentido. Na Síria e na Palestina, os camponeses das aldeias montanhesas puderam estender sua área de cultivo às planícies, e produzir grãos e outras colheitas que tinham mercado no mundo externo: azeite de oliva, sementes de gergelim, laranjas do distrito de Jafa. No Líbano, espalhou-se o cultivo da seda. No Iraque, o fator importante não foi nem a extensão do poder do Estado nem a melhoria da irrigação; a primeira obra em grande escala, a represa de Hindiyya no Eufrates, só foi inaugurada em 1913. Foi mais a forma como funcionaram as leis fundiárias; quando os chefes tribais registraram terra em seu nome, foram induzidos a passar suas tribos do pastoreio para a agricultura assentada, produzindo grãos ou, no sul, tâmaras para exportação.

Essa mudança no equilíbrio entre a agricultura assentada e o pastoreio nômade ocorreu sempre que coexistiram dois fatores. O primeiro foi a expansão na área de controle pelo governo, que sempre preferia camponeses assentados, que podiam ser taxados e recrutados, a nômades que viviam fora da comunidade política e podiam constituir um perigo para a ordem. Essa expansão ocorria sempre que os governos eram fortes e as comunicações melhoravam. Na Argélia, o exército francês deslocou-se para o sul, do alto planalto para os oásis do Saara e as terras onde viviam os tuaregues. Na Síria, a construção de estradas de ferro tornou possível avançar a fronteira do cultivo para a estepe. Toda estação de estrada de ferro, com seus funcionários, guarnição e mercado, tornou-se um centro a partir do qual se espalharam a agricultura e o comércio. Certos elementos da população foram usados para manter o campo em ordem: recrutaram-se regimentos curdos no norte; circassianos que haviam deixado seus lares no Cáucaso quando os russos o conquistaram foram assentados numa linha de aldeias no sul da Síria.

O segundo fator foi uma demanda decrescente dos principais produtos da estepe, ou os lucros minguados deles em comparação com safras produzidas para venda e exportação. O mercado de camelos começou a reduzir-se com a chegada das modernas comunicações (mas a mudança decisiva, a chegada do carro motorizado, mal começara). A demanda de carneiros continuou, e pode ter aumentado com o aumento da população, mas o capital era mais lucrativamente investido no cultivo de safras, e a pouca evidência existente sugere que diminuíram as cifras do gado em proporção à população: na Argélia, havia 2,85 carneiros *per capita* em 1885, e trinta anos depois a cifra encolhera para 1,65.

Em geral, esse foi um período de população crescente, com taxas que variavam muito de um país para outro. Os países em que as estatísticas são mais dignas de confiança, e onde se pode ver mais claramente o aumento, são a Argélia e o Egito. Na Argélia, a população muçulmana duplicou em cinqüenta anos, passando de 2 milhões em 1861 para 4,5 milhões em 1914. Na Tunísia, o aumento foi da mesma ordem, de 1 milhão para 2 milhões. No Egito, o crescimento fora contínuo durante todo o século XIX: de 4 milhões em 1800 para 5,5 milhões em 1860 e 12 milhões em 1914. No Sudão, a população parece ter crescido constantemente desde o início da ocupação britânica. No Crescente Fértil, ainda estamos no período do palpite. A população da Síria no mais lato senso pode ter crescido em algo em torno de 40% entre 1860 e 1914, passando de 2,5 milhões para 3,5 milhões; por outro lado, houve um largo fluxo de emigração do Líbano para as Américas do Norte e do Sul, e em 1914 diz-se que partiram cerca de 300 mil libaneses. O aumento no Iraque pode ter sido em escala semelhante. Pode-se estimar por cima que a população dos países árabes como um todo aumentou de cerca de 18-20 milhões em 1800 para uns 35-40 milhões em 1914.

Era ainda uma população basicamente rural. Algumas cidades cresceram rapidamente, em particular portos especializados no comércio com a Europa: as cidades costeiras argelinas, Beirute e Alexandria (que em 1914 era a segunda maior capital dos países árabes). Outras, em particular as capitais nacionais e provinciais, cresceram mais ou menos na proporção do crescimento da população total. O Cairo, por exemplo, dobrou mais ou menos de tamanho, e continuou sendo a maior das cidades árabes, mas a população do Egito como um todo também cresceu; o grau de urbanização permaneceu mais ou menos o que tinha sido, e mal começara o fluxo de emigrantes rurais para as cidades.

O aumento da população resultou de vários fatores. No Egito, pode ter se relacionado com a disseminação do cultivo de algodão: as crianças pequenas podiam ajudar nos campos desde cedo, por isso havia uma indução a casar cedo e ter grandes famílias. Na maioria dos países, resultou do declínio da força de dois fatores que no passado haviam limitado a população: epidemia e fome. Melhores medidas de quarentena, sob o controle de médicos europeus e com o apoio de governos estrangeiros, haviam mais ou menos extinguido a peste nos países mediterrâneos em 1914, e era limitada a incidência da cólera. Uma combinação de maior produção de alimentos e melhores comunicações possibilitou compensar fracassos locais de colheita, que em tempos passados teriam causado fome. Em alguns países — Argélia, Tunísia e Sudão — o aumento, além de elevar a população a novos cumes sem precedentes, compensou um acentuado declínio anterior. Na Argélia, a guerra de conquista e as revoltas, epidemia e fome haviam diminuído consideravelmente a população nos anos médios do século XIX; na Tunísia, houvera um decréscimo gradual num longo período; no Sudão, as perturbações causadas pelo movimento mahdista, seguidas por uma sucessão de más colheitas, tinham levado a um sério declínio na década de 1890.

Um aumento da população não implica, necessariamente, que os padrões de vida estejam se elevando, e pode significar o contrário. Apesar disso, há motivos para pensar que em alguns lugares os padrões se elevavam. Foi certamente o caso das camadas superiores da população urbana, as que estavam ligadas aos novos governos ou aos setores em expansão da economia; tinham ganhos mais altos, melhor habitação e assistência médica, e uma gama mais vasta de produtos para comprar. No campo, a maior produção de alimentos e as melhores comunicações melhoraram a nutrição, pelo menos em alguns lugares: não nos países de colonização européia onde os camponeses tinham perdido as melhores terras, mas no Egito e partes da Síria, onde havia um equilíbrio entre produção e população. (No Egito, contudo, a melhora na saúde devido à melhor nutrição foi contrabalançada pela disseminação de uma infecção debilitante, a esquistossomose, transmitida pela água e que aumentava com a expansão da irrigação.)

Mesmo nas circunstâncias mais favoráveis, porém, a possibilidade de melhora na vida dos cultivadores foi limitada, não apenas pelo crescimento contínuo da população, mas pela mudança no equilíbrio de poder social em favor dos que possuíam ou controlavam de outro modo a terra. Eles tinham o poder da lei e do governo para apoiar suas exigências; tinham acesso ao capital, sem o qual a produção não podia ser estimulada nem o produto levado ao mercado. Em sua maior parte, não tinham de trabalhar com as limitações de um laço moral entre eles e os que trabalhavam para eles: o *colon*, o prestamista urbano, o xeque tribal transformados em proprietários rurais não tinham o mesmo relacionamento com os que trabalhavam para eles que haviam tido alguns de seus antecessores. Em tais circunstâncias, faltava aos

388

camponeses o poder de obter da produção rural mais que o mínimo necessário para sua subsistência, e faltava-lhes também a proteção dos poderosos em tempos de opressão ou miséria.

A SOCIEDADE DUPLA

Em 1914, os países árabes do Império Otomano e do Magreb mostravam, em variados graus, um novo tipo de estratificação: grupos comerciais e financeiros europeus, e em alguns lugares comunidades de colonos, protegidos pela influência e favorecidos pelo poder de seus governos; mercadores e classes terratenentes nativos cujos interesses eram em certa medida assimilados aos das comunidades estrangeiras, mas que em algumas circunstâncias podiam estar em rivalidade com elas; e uma crescente população rural e uma população pobre nas cidades, com limitado acesso ao poder, e excluídas em grande parte dos benefícios da mudança administrativa, legal e econômica.

A alterada relação de forças sociais expressava-se nas mudanças que começaram a ocorrer na vida urbana na segunda metade do século XIX. A atividade econômica e o poder passaram das grandes cidades do interior para os portos marítimos, em particular os da costa mediterrânea. Estes tornaram-se não apenas lugares de embarque e desembarque de produtos, mas os principais centros de comércio e finanças, onde os produtos eram reunidos do interior, as importações eram distribuídas, e onde o negócio de importação e exportação, e em grande parte da produção agrícola, era organizado e financiado. Alguns dos portos eram antigas cidades que assumiram nova dimensão e importância: Beirute substituindo Sayda e Acre como o principal porto do norte da Síria; Alexandria tomando o lugar de Damieta e Roseta no comércio marítimo do Egito, à medida que aumentava o comércio com a Europa e declinava o com a Anatólia e a costa síria; Basra, principal ponto de exportação de tâmaras e grãos iraquianos; Jedá, principal porto do Hedjaz, e crescendo de importância à medida que a Arábia Ocidental passava a ser abastecida de produtos estrangeiros mais por mar que por caravanas vindas da Síria; Túnis e os portos da Argélia. Outros eram praticamente novas criações como centros de comércio internacional: Port Said, no extremo norte do canal de Suez; Áden, como porto de escala e abastecimento de carvão para navios na rota de vapores da Europa para a Índia através do canal; Casablanca, na costa atlântica do Marrocos.

Os centros dos portos eram dominados por armazéns, bancos, escritórios de empresas de navegação, construídos no estilo monumental do sul da Europa; tinham bairros residenciais com mansões cercadas por jardins; eram planejados com jardins públicos, praças, hotéis, restaurantes e cafés, lojas e teatros. Suas ruas principais eram largas o suficiente para permitir a passagem de bondes, carruagens e, em 1914, dos primeiros carros a motor. As cidades do interior também mudavam de aparência mais ou menos do mesmo jeito. A princípio, fizeram-se tentativas de inserir novas ruas e prédios no coração das velhas cidades: uma larga avenida foi aberta de um lado a outro do Cairo até o pé da Cidadela; bazares foram alinhados e alargados em Damasco para fazerem o Suq Hamidiyya e o Suq Midhat Paxá. A longo prazo, porém, os novos bairros surgiram fora das muralhas (se ainda existiam) das velhas cidades, em terra não obstruída por prédios e direitos de propriedade, e que assim podiam ser desenvolvidos segundo um plano. A nova Damasco expandiu-se para leste da velha, subindo as encostas do Jabal Qasiyun; o novo Cairo foi construído primeiro para o norte da cidade velha, depois para oeste, em terra que se estendia até o Nilo, antes pantanosa mas agora drenada e preparada para construção: a nova Túnis surgiu em parte em terra recuperada do lago que fica a oeste dela; Cartum, a capital do Sudão sob os egípcios e depois sob o Condomínio, foi uma criação nova, com ruas simetricamente traçadas, perto do ponto onde o Nilo Azul se encontra com o Nilo Branco. No fim do período, mudanças semelhantes ocorriam no Marrocos: a capital do protetorado e principal residência do sultão ficava na parte nova de Rabat, no litoral; projetava-se uma nova Fez, fora das muralhas da cidade velha e evitando cuidadosamente qualquer intrusão nela.

As novas cidades foram aos poucos drenando a vida das velhas. Era ali que os bancos e empresas tinham seus escritórios, e surgiam palácios e repartições do governo. No Cairo, os novos ministérios foram construídos nos bairros do oeste, os cônsules estrangeiros ali tinham suas residências, e o quediva mudou-se da Cidadela para um novo palácio construído em estilo europeu; o exército britânico controlava o Cairo do quartel de Qasr al-Nil, nas margens do Nilo.

Grande parte da população das novas cidades e bairros era estrangeira: funcionários, cônsules, comerciantes, banqueiros, profissionais liberais. Argel e Orã, as maiores cidades da Argélia, tinham maiorias européias; no Cairo, 19% da população era estrangeira, em Alexandria 25%. Eles levavam uma vida isolada e privilegiada, com suas próprias escolas, igrejas, hospitais e locais de recreação, seus processos legais julgados por tribunais consulares europeus ou mistos, seus interesses econômicos protegidos pelos consulados e, em países sob controle europeu, o governo. A atração do poder e novos estilos de vida também chamavam para as novas cidades comerciantes locais — sobretudo cristãos e judeus — empenhados no comércio internacional, e alguns deles gozando de proteção estrangeira e praticamente absorvidos nas comunidades estrangeiras. Em 1914, famílias muçulmanas de funcionários do governo ou proprietários de terra começavam a deixar seus lares ancestrais nas cidades velhas pelas amenidades dos bairros novos.

Nas novas cidades, surgia um tipo de vida diferente, um reflexo do da Europa. Homens e mulheres vestiam-se de modos diferentes. Um aspecto significativo das reformas modernizantes da época de Mahmud II fora a mudança do traje formal. O sultão e seus funcionários abandonaram as túnicas flutuantes e largos turbantes de seus antecessores pela casaca formal da Europa e uma nova cobertura de cabeça, o fez ou *tarbush* vermelho com uma borla preta. Soldados dos novos exércitos, otomanos, egípcios e tunisianos, usavam uniformes de estilo europeu. As viagens, a visão de moradores estrangeiros e novas escolas acostumaram comerciantes e profissionais liberais e suas famílias às novas roupas; judeus e cristãos adotaram-nas um pouco antes dos muçulmanos. No fim do século, algumas de suas esposas e filhas também estavam usando roupas de estilo francês ou italiano, copiadas de publicações ilustradas, nas lojas das novas cidades, viagens e escolas; em 1914, porém, poucas muçulmanas saíam sem algum tipo de cobertura na cabeça, ou pelo menos no rosto.

Também as casas eram expressões visíveis dos novos estilos de vida. Os prédios dos bairros novos, de comércio ou residência, eram em grande parte projetados por arquitetos franceses ou italianos, ou no estilo deles: construídos em pedra, estuque, ricamente decorados com ferro lavrado. Os prédios públicos apresentavam fachadas imponentes ao mundo externo, e alguns deles expressavam novas visões da vida em sociedade: no Cairo, a Ópera, o museu, a Biblioteca Khedivial. As casas também refletiam uma visão diferente da vida familiar. A separação de salas de estar no andar térreo e os quartos em cima era difícil de conciliar com as velhas e rígidas divisões entre os salões em que os homens da família recebiam visitantes e o harém onde se vivia a vida da família. Mudanças na vida econômica e nos costumes sociais, além de ações otomanas, egípcias e britânicas contra o tráfico de escravos, tinham posto mais ou menos um fim à escravidão doméstica em 1914, e diante de alguns palácios o eunuco negro, guardião da santidade do harém, já quase desaparecera. Cadeiras e mesas, feitas em imitação de móveis franceses do século XVIII, implicavam um modo diferente de receber convidados e comer juntos. As casas eram cercadas por jardins, não construídas em torno de pátios internos; as janelas davam para as ruas — era possível olhar para fora e outros olharem para dentro. Nas ruas mais largas, ou nos arredores da cidade, mulheres de boa família podiam tomar ar em carruagens puxadas por cavalos. Os teatros proporcionavam novos modos de ver, quando não — para as mulheres — de ser visto; em 1914, senhoras aristocráticas do Cairo podiam assistir a apresentações de companhias excursionantes de teatro clássico francês ou ópera italiana, discretamente escondidas por trás de anteparos de gaze nos camarotes da grandiosa terceira fila na Ópera.

18. A CULTURA DO IMPERIALISMO E DA REFORMA

A CULTURA DO IMPERIALISMO

Nas novas cidades, e sobretudo nas terras sob ocupação européia, europeus e árabes agora confrontavam-se de um novo modo, mudando as opiniões que tinham uns dos outros. No século XVIII, a curiosidade da mente européia expandira-se, sob o impacto das viagens e do comércio, e incluíra o mundo todo. No século XIX, a curiosidade foi aprofundada, e tinha mais do que se alimentar, à medida que o comércio, a residência e a guerra traziam crescentes números de europeus e americanos ao Oriente Médio e à África do Norte; o turismo organizado começou em meados do século, com peregrinações à Terra Santa e excursões no Nilo.

A curiosidade universal manifestava-se num novo tipo de erudição, que tentava compreender a natureza e história das sociedades da Ásia, através de um estudo do que elas haviam deixado de registros escritos ou artefatos. A primeira tradução do Corão remonta a muito mais atrás, ao século XII, mas esse primeiro esforço pouco deixou atrás de si, e a tentativa sistemática de entender os textos básicos da crença muçulmana começa no século XVII, com a criação de cadeiras de árabe nas universidades de Paris e Leiden, Oxford e Cambridge, a coleta de manuscritos para as grandes bibliotecas, e as primeiras edições e traduções cuidadosas deles. Na época em que Edward Gibbon escreveu seu *Declínio e queda do Império Romano* (1776-88), tinha um considerável conjunto de fontes e obras eruditas para usar.

O estudo e o ensino organizado das coisas árabes e islâmicas e a criação de instituições pelas quais os resultados podiam ser transmitidos de uma geração para outra começaram mais tarde. No novo território britânico de Bengala, sir William Jones (1746-94) estabeleceu a Sociedade Asiática para estudo da cultura muçulmana, além da hindu, na Índia, a primeira de muitas dessas sociedades eruditas. Em Paris, o estudioso francês Silvestre de Sacy (1758-1838) iniciou uma linhagem de professores e pesquisadores que se estendeu, por uma espécie de sucessão apostólica, a outras gerações e países. Papel especial no surgimento dessa tradição foi desempenhado por estudiosos de língua alemã, na Alemanha e no Império dos Habsburgo, que viam a religião e a cultura do Islã com mentes formadas pelas grandes disciplinas culturais da época: história da cultura, estudo da continuidade do desenvolvimento humano de uma época e povo para outros; filologia comparativa, que tentava estabelecer a história natural e as relações de família das línguas, e de culturas e personalidades coletivas expressas através delas; a aplicação de métodos críticos aos textos sagrados, para revelar o desenvolvimento inicial de tradições religiosas. O registro e a interpretação da vida, costumes e crenças dos povos da Ásia e da África, agora postos ao alcance da viagem e domínio europeus, deram origem à ciência da antropologia. No fim do século, outro tipo de ciência viera lançar luz sobre o estudo dos textos: a arqueologia, tentativa de descobrir e interpretar as relíquias dos assentamentos humanos. Dessa forma, o conhecimento da história de países onde os árabes viviam, sobretudo Egito e Iraque, foi levado a antes do surgimento do Islã.

A imaginação romântica, o culto do passado, distante e estranho, trabalhando sobre o conhecimento ou meio conhecimento oriundo de viagens e estudos, produziu uma visão do Oriente misterioso, que atraía e ameaçava, berço de maravilhas e histórias da carochinha, que fertilizou as artes. Traduções das *Mil e uma noites* tornaram-se parte da herança ocidental. Imagens delas e de outros livros forneceram temas subordinados na literatura européia: Goethe escreveu poemas sobre temas islâmicos, o *Westöstliche Diwan*; sir Walter Scott fez de Saladino um epítome da cavalaria medieval em *O talismã*. A influência nas artes visuais foi ainda maior. Temas islâmicos apareceram no desenho e na decoração de alguns prédios. Um estilo "orientalista" de pintura foi praticado por grandes pintores, Ingres e Delacroix, e também por outros menores. Algumas imagens sempre retornavam nas obras deles: o cavaleiro árabe como um herói selvagem, a sedução das beldades do harém, o encanto do bazar, o *pathos* da vida a continuar entre ruínas de grandeza antiga.

Entrelaçado com o desejo de saber e a evocação imaginativa de uma atração misteriosa, havia outro tema. A derrota cala mais fundo na alma humana que a vitória. Estar em poder de outro é uma experiência conspícua que provoca dúvidas sobre a ordenação do Universo, enquanto os que têm poder podem esquecê-lo, ou supor que faz parte da ordem natural das coisas e inventar ou adotar idéias que justifiquem a sua posse. Vários tipos de justificação foram apresentados na Europa do século XIX, e sobretudo na Grã-Bretanha e na França, já que eram os dois países principalmente envolvidos no domínio sobre os árabes. Alguns eram expressões em linguagem mais secular de atitudes que os cristãos ocidentais mantinham em relação aos muçulmanos desde que se depararam pela primeira vez com o poder deles: o Islã era visto como um perigo, moral e militarmente, a ser enfrentado. Traduzido em termos seculares, isso oferecia tanto uma justificação para o domínio quanto uma advertência: o temor de uma "revolta do Islã", de um movimento súbito entre os povos desconhecidos que dominavam, estava presente na mente de governantes britânicos e franceses. Do mesmo modo, lembranças das Cruzadas podiam ser usadas para justificar a expansão.

Outras idéias foram colhidas da atmosfera intelectual da época. Vistos na perspectiva da filosofia da história de Hegel, os árabes pertenciam a um momento passado no desenvolvimento do espírito humano: tinham cumprido sua missão de preservar o pensamento grego, e passado a tocha da civilização a outros. Vistos na da filologia comparativa, os que viviam através das línguas semíticas eram julgados incapazes da racionalidade e civilização superior que se abriam aos arianos. Uma certa interpretação da teoria da evolução de Darwin podia ser usada para sustentar a afirmação de que os que tinham sobrevivido na luta pela existência eram superiores, e portanto tinham o direito de dominar. Por outro lado, o poder podia ser encarado como trazendo consigo obrigações. A expressão "o fardo do branco" manifestava um ideal que, de uma maneira ou de outra, inspirou autoridades, médicos e missionários, ou mesmo aqueles que liam sobre a Ásia e a África de longe. O senso de responsabilidade mundial encontrou expressão nos primórdios da ajuda a vítimas de tragédias; o dinheiro doado na Europa e na América para as vítimas da guerra civil libanesa de 1860, e distribuído por cônsules, ofereceu um dos primeiros exemplos de caridade internacional organizada.

A idéia da identidade e igualdade humanas, por baixo de todas as diferenças, às vezes vinha à tona. No início do século XIX, Goethe proclamava que "Oriente e Ocidente não mais podem ser separados";[1] mas no fim do século a voz dominante era a de Kipling, afirmando que "Oriente é Oriente e Ocidente é Ocidente"[2] (embora talvez não tenha querido dizer exatamente o que outros leram em suas palavras).

A ASCENSÃO DA *INTELLIGENTSIA*

Essas discussões não se travavam sobre um corpo que não pudesse entreouvi-las. Na última parte do século XIX, a consciência da força da Europa que já existia na elite dominante otomana tornara-se generalizada. Surgira uma nova classe educada que se via a si mesma e ao mundo com olhos aguçados por professores ocidentais, e comunicava o que via de novas formas.

Tirando umas poucas exceções, essa classe formara-se num novo tipo de escola. As mais influentes foram as estabelecidas por governos reformadores para seus próprios fins. Em princípio, eram escolas especializadas para formar funcionários, oficiais, médicos e engenheiros, em Istambul, Cairo e Túnis. No fim do século, porém, os sistemas oficiais haviam crescido. Escolas primárias e secundárias existiam em cidades das províncias otomanas, e a melhoria das comunicações tornou possível os meninos passarem delas para as escolas superiores em Istambul, e de lá serem atraídos para o serviço imperial; em Istambul, também se estabelecera uma universidade. No Egito, ocorreram alguns fatos fora da rede oficial; o Cairo tinha uma faculdade de direito francesa, que formava advogados para trabalhar nos tribunais mistos, e a empresa privada fundara a primeira universidade. No Sudão, uma escola do governo, o Gordon College, educava rapazes para funções menores na administração onde eles eram necessários. Na Tunísia, do mesmo modo, o encorajamento pelo governo era limitado: havia algumas escolas primárias "franco-árabes", algumas escolas superiores para professores; a Sadiqiyya, uma escola secundária criada no moldes de um *lycée*, foi reformada e controlada pelos franceses. Na Argélia, escolas elementares foram aos poucos ampliadas a partir da década de 1890, mas lentamente e num nível baixo, e contra a vontade dos *colons*, que não estavam ansiosos por verem os muçulmanos argelinos adquirir conhecimento do francês e das idéias nele expressas; três *madrasas*, ensinando matérias modernas e tradicionais em nível secundário, foram mantidas; poucos argelinos entravam em escolas secundárias francesas, ou nas faculdades de direito, medicina ou letras da Universidade de Argel, em parte porque poucos conseguiam atingir o nível desejado, em parte porque os argelinos relutavam em mandar os filhos para escolas francesas.

Ao lado das escolas do governo, havia um pequeno número de outras estabelecidas por organismos locais, e um número maior mantido por missões européias e americanas. No Líbano, Síria e Egito, algumas das comunidades cristãs tinham suas próprias escolas, em particular os maronitas, com sua longa tradição de educação superior; umas poucas escolas modernas também foram estabelecidas por organizações voluntárias muçulmanas. As escolas das missões católicas expandiram-se, com apoio financeiro do governo francês e sob sua proteção. Em 1875, os jesuítas fundaram sua Université St-Joseph em Beirute, e a Faculdade de Medicina Francesa foi acrescentada a ela em 1883.

Foi também a iniciativa francesa que levou à criação da Alliance Israélite, uma organização judia que fundou escolas para comunidades judias do Marrocos ao Iraque. A partir do início

397

do século, a obra das missões católicas foi complementada de certa forma, e desafiada de outra, pela das missões protestantes, sobretudo americanas, que criaram uma pequena comunidade protestante, mas ofereciam educação a outros cristãos e depois a alguns muçulmanos também; no ápice de suas escolas estava o Colégio Protestante Sírio em Beirute, fundado em 1866, e que depois se tornaria a Universidade Americana de Beirute. A Imperial Sociedade Ortodoxa Russa da Palestina também fundou escolas para membros da Igreja Ortodoxa Oriental.

Em todos esses sistemas, havia escolas para moças, que ainda não alcançavam um padrão tão elevado quanto as dos rapazes, mas disseminavam a alfabetização e produziam mulheres que podiam ganhar a vida em algumas profissões: como professoras primárias ou enfermeiras, e mais raramente jornalistas ou escritoras. Algumas eram escolas do governo, mas a maioria pertencia a missões; as escolas de freiras católicas eram preferidas por pais muçulmanos, por darem a suas filhas a língua francesa, bons modos, qualificações femininas e proteção.

Surgiu uma nova geração acostumada à leitura. Muitos deles liam em línguas estrangeiras. Em meados do século XIX, o francês substituíra o italiano como *lingua franca* do comércio e nas cidades; o conhecimento do inglês mal existia no Magreb e era menos disseminado que o do francês mais para leste. Era comum o bilingüismo, e em algumas famílias, sobretudo no Cairo, Alexandria e Beirute, o francês ou o inglês substituía o árabe na família. Para os que tinham sido educados num alto nível em árabe, produzia-se uma nova literatura. A imprensa em árabe mal existia antes do século XIX, mas espalhou-se durante o século, sobretudo no Cairo e em Beirute, que iriam continuar sendo os principais centros editoriais: escolas do governo no Cairo e de missões em Beirute haviam produzido um público leitor relativamente grande. Com exceção de textos escolares, os livros eram menos importantes nesse período que os jornais e periódicos, que começaram a desempenhar um grande papel nas décadas de 1860 e 1870. Entre os periódicos de idéias, abrindo janelas para a cultura, ciência e tecnologia do Ocidente, estavam

398

dois produzidos por cristãos libaneses no Cairo: o *al-Muqtataf*, por Ya'qub Sarruf (1852-1927) e Faris Nimr (1855-1951), e o *al-Hilal*, por Jurji Zaydan (1861-1914). Empreendimento semelhante foi uma enciclopédia publicada em fascículos e produzida por Butrus Bustani (1819-83) e sua família, um compêndio de conhecimento moderno que mostra o que se sabia e entendia em Beirute e no Cairo no último quartel do século XIX. Seus artigos sobre ciência e tecnologia modernas são precisos e expressos com clareza; artigos sobre história, mitologia e literatura gregas iam muito além do que se conhecia da Antigüidade clássica na cultura islâmica numa época anterior; obra editada e escrita basicamente por cristãos árabes, fala de temas islâmicos num tom não velado por reserva ou receio. Os primeiros jornais foram os publicados sob patrocínio oficial em Istambul, Cairo e Túnis, contendo textos e explicações de leis e decretos. O jornal de opinião não oficial surgiu depois, quando uma nova geração de leitores desejava saber o que se passava no mundo, e o telégrafo tornou possível satisfazer a sua curiosidade. O tamanho do público leitor e o maior grau de liberdade intelectual tornaram o Cairo o centro da imprensa diária, e mais uma vez os primeiros jornalistas bem-sucedidos foram imigrantes do Líbano; *al-Ahram*, fundado pela família Taqla em 1875, iria depois tornar-se o principal jornal do mundo árabe.

A CULTURA DA REFORMA

Livros, periódicos e jornais eram canais pelos quais chegava aos árabes o conhecimento do novo mundo da Europa e da América. Muito do que publicavam era traduzido ou adaptado do francês ou inglês; o movimento de tradução começou sob Muhammad 'Ali, que precisava de manuais para seus funcionários e oficiais, e livros didáticos para as escolas. Alguns dos que se haviam formado na Europa e aprendido francês ou outra língua escreviam descrições do que tinham visto e ouvido. Assim, Rifa'a al-Tahtawi (1801-73), enviado por Muhammad 'Ali com uma missão educacional a Paris, escreveu uma descrição da cidade e seus habitantes:

> Os parisienses distinguem-se entre o povo da cristandade pela agudeza de intelecto, a precisão do entendimento e a imersão da mente em questões profundas [...] não são prisioneiros da tradição, mas adoram sempre saber a origem das coisas e as provas delas. Mesmo a gente comum sabe ler e escrever, e entra como outros em questões importantes, cada um segundo sua capacidade [...] É da natureza dos franceses serem curiosos e entusiásticos com o que é novo, e adoram a mudança e alteração nas coisas, particularmente nas roupas [...] Mudança e capricho são também de sua natureza; passam imediatamente da alegria à tristeza, ou da seriedade para a brincadeira ou vice-versa, de modo que num dia um homem faz todo tipo de coisas contraditórias. Mas tudo isso em coisas sem importância; nas grandes coisas, suas opiniões sobre a política não mudam; todos permanecem em suas crenças e opiniões [...] Estão mais próximos da avareza que da generosidade [...] Negam os milagres, e acreditam que não é possível infringir as leis naturais, e que as religiões vieram indicar aos homens as boas obras [...] mas entre suas crenças desagradáveis há essa de que o intelecto e a virtude de seus sábios são maiores que a inteligência dos profetas.[3]

Com o passar do tempo, porém, surgiu um novo tipo de literatura, em que escritores árabes tentaram expressar em árabe a consciência que tinham de si mesmos e de seu lugar no mundo moderno. Uma das principais preocupações da nova literatura era a própria língua árabe. Os que haviam sido criados dentro da esfera de radiação da nova cultura e literatura da Europa começaram a olhar seu próprio passado de uma forma nova. Textos de obras clássicas árabes eram impressos tanto no Cairo quanto na Europa. Antigos gêneros literários foram revividos; o principal escritor libanês da época, Nasif al-Yaziji (1800-71), escreveu uma obra no estilo do *maqamat*, uma série

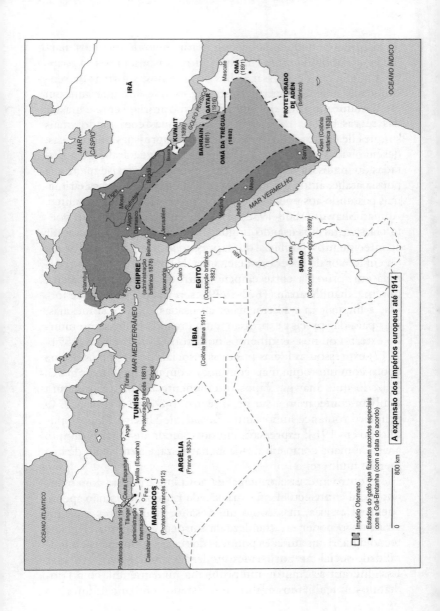

A expansão dos impérios europeus até 1914

de histórias e anedotas sobre um herói cheio de recursos, narrada em elaborada prosa rimada. Outros dispuseram-se a adaptar a língua para expressar idéias novas e novas formas de sensibilidade artística. Butrus Bustani e os que aprenderam com ele usaram um novo tipo de prosa expositória, sem se afastar das regras básicas da gramática árabe, mas com modos mais simples de expressão e novas palavras e expressões idiomáticas, desenvolvidas de dentro dos recursos da língua árabe ou adaptadas do inglês ou francês. Houve também um renascimento da poesia árabe, ainda usando o sistema clássico de métrica e rima, mas passando aos poucos a exprimir novas idéias e sentimentos. Ahmad Shawqi (1868-1932) pode ser encarado como um poeta clássico tardio, usando linguagem elevada para comemorar acontecimentos públicos ou expressar sentimentos nacionais, ou em louvor de soberanos; ele vinha da elite turco-egípcia reunida em torno da corte egípcia. Entre seus contemporâneos, porém, Khalil Mutran (1872-1949) escreveu poesia em que formas e linguagem tradicionais eram usadas não por si mesmas, mas para dar precisa expressão a uma realidade, fosse no mundo externo ou nos sentimentos do autor. Hafiz Ibrahim (1871-1912) expressou as idéias políticas e sociais dos egípcios de sua época com um toque mais comum, e com um apelo mais generalizado que Shawqi. Tipos inteiramente novos de literatura também começaram a surgir: o teatro, o conto, o romance. O primeiro romance importante, *Zaynab*, de Husayn Haykal, publicado em 1914, expressava um novo modo de olhar o campo, a vida humana como enraizada na natureza, e as relações de homens e mulheres.

O outro interesse principal da nova literatura era com o poder social e intelectual em expansão da Europa, vista não apenas como adversária, mas como um desafio, e sob certos aspectos atraente. O poder e a grandeza da Europa, a moderna ciência e tecnologia, as instituições políticas dos estados europeus e a moralidade social das sociedades modernas eram temas favoritos. Essa literatura levantou um problema fundamental: como podiam os muçulmanos árabes, e o Estado otomano, adquirir a força necessária para enfrentar a Europa e tornar-se parte do mundo moderno?

As primeiras tentativas claras de resposta a essa pergunta aparecem nos textos de funcionários ligados à reforma de meados do século em Istambul, Cairo e Túnis. Alguns foram escritos em turco, mas uns poucos o foram em árabe, em particular uma obra de Khayr al-Din (m. 1889), que foi o líder da última tentativa de reformar o governo tunisiano antes da ocupação francesa. Na introdução desse livro, Khayr al-Din explicava seu objetivo:

> Primeiro, exortar os zelosos e decididos entre os estadistas e homens de religião a adotar, até onde possam, o que quer que conduza ao bem-estar da comunidade islâmica e ao desenvolvimento de sua civilização, como a expansão das fronteiras da ciência e da cultura e a preparação dos caminhos que levam à riqueza [...] e a base de tudo isso é um bom governo. Segundo, advertir aos indiferentes entre a generalidade dos muçulmanos contra a persistência em fechar os olhos ao que é digno de louvor e de acordo com nossa lei religiosa na prática de adeptos de outras religiões, simplesmente por terem na mente a idéia fixa de que todos os atos e instituições dos que não são muçulmanos devem ser evitados.[4]

Na opinião desses autores, o Império Otomano devia adquirir a força de um Estado moderno por meio de mudanças nas leis, métodos de administração e organização militar; a relação de sultão e súdito devia mudar para a de governo e cidadão modernos, e a lealdade a uma família reinante devia ser transmutada no senso de pertencer a uma nação, a nação otomana, que devia incluir muçulmanos e não-muçulmanos, turcos e não-turcos. Tudo isso, se corretamente entendido, se podia fazer sem deslealdade ao Islã ou às tradições do Império.

À medida que o século avançava, e com o surgimento da nova classe educada nas décadas de 1860 e 1870, apareceu uma divisão entre os que apoiavam as reformas. Foi uma divisão de opinião sobre as bases da autoridade: se devia ficar com funcionários responsáveis perante seu próprio senso de justiça e os interesses do Império, ou com um governo representativo levado ao poder por eleições.

A cisão entre as gerações era mais profunda, porém. A segunda geração, em todos os três países, tinha consciência de um problema implícito nas mudanças que ocorriam. A reforma das instituições seria arriscada, se não enraizada em algum tipo de solidariedade moral: que seria isso, e até onde podia derivar da doutrina do Islã? Essa questão tornou-se mais premente à medida que a nova escola começou a produzir uma geração não fundada na doutrina islâmica tradicional, e exposta aos ventos de doutrina que sopravam do Ocidente.

O problema, evidentemente, não se apresentou para os cristãos de língua árabe do Líbano e da Síria, que desempenharam um grande papel na vida intelectual da época. Para a maioria deles, a civilização do Ocidente não parecia inteiramente estranha; podiam passar para ela sem qualquer senso de ser infiéis a si mesmos. Mas tinham seu próprio equivalente do problema. O poder das hierarquias das Igrejas, reconhecidas e apoiadas pelo Estado, podia ser um obstáculo para seu pensamento e a que se expressassem como quisessem. Alguns deles passaram para o secularismo, ou o protestantismo, que era o mais próximo que podiam chegar do secularismo numa sociedade em que a identidade se expressava em termos de pertencer a uma comunidade religiosa.

Para os muçulmanos, porém, o problema era inescapável. O Islã era o que havia de mais profundo neles. Se a vida no mundo moderno exigia mudanças em suas maneiras de organizar a sociedade, tinham de tentar fazê-las permanecendo fiéis a si mesmos; e isso só seria possível se o Islã fosse interpretado para torná-lo compatível com a sobrevivência, força e progresso no mundo. Esse era o ponto de partida dos que podem ser chamados de "modernistas islâmicos". Eles acreditavam que o Islã era não apenas compatível com a razão, o progresso e a solidariedade social, as bases da civilização moderna; se propriamente interpretado, positivamente os ordenava. Essas idéias foram propostas por Jamal al-Din al-Afghani (1839-97), um iraniano cujos textos eram obscuros, mas cuja influência pessoal foi considerável. Elas foram mais plena e claramente desenvolvidas nos escritos de um egípcio, Muhammad 'Abduh (1849-1905), cujos textos iriam ter uma grande e duradoura influência em todo o mundo muçulmano. O objetivo da vida, segundo ele, era:

> liberar o pensamento dos grilhões da imitação [*taqlid*] e entender a religião como foi entendida pela comunidade antes de aparecer a dissensão; voltar, na aquisição de saber religioso, às suas fontes primeiras, e pesá-las na balança da razão humana, que Deus criou para prevenir excessos ou adulteração na religião, para que a sabedoria de Deus possa ser cumprida e a ordem do mundo humano preservada; e para provar que, vista nesta luz, a religião deve ser tida como uma amiga da ciência, levando o homem a investigar os segredos da existência, intimando-o a respeitar as verdades estabelecidas e a apoiar-se nelas em sua vida e conduta moral.[5]

Em sua obra, há uma distinção entre as doutrinas essenciais do Islã e seus ensinamentos e leis sociais. As doutrinas foram transmitidas por uma linhagem central de pensadores, os "ancestrais pios" (*al-salaf al-salih*), daí o nome muitas vezes dado a esse tipo de pensamento (*salaffiyya*). São simples — crença em Deus, na revelação através da linhagem de profetas que acaba em Maomé, na responsabilidade e julgamento morais — e podem ser articuladas e defendidas pela razão. A lei e a moralidade social, por outro lado, são aplicações a circunstâncias particulares de certos princípios gerais contidos no Corão e aceitáveis para a razão humana. Quando mudam as circunstâncias, também elas mudam; no mundo moderno, é tarefa dos pensadores muçulmanos relacionar leis e costumes mutantes a princípios imutáveis, e ao fazer isso impor-lhes limites e uma direção.

Uma tal visão do Islã iria tornar-se parte dos aprestos da mente de muitos muçulmanos árabes educados, e de muçulmanos muito além do mundo árabe. Mas podia desenvolver-se ao longo de mais de uma linha. O mais destacado seguidor de 'Abduh, o sírio Rashid Rida (1865-1935), em seu periódico *al-Manar*, tentou permanecer fiel aos dois lados do ensinamento dessa questão. Ao defender as doutrinas imutáveis do Islã contra todos os ataques, iria chegar perto da doutrina hanbalita, e mais tarde do wahhabismo; numa série de *fatwas*, tentou trazer as leis adequadas ao mundo moderno para dentro do quadro de uma *charia* revisada.

O SURGIMENTO DO NACIONALISMO

Tanto 'Abduh quanto Rida eram ulemás de educação tradicional, preocupados não apenas em justificar a mudança, mas em impor-lhe limites; para os educados em escolas modernas, porém, a atração da visão do Islã de 'Abduh era que os liberava para aceitar as idéias do Ocidente moderno sem nenhuma sensação de trair seu próprio passado. Uma série de escritores, alguns dos quais alegavam aliança a ele, começou a apresentar novas idéias sobre a forma como a sociedade e o Estado deviam ser organizados. Foi nessa geração que se tornou explícita, entre turcos, árabes, egípcios e tunisianos, a idéia do nacionalismo. Houvera alguns sinais de autoconsciência nacionalista antes, e por trás deles havia alguma coisa mais antiga e mais forte, o desejo de sociedades havia muito estabelecidas de continuar suas vidas sem interrupção, mas como uma idéia articulada, a animar movimentos políticos, ela só se tornou importante nas duas últimas décadas antes da Primeira Guerra Mundial.

Os vários movimentos nacionais surgiram em resposta a diferentes desafios. O nacionalismo turco foi uma reação à contínua e crescente pressão da Europa e ao colapso do ideal de nacionalismo otomano. À medida que os povos cristãos do Império se separavam um a um, o nacionalismo otomano foi adquirindo uma coloração mais islâmica, mas quando, sob Abdülhamid, a aliança entre o trono e a elite dominante turca se rompeu, surgiu a idéia de uma nação turca: a idéia, quer dizer, de que o Império só poderia sobreviver com base na solidariedade de uma nação unida por uma língua comum.

Como a essa altura o Império se tornara em grande parte um Estado turco-árabe, qualquer tentativa de acentuar a predominância do elemento turco teria de perturbar o equilíbrio entre eles e os árabes, e por reação o nacionalismo árabe foi aos poucos se tornando explícito. Na primeira fase, foi um movimento de sentimentos entre alguns muçulmanos educados da Síria, sobretudo em Damasco, e de uns poucos escritores cristãos sírios e libaneses. As raízes estavam na revivescência da consciência do passado árabe nas novas escolas, e a ênfase posta por reformadores islâmicos no primeiro período de história islâmica, o período em que os árabes eram predominantes. Só se tornou uma força política importante depois que a revolução de 1908 enfraqueceu a posição do sultão, o tradicional foco de lealdades, e terminou levando à tomada do poder pelos "Jovens Turcos". Como a política deles era de fortalecer o controle central e dar ênfase à unidade nacional do Império, por implicação essa política tendia na direção do nacionalismo turco. Alguns oficiais e funcionários árabes, sobretudo sírios de Damasco, que por vários motivos se opunham a esse grupo, começaram a apresentar a exigência, não ainda de um Estado árabe independente, mas de uma melhor posição para as províncias árabes dentro do Império, uma descentralização que chegava até a autonomia. Dentro da área de língua árabe, alguns cristãos libaneses começaram a esperar um grau maior de autonomia libanesa sob a proteção de uma potência européia.

O nacionalismo turco e árabe nesse estágio não se dirigia primariamente tanto contra as intrusões de poder europeu quanto para problemas de identidade e a organização política do Império. Quais eram as condições nas quais a comunidade muçulmana otomana podia continuar a existir? Elas podiam, em princípio, estender-se além do Império, a todos que falassem turco ou árabe. Os nacionalismos egípcio, tunisiano e argelino difeririam, contudo: todos os três viam-se diante de problemas específicos de domínio europeu, e todos se preocupavam com esses problemas dentro de um país claramente delimitado. O Egito e a Tunísia tinham sido praticamente entidades políticas separadas havia muito tempo, primeiro sob suas próprias dinastias, depois sob domínio britânico ou francês; também a Argélia tinha sido um território otomano separado e a essa altura já fora praticamente integrada à França.

Assim, quando surgiu, o nacionalismo egípcio foi uma tentativa de encerrar a ocupação britânica, e tinha um conteúdo especificamente egípcio, mais que árabe, muçulmano ou otomano. A resistência à ocupação britânica de 1882 já tinha tido um elemento nacionalista, mas ainda não estava plenamente articulada, e só nos primeiros anos do novo século se tornou uma força política efetiva, e uma força capaz de servir como foco para outras idéias sobre a forma como a sociedade devia ser organizada. Não era uma força unida: havia uma divisão entre os que exigiam a retirada britânica e os que, sob a influência das idéias de modernismo islâmicas, achavam que a primeira necessidade era de desenvolvimento social e intelectual, e o Egito assim podia beneficiar-se da presença britânica. Do mesmo modo, em Túnis havia uma nuance de sentimento nacionalista na resistência à invasão francesa em 1881, mas o primeiro grupo nacionalista claramente distinto, os "Jovens Tunisianos", um pequeno grupo de homens com educação francesa, apareceu por volta de 1907. Também ali o sentimento predominante era não tanto em favor de uma imediata retirada francesa como de uma mudança na política francesa, que daria aos tunisianos maior acesso à educação francesa e maiores oportunidades no serviço do governo e na agricultura; era uma política a que se opunham os *colons*. Também na Argélia, na superfície da profunda e continuada resistência à colonização francesa, ainda expressa em termos sobretudo tradicionais, surgiu um pequeno movimento de "Jovens Argelinos" com a mesma base de idéias "modernistas", e o mesmo tipo de exigência de educação em francês, reformas financeira e jurídica, e direitos políticos mais amplos dentro do esquema existente. No Marrocos, porém, a oposição ao protetorado francês, generalizada na cidade e no campo, ainda encontrava seus líderes no meio dos ulemás urbanos, e seus símbolos nas formas tradicionais de pensamento islâmico.

A CONTINUIDADE DA TRADIÇÃO ISLÂMICA

Otomanismo, reformismo islâmico e nacionalismo eram idéias de uma minoria urbana educada, expressando um novo relacionamento com o Estado e o mundo externo em termos de novos conceitos. Além dessa minoria, bem pode ter havido alguns inícios de pensamento e sentimento que numa geração depois iriam articular-se em forma nacionalista e dar aos movimentos nacionalistas uma nova força, mas na maior parte o Islã, como concebido tradicionalmente, ainda fornecia os motivos que podiam exortar os homens à ação e os símbolos em cujos termos eles lhe davam sentido. O que se chama "tradição", porém, não mudava; seguia seu próprio caminho, em seu próprio passo.

O velho sistema de escolas perdera alguma coisa de sua posição na sociedade. Estudar nessas escolas não mais levava a altos cargos no serviço público; à medida que se introduziam novos métodos de administração, tornava-se necessário um novo tipo de especialização, e quase indispensável o conhecimento de uma língua européia. Seus diplomados não mais controlavam o sistema judicial. Novos códigos criminais e comerciais, modelados nos da Europa Ocidental, limitavam o âmbito efetivo da *charia*; o código civil do Império Otomano, embora ainda retivesse sua base na *charia*, também foi remodelado. Com as novas leis vieram novos tribunais; tribunais mistos ou estrangeiros para casos envolvendo estrangeiros, tribunais de um novo tipo — e na Argélia tribunais franceses — para a maioria dos casos envolvendo súditos locais. O tribunal do cádi foi limitado a questões de *status* pessoal. Eram necessários, portanto, juízes e advogados de um novo tipo, e eles eram formados de uma nova maneira. No Egito e na Argélia, fez-se uma tentativa de dar aos estudantes graduados ao modo tradicional uma educação sobre assuntos modernos: as *madrasas* na Argélia e a Dar al-'Ulum no Egito. Os filhos de famílias ricas e eminentes, contudo, eram cada vez mais mandados a um novo tipo de escola.

Apesar disso, as velhas escolas continuaram a existir, e o mesmo aconteceu com a produção de obras de erudição sobre teologia e lei dentro das tradições cumulativas da cultura islâmica. Os mais alertas entre seus estudiosos começavam a manifestar decepção com o tipo de ensino que recebiam ali. Como escreveu um deles, a vida do estudante era de

> incessante repetição, em que ele não encontrava nada de novo do começo ao fim do ano [...] durante todos os seus estudos ouvira palavras e discursos reiterados que não lhe tocavam o coração, nem lhe despertavam o apetite, nem lhe alimentavam a mente, nem acrescentavam nada ao que ele sabia.[6]

Fizeram-se algumas tentativas para reformá-las, em particular a Azhar sob a influência de 'Abduh, mas sem muito sucesso. Mas elas ainda tinham grande poder na sociedade, como canais pelos quais garotos espertos de famílias rurais pobres podiam encontrar seu nível, e formulando e articulando uma espécie de consciência coletiva. Por esse motivo, governos reformistas tentaram exercer um controle mais estreito sobre elas. No fim do século XIX, tinha se dado ao diretor da Azhar maior autonomia do que antes sobre os professores e estudantes, mas ele por sua vez fora posto sob o controle mais estrito do quediva: as autoridades francesas na Tunísia tentavam submeter a Zaytuna ao seu controle.

Ainda não havia declínio apreciável na influência das ordens sufitas. A oposição dos wahhabitas a elas tinha pouca influência fora da Ásia Central. Alguns modernistas criticavam o que consideravam abusos do sufismo — a autoridade exercida por mestres sufitas sobre seus discípulos, a crença em milagres operados por intercessão dos "amigos de Deus" — mas a maioria achava possível, e na verdade necessário, um sufismo purificado, para a saúde da comunidade. Em geral, uma grande parte da população continuava a ter alguma filiação junto a uma ou outra das ordens. As mais antigas, como a shadhiliyya e a qadiriyya, continuavam a dar origem a subordens; as que davam ênfase à observância da *charia*, como a naqshbandiyya e a tijaniyya, continuaram espalhando-se; surgiram algumas novas de tipo semelhante, como a sanusiyya, estabelecida na Cirenaica na década de 1840 por um argelino que tinha estudado em Fez e Meca.

Novos métodos de manutenção da ordem urbana, por meio de funcionários, polícia e guarnições (estrangeiros no Egito e no Magreb), limitaram a influência das ordens nas cidades, e na verdade de todas as forças que podiam instigar ou expressar insatisfação popular. O fim do século XIX foi um período quase sem desordem urbana, após os grandes levantes das décadas de 1860 e 1870 e os distúrbios na época das ocupações estrangeiras. No campo, porém, mestres que tinham alguma pretensão a autoridade espiritual ainda exerciam o mesmo poder que antes. Na era de expansão imperial, os porta-vozes e líderes da resistência rural vinham em grande parte dos homens de religião. Na Argélia, a posição de 'Abd al-Qadir na ordem qadirita local dera-lhe um ponto de partida do qual expandir seu poder; na revolta posterior de 1871, a ordem rahmaniyya desempenhou um papel importante. Do mesmo modo, no Egito, na Tunísia e no Marrocos, a resistência ao aumento da influência européia era mobilizada pelo uso de símbolos islâmicos, e a tentativa italiana de conquistar a Líbia iria encontrar sua principal oposição na sanusiyya, que na época tinha uma rede de centros locais nos oásis do deserto cirenaico. Nem todas as ordens sufitas, porém, tomaram o caminho da resistência: na Argélia, a tijaniyya fez a paz com os franceses; no Egito, a maioria das ordens ficou do lado do quediva na crise de 1882.

O exemplo mais impressionante do poder político de um líder religioso foi dado pelo Sudão no movimento que encerrou o domínio egípcio na década de 1880. Esse movimento extraiu parte de sua força da oposição aos governadores estrangeiros, mas tinha raízes muito mais profundas. Muhammad Ahmad, que o fundou, tirou inspiração da formação sufita, e era visto por seus seguidores como o *mahdi*, o guiado por Deus para restaurar o reino de justiça no mundo. Seu movimento espalhou-se rapidamente, num país em que o controle do governo era limitado, as cidades pequenas e o Islã dos ulemás demasiado fraco para contrabalançar a influência de um professor rural. Após encerrar o domínio egípcio, ele pôde criar um Estado baseado nos ensinamentos do Islã, segundo sua interpretação, e modelou-o conscientemente na comunidade ideal do Profeta e seus Companheiros. Esse Estado foi levado adiante por seu califa após a sua morte, mas a ocupação anglo-egípcia encerrou-o no fim do século.

Tais movimentos alimentavam o medo da "revolta do Islã" que sentiam os governos reformadores e estrangeiros, e levou a tentativas de opor-se a eles, ou pelo menos controlá-los. No Egito, a partir da época de Muhammad 'Ali, houvera pelo menos uma tentativa de controlar as ordens sufitas pela nomeação do chefe de uma família associado a uma delas, a bakriyya, para chefiar todas as outras; seus poderes e funções foram formalmente definidos mais tarde, no mesmo século. A chefia de uma ordem tornava-se um cargo formalmente reconhecido pelo governo, e através dos chefes podia-se conter alguns dos excessos da prática popular, que começavam a sofrer crítica crescente. Na Argélia, após a revolta de 1871, as ordens eram encaradas com suspeita pelos franceses, e fez-se uma tentativa de reprimir as que pareciam hostis e conquistar os chefes de outras concedendo-lhes favores.

No Império Otomano, o sultão estava em posição de canalizar o sentimento religioso popular para seus próprios interesses. De meados do século XIX em diante, houve um esforço constante do governo para enfatizar o papel do sultão, como defensor do Estado que era praticamente a última relíquia do poder e independência política do Islã sunita. A pretensão do sultão a ser califa não fora apresentada até então com muita ênfase, a não ser no sentido de que qualquer governante muçulmano poderoso podia ser chamado de califa. A partir de meados do século XIX, porém, isso começou a ser forçado mais sistematicamente, tanto como um grito de convocação aos muçulmanos no Império e fora para que se reunissem em torno do trono muçulmano quanto como uma advertência aos estados europeus que tinham milhões de súditos muçulmanos. O sultão Abdülhamid usou consultores e protegidos sufitas para enfatizar suas pretensões religiosas; a construção da estrada de ferro do Hedjaz, com capital muçulmano e a finalidade de levar peregrinos às cidades santas, foi uma expressão da mesma política. Os modernistas islâmicos criticaram a política, com base em que o tipo de Islã que ele encorajava não era o verdadeiro Islã; também podiam contestar sua pretensão a ser califa e esperar a volta do Califado aos árabes. Apesar disso, a política despertou sentimentos e lealdades no mundo do Islã, árabe, turco e além: na Índia, onde o Império Mughal fora finalmente extinto após o "Motim Indiano" de 1857, no Cáucaso e na Ásia Central, onde a expansão do poder russo destruía as antigas monarquias, e nas regiões sob controle britânico e francês no norte da África.

19. O AUGE DO PODER EUROPEU (1914-1939)

A SUPREMACIA DE GRÃ-BRETANHA E FRANÇA

Em 1914, as rivalidades das potências européias rompiam os limites impostos pelo senso de destino comum e pelas lembranças das guerras napoleônicas, e o Império Otomano era o ponto onde elas se mostravam mais agudas, por causa de sua fraqueza e da importância dos interesses ali em causa. Em algumas partes, a alocação de concessões ferroviárias havia criado divisão em esferas de interesse, mas em outras — partes dos Bálcãs, Istambul e o estreito dos Dardarelos e a Palestina — os interesses das potências se chocavam diretamente uns com os outros. Foi a rivalidade da Áustria com a Rússia nos Bálcãs a causa imediata da eclosão da Primeira Guerra Mundial em 1914, e quando o Império Otomano entrou na guerra em novembro, do lado da Alemanha e da Áustria, e contra Inglaterra, França e Rússia, suas terras tornaram-se um campo de batalha. O exército otomano, reforçado por seus aliados, teve de lutar contra a Rússia em sua fronteira nordeste, e contra uma força basicamente britânica em suas províncias árabes. A princípio o exército otomano ameaçou a posição britânica no Egito, mas depois um exército britânico e aliado avançou na Palestina, e no fim da guerra ocupava toda a Síria. Nesse meio tempo, outra força britânica e indiana desembarcara no Iraque, no alto do golfo Pérsico, e quando a guerra acabou tinha todo o Iraque.

Em 1918, o controle militar da Grã-Bretanha e França no Oriente Médio e no Magreb era mais forte que nunca, e, o que era mais importante, o grande governo imperial sob o qual a maioria dos países árabes tinha vivido durante séculos, e que servira como uma espécie de proteção contra o domínio europeu, fora eclipsado e logo desapareceria. O Império Otomano perdera suas províncias árabes e estava reduzido à Anatólia e a uma pequena parte da Europa; o sultão estava sob o controle de marinhas e representantes dos Aliados em sua capital, e foi obrigado a assinar um tratado de paz desfavorável (o Tratado de Sèvres, 1920), impondo uma virtual tutela estrangeira ao seu governo; mas um movimento de rejeição da população turca da Anatólia, chefiado por oficiais do exército e fortalecido pelo estímulo dos Aliados a que os gregos ocupassem parte da Anatólia Ocidental, resultou na criação de uma república turca e na abolição do Sultanato. Essas mudanças foram aceitas pelos Aliados no Tratado de Lausanne (1923), que pode ser visto como o instrumento que encerrou formalmente o Império Otomano.

A estrutura política dentro da qual a maioria dos árabes tinha vivido durante quatro séculos se desintegrara; a capital do novo Estado turco não era Istambul, mas Ancara, nas terras altas da Anatólia, e a grande cidade que fora a sede de poder por tanto tempo perdera sua força de atração; a dinastia que, fossem suas pretensões ao Califado aceitas ou não, tinha sido encarada como guardiã do que restara do poder e independência do Islã sunita, desaparecera na história. Essas mudanças tiveram um efeito mais profundo no modo como os árabes politicamente conscientes pensavam em si mesmos e tentavam definir sua identidade política. Esta colocava questões sobre o modo como deviam viver juntos em comunidade política. As guerras são catalisadores, trazendo à consciência sentimentos até então inarticulados e criando expectativas de mudança. A idéia de um mundo a ser refeito com base na autodeterminação de entidades nacionais fora estimulada por declarações feitas por Woodrow Wilson, presidente dos Estados Unidos, e por outros líderes aliados, e os acontecimentos da época da guerra haviam despertado um desejo, entre algumas camadas de determinados povos árabes, de mudanças em seu *status* político. No Magreb, soldados argelinos e tunisianos, muitos deles voluntários, tinham combatido no exército francês na frente ocidental, e podiam esperar mudanças que reconhecessem o que tinham feito. Os egípcios, embora não diretamente envolvidos como combatentes na guerra, tinham sofrido dificuldades: trabalho forçado, altos preços e escassez de alimentos, as humilhações de serem ocupados por um grande exército estrangeiro. Nas partes árabes do Império Otomano, a mudança foi de um tipo diferente. Em 1916, Husayn, o xarife de Meca da família hachemita (1908-24), revoltou-se contra o sultão muçulmano, e uma força árabe, recrutada em parte de beduínos da Arábia Ocidental, e em parte de prisioneiros ou desertores do Império Otomano, lutou ao lado das forças aliadas na ocupação da Palestina e da Síria. Esse movimento começou após a troca de correspondência entre os britânicos e Husayn, agindo em contato com grupos nacionalistas árabes, na qual os britânicos haviam encorajado as esperanças de independência árabes (correspondência McMahon-Husayn, 1915-16). Uma possível linha de raciocínio que levou a essa ação britânica é explicada pelo homem cujo nome é mais freqüentemente ligado a ela, T. E. Lawrence:

> Víamos que um novo fator era necessário no Leste, algum poder ou raça que sobrepujasse os turcos em número, em produção e atividade mental. A história não nos dava nenhum encorajamento para achar que essas qualidades pudessem ser oferecidas prontas pela Europa [...] Alguns de nós julgávamos que havia suficiente poder latente, e de sobra, nos povos árabes (o maior componente do Império Turco), uma prolífica aglomeração semítica, grande em pensamento religioso, razoavelmente industriosa, mercantil, política, porém de caráter mais solvente que dominante.[1]

De um modo que talvez exagerasse o seu próprio papel, ele afirmava: "Eu pretendia fazer uma nova nação, restaurar uma influência perdida".[2] Se alguma coisa foi de fato prometida, e, se foi, o quê, e se a revolta do xarife desempenhou parte importante na vitória aliada, são assuntos em disputa, mas o que está claro é que pela primeira vez a exigência de que os que falavam árabe constituíssem uma nação e tivessem um Estado fora em certa medida aceita por uma grande potência.

Esperanças, queixas e a busca de identidade juntaram-se contra o poder e as políticas da Inglaterra e da França nos anos após a guerra. Na Argélia, algumas mudanças foram de fato feitas pelo governo francês, e os muçulmanos iriam daí em diante pagar os mesmos impostos que os colonos estrangeiros, e ter mais representantes nas assembléias locais; mas um movimento liderado por um descendente de 'Abd al-Qadir, e exigindo que os muçulmanos fossem representados no Parlamento francês sem ter de abandonar as leis islâmicas de *status* pessoal, foi sufocado. No Marrocos, um movimento armado de resistência ao domínio francês e espanhol, chefiado por 'Abd al-Karim al-Khattabi, um ex-juiz na zona espanhola do norte do Marrocos (1882-1963), nas montanhas Rif no norte, foi derrotado em 1926, e a conquista francesa de todo o país estava praticamente concluída no fim da década de 1920; do mesmo modo, o domínio italiano se estendera da costa líbia para o deserto em 1934. No Egito, uma declaração britânica pusera fim à soberania otomana em 1914 e colocara o país sob protetorado britânico; o quediva tomara o título de sultão. Em 1919, a recusa do governo britânico a deixar que um governo egípcio apresentasse sua defesa da independência na conferência de paz detonou um generalizado levante nacional, com organização centralizada e apoio popular. Embora tenha sido suprimido, levou à criação de um partido nacionalista, o Wafd, tendo Sa'd Zaghlul (1875-1927) como líder, e depois à emissão pelos britânicos em 1922 de uma "declaração de independência", que lhes reservava o controle de interesses estratégicos e econômicos, dependendo de um acordo entre os dois países. A declaração possibilitou a promulgação de uma Constituição egípcia; o sultão mudou seu título mais uma vez e tornou-se rei. Ao sul, no Sudão, um movimento de oposição no exército foi destruído, e soldados e funcionários egípcios, que haviam partilhado com os britânicos o controle do país sob o acordo de condomínio, foram expulsos.

Nas outras províncias árabes do Império Otomano, a situação era mais complicada. Um acordo anglo-francês, embora aceitando o princípio da independência árabe estabelecido na correspondência com o xarife Husayn, dividiu a área em zonas de influência permanente (o Acordo Sykes-Picot, de maio de 1916); e um documento britânico de 1917, a Declaração Balfour, estabeleceu que o governo via com bons olhos o estabelecimento de um lar nacional judeu na Palestina, contanto que isso não prejudicasse os direitos civis e religiosos dos outros habitantes do país. Depois que a guerra acabou, o Tratado de Versalhes estabeleceu que os países árabes antes sob domínio otomano podiam ser provisoriamente reconhecidos como independentes, sujeitos a prestação de assistência e aconselhamento por um Estado encarregado do "mandato" para eles. Foram esses documentos, e os interesses neles refletidos, que determinaram o destino político dos países. De acordo com os termos dos mandatos, formalmente concedidos pela Liga das Nações em 1922, a Grã-Bretanha seria responsável pelo Iraque e pela Palestina, e a França pela Síria e pelo Líbano. Na Síria, uma tentativa de seguidores da revolta de Husayn — com um certo apoio temporário dos britânicos — para criar um Estado independente sob o filho de Husayn, Faysal, foi suprimida pelos franceses, e estabeleceram-se duas entidades políticas: o Estado da Síria e o do Líbano, uma ampliação da região privilegiada criada em 1861. Em 1925, uma combinação de queixas específicas contra a administração francesa na região drusa da Síria com oposição nacionalista à presença francesa levou a uma revolta, que só foi suprimida com dificuldade. Ao sul da área do mandato francês, na Palestina e na terra a leste dela, a Grã-Bretanha manteve o mandato. Devido à obrigação assumida na Declaração Balfour e repetida no mandato, de facilitar a criação de um lar nacional judeu, os britânicos governavam a Palestina diretamente; mas a leste dela, estabeleceu-se um Principado da Transjordânia, governado por outro filho de Husayn, 'Abdullah (1921-51), sob mandato britânico mas sem obrigação em relação à criação do lar nacional judeu. Na terceira área, Iraque, uma revolta tribal em 1920 contra a ocupação militar britânica, com matizes de nacionalismo, foi seguida por uma tentativa de estabelecer instituições de autogoverno sob controle britânico. Faysal, que tinha sido expulso da Síria pelos franceses, tornou-se rei do Iraque (1921-33), sob supervisão britânica e dentro do esquema do mandato; as cláusulas do mandato foram corporificadas num tratado anglo-iraquiano.

De todos os países árabes, só partes da península Arábica permaneceram livres de domínio europeu. O Iêmen, assim que acabou a ocupação otomana, tornou-se um Estado independente sob o imã dos zayditas, Yahya. No Hedjaz, o xarife Husayn proclamou-se rei e governou por alguns anos, mas na década de 1920 seu governo, ineficaz e privado de apoio britânico, foi neutralizado por uma expansão de poder do governante saudita, Abd al-'Aziz (1902-53), da Arábia Central; tornou-se parte do novo Reino da Arábia Saudita, que se estendia do golfo Pérsico ao mar Vermelho. Também aqui, no entanto, foi confrontado no sul e leste pelo poder britânico. O protetorado sobre os pequenos estados do golfo Pérsico continuou a existir; uma área de proteção britânica foi ampliada para leste, a partir de Áden; e no canto sudoeste da península, com apoio britânico, o poder do sultão de Omã em Maskat foi estendido ao interior, à custa do imã ibadita.

Sem recursos conhecidos, tendo poucos laços com o mundo externo, e cercados de todos os lados pelo poder britânico, o Iêmen e a Arábia Saudita só podiam ser independentes dentro de certos limites. Nos antigos territórios otomanos, o único Estado realmente independente que emergiu da guerra foi a Turquia. Construída em torno da estrutura da administração e do exército otomanos, e dominada até a morte dele por um líder notável, Mustafá Kemal (Atatürk, 1881-1938), a Turquia embarcou num caminho que a afastou de seu passado, e dos países árabes com os quais seu passado fora tão intimamente ligado: o de recriar uma sociedade na base da solidariedade nacional, uma rígida separação de Estado e religião, e uma tentativa deliberada de dar as costas ao Oriente Médio e tornar-se parte da Europa. O antigo laço entre turcos e árabes foi dissolvido, em circunstâncias que deixaram ressentimentos de ambos os lados, exacerbados durante algum tempo por disputas sobre fron-

419

teiras com o Iraque e a Síria. Apesar disso, o exemplo do Atatürk, que desafiara a Europa com sucesso e estabelecera seu país num novo caminho, iria ter um profundo efeito sobre movimentos nacionais em todo o mundo árabe.

O PRIMADO DOS INTERESSES
BRITÂNICOS E FRANCESES

Assim que os movimentos de oposição da década de 1920 foram contidos, a Grã-Bretanha e a França não enfrentaram desafios internos sérios a seu poder no Oriente Médio e no Magreb, e por alguns anos não houve desafios externos tampouco. Os outros grandes estados europeus — os impérios Russo, Alemão e Austro-Húngaro — haviam desmoronado ou se retirado para si mesmos no fim da guerra, e isso significou que o Oriente Médio, que por muito tempo tinha sido um campo de ação comum ou rivalidade para cinco das seis potências européias, era agora domínio da Grã-Bretanha e da França, e mais da Grã-Bretanha que da França, que emergira formalmente vitoriosa mas muito enfraquecida da guerra; no Magreb, porém, a França continuou a ser a potência suprema.

Para a Grã-Bretanha e a França, o controle dos países árabes era importante não só por causa de seus interesses na própria região, mas porque isso fortalecia sua posição no mundo. A Grã-Bretanha tinha grandes interesses no Oriente Médio: a produção de algodão para as fábricas de Lancashire, de petróleo no Irã e depois no Iraque, investimentos no Egito e em outras partes, mercados para produtos manufaturados, os interesses morais que surgiram em torno da obrigação de ajudar na criação do lar nacional judeu. Havia também interesses mais gerais: a presença da Grã-Bretanha no Oriente Médio ajudava a manter sua posição como potência mediterrânea e mundial. A rota marítima para a Índia e o Extremo Oriente passava pelo canal de Suez. As rotas aéreas pelo Oriente Médio também estavam sendo desenvolvidas nas décadas de 1920 e 1930; uma ia pelo Egito ao

Iraque e à Índia, outra através do Egito para o sul da África. Esses interesses eram protegidos por uma série de bases que reforçavam outras na bacia do Mediterrâneo e no oceano Índico, e eram reforçadas por elas: o porto de Alexandria, e outros portos que podiam ser usados, bases militares no Egito e na Palestina, campos de aviação naqueles países, no Iraque e no golfo Pérsico.

Do mesmo modo, o Magreb era importante para a França não só por si mesmo, mas por seu lugar no sistema imperial francês. Fornecia força humana para o exército, minérios e outros materiais para a indústria; era campo de vasto investimento, e lar de mais de 1 milhão de cidadãos franceses. As rotas por terra, mar e ar para as possessões francesas na África Ocidental e Central passavam por ele. Esses interesses eram protegidos pelo exército francês espalhado de um lado a outro do Magreb, e pela marinha em Bizerta, Casablanca e, depois, Mers el-Kebir. Comparado com isso, os interesses no Oriente Médio eram limitados, mas ainda assim consideráveis: investimentos no Egito e no Líbano; o petróleo do Iraque, que em 1929 fornecia metade do que a França precisava; um certo grau de compromisso moral com os cristãos da área do território sob mandato. Além disso, a presença militar francesa na Síria e no Líbano fortalecia a posição da França como potência mediterrânea e mundial; seu exército podia usar sua terra, a marinha seus portos, e uma rota aérea militar ia da França, através do Líbano, para a Indochina.

Até o final da década de 1930, essas posições permaneceram praticamente intocadas. O primeiro desafio sério — e é difícil dizer até onde seria sério — veio da Itália. Em 1918, a Itália já havia se estabelecido no arquipélago Dodecaneso (tomado do Império Otomano em 1912) e na costa líbia, e em 1939 ocupou toda a Líbia, a Albânia no Mediterrâneo, e a Etiópia na África Oriental; podia assim ameaçar a posição francesa na Tunísia, onde muitos dos moradores europeus eram de origem italiana, e a da Grã-Bretanha no Egito, Sudão e Palestina. A Itália exerceu certa influência sobre movimentos árabes de oposição ao domínio britânico ou francês, e o mesmo fez, em 1939, a Alemanha, embora ainda não houvesse sinais claros de um desafio alemão direto aos interesses britânicos e franceses ali. A Rússia também pouco fizera para afirmar sua presença desde a Revolução de 1917, embora autoridades britânicas e francesas se inclinassem a atribuir seus problemas à influência comunista.

Firmemente colocadas em suas posições de potência, a Grã-Bretanha e a França puderam, no período 1918-39, expandir seu controle sobre o comércio e a produção da região. O mundo árabe ainda era basicamente importante para a Europa como fonte de matérias-primas, e uma grande proporção de investimento britânico e francês era dedicada a criar as condições para extraí-las e exportá-las. Foi um período de escassez de capital para os dois países, mas o capital francês entrou no Magreb para melhorar a infra-estrutura da vida econômica — irrigação, estradas de ferro, estradas de rodagem, geração de eletricidade (de água onde existia, ou de petróleo ou carvão importados) — e para explorar os recursos minerais, em particular fosfatos e manganês, dos quais os países do Magreb vieram a ficar entre os maiores exportadores. O investimento britânico estendeu o cultivo de algodão para exportação no Egito e em partes do Sudão entre o Nilo Azul e o Nilo Branco; na Palestina, desenvolveu o porto de Haifa, e houve uma grande importação de capital por instituições judias interessadas em construir o lar nacional judeu.

Comparado com o investimento de capital europeu em agricultura e mineração, aquele efetuado na indústria era pequeno, e na maior parte restrito a materiais de construção, processamento de alimentos e têxteis. A principal exceção a isso era a indústria do petróleo. Já em 1914 o petróleo estava sendo extraído no Irã, e em pequena escala no Egito. Em 1939, também era produzido em grandes quantidades no Iraque, e exportado para países europeus — sobretudo a França — através de um oleoduto com dois braços que chegavam à costa mediterrânea em Trípoli no Líbano e Haifa na Palestina; também era produzido em pequena escala na Arábia Saudita e Bahrain. As empresas tinham proprietários, sobretudo britânicos, franceses, americanos e holandeses, e seus acordos com os países produtores refletiam o equilíbrio desigual não só de força financeira, mas também política, com o poder britânico sustentando, em última instância, a posição das empresas; as concessões sob as quais elas operavam davam-lhes controle da exploração, refino e exportação, em grandes áreas e por longos períodos, sujeitas a pagamento de *royalties* limitados aos países anfitriões e ao fornecimento de limitadas quantidades de petróleo para uso deles.

Com essa exceção, os países árabes ainda dependiam da Europa para a maioria dos produtos manufaturados; não apenas têxteis, mas também combustíveis, metais e maquinaria. A importação e a exportação eram feitas sobretudo por navios britânicos e franceses. O Egito garantiu maior controle de suas tarifas, porém, e no Marrocos a França estava atada por acordo feito pelos estados europeus em 1909 para manter uma "porta aberta".

IMIGRANTES E A TERRA

Nos países para onde os europeus haviam imigrado em grande escala, eles controlavam não só as finanças, a indústria e o comércio estrangeiro, mas, em grande parte, a terra. Os *colons* da Argélia já estavam bem estabelecidos em 1914, mas nos anos após a guerra o governo francês tentou encorajar maior imigração e assentamento na terra na Tunísia e no Marrocos. À medida que o Marrocos era aos poucos trazido para o controle francês, na década de 1920, as propriedades do Estado e terras mantidas a título coletivo eram abertas aos colonos. Esses esforços tiveram êxito, no sentido de que levaram a uma considerável imigração, e a uma extensão da área cultivada e da produção, mas não conseguiram manter a maioria dos imigrantes na terra. De 1929 em diante, o Magreb foi envolvido na crise da economia mundial que fez cair os preços dos alimentos. Os governos dos três países, e bancos franceses, deram um jeito de estender o crédito aos proprietários rurais, mas na verdade eram os grandes proprietários que podiam fazer uso disso. Em 1939, o padrão de assentamento era de grandes propriedades, usando tratores e técnicas atualizadas, empregando mão-de-obra espanhola, berbere ou árabe, e produzindo cereais e vinho para o mercado francês. Embora o que um escritor chamou de "o símbolo da casa de fazenda com telhado vermelho"[3] ainda desempenhasse um papel importante na auto-imagem da população européia, o imigrante típico não era o pequeno cultivador, mas o funcionário público, o empregado de uma empresa, lojista ou mecânico. Os europeus constituíam menos de 10% da população total (mais ou menos 1,5 milhão em 17 milhões), mas dominavam as grandes cidades: Argel e Orã tinham maiorias européias, e europeus eram metade da população de Túnis e quase metade da de Casablanca.

Em dois países, a apropriação da terra por imigrantes foi importante durante o período 1918-39. Em Cirenaica, a parte oriental da Líbia, houve colonização oficial em terras para isso expropriadas, e com fundos fornecidos pelo governo italiano. Também ali, no entanto, repetiu-se a experiência de outras partes do Magreb, e em 1939 só uns 12% da população italiana de 110 mil vivia da terra; o italiano típico da Líbia era morador de Trípoli ou de alguma outra cidade costeira.

Na Palestina, a aquisição de terra para imigrantes judeus europeus, que começara durante fins do século XIX, continuou dentro do novo sistema de administração estabelecido pela Grã-Bretanha como governo mandatário. A imigração judia foi encorajada, dentro de limites determinados em parte pela estimativa governamental do número de imigrantes que o país podia absorver num dado momento, e em parte pelo volume de pressão que os sionistas ou árabes podiam aplicar sobre o governo em Londres. A estrutura da população do país mudou muito nesse período. Em 1922, os judeus contavam cerca de 11% de uma população total de três quartos de milhão, sendo o resto sobretudo muçulmanos e cristãos de língua árabe; em 1949, formavam mais de 30% de uma população que duplicara. A essa altura, houvera considerável investimento, tanto de judeus individuais quanto de instituições formadas para ajudar na criação do lar nacional. Grande parte dele fora para as necessidades

424

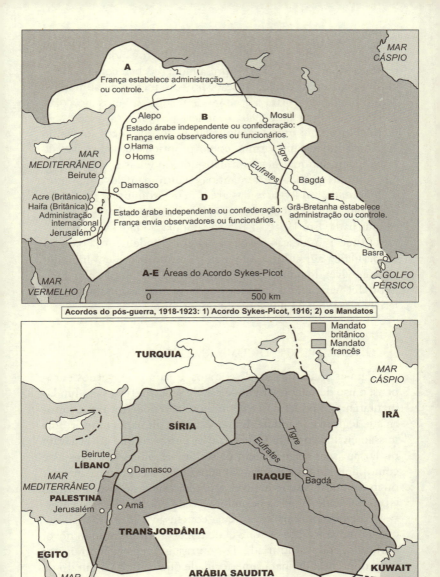

Acordos do pós-guerra, 1918-1923: 1) Acordo Sykes-Picot, 1916; 2) os Mandatos

imediatas da imigração, algumas para projetos industriais: eletrificação (para a qual uma empresa judia recebeu concessão exclusiva), materiais de construção, processamento de alimentos. Muito também foi para a compra de terra e projetos agrícolas. No início da década de 1940, os judeus possuíam talvez 20% da terra cultivada, e uma grande parte disso pertencia ao Fundo Nacional Judeu, que a tinha como propriedade inalienável do povo judeu, na qual nenhum não-judeu podia ser empregado. Como no Magreb, a terra mantida e cultivada pelos imigrantes incluía uma grande parte das áreas mais produtivas; mas, também como no Magreb, a população imigrante tornara-se sobretudo urbana. Em 1939, só 10% da população judia vivia na terra, porque a imigração a essa altura era grande demais para ser absorvida na agricultura. O judeu palestino típico era morador urbano, vivendo numa das três grandes cidades, Jerusalém, Haifa ou Tel Aviv; mas o lavrador que vivia num assentamento coletivo, o *kibutz*, era um símbolo importante.

O SURGIMENTO DE UMA ELITE NATIVA

Para as comunidades de colonos, e para os governos europeus, o uso de seu poder em defesa de seus interesses era fundamental, mas o poder não é cômodo se não pode tornar-se autoridade legítima, e a idéia de que estavam ali para cumprir uma missão civilizadora era forte entre os europeus que governavam ou faziam seus negócios em países árabes, quer se expressasse como idéia de uma civilização superior trazendo uma inferior ou moribunda para o seu nível, quer de criação de justiça, ordem e prosperidade, quer da comunicação de uma língua e da cultura nela expressa. Tais idéias, cuja conclusão lógica era a absorção última dos árabes em nível de igualdade num mundo novo, unificado, eram contrariadas por outras: um senso de intransponível diferença, de inata superioridade que conferia o direito de dominar, e, entre os grupos de colonos, mais alguma coisa. No Magreb, surgira o que era a essa altura quase uma nação separada de colonos: a elite superior podia pertencer social e culturalmente à França metropolitana, mas a massa de *petits blancs* era diferente. De origem mista italiana, espanhola e francesa, em grande parte nascidos no Magreb, falando um francês próprio, não muito à vontade na França, conscientes de um mundo estrangeiro e hostil à sua volta, que ao mesmo tempo os atraía e repelia, voltavam-se para a França para que ela protegesse os interesses deles, que podiam ser diferentes dos interesses maiores dela. Do mesmo modo, surgia na Palestina uma nova nação judia, conscientemente diferente daquela a que dera as costas com a emigração, vivendo através da língua hebraica, que fora revivida como uma língua do dia-a-dia, separada da população árabe por diferenças de cultura e costumes sociais, pela aspiração de criar algo totalmente judeu, e pela crescente ansiedade com o destino dos judeus da Europa, e voltando-se para a Inglaterra para defender seus interesses até poder manter-se por si mesma.

Os grandes interesses, como as pressões dos colonos, fortaleceram a decisão de Inglaterra e França de permanecer no controle, mas por outro lado essa decisão era afetada por dúvidas, se não sobre a moralidade do domínio imperial, pelo menos sobre o seu custo. Entre os franceses houve desde o começo dúvidas sobre a lucratividade do mandato sírio, mas poucos deles teriam pensado em algum tipo de retirada do Magreb; mesmo os comunistas franceses teriam pensado mais em termos de uma absorção mais completa e igual da Argélia em outro tipo de França, embora pudessem esperar um relacionamento diferente com os muçulmanos e emprestar seu peso a protestos contra atos específicos de injustiça. Na Inglaterra, havia uma crescente tendência a questionar a justiça do domínio imperial e a argumentar que os interesses essenciais britânicos podiam ser protegidos de outro modo, por acordo com os elementos nos povos governados que estivessem dispostos a estabelecer um compromisso com o dominador imperial.

O estímulo para uma mudança no relacionamento era tanto maior porque parecia haver pessoas do outro lado que a tornariam possível: membros da nova elite que, por interesse ou formação mental, estavam comprometidos com o tipo de organização política e social tida como necessária para a vida no mundo moderno, e que poderia salvaguardar os interesses essenciais das potências imperiais.

Na década de 1920, havia na maioria dos países árabes uma classe de proprietários rurais cujos interesses estavam ligados à produção de matérias-primas para exportação, ou à manutenção do domínio imperial. Alguns dos senhores do campo tinham podido fazer a transição para tornar-se modernos proprietários, às vezes com a ajuda de governantes estrangeiros, que a eles recorriam em busca de apoio. No Marrocos, o modo como o controle francês se estendeu ao interior, e a natureza do campo, tornavam conveniente chegar a um acordo com alguns dos poderosos senhores do Alto Atlas, em particular Thami al-Glawi, um caudilho berbere que controlava a área de montanha a leste de Marrakesh. No Iraque, o processo pelo qual a terra tribal fora registrada como propriedade das principais famílias das tribos, iniciado no século XIX, foi levado adiante pelo governo mandatário britânico; no Sudão, o governo seguiu durante vários anos uma política de "governo indireto", controle do campo por meio de chefes tribais, cujo poder foi alterado e aumentado por apoio oficial. Em outros lugares, porém, os proprietários rurais pertenciam em grande parte a uma nova classe criada pelas novas condições de agricultura comercial. Os fazendeiros de algodão do Egito foram a primeira classe desse tipo, e continuaram sendo os mais ricos, maiores e mais influentes na vida nacional. Grupos semelhantes existiam na Síria e no Iraque, e mesmo nos países de assentamento europeu no Magreb surgia uma nova classe de proprietários rurais nativos: tunisianos que cultivavam oliveiras no Sahel e argelinos que compravam terras de *colons* de partida para as cidades, e desenvolvendo aspirações semelhantes às deles.

O comércio internacional permaneceu em grande parte nas mãos de europeus ou de membros das comunidades cristãs e judias estreitamente ligadas a eles, mas houve algumas exceções. Alguns proprietários rurais egípcios dedicavam-se à exportação de algodão; os mercadores de Fez, alguns deles agora instalados em Casablanca, ainda importavam têxteis da Inglaterra. Também havia algumas exceções à regra geral de que a indústria estava em mãos de europeus. A mais importante era no Egito, onde em 1920 se estabeleceu um banco com a finalidade de fornecer financiamento a empreendimentos industriais; o capital do Banque Misr vinha sobretudo de grandes proprietários rurais que buscavam um investimento mais lucrativo do que a agricultura podia agora proporcionar, e nos poucos anos seguintes foi usado para criar um grupo de empresas, em particular para embarques, fazer filmes, e fiar e tecer algodão. O fato de ter sido estabelecido era um sinal de várias mudanças: o acúmulo de capital nacional em busca de investimento, a decrescente produtividade do investimento na terra, o desejo de força e independência nacionais. As novas condições eram precárias, porém, e em fins da década de 1930 o grupo Misr enfrentou dificuldades, e só foi salvo por intervenção do governo.

Um outro tipo de elite não era menos importante: os que tinham tido uma educação do tipo europeu. A escola nesse período ainda se restringia basicamente aos que podiam pagá-la, ou possuíam alguma outra vantagem; mesmo dentro desse grupo, ainda podia ser restringida pela relutância da sociedade a mandar seus meninos (e mais ainda suas meninas) para escolas que iriam aliená-los de suas famílias e tradições, ou a relutância de governantes estrangeiros a educar uma classe que não podia ser absorvida no serviço público, e portanto podia ir para a oposição. Apesar disso, a educação expandiu-se, em ritmos diferentes nos diferentes países.

No Marrocos, as escolas modernas apenas começavam, com a criação de várias escolas secundárias "franco-muçulmanas", e algumas instituições superiores em Rabat. Na Argélia, em 1939, o número de detentores de diplomas secundários ainda estava na casa das centenas, e os diplomados universitários eram ainda mais raros; a Universidade de Argel, uma das principais escolas francesas, era sobretudo para europeus, mas um número cada vez maior de muçulmanos conseguia chegar a Paris, Túnis ou

Cairo. Também na Tunísia crescia o número dos que iam a *lycées* do tipo francês, e um grupo que mais tarde seria de líderes de seu país ia para a França com bolsas de estudo, para fazer cursos superiores. No Egito, o número de estudantes em escolas secundárias aumentou de menos de 10 mil em 1913-14 para mais de 60 mil trinta anos depois; a pequena universidade particular fundada nos primeiros anos do século foi absorvida em 1925 numa Universidade Egípcia maior, financiada pelo governo, com faculdades de artes e ciências, direito, medicina, engenharia e comércio. Quando as mudanças políticas deram ao governo egípcio maior controle sobre a política educacional, as escolas expandiram-se rapidamente em todos os níveis. O mesmo aconteceu no Iraque, embora o processo começasse de um nível mais baixo.

Grande parte da educação de nível secundário e superior no Egito estava nas mãos de missões religiosas ou culturais européias ou americanas. Isso também acontecia na Síria, Líbano e Palestina. Havia uma pequena universidade do governo em Damasco, e uma faculdade para formar professores em Jerusalém, mas as principais universidades eram de propriedade privada: em Beirute, a Université St-Joseph, dos jesuítas, apoiada pelo governo francês, e a Universidade Americana; e em Jerusalém a Universidade Hebraica, que era sobretudo um centro para a criação de uma nova cultura nacional expressa em hebraico, e dificilmente atrairia algum estudante árabe em qualquer época. Nesses países, também a educação secundária estava em grande parte em mãos estrangeiras, que no Líbano eram basicamente francesas.

O fato de tantas das instituições superiores serem estrangeiras teve várias implicações. Um rapaz ou moça árabe estudar numa delas era em si um ato de deslocamento social e psicológico; envolvia estudar segundo um método e um currículo alheios às tradições da sociedade da qual vinha o jovem, e fazê-lo através do veículo de uma língua estrangeira, que se tornava a primeira ou talvez única língua em que podia pensar sobre certos temas e praticar certas vocações. Uma outra implicação

430

era que o número de moças que recebiam educação secundária ou superior era maior do que seria se as únicas escolas fossem as do Estado. Poucas moças iam a escolas do Estado acima do nível elementar, muitas delas mantidas por freiras católicas francesas ou professoras protestantes americanas. No Magreb, onde as escolas de missões eram em menor quantidade e estreitamente ligadas à população imigrante, a educação das moças além do nível elementar apenas começava. No leste árabe, mais moças cristãs e judias que muçulmanas iam às escolas estrangeiras; elas tendiam a ser mais plenamente absorvidas na cultura estrangeira, e alienadas das tradições de sua sociedade.

Os diplomados das novas escolas achavam certos papéis a serem preenchidos em suas sociedades mutantes. As mulheres ainda mal podiam encontrar um papel público, além do de professora primária ou enfermeira, mas os homens podiam tornar-se advogados e médicos, embora não houvesse muitos engenheiros ou técnicos; a educação científica e tecnológica era atrasada, e também, num nível inferior, a formação de fazendeiros e artesãos. Acima de tudo, eles podiam esperar tornar-se funcionários públicos, em níveis que variavam de acordo com o grau e a natureza do controle estrangeiro da sociedade: sobretudo no Egito e no Iraque, e menos na Palestina e no Sudão, onde por diferentes motivos os altos cargos eram mantidos nas mãos dos britânicos, e no Magreb, onde funcionários vindos da França mantinham as posições de controle, e as intermediárias e inferiores eram em grande parte ocupadas por europeus locais.

Os proprietários rurais e comerciantes locais precisavam controlar a máquina do governo em seus próprios interesses; jovens educados desejavam tornar-se funcionários públicos. Essas aspirações deram força e direção aos movimentos de oposição nacional ao domínio estrangeiro que assinalaram esse período, mas misturado a elas havia outros fatores: o desejo e a necessidade de viver diferentemente em sociedade.

TENTATIVAS DE ACORDO POLÍTICO

Homens e mulheres educados queriam mais espaço no serviço público e nas profissões liberais, e proprietários rurais e comerciantes precisavam controlar a máquina do governo; às vezes eles conseguiam mobilizar apoio entre as massas urbanas, quando podiam apelar às queixas práticas delas, ou ao seu senso de comunidade em perigo. Esse tipo de nacionalismo também podia oferecer aos governantes estrangeiros a possibilidade de um compromisso, e mobilizar apoio suficiente para obrigá-los a pensar nisso.

Na maioria dos países, o nível de organização política não era alto, fosse porque as potências imperiais não permitiam uma ameaça demasiado séria à sua posição, fosse porque persistiam padrões tradicionais de comportamento político. No Marrocos, um grupo de jovens educados, oriundos em grande parte da burguesia de Fez, traçou um "plano de reforma" em 1934, e passou a exigir uma mudança no protetorado francês. Na Argélia, alguns membros da classe profissional liberal educada em francês começaram a apresentar reivindicações de melhor posição dentro da Argélia francesa e de preservação de sua cultura, a independência ainda como esperança distante; as comemorações públicas, em 1930, do centenário da ocupação francesa do país deram nova urgência ao movimento deles. Na Síria, Palestina e Iraque, antigos funcionários e oficiais do serviço otomano, alguns deles pertencentes a antigas famílias de notáveis urbanos, outros tendo ascendido no exército otomano, forçavam reivindicações de maior grau de autogoverno; sua posição era tanto mais difícil de aceitar, por terem sido tão recentemente membros de uma elite dominante. No Sudão, um pequeno grupo de diplomados de escolas superiores começava em 1930 a exigir uma parcela maior na administração.

Em dois países, porém, líderes também puderam criar partidos políticos mais altamente organizados: no Egito e na Tunísia, onde havia uma longa tradição de dominação de uma grande cidade sobre um campo assentado. Na Tunísia, o Partido

Destur, que era o mesmo tipo de frouxo agrupamento de líderes que existia em outros países, foi substituído na década de 1930 por um de outro tipo, o Neo-Destur; fundado por Habib Burguiba (n. 1902), era liderado por jovens tunisianos de educação superior francesa, mas também conseguiu deitar raízes nas cidades provinciais e aldeias da planície costeira onde se cultivavam oliveiras, o Sahel. O mesmo se deu no Egito, onde o Partido Wafd, formado na luta contra a política britânica após o fim da guerra, criou uma organização permanente em todo o país. Tinha apoio da elite de profissionais liberais e de outros setores da burguesia, de alguns, mas não todos, setores da classe terratenente, e em momentos de crise da população como um todo; o carisma de Zaghlul sobreviveu à sua morte em 1927, de modo que, apesar das cisões entre a liderança, o Wafd ainda podia em 1939 pretender falar pela nação.

Quaisquer que fossem as esperanças últimas desses grupos e partidos, seu objetivo imediato era conseguir um maior grau de autogoverno dentro de sistemas imperiais que não podiam esperar derrubar. Na Grã-Bretanha, um tanto mais que na França, a opinião política e oficial na época foi mudando aos poucos no sentido de tentar proteger os interesses britânicos mediante acordos com esses grupos, de modo que o controle último permanecesse em mãos britânicas, mas a responsabilidade pelo governo local e um limitado grau de ação internacional independente fossem dados a governos que representassem a opinião nacionalista.

Essa política foi seguida no Iraque e no Egito. No Iraque, o controle mandatário britânico tinha, quase desde o princípio, sido exercido por intermédio do rei Faysal e seu governo; o âmbito de ação do governo foi estendido em 1930 por um Tratado Anglo-Iraquiano, pelo qual o Iraque recebia independência formal em troca de um acordo para coordenar sua política externa com a da Grã-Bretanha, e conceder aos britânicos duas bases aéreas e o uso das comunicações em época de necessidade; o Iraque foi aceito como membro da Liga das Nações, um símbolo de igualdade e admissão na comunidade internacional. No Egito, a existência, de um lado, de um partido nacionalista bem organizado, tendo por trás uma poderosa classe de proprietários rurais e uma burguesia em expansão não ansiosas por uma mudança violenta, e, de outro, dos temores britânicos quanto às ambições italianas, tornou possível um compromisso semelhante pelo Tratado Anglo-Egípcio de 1936. A ocupação militar do Egito foi declarada encerrada, mas a Grã-Bretanha ainda poderia manter forças armadas numa zona em torno do canal de Suez; logo depois, as Capitulações foram abolidas por acordo internacional, e o Egito entrou na Liga das Nações. Nos dois países, o equilíbrio assim conseguido era frágil: a Grã-Bretanha estava disposta a conceder autogoverno dentro de limites mais estreitos que os que os nacionalistas aceitariam permanentemente; no Iraque, o grupo dominante era pequeno e instável, e não tinha bases sólidas de poder social em que se apoiar; no Egito, chegaria uma hora, na década de 1940, em que o Wafd não poderia controlar e liderar permanentemente todas as forças políticas do país.

Nos países sob domínio francês, a harmonia dos interesses que se via não era de modo a tornar possível mesmo a conquista de um equilíbrio tão frágil. A França estava mais fraca no mundo que a Grã-Bretanha. Mesmo com o controle relaxado no Iraque e no Egito, eles ainda continuavam cercados pelo poder militar e financeiro britânico. Sua vida econômica ainda seria dominada pela City de Londres e os fabricantes de algodão de Lancashire. A França, por outro lado, com uma moeda instável, uma economia estagnante e as forças armadas concentradas na fronteira oriental, não podia ter certeza de manter os países independentes dentro de sua esfera. Seus interesses essenciais no Magreb eram diferentes dos da Grã-Bretanha no Egito. A população européia tinha direitos sobre o governo francês, e estava em posição de fazer valer esses direitos: na Argélia e Tunísia, os grandes comerciantes e proprietários rurais europeus controlavam os conselhos locais que assessoravam os governos sobre assuntos orçamentários e outros financeiros; em Paris, os representantes dos franceses da Argélia no Parlamento, e os grandes interesses financeiros que controlavam os bancos, indústrias e empresas comerciais do Magreb, formaram um poderoso *lobby* contra o qual os fracos governos franceses da época não podiam resistir. Isso foi mostrado claramente quando o governo da Frente Popular de 1936 tentou fazer concessões; propôs que um eleitorado limitado de muçulmanos argelinos fosse representado no Parlamento, e iniciou conversas com líderes nacionalistas na Tunísia e no Marrocos; mas a oposição do *lobby* impediu a mudança, e a época terminou com desordens e repressão por todo o Magreb.

A influência de *lobbies* poderosos contrários à mudança também era sentida nos territórios sob mandato da Síria e do Líbano. Em 1936, o governo da Frente Popular negociou tratados com eles semelhantes aos da Grã-Bretanha com o Iraque: iam tornar-se independentes, mas a França teria o uso de duas bases aéreas na Síria por 25 anos, e de instalações militares no Líbano. As condições foram aceitas pela aliança dominante de líderes nacionalistas na Síria, e pela elite sobretudo cristã no Líbano, mas jamais foram ratificadas pela França, desde que o governo da Frente Popular se desfez e as fracas coalizões que se seguiram cederam à pressão de vários *lobbies* em Paris.

A mesma ausência de um equilíbrio viável de interesses existia na Palestina. Desde o início da administração do mandato britânico, tornou-se claro que seria difícil criar qualquer tipo de estrutura de governo local que acomodasse os interesses dos habitantes árabes nativos e os dos sionistas. Para os últimos, o importante era manter as portas abertas à imigração, e isso envolvia manter o controle britânico direto até a comunidade judia tornar-se suficientemente grande e conquistar controle suficiente dos recursos econômicos do país para poder cuidar de seus interesses. Para os árabes, o essencial era impedir a imigração judia numa escala que pusesse em perigo o desenvolvimento econômico e a autodeterminação última, e mesmo a existência, da comunidade árabe. Colhida entre essas duas pressões, a política britânica era de reter o controle direto e, de vez em quando, assegurar aos árabes que estes teriam sua independência mantida.

Essa política era mais do interesse dos sionistas que dos árabes, já que, independentemente das garantias que se dessem, o crescimento da comunidade judia aproximava cada vez mais o dia em que ela podia tomar as rédeas na mão.

Em meados da década de 1930, tornava-se mais difícil para a Grã-Bretanha manter o equilíbrio. A chegada ao poder dos nazistas na Alemanha aumentou a pressão da comunidade judia e seus defensores na Inglaterra para permitir maior imigração; e a imigração, por sua vez, mudava o equilíbrio da população e do poder na Palestina. Em 1936, a oposição dos árabes começou a tomar a forma de insurreição armada. A liderança política estava com uma associação de notáveis urbanos, tendo Amim al-Husayni, mufti de Jerusalém, como figura dominante, mas começava a surgir uma liderança militar, e o movimento tinha repercussões em países árabes vizinhos, num momento em que a ameaça a interesses britânicos, pela Itália e a Alemanha, tornava desejável que a Grã-Bretanha tivesse boas relações com os estados árabes. Diante dessa situação, o governo britânico fez duas tentativas de resolvê-la. Em 1937, apresentou-se um plano para dividir a Palestina em estados árabe e judeu, após uma investigação pela Comissão Real (Comissão Peel); isso era aceitável para os sionistas em princípio, mas não para os árabes. Em 1939, um Documento Branco determinava o estabelecimento último de um governo de maioria árabe, e limitações à imigração e à compra de terra pelos judeus. Isso teria sido aceitável para os árabes com algumas modificações, mas a comunidade judia não quis concordar com uma solução que fecharia as portas da Palestina à maioria dos imigrantes e impediria o surgimento de um Estado judeu. A resistência armada judia começava a se fazer notar, quando a eclosão de uma nova guerra européia encerrou toda atividade política formal.

20. MUDANÇA DE ESTILOS DE VIDA E DE PENSAMENTO (1914-1939)

A POPULAÇÃO E O CAMPO

Mesmo em seu ponto mais forte e bem-sucedido, os entendimentos entre as potências imperiais e nacionalistas locais teriam expressado apenas uma limitada confluência de interesses, e na década de 1930 ocorriam mudanças nas sociedades árabes que iriam acabar alterando a natureza do processo político.

Sempre que é possível estimá-la, houve um rápido aumento de população. Foi talvez maior, e mais fácil de estimar de modo confiável, no Egito, onde a população aumentou de 12,7 milhões em 1917 para 15,9 milhões em 1937: um aumento anual de 1,2%. Num cálculo por cima, a população total dos países árabes era de 55-60 milhões em 1939; em 1914, fora de 35-40 milhões. Uma parte pequena do crescimento devia-se à imigração: europeus no Marrocos e na Líbia, judeus na Palestina, refugiados armênios da Turquia durante e depois da Primeira Guerra Mundial na Síria e no Líbano. Isso foi contrabalançado pela emigração: sírios e libaneses indo para a África Ocidental e a América Latina (mas não mais para os Estados Unidos em grandes números, como tinham ido antes de 1914, por causa das novas leis de imigração americanas); trabalhadores argelinos indo temporariamente para a França. Mas o maior crescimento foi natural. A taxa de nascimentos não parece ter decrescido, a não ser talvez em setores da burguesia que praticavam controle de natalidade e tinham esperanças de um padrão de vida ascendente. Para a maioria das pessoas, ter filhos, e filhos homens em particular, era tanto inevitável — já que os meios de controle da natalidade efetivos não eram em geral conhecidos — quanto motivo de orgulho; e o orgulho manifestava um interesse, pois os filhos podiam trabalhar nos campos desde pequenos, e ter muitos filhos era uma garantia, numa sociedade em que a expectativa de vida era baixa e não havia sistema nacional de previdência, de que alguns deles sobreviveriam para cuidar dos pais na velhice. Foi acima de tudo um declínio na taxa de mortalidade, devido ao controle de epidemias e melhor assistência médica, o grande responsável pelo crescimento da população. Isso é verdade em relação a todas as partes da sociedade, mas de particular significado nas cidades, onde pela primeira vez as epidemias não desempenharam seu papel histórico de devastar as massas urbanas de tempos em tempos.

Em parte como resultado do crescimento da população, mas também por outros motivos, o equilíbrio entre diferentes setores da sociedade mudou igualmente. As décadas de 1920 e 1930 foram as épocas em que os pastores nômades praticamente desapareceram como um fator importante na sociedade árabe. A chegada da estrada de ferro e do carro a motor atingiu a atividade da qual dependia a economia pastoril de longas distâncias: a criação de camelos para transporte. Mesmo nas áreas em que a pastagem ainda era o melhor ou o único uso para a vegetação esparsa e a água escassa, a liberdade de movimento do beduíno era ainda restringida pelo uso de forças armadas recrutadas dos próprios nômades. O mercado de carneiros ainda existia, mas nos distritos de criação nas encostas das montanhas, ou nas margens da estepe, a ampliação do controle governamental e as mudanças na demanda urbana faziam com que grupos sobretudo nômades e pastoris mais e mais se tornassem cultivadores sedentários; isso acontecia, por exemplo, no distrito de Jazira, entre os rios Tigre e Eufrates.

Foi nesse período que, talvez pela última vez, se usou a força armada dos nômades no processo político. Quando o xarife Husayn se revoltou contra os turcos, suas primeiras forças foram extraídas dos beduínos da Arábia Ocidental, mas qualquer ação militar efetiva nas últimas etapas do movimento veio de oficiais ou soldados que haviam servido no exército otomano. As forças com que 'Abd al-'Aziz ibn Sa'ud conquistou a maior parte da Arábia também eram oriundas de beduínos animados por uma doutrina religiosa, mas o homem que os conduziu pertencia a uma família urbana, e uma parte essencial de sua política era convencer os beduínos a assentar-se. No Iraque, um conflito entre grupos de políticos urbanos na década de 1930 ainda pôde ser travado incitando-se tribos no vale do Eufrates a revoltarem-se, mas o governo pôde usar o novo método do bombardeio aéreo contra eles.

No campo assentado, as mudanças não se deviam, como aconteceu nas áreas pastoris, a um enfraquecimento da base econômica. Na maioria dos países, a área de cultivo aumentou; em alguns deles — Marrocos e Argélia, Egito e Sudão, e Iraque — ampliouse a irrigação. No Egito, é verdade, a terra mais fértil já tinha sido posta em cultivo, e a expansão foi em terra mais marginal, mas isso não aconteceu na maioria dos outros países, e onde havia capital era possível aumentar a produtividade da terra. Mesmo uma área de cultivo expandida não mais podia sustentar a população rural em alguns países. Não apenas a população aumentava por crescimento natural, mas a terra mais produtiva não mais precisava de tanta mão-de-obra. Os grandes proprietários rurais podiam obter recursos de capital e usá-los para a mecanização, e isso significava necessidade de menos mão-de-obra. Em alguns lugares (Marrocos e Palestina), a importação de capital estava ligada ao assentamento de trabalhadores estrangeiros na terra.

Em vários países, portanto, ocorreu um processo de polarização no campo. De um lado, havia grandes propriedades de terra fértil e irrigada, produzindo para exportação (algodão, cereais e vinho, azeite de oliva, laranjas e tâmaras), usando tratores e fertilizantes onde apropriados, e cultivadas por trabalhadores assalariados (a meia tornava-se agora uma coisa menos comum); uma grande proporção delas pertencia a empresas ou indivíduos estrangeiros, e na Palestina, e em menor grau no Magreb, também a mão-de-obra era proporcionada por imigrantes. Do outro lado, ficavam as pequenas propriedades ou terra comunal de uma aldeia, em geral menos fértil e menos bem aguada, nas quais pequenos agricultores locais, sem recursos de capital e sem acesso ao crédito, produziam cereais, frutas ou verduras por métodos menos avançados, ou para consumo ou para um mercado local. Nes-

439

se setor, o aumento da população causava um declínio na proporção de terra para mão-de-obra e na renda *per capita*. A situação desses agricultores era agravada pelo sistema de herança, que fragmentava as pequenas propriedades em menores ainda. Na década de 1930, também foi prejudicada pela crise econômica mundial, que levou a uma queda de preços dos produtos agrícolas. Isso afetou todos os cultivadores, mas os que já estavam em posição fraca foram os mais atingidos; governos ou bancos intervieram para salvar os grandes proprietários rurais que tinham influência política ou cuja produção estava ligada à economia internacional.

O excedente de população do campo mudou-se para as cidades. Isso sempre acontecera, mas agora se dava num ritmo mais rápido, em maior escala e com diferentes resultados. Em épocas anteriores, a mudança das aldeias para as cidades havia reabastecido uma população urbana devastada por epidemias. Agora os imigrantes rurais vinham inchar uma população urbana que já crescia devido a melhorias na saúde pública. As cidades, e em particular aquelas onde a possibilidade de emprego era mais elevada, cresceram mais rapidamente que o campo como um todo; a proporção da população vivendo em cidades grandes era maior do que fora. O Cairo cresceu de uma cidade de 800 mil habitantes em 1917 para uma de 1,3 milhão em 1937. Em 1900, menos de 15% da população total do Egito vivia em cidades de mais de 20 mil habitantes; em 1937, a cifra era de mais de 25%. Do mesmo modo, na Palestina a população árabe das cinco grandes cidades mais que dobrou em vinte anos. Nas cidades mistas do Magreb, também, o elemento árabe aumentou rapidamente.

A VIDA NAS CIDADES

O resultado foi uma mudança na natureza e forma das cidades. Certas mudanças que haviam começado antes de 1914 prosseguiram após a guerra. Fora da *medina*, surgiram novos bairros burgueses, não apenas de mansões para os ricos, mas de prédios de apartamentos para a crescente classe média, funcionários públicos, profissionais liberais e notáveis rurais que se mudavam do campo. Em alguns lugares, foram planejados, em outros surgiram ao acaso, à custa da destruição do antigo. O planejamento mais cuidadoso foi no Marrocos, onde um residente-geral francês de bom gosto, Lyautey, colocou a nova Fez a alguma distância da antiga cidade murada. Seu objetivo era preservar a vida da cidade velha, mas o que acabou acontecendo não foi exatamente o que ele planejara. Famílias de riqueza e posição começaram a mudar-se de suas velhas casas na *medina* para a maior conveniência dos novos bairros, e o lugar delas foi tomado pelos imigrantes rurais e os pobres; daí uma certa degradação na aparência física e na vida da *medina*.

Nem todos os imigrantes encontraram abrigo na *medina*. Havia também novos bairros populares. A maioria dos que se instalaram neles era de árabes, ou, no Magreb, berberes, mas havia outros também: *petits blancs* na Argélia, fugindo da terra que não tinham capital para desenvolver, refugiados armênios da Turquia em Beirute e Aleppo, imigrantes judeus na Palestina. Alguns desses bairros surgiram nos arredores das cidades, onde oficinas e fábricas ofereciam emprego. No Cairo, a expansão dos bairros burgueses para o Nilo a oeste e além foi contrabalançada por uma expansão dos bairros mais pobres para o norte, onde vivia mais de um terço da população em 1937; em Casablanca, os bairros pobres surgiram em toda a volta da cidade, mas sobretudo nas zonas industriais. Nessas partes, mas também em outras, surgiam *bidonvilles*, aldeias de casas feitas de junco ou latas (*bidon* em francês, aí a origem do nome), onde quer que houvesse um espaço aberto.

Em cidades com uma grande população estrangeira, os bairros europeus e nativos tendiam a ser separados, embora pudessem ficar próximos. Em Casablanca, que nesse período passou de uma cidadezinha portuária para a maior cidade do Magreb, em torno da *medina* havia uma cidade européia, e além dela uma nova cidade muçulmana com as características de uma *medina*: *suqs*, mesquitas, um palácio para o governante, mansões para a burguesia e moradas populares. Na cidade médio-oriental a separação era menos completa, particularmente na Síria e no Líbano, onde a burguesia era sobretudo nacional e a população estrangeira pequena; mas na Palestina uma linha nítida dividia os árabes dos bairros judeus, e uma cidade inteiramente judia, Tel Aviv, surgiu ao lado da árabe Jafa.

Os migrantes rurais tendiam a instalar-se entre seu próprio povo, e, pelo menos na primeira fase, a preservar seu estilo de vida. Para começar, deixavam as famílias atrás na aldeia, e, se prosperavam o suficiente para trazê-las, sua vida na cidade era uma continuação ou reconstrução da que tinham deixado. Levaram a vida do delta do Nilo para o Cairo, do vale do Tigre para Bagdá, das montanhas Kabyle para Argel, das Shawiya e Anti-Atlas para Casablanca.

No fim, porém, acabavam sendo atraídos para um estilo de vida diferente não só do da aldeia, mas do da *medina*. Ir às lojas não era exatamente a mesma coisa que ir ao *suq*, embora ainda houvesse uma preferência pelas lojas pequenas, nas quais era possível uma relação pessoal; restaurantes, cafés e cinemas ofereciam novos tipos de recreação e novos lugares de encontro; as mulheres podiam sair mais livremente, e a nova geração de muçulmanas educadas começou a sair sem o véu, ou muito levemente cobertas. As amenidades da vida doméstica eram maiores. Modernos sistemas de água e esgoto, eletricidade e telefones espalharam-se na década de 1920; o gás chegara antes. Os meios de transporte mudaram. Uma empresa belga pusera bondes em algumas das cidades costeiras no fim do século XIX, e depois apareceu o carro a motor; o primeiro foi visto nas ruas do Cairo em 1903, na maioria das outras cidades mais tarde. Na década de 1930, carros particulares, ônibus e táxis eram comuns, e a carruagem puxada a cavalos praticamente desaparecera em todas as cidades, com exceção das menores nas províncias. O tráfego motorizado exigiu melhores estradas e pontes, e estas por sua vez possibilitaram alargar a área das cidades: Bagdá estendeu-se por quilômetros ao longo das margens do Tigre; o Cairo espalhou-se para as duas ilhas no Nilo, Rawda e Gazira, e para o outro lado, na margem ocidental do rio.

Esses meios de transporte integraram a população urbana de novos modos. Homens e mulheres não mais viviam inteiramente dentro de um bairro. Podiam morar longe do trabalho; a família ampliada podia espalhar-se de um lado a outro de uma cidade; pessoas de uma mesma origem étnica ou comunidade religiosa podiam viver nos mesmos bairros que as de outras; a gama de opções de casamento estendeu-se. Mas ainda existiam linhas invisíveis de divisão; o casamento que cruzava linhas de comunidades religiosas continuava difícil e raro; em cidades sob domínio estrangeiro, as barreiras eram criadas não só por diferença religiosa e nacional, mas pela consciência de poder e impotência. Sob certos aspectos, as barreiras eram mais altas que antes: quanto mais cresciam as comunidades européias, maior era a possibilidade de levarem uma vida separada, semelhante à do país natal; se mais árabes falavam francês ou inglês, menos europeus conheciam árabe ou tinham algum interesse pela cultura islâmica. Muitos estudantes árabes que voltavam do exterior traziam consigo esposas estrangeiras, que nem sempre eram bem aceitas pelas duas comunidades.

Assim como o burguês não precisava viver dentro de seu próprio bairro, tampouco estava mais limitado à sua cidade como antes. As mudanças no transporte ligavam uma cidade a outra, um país a outro, de novas formas. A rede de estradas de ferro, que já existia em 1914, foi ampliada em alguns países; na maioria deles, boas estradas de rodagem ligavam pela primeira vez as principais cidades. A mudança mais espetacular foi a conquista do deserto pelo carro a motor. Na década de 1920, dois irmãos australianos que os azares da guerra haviam levado ao Oriente Médio abriram um serviço de táxi regular, e depois de ônibus, da costa do Mediterrâneo a Bagdá, passando por Damasco ou Jerusalém; a viagem do Iraque à Síria, que levava um mês antes da guerra, agora podia ser feita em menos de um dia. Um estudante do norte do Iraque, que no início da década de 1920 viajava para a Universidade Americana de Beirute via Bombaim, agora podia chegar lá por terra. Do mesmo modo, caminhões e ônibus podiam atravessar o Saara vindo da costa mediterrânea.

Os contatos eram não apenas mais amplos do que tinham sido, mas podiam fazer-se num nível mais profundo. Novos veículos de expressão criavam um universo de discurso que unia árabes educados mais plenamente do que poderiam fazer a peregrinação e as viagens de eruditos em busca de cultura. Os jornais multiplicaram-se, e os do Cairo eram lidos fora do Egito; os antigos periódicos culturais do Egito continuaram, e novos surgiram, em particular literários como *al-Risala* e *al-Thaqafa*, que publicavam obras de poetas e críticos. As editoras do Cairo e de Beirute produziam livros didáticos para o crescente número de estudantes, e também poesia, romances e obras de ciência popular e história, que circulavam onde se lesse árabe.

Em 1914, já havia cinemas no Cairo e em algumas outras cidades; em 1925, fez-se o primeiro filme egípcio autêntico, e muito apropriadamente baseava-se no primeiro romance egípcio autêntico, *Zaynab*. Em 1932, foi produzido no Egito o primeiro filme "falado", e em 1939 filmes egípcios eram exibidos em todo o mundo árabe. A essa altura, também, estações de rádio locais transmitiam entrevistas, música e notícias, e alguns países europeus faziam transmissões para o mundo árabe, concorrendo uns com os outros.

Viagem, educação e os novos meios de comunicação ajudavam a criar um mundo partilhado de gosto e idéias. O fenômeno do bilingüismo era comum, pelo menos nos países da costa mediterrânea; usavam-se o francês e o inglês nos negócios e em casa; entre as mulheres educadas em escolas de conventos franceses, o francês praticamente substituía o árabe como língua materna. As notícias do mundo eram recolhidas de jornais ou programas de rádio estrangeiros; os intelectuais e os cientistas tinham de ler mais em inglês ou francês que em árabe; espalhou-se o hábito de ir passar férias de verão na Europa, sobretudo entre egípcios ricos que podiam ficar vários meses lá; argelinos, egípcios e palestinos acostumaram-se a ver e conhecer turistas europeus. Esses movimentos e contatos levaram a mudanças de gostos e atitudes, nem sempre fáceis de definir: modos diferentes de mobiliar uma sala, pendurar quadros nas paredes, comer à mesa, receber amigos; diferentes modos de vestir-se, sobretudo para as mulheres, cujas modas refletiam as de Paris. Havia diversões diferentes: as grandes cidades tinham corridas de cavalos, e num certo sentido isso era um novo modo de desfrutar um antigo esporte, mas o tênis, um esporte burguês, e o futebol, apreciado por todos e jogado por muitos, eram novidade.

O exemplo da Europa e dos novos meios de comunicação também implicou mudanças na expressão artística. As artes visuais como um todo estavam numa fase intermediária entre o velho e o novo. Houve um declínio nos padrões do artesanato, tanto por causa da concorrência de bens estrangeiros produzidos em massa quanto por motivos internos: o uso de matérias-primas importadas e a necessidade de atender a novos gostos, incluindo os dos turistas. Alguns pintores e escultores começaram a trabalhar num estilo ocidental, mas sem produzir muito interesse para o mundo externo; praticamente não havia galerias de arte para formar gostos, e os livros de arte não eram tão comuns quanto se tornariam depois. As grandes encomendas arquitetônicas de prédios do governo eram entregues na maioria a arquitetos britânicos e franceses, alguns dos quais (sobretudo os franceses no Magreb) trabalhavam num pastiche de estilo "oriental" que podia ser agradável. Alguns arquitetos árabes formados no exterior também começaram a construir mansões de estilo mediterrâneo, *art nouveau* na Cidade Jardim no Cairo, e os primeiros prédios do que era então a escola "moderna".

Os primeiros discos de gramofone de música árabe foram feitos no Egito logo no início do século, e as exigências do rádio e dos filmes musicais foram aos poucos trazendo mudanças nas convenções musicais: da apresentação improvisada para a escrita e ensaiada, do artista que se inspira com a platéia aplaudindo e estimulando para o silêncio do estúdio. Os cantores apresentavam-se acompanhados de orquestras que combinavam instrumentos ocidentais e tradicionais; algumas das composições que cantavam haviam se aproximado, na década de 1930, mais da música de café italiana ou francesa que da tradicional. Mas os estilos mais antigos continuaram existindo: fizeram-se tentativas de estudá-los no Cairo, Túnis e Bagdá; Umm Kulthum, uma grande cantora no estilo tradicional, entoava o Corão e cantava poemas escritos por Shawqi e outros poetas, e os novos meios de comunicação a tornaram conhecida de um extremo a outro do mundo árabe.

A CULTURA DO NACIONALISMO

Foi na literatura que se deu a mais bem-sucedida fusão de elementos ocidentais e nativos. Jornais, rádios e filmes disseminaram uma versão moderna e simplificada de árabe literário por todo o mundo árabe; graças a eles, vozes e entonações egípcias tornaram-se familiares por toda parte. Fundaram-se três academias, em Bagdá, Damasco e Cairo, para velar pela herança da língua. Com umas poucas exceções, não houve desafio ao primado da língua literária, mas os escritores a usavam de forma nova. Uma escola de poetas egípcios nascidos em ou por volta da década de 1890, o grupo "Apolo", usava métrica e linguagem tradicionais, mas tentava expressar sentimentos pessoais de uma forma que dava unidade a todo um poema; entre os mais conhecidos estava Zaki Abu Shadi (1892-1955). Podia-se ver a influência da poesia inglesa e da francesa nas obras deles e na do grupo da geração seguinte: românticos, achando que a poesia devia ser a expressão sincera da emoção, dando uma atenção ao mundo natural que não era tradicional na poesia árabe, e que se tornou nostalgia de um mundo perdido na obra de poetas libaneses que emigraram para as Américas do Norte ou do Sul. Também eram românticos em sua visão do poeta como o visionário que dava voz a verdades recebidas por inspiração de fora. A revolta contra o passado podia chegar à total rejeição expressa na literatura de um dos mais originais entre eles, o tunisiano Abu'l-Qasim al-Shabbi (1909-34): "Tudo que a mente árabe produziu em todos os períodos de sua história é monótono e absolutamente desprovido de inspiração poética".[1]

O rompimento com o passado também se mostrava no desenvolvimento de certas formas literárias praticamente desconhecidas na literatura clássica. Haviam sido escritas peças no século XIX, e nesse período escreveram-se algumas, mas os teatros para apresentá-las ainda eram raros, além do aparecimento no Egito do teatro de Najib Rihani, de humorístico comentário social, e sua criação de "Kish Kish Bei". Mais importante foi o desenvolvimento do romance e do conto, destacadamente no Egito, onde vários escritores nascidos na última década do século XIX e na primeira do XX criaram um novo veículo para a análise e crítica da sociedade e do indivíduo; em suas histórias, descreviam a miséria e a opressão dos pobres na aldeia e na cidade, as lutas do indivíduo para ser ele mesmo numa sociedade que tentava confiná-lo, o conflito das gerações, os efeitos perturbadores dos estilos de vida e valores ocidentais. Entre eles estavam Mahmud Taymur (1894-1973) e Yahya Haqqi (n. 1909).

O escritor que melhor expressou os problemas e as esperanças de sua geração foi o egípcio Taha Husayn (1889-1973). Foi não só o mais representativo, mas também talvez o mais original deles, e autor de um dos livros com mais probabilidade de sobreviver como parte da literatura mundial: sua autobiografia, *al-Ayyam*, uma narrativa de como um garoto cego toma consciência de si mesmo e do mundo. Seus textos incluem romances, ensaios, obras de história e crítica literária, e uma obra importante, *Mustaqbil al-thaqafa fi Misr* (O futuro da cultura no Egito). Mostram, nesse período, uma tentativa constante de manter em equilíbrio três elementos essenciais, em sua opinião, da cultura egípcia distinta: o elemento árabe, e acima de tudo a língua árabe clássica; os elementos trazidos de fora em diferentes épocas, e acima de tudo o racionalismo grego; e o elemento egípcio básico, que persiste por toda a história:

> Três elementos formaram o espírito literário do Egito desde que foi arabizado. O primeiro deles é o elemento puramente egípcio, que herdamos dos antigos egípcios [...] e que temos extraído perpetuamente da terra e do céu do Egito, de seu Nilo e seu deserto [...] O segundo elemento é o ele-

mento árabe, que nos veio através de sua língua, religião e civilização. O que quer que façamos, não poderemos escapar dele, nem enfraquecê-lo, nem diminuir sua influência em nossa vida, porque está misturado com essa vida de um modo que a formou e modelou sua personalidade. Não digam que é um elemento estrangeiro [...] A língua árabe não é uma língua estrangeira entre nós, é *nossa* língua, e mil vezes mais próxima de nós que a língua dos antigos egípcios [...] Quanto ao terceiro elemento, é o elemento estrangeiro que sempre influenciou a vida egípcia, e sempre influenciará. É o que chegou ao Egito através de seus contatos com os povos civilizados no Oriente e no Ocidente [...] Gregos e romanos, judeus e fenícios nos tempos antigos, árabes, turcos e cruzados na Idade Média, Europa e América na era moderna [...] Eu gostaria que a educação egípcia se baseasse firmemente numa certa harmonia entre esses três elementos.[2]

Sua afirmação de que o Egito era parte do mundo cultural formado pelo pensamento grego chamou muita atenção na época, mas talvez a mais duradoura contribuição esteja no cuidado com a língua árabe, e na demonstração de que ela pode ser usada para expressar todas as nuances da mente e da sensibilidade modernas.

Ele também escreveu sobre o Islã, mas pelo menos nas décadas de 1920 e 1930 o que escreveu foi em forma de uma recriação imaginativa da vida do Profeta, de um tipo que podia satisfazer as emoções da gente comum. Mais tarde iria escrever numa veia diferente, mas no momento o princípio unificador de seu pensamento não era tanto o Islã quanto a identidade coletiva da nação egípcia. De uma forma ou de outra, isso iria ser característico dos árabes educados de sua geração. O tema central era o da nação; não só como podia tornar-se independente, mas como poderia ter a força e a saúde necessárias para prosperar no mundo moderno. A definição de nação podia variar: como todo país árabe enfrentava um problema diferente em relação a seus dominadores europeus, havia uma tendência, pelo menos entre os líderes políticos, a desenvolver um movimento nacional separado em cada um deles, e uma ideologia para justificá-lo. Isso se aplicava sobretudo ao Egito, que tinha tido seu próprio destino político desde o tempo de Muhammad 'Ali. Em alguns casos, uma existência separada era legitimizada por uma teoria da história. Os movimentos nacionalistas eram revoltas contra o presente e o passado imediato, e podiam apelar para a memória de um passado mais distante, pré-islâmico, ao qual as descobertas dos arqueólogos e a abertura de museus davam uma realidade visível. A descoberta do túmulo de Tutancâmon em 1922 despertou grande interesse e encorajou os egípcios a enfatizar a continuidade da vida egípcia desde o tempo dos faraós.

Ahmad Shawqi, que fora o poeta da corte egípcia, emergiu na década de 1920 como porta-voz de um nacionalismo egípcio que extraía inspiração e esperança dos monumentos do passado imemorial do Egito. Num de seus poemas, escrito para a inauguração de um monumento num jardim público do Cairo, ele retrata a Esfinge como olhando do alto, imutável, toda a história egípcia:

> Fala! e talvez teu discurso nos guie. Informa-nos, e talvez o que nos digas nos console. Não viste o faraó em seu poder, dizendo-se descendente do Sol e da Lua, dando sombra à civilização de nossos ancestrais, os altos edifícios, as grandes relíquias? [...] Viste César em sua tirania sobre nós, fazendo-nos escravos, seus homens tangendo-nos à frente como se tangem jumentos, e depois derrotado por um pequeno bando de nobres conquistadores [...] [a Esfinge fala:] Preservei para vós uma coisa que vos fortalecerá, pois nada preserva a doçura como a pedra [...] A manhã da esperança varre a treva do desespero, agora vem o amanhecer há muito esperado.[3]

Profundamente enraizado nesses movimentos, explícito ou não, havia um elemento árabe. Como o objetivo dos movimentos nacionalistas era criar uma sociedade moderna florescente, a revivescência da língua árabe como um veículo de expressão moderna e um laço de unidade era um tema central.

Pelo mesmo motivo, havia inevitavelmente um elemento islâmico no nacionalismo. Tendia a estar implícito e submerso entre as classes educadas nessa época, tanto porque a separação entre religião e vida política parecia ser uma condição de vida nacional bem-sucedida no mundo moderno quanto porque em alguns dos países árabes orientais — Síria, Palestina, Egito — muçulmanos e cristãos viviam juntos, e a ênfase era portanto em seus laços nacionais comuns. (O Líbano era uma exceção parcial a isso. O grande Líbano criado pelos franceses incluía mais muçulmanos que o privilegiado distrito otomano antes. A maioria dos muçulmanos assim incorporados achava que ele devia ser absorvido numa entidade árabe ou síria maior; para a maioria dos cristãos, era essencialmente um Estado cristão. Só em fins da década de 1930 começou a ganhar força a idéia de um Estado baseado em acordo entre as várias comunidades cristãs e muçulmanas.)

A idéia de que um grupo de pessoas forma uma nação, e de que uma nação deve ser independente, é simples, simples demais para poder oferecer por si mesma orientação para o caminho no qual se deve organizar a vida social. Nesse período, porém, serviu como foco para um aglomerado de outras idéias. Em geral, o nacionalismo desse período era secularista, acreditando num laço que podia abarcar pessoas de diferentes escolas ou fés, e uma política baseada nos interesses de Estado e sociedade, e era constitucionalista, afirmando que a vontade da nação devia ser expressa por um governo eleito responsável perante assembléias eleitas. Dava grande ênfase à necessidade de educação popular, que podia capacitar a nação a participar mais plenamente de sua vida coletiva. Defendia o desenvolvimento de indústrias nacionais, já que a industrialização parecia a fonte da força.

A idéia da Europa como exemplo de civilização moderna, que animara os governos reformadores do século anterior, era poderosa nesses movimentos nacionais. Ser independente era ser aceito pelos estados europeus em pé de igualdade, abolir as Capitulações, os privilégios legais dos cidadãos estrangeiros, ser admitido na Liga das Nações. Ser moderno era ter uma vida política e social semelhante à dos países da Europa Ocidental.

Outro componente desse aglomerado de idéias merece mais que uma simples atenção passageira. O nacionalismo deu ímpeto ao movimento pela emancipação das mulheres. A abertura de escolas para moças, por governos e missões estrangeiras, dera-lhe um estímulo na segunda metade do século XIX; viagens, a imprensa européia e o exemplo de mulheres européias encorajavam-no; e ele encontrou justificação nos textos de alguns escritores ligados ao movimento de reforma islâmico (mas de modo algum todos eles).

A autobiografia de uma integrante de uma destacada família muçulmana sunita de Beirute dá uma idéia do fermento de mudança. Nascida nos últimos anos do século XIX, educada nas cálidas seguranças de uma vida de família tradicional, e usando o véu em público até os vinte anos, 'Anbara Salam recebera uma educação moderna completa. A mãe e a avó eram alfabetizadas e liam livros de religião e história, e ela própria fora mandada para a escola: por algum tempo para uma escola católica, da qual guardou uma duradoura lembrança da humildade e doçura das freiras, depois para outra estabelecida por uma associação beneficente muçulmana. Também tomara lições de árabe com um dos principais intelectuais da época. Uma visita ao Cairo em 1912 revelou algumas das maravilhas da civilização moderna: luzes elétricas, elevadores, automóveis, o cinema, teatros com lugares especiais para as mulheres. Antes de entrar na casa dos vinte anos, ela começara a escrever na imprensa, a falar em reuniões femininas, e a ter uma nova idéia de independência pessoal: recusou-se a ficar noiva de um parente ainda jovem e decidiu que não podia casar-se com alguém a quem já não conhecesse. Quando se casou, foi com um membro de uma destacada família de Jerusalém, Ahmad Samih al-Khalidi, um líder na promoção da educação árabe, com quem ela partilhou a vida e os infortúnios dos árabes palestinos, enquanto desempenhava seu papel na emancipação feminina.[4]

O desejo de gerar toda a força potencial da nação deu um novo sentido à emancipação das mulheres: como podia uma nação florescer quando não usava metade de seu poder; como podia ser uma sociedade livre enquanto houvesse desigualdade de direitos e deveres? A excitação da atividade nacionalista deu um novo tipo de coragem. Quando a mais destacada feminista da época, Huda Sha'rawi (1878-1947), chegou à estação ferroviária central do Cairo, ao voltar de uma conferência feminina em Roma, em 1923, pisou no estribo do trem e retirou o véu do rosto; diz-se que as mulheres presentes romperam em aplausos, e algumas a imitaram. Seu exemplo foi seguido por algumas de sua geração, enquanto as da seguinte talvez jamais tenham usado o véu.

Em 1939, porém, as mudanças não tinham sido muito profundas. Havia mais moças em escolas e algumas em universidades, e crescente liberdade de intercurso social mas nenhuma mudança efetiva no *status* legal das mulheres; algumas participavam de atividades políticas, do movimento Wafd no Egito e da resistência à política britânica na Palestina, mas poucas profissões abriam-se para elas. Egito, Líbano e Palestina foram os que mais avançaram nessa estrada; em alguns países, como o Marrocos, o Sudão e os da península Arábica, não se via quase nenhuma mudança.

O ISLÃ DA ELITE E AS MASSAS

As populações havia muito estabelecidas nas cidades, de qualquer nível de renda, tinham sido formadas pela experiência do viver junto em comunidade urbana. O sistema de costumes, a posse partilhada de coisas tidas como sagradas, as tinham mantido juntas; notáveis e burguesia, vivendo entre artesãos e lojistas, controlavam a produção delas e atuavam como seus protetores. A religião da cidade e do campo, embora diferindo, tinha sido ligada pela observância comum da prece, do Ramadan e da peregrinação, e pela reverência a lugares comuns de devoção. A maioria dos ulemás urbanos pertencia a uma ou outra das ordens sufitas, cujas ramificações se espalhavam por todo o campo; mesmo que os aldeões vivessem segundo o costume, eles respeitavam a *charia* em princípio, e podiam usar suas formas para expressar importantes acordos e empreendimentos comuns. Agora, porém, os dois mundos de pensamento e prática tornavam-se mais distantes um do outro. Nas cidades do novo tipo, a separação física era sinal de um divórcio mais profundo de atitudes, gostos, hábitos e fé.

Na década de 1930, grande parte da elite educada não mais vivia dentro dos limites da *charia*. Na nova República turca, ela foi formalmente abolida e substituída por leis positivas, derivadas de modelos europeus. Nenhum país árabe, e nenhum poder europeu que dominava árabes, chegou a tal extremo, mas nos países afetados pelas reformas do século XIX, introduzidas por autocratas reformadores ou governantes estrangeiros, achava-se agora bem estabelecida uma dualidade de sistemas legais. Casos criminais, civis e comerciais eram decididos de acordo com códigos e procedimentos europeus, e a autoridade da *charia*, e dos juízes que a dispensavam, limitava-se a questões de *status* pessoal. A principal exceção era a península Arábica: na Arábia Saudita, a versão hanbalita da *charia* era a única lei reconhecida do Estado, e as obrigações religiosas, as da prece e do jejum, eram rigorosamente impostas por autoridades do Estado. Em países onde o ritmo da mudança era maior, mesmo as prescrições religiosas da *charia* eram menos amplamente observadas que antes. Ainda governavam os grandes momentos da vida humana — casamento e circuncisão, o contrato de casamento, morte e herança —, mas nos novos bairros burgueses o ritual das cinco preces diárias, anunciadas pelo chamado do minarete, era menos importante como medida do tempo e da vida; talvez o Ramadan fosse menos observado que antes, quando a vida era livre das pressões sociais da *medina*, onde todos observavam os vizinhos; o uso de bebidas alcoólicas era mais disseminado. Aumentou o número daqueles para os quais o Islã era mais uma cultura herdada que uma norma de vida.

Aqueles, entre a elite educada, para os quais o Islã ainda era uma fé viva inclinavam-se a interpretá-lo de uma forma nova. A posição dos ulemás na alta sociedade urbana mudara. Eles não mais ocupavam posições no sistema de governo; não eles, mas líderes de partidos políticos eram agora os porta-vozes das aspirações da burguesia. A educação que ofereciam não era mais tão atraente para os jovens e ambiciosos que tinham possibilidade de escolha; não levava à promoção no serviço público, e não parecia oferecer qualquer ajuda no entendimento ou domínio do mundo moderno. Na Síria, Palestina e Líbano, no Egito e na Tunísia, o jovem (e, em certa medida, a jovem) de boa família ia a uma escola secundária moderna, oficial ou estrangeira, às universidades no Cairo ou Beirute, ou para a França, Inglaterra ou Estados Unidos. Mesmo no Marrocos, que fora mais lento na mudança, a nova escola estabelecida pelos franceses em Fez, o Collège Moulay Idris, tirava estudantes do Qarawiyyin.

O Islã dos educados à nova moda não era mais o de Azhar ou Zaytuna, mas o dos reformadores da escola de 'Abduh. Os que interpretavam o pensamento dele no sentido de uma separação *de facto* entre as esferas de religião e vida social encontraram um novo tópico de discussão na década de 1920: a abolição do Califado otomano pela nova República turca deu origem a idéias sobre a natureza da autoridade política, e um dos seguidores de 'Abduh, 'Ali 'Abd al-Raziq (1886-1966), escreveu um livro famoso, *al-Islam wa usul al-hukm* (O Islã e as bases da autoridade política), em que argumentava que o Califado não era de origem divina, e que o Profeta não tinha sido enviado para fundar um Estado, e na verdade não o fizera:

> Na realidade, a religião do Islã é inocente daquele Califado que os muçulmanos vieram a conhecer [...] Não é uma instituição religiosa, como não é o cargo de juiz nem qualquer dos cargos do Estado [...] Estes são cargos puramente políticos. A religião nada tem a ver com eles; nem os reconhece nem os nega, nem os ordena nem proíbe, deixou-os a nós, para consultarmos em relação a eles princípios de

razão, a experiência das nações e as leis da condução do Estado.[5]

As idéias dele foram mal recebidas pelos conservadores religiosos, mas suas implicações, de que o Califado não devia ser restaurado, tiveram aceitação geral.

A outra linha de pensamento derivada de 'Abduh era a que enfatizava a necessidade de voltar às bases da fé e extrair delas, mediante o raciocínio responsável, uma moralidade social que fosse aceitável em tempos modernos. Esse tipo de reformismo começou a ter grande influência no Magreb, uma influência que no fim tomaria forma política. Na Argélia, uma Associação de Ulemás Argelinos foi fundada em 1931 por Muhammad Ben Badis, com o objetivo de restaurar a supremacia moral do Islã, e com ela a da língua árabe, no seio de um povo ao qual um século de dominação francesa tinha arrancado de suas raízes. Procurava fazer isso apresentando uma interpretação do Islã baseada no Corão e no Hadith, e tendendo a derrubar barreiras entre diferentes seitas e escolas legais, criando escolas não governamentais de ensino em árabe e trabalhando para a libertação das instituições islâmicas do controle do Estado. Seu trabalho explorava a hostilidade dos chefes sufitas e a desconfiança do governo francês, e em 1939 envolvera-se inteiramente na vida política, e identificava-se com a exigência nacionalista de que os muçulmanos tivessem direitos iguais dentro do sistema francês, sem ter de abrir mão de suas leis distintas e da moralidade social.

Também no Marrocos, doutrinas reformistas deitaram raízes na década de 1920, com resultados semelhantes. Tentar expurgar o Islã marroquino das corrupções dos últimos tempos era, por implicação, atacar a posição que os líderes das ordens sufitas haviam mantido na sociedade marroquina; e pedir uma sociedade e um Estado baseados numa *charia* reformada era opor-se ao governo dos ocupantes estrangeiros do país. Essas doutrinas apontavam o caminho da ação política, e quando surgiu um movimento nacionalista, era liderado por um discípulo dos reformadores, 'Allal al-Fasi (1910-74). O momento da ação chegou em 1930, quando o que se julgava fosse uma tentativa dos franceses de substituir a *charia* pela lei do costume nos distritos berberes foi interpretado pelos nacionalistas como uma tentativa de separar os berberes dos árabes, e ofereceu uma questão em cima da qual eles puderam mobilizar a opinião urbana.

Esses eram movimentos entre a elite educada, mas as massas das cidades e a população rural que as inchava ainda se apegavam a meios tradicionais de crenças e conduta. A prece, o jejum e a peregrinação ainda davam forma ao fluxo de dias e anos; o que pregava na mesquita às sextas-feiras e o mestre sufita que guardava o túmulo de um santo ainda eram os que formavam e expressavam a opinião pública em questões do momento. As ordens sufitas continuavam disseminadas entre as massas da cidade e do campo, mas sua natureza e seu papel estavam mudando. Sob a influência do reformismo e do wahhabismo, poucos dos ulemás e da classe educada juntavam-se a elas, e o pensamento e a prática sufitas não mais se mantinham dentro dos limites da cultura urbana. Quando o governo controlou firmemente o campo, o papel político do líder sufita foi mais limitado que antes, mas onde esse controle era fraco ou ausente ele ainda podia tornar-se o chefe de um movimento político. Durante a conquista italiana da Líbia, a resistência na região oriental, Cirenaica, foi conduzida e dirigida pelos chefes da ordem sanusita.

Mesmo dentro do mundo do Islã popular, difundia-se a versão mais ativista, política. Entre os operários argelinos, na França e na própria Argélia, espalhou-se um movimento na década de 1930: a Étoile Nord-Africaine, liderada por Messali al-Hajj, mais abertamente nacionalista que os movimentos da elite educada em francês, e apelando mais para o sentimento islâmico. De significado mais geral foi um movimento no Egito que iria servir de protótipo para grupos semelhantes em outros países muçulmanos: a Sociedade dos Irmãos Muçulmanos. Fundada em 1928 por um professor de escola primária, Hasan al-Banna (1906-49), não era específica nem exclusivamente política:

Vocês não são uma sociedade beneficente, nem um partido político, nem uma organização local de fins limitados. Ao contrário, são uma nova alma no coração desta nação, para dar-lhe vida através do Corão [...] Quando lhes perguntarem para o que convocam, respondam que é para o Islã, a mensagem de Maomé, a religião que contém dentro de si governo, e tem como uma de suas principais obrigações a liberdade. Se lhes disserem que vocês são políticos, respondam que o Islã não admite essa distinção. Se forem acusados de revolucionários, digam: "Somos vozes a favor do direito e da paz em que acreditamos caramente, e dos quais nos orgulhamos. Se vocês se levantarem contra nós ou ficarem no caminho de nossa mensagem, então temos permissão de Deus para defender-nos contra sua injustiça".[6]

Os Irmãos Muçulmanos começaram como um movimento pela reforma da moralidade individual e social, baseado na análise do que havia de errado nas sociedades muçulmanas, semelhante e em parte derivado do movimento dos salafiyya. Acreditavam que o Islã declinara por causa da predominância de um espírito de cega imitação e a chegada dos excessos do sufismo; a estes havia se acrescentado a influência do Ocidente, que, apesar de suas virtudes sociais, trouxera valores estranhos, imoralidade, atividade missionária e dominação imperial. O início da cura era os muçulmanos retornarem ao verdadeiro Islã, o do Corão, interpretado por *ijtihad* autênticos, e tentarem seguir seus ensinamentos em todas as esferas da vida; o Egito devia tornar-se um Estado islâmico baseado numa *charia* reformada. Isso teria implicações em cada aspecto de sua vida. Devia-se permitir que as mulheres se educassem e trabalhassem, mas devia-se manter algum tipo de distância social entre elas e os homens; a educação devia basear-se na religião; também a economia devia ser reformada à luz de princípios deduzidos do Corão.

Essa doutrina tinha implicações políticas também. Embora os Irmãos não afirmassem a princípio que eles mesmos deviam governar, só reconheceriam como governantes legítimos os que agissem de acordo com a *charia* e se opusessem à dominação estrangeira que ameaçava a *charia* e a comunidade de crentes. Preocupavam-se basicamente com o Egito, mas sua visão estendia-se sobre todo o mundo muçulmano, e seu primeiro envolvimento ativo em política veio com a revolta dos árabes palestinos em fins da década de 1930. No fim da década, eram uma força política a ser levada em conta, e espalhavam-se na população urbana — nem entre os pobres nem os muitos educados, mas entre os de posição intermediária: artesãos, pequenos comerciantes, professores e profissionais liberais que ficavam fora do círculo encantado da elite dominante, tinham sido educados mais em árabe que em inglês ou francês, e liam as escrituras de um modo simples e literal.

A crença de movimentos como os Irmãos Muçulmanos em que as doutrinas e as leis do Islã podiam proporcionar as bases da sociedade no mundo moderno foi encorajada pela criação de um Estado que tinha essa base: a Arábia Saudita. As tentativas do rei 'Abd al-'Aziz e seus seguidores wahhabitas de manter a predominância da *charia* em sua forma hanbalita, contra o costume tribal, de um lado, e as inovações do Ocidente, de outro, iriam ter uma maior influência mais tarde, quando o Reino veio a ocupar uma posição mais importante no mundo, mas mesmo nesse período teve uma certa ressonância; por mais pobre e atrasada que fosse, a Arábia Saudita continha as cidades santas do Islã.

Parte V
A ERA DAS NAÇÕES-ESTADO DEPOIS DE 1939

A Segunda Guerra Mundial mudou a estrutura de poder no mundo. A derrota da França, os ônus financeiros da guerra, a emergência dos Estados Unidos e da URSS como superpotências, e uma certa mudança no clima da opinião pública, iriam levar, nas duas décadas seguintes, ao fim do domínio britânico e francês nos países árabes. A crise do canal de Suez em 1956 e a guerra da Argélia de 1954 a 1962 assinalaram as grandes tentativas das duas potências de reafirmar sua posição. Em um lugar, a Palestina, a retirada britânica levou a uma derrota dos árabes quando o Estado de Israel foi criado. Em outras partes, os antigos governantes foram substituídos por regimes comprometidos de um ou outro modo com o aglomerado de idéias que se formou em torno do nacionalismo: desenvolvimento de recursos nacionais, educação popular e emancipação das mulheres. Eles tiveram de exercer suas políticas dentro de sociedades em processo de rápida mudança: as populações cresciam rápido; cidades expandiam-se, em particular as capitais; sociedades estratificavam-se de modos diferentes; e os novos meios de comunicação — cinema, rádio, televisão e vídeo — tornaram possível um diferente tipo de mobilização.

A idéia dominante das décadas de 1950 e 1960 foi a do nacionalismo árabe, aspirando a uma estreita união de países árabes, independência do jugo das superpotências e reformas sociais para uma maior igualdade; essa idéia foi encarnada por algum tempo na personalidade de Gamal 'Abd al-Nasser, governante do Egito. A derrota do Egito, Síria e Jordânia na guerra de 1967 com Israel, porém, deteve o avanço dessa idéia, e abriu um período de desunião e crescente dependência de uma ou outras das superpotências, com os Estados Unidos em ascensão. Em outros níveis, os contatos entre os povos árabes tornavam-se mais estreitos: os meios de comunicação, tanto os antigos quanto os novos, transmitiam idéias e imagens de um país árabe para outro; em alguns deles, a exploração de recursos petrolíferos possibilitou o rápido crescimento econômico, e isso atraiu migrantes de outros países.

Na década de 1980, uma combinação de fatores acrescentou uma terceira idéia às de nacionalismo e justiça social como uma força que poderia dar legitimidade a um regime, mas também podia animar movimentos de oposição a ele. A necessidade das populações desenraizadas de encontrar uma base sólida para suas vidas, o senso do passado implícito na idéia de nacionalismo, uma aversão às novas idéias e costumes que vinham do mundo ocidental, e o exemplo da revolução iraniana de 1979, tudo levou ao rápido crescimento de sentimentos e lealdades islâmicas.

21. O FIM DOS IMPÉRIOS
(1939-1962)

A SEGUNDA GUERRA MUNDIAL

A Segunda Guerra Mundial chegou a um mundo árabe que parecia firmemente seguro dentro dos sistemas imperiais britânico e francês. Os nacionalistas podiam esperar uma posição mais favorável dentro deles, mas a ascendência militar, econômica e cultural de Inglaterra e França parecia inabalável. Nem os Estados Unidos nem a União Soviética tinham mais que um limitado interesse no Oriente Médio ou no Magreb. O poder e a propaganda alemães e italianos tiveram uma certa influência sobre a nova geração, mas até o rompimento da guerra uma estrutura de bases tão firmes parecia capaz de resistir ao desafio. Mais uma vez, porém, a guerra foi um catalisador, trazendo rápidas mudanças no poder e na vida social, e nas idéias e esperanças dos afetados por ela.

Durante os primeiros meses a guerra foi apenas norte-européia, com os exércitos franceses no Magreb e britânicos e franceses no Oriente Médio em alerta mas não em ação. A situação mudou em 1940, quando a França foi derrotada e retirou-se da guerra e a Itália entrou. Exércitos italianos ameaçavam a posição britânica no deserto ocidental do Egito, na Etiópia e na fronteira sul do Sudão. Nos primeiros meses de 1941 a ocupação alemã da Iugoslávia e da Grécia suscitou temores de que a Alemanha avançasse mais para leste, entrando na Síria e no Líbano, governados por uma administração francesa que recebia ordens da França, e no Iraque, onde o poder caíra nas mãos de um grupo de oficiais do exército chefiado por Rashid 'Ali al-Gaylani (1892-1965), e que tinha algumas relações com a Alemanha. Em maio de 1941, o Iraque foi ocupado por uma força britânica, que restaurou um governo favorável à Grã-Bretanha, e forças imperiais, junto com uma força francesa formada com aqueles que haviam respondido ao apelo do general De Gaulle, de que a França não perdera a guerra e os franceses deviam continuar a tomar parte nela.

A partir de meados de 1941, a guerra entre os estados europeus tornou-se uma guerra mundial. A invasão alemã da Rússia abriu a possibilidade de a Alemanha avançar no Oriente Médio pelo Cáucaso e pela Turquia, e o desejo de enviar abastecimentos britânicos e americanos para a Rússia levou a uma ocupação conjunta do Irã pelos exércitos britânico e soviético. No fim do ano, o ataque japonês à marinha americana pôs os Estados Unidos na guerra, contra a Alemanha e Itália, além do Japão. Os anos 1942-43 foram o ponto de virada no Oriente Médio. Um exército alemão tinha reforçado os italianos na Líbia, e em julho de 1942 eles avançaram sobre o Egito e chegaram perto de Alexandria; mas a guerra no deserto era uma guerra de movimentos rápidos, e antes do fim do ano um contra-ataque levou as forças britânicas bastante a oeste, Líbia adentro. Quase ao mesmo tempo, em novembro, exércitos anglo-americanos desembarcaram no Magreb e rapidamente ocuparam o Marrocos e a Argélia. Os alemães recuaram para seu último bastião na Tunísia, mas finalmente abandonaram-no sob ataque do leste e do oeste em maio de 1943.

A guerra ativa estava agora mais ou menos no fim, no que dizia respeito aos países árabes, e talvez tenha terminado com uma aparente reafirmação da predominância britânica e francesa. Todos os países que tinham estado anteriormente sob domínio britânico assim continuaram, e havia tropas britânicas também na Líbia, Síria e Líbano. O domínio francês ainda permanecia formalmente na Síria, no Líbano e no Magreb, onde o exército francês estava sendo refeito para tomar parte ativa nos últimos estágios da guerra na Europa.

Na verdade, porém, as bases do poder britânico e francês tinham sido abaladas. O colapso da França em 1940 enfraquecera sua posição aos olhos daqueles que ela dominava; embora tivesse emergido do lado dos vencedores, e com o *status* formal de grande potência, os problemas da recriação de uma vida nacional estável e restauração de uma economia danificada lhe tornariam mais difícil apegar-se a um império que se estendia do Marrocos à Indochina. Na Grã-Bretanha, os esforços da guerra haviam levado a uma crise econômica que só podia ser superada aos poucos, e com a ajuda dos Estados Unidos; o cansaço e a consciência da dependência fortaleceram a dúvida sobre se era possível ou desejável dominar um império tão grande do mesmo jeito que antes. Ofuscando a Grã-Bretanha e a França havia os dois poderes cuja força potencial a guerra tornara concreta. Os Estados Unidos e a União Soviética tinham maiores recursos econômicos e força humana que qualquer outro Estado, e no curso da guerra haviam estabelecido uma presença em muitas partes do mundo. Daí em diante, estariam em posição de exigir que seus interesses fossem levados em conta em toda parte, e a dependência econômica da Europa da ajuda americana dava aos Estados Unidos um poderoso meio de pressão sobre seus aliados europeus.

Entre os povos árabes, os acontecimentos da guerra despertaram esperanças de uma vida nova. Os movimentos de exércitos (particularmente rápidos e extensos no deserto), os temores e expectativas de ocupação e libertação, o espetáculo da Europa fazendo-se aos pedaços, as declarações de altos princípios da vitoriosa aliança anglo-americana, e a emergência de uma Rússia comunista como potência mundial: tudo isso encorajou a crença em que a vida podia ser diferente.

Entre muitas outras mudanças, as circunstâncias da guerra fortaleceram a idéia de mais estreita unidade entre os países árabes. O Cairo foi o principal centro a partir do qual os britânicos organizaram a luta pelo Oriente Médio, e também sua vida econômica; a necessidade de conservar os embarques levou à criação do Centro de Abastecimento do Oriente Médio (britânico a princípio, e depois anglo-americano), que foi além da regulamentação das importações e encorajou mudanças na agricultura e na indústria que tornariam o Oriente Médio mais inteiramente auto-sustentado. O fato de o Cairo ser o

464

centro de decisão militar e econômica deu ao governo egípcio (com encorajamento um tanto vago dos britânicos) a oportunidade de tomar a iniciativa de criar laços mais estreitos entre estados árabes. No início de 1942, um ultimato britânico ao rei do Egito obrigou-o a pedir ao Wafd que formasse um governo; nesse momento crítico da guerra, pareceu desejável à Grã-Bretanha ter um governo egípcio que pudesse controlar o país e estivesse mais disposto a cooperar com a Grã-Bretanha que o rei e os que o cercavam. A autoridade que isso deu ao governo do Wafd capacitou-o a empreender discussões com outros estados árabes sobre a possibilidade de unidade mais estreita e formal entre eles. Havia diferenças de sentimentos e interesses: na Síria e no Iraque, os líderes ainda se lembravam da unidade perdida do Império Otomano, e desejavam uma ligação mais estreita; o Líbano equilibrava-se precariamente entre os que se viam como árabes e aqueles, sobretudo cristãos, que viam o Líbano como um país separado e estreitamente ligado à Europa; os governos do Egito, Arábia Saudita e Iêmen tinham algum senso de solidariedade árabe, mas também um forte conceito de seu interesse nacional; todos desejavam criar um apoio efetivo para os árabes da Palestina. Duas conferências, realizadas em Alexandria em 1944 e no Cairo em 1945, resultaram na criação da Liga dos Estados Árabes. Esta reunia sete estados que tinham certa liberdade de ação (Egito, Síria, Líbano, Transjordânia, Iraque, Arábia Saudita e Iêmen), junto com um representante dos árabes palestinos, deixando-se a porta aberta para outros estados árabes entrarem se se tornassem independentes. Não haveria interferência na soberania uns dos outros, mas esperava-se que agissem juntos em questões de interesse comum — em particular, a defesa dos árabes na Palestina e do Magreb — e em qualquer organização internacional que emergisse da guerra. Quando as Nações Unidas foram formadas em 1945, os estados árabes independentes tornaram-se membros.

INDEPENDÊNCIA NACIONAL

Após o fim da guerra, o Oriente Médio e o Magreb, que durante uma geração tinham sido campo de influência quase exclusiva de dois estados europeus, tornaram-se uma arena onde quatro ou mais estados podiam exercer poder de influência, e onde as relações entre eles não eram tão estáveis quanto tinham sido no período do "Concerto da Europa". Nessa situação, era possível os partidos nacionalistas e os interesses locais que eles representavam fazerem pressão por mudanças no *status* de seus países.

A França achava-se em posição mais fraca que a Grã-Bretanha, e a pressão sobre ela foi maior. No fim da guerra, pôde restaurar sua posição na Indochina e no Magreb, após severa repressão aos distúrbios na Argélia Oriental em 1945, mas foi obrigada a deixar a Síria e o Líbano. Quando forças britânicas e da França Livre ocuparam o país em 1941, fez-se um acordo pelo qual os franceses tinham autoridade administrativa, mas o controle estratégico ficava com os britânicos; a Grã-Bretanha reconhecia a posição da França como potência européia predominante, sujeita à concessão de independência aos dois países. As possibilidades de um choque de interesse eram fortes. Os franceses livres não estavam dispostos a conceder autogoverno imediatamente; a pretensão deles de serem a verdadeira França não pareceria plausível a olhos franceses se entregassem um território francês não, pelo que acreditavam, a seus habitantes, mas para ser atraído à esfera de influência britânica. Para os britânicos, por outro lado, cumprir a promessa de independência lhes seria vantajoso entre nacionalistas árabes hostis à sua política na Palestina. Os políticos de Beirute e Damasco podiam aproveitar esse desacordo para obter a independência antes que a guerra acabasse e eles ficassem entregues ao domínio irrestrito da França. Houve duas crises, uma em 1943, quando o governo libanês tentou limitar a autoridade francesa, e a segunda em 1945, quando uma tentativa semelhante dos sírios levou a um bombardeio francês de Damasco, uma intervenção britânica e um processo de negociação que acabou num acordo em que os franceses e britânicos se retirariam simultânea e completamente no fim de 1945. Assim, a Síria e o Líbano obtiveram completa independência, sem as limitações que os tratados com a Grã-Bretanha haviam imposto ao Egito e ao Iraque. Daí em diante seria difícil qualquer partido nacionalista aceitar menos que isso.

A posição britânica no Oriente Médio parecia inabalada e sob certos aspectos fortalecida no fim da guerra. As campanhas no deserto tinham posto mais um país árabe, a Líbia, sob domínio britânico. Nas partes árabes do Oriente Médio, os Estados Unidos pareciam não ter desejo de substituir a Grã-Bretanha como principal potência, embora houvesse matizes de rivalidade por mercados e pelo controle da produção de petróleo. O início da Guerra Fria, porém, levou a um maior envolvimento americano. Em 1947, os Estados Unidos assumiram responsabilidade pela defesa da Grécia e da Turquia contra quaisquer ameaças a elas, e a implicação disso era que mais ao sul, nos países árabes, a Grã-Bretanha seria a principal responsável pela proteção de interesses políticos e estratégicos ocidentais na nova era de Guerra Fria.

Esse entendimento implícito iria durar mais ou menos dez anos, e durante a primeira parte desse período houve um esforço constante do governo trabalhista britânico a fim de restabelecer suas relações com os países árabes em novas bases. A retirada inglesa da Índia em 1947 pode ter parecido tornar menos importante que antes a continuação da Grã-Bretanha no Oriente Médio, mas essa não era a opinião do governo; investimentos, petróleo, mercados, comunicações, os interesses estratégicos da aliança ocidental, e o senso de que o Oriente Médio e a África continuavam sendo as únicas partes do mundo onde a Grã-Bretanha podia tomar a iniciativa pareciam tornar mais importante a manutenção de sua posição, mas numa nova base.

A linha geral da política britânica era de apoio à independência árabe e a um maior grau de unidade, preservando ao mesmo tempo interesses estratégicos essenciais por acordo amigável, e também pela ajuda no desenvolvimento econômico e na aquisição de capacidades técnicas a um ponto em que os governos árabes pudessem assumir a responsabilidade por sua própria defesa. Essa política apoiava-se em duas suposições: que os governos árabes encarariam seus grandes interesses como idênticos aos da Grã-Bretanha e da aliança ocidental; e que os interesses britânicos e americanos coincidiriam de tal modo que a parte mais forte se disporia a deixar a defesa de seus interesses à mais fraca. Nos dez anos seguintes, porém, as duas suposições mostraram-se inválidas.

O primeiro país sobre o qual se tinha de tomar uma decisão era a Líbia. No fim da guerra, havia uma administração militar em duas das três regiões do país, Cirenaica e Tripolitânia, e uma francesa na terceira, Fazzan. Na região oriental, Cirenaica, forças leais ao chefe da ordem sanusita haviam ajudado na conquista e recebido promessas sobre o futuro. Em discussões entre as grandes potências e outras partes interessadas e nas Nações Unidas, apresentou-se a idéia de que a Líbia podia ser um país em que se podia aplicar o novo conceito de *"trusteeship"** de países "mais avançados". Numa das primeiras expressões da hostilidade ao poder imperial que ia tornar-se uma das marcas das Nações Unidas, a maioria relutou em permitir que a Grã-Bretanha ou a França permanecessem na Líbia, ou que a Itália retornasse como *trustee*. Vários grupos locais pediam independência, embora discordassem quanto às relações futuras entre as três regiões, e em 1949 as Nações Unidas aprovaram uma resolução apoiando a independência e estabeleceram uma comissão para supervisionar a transferência de poder. Em 1951, o país tornou-se independente, com o chefe da ordem sanusita como rei Idris, mas por vários anos a Grã-Bretanha e os Estados Unidos mantiveram bases militares lá.

Em outro país, a Palestina, a solução de interesses conflitantes mostrou-se impossível, e isso iria causar danos duradouros nas relações entre os povos árabes e as potências ocidentais. Du-

---

* Administração de território sob mandato das Nações Unidas. (N. T.)

rante a guerra, a imigração judia para a Palestina fora praticamente impossível, e a atividade política, em sua maior parte, suspensa. À medida que a guerra chegava ao fim, tornou-se claro que as relações de poder haviam mudado. Os árabes na Palestina eram menos capazes que antes de apresentar uma frente unida, por causa do exílio ou prisão durante e após a revolta de 1936-39 e das tensões e hostilidades geradas por movimentos violentos; a formação da Liga Árabe, com seu compromisso de apoiar os palestinos, pareceu oferecer-lhes uma força que no fim se revelou ilusória. Os judeus palestinos, por sua parte, eram unidos por fortes instituições comunais; muitos deles tinham tido treinamento e experiência militar nas forças britânicas durante a guerra; tinham apoio mais amplo e mais decidido de judeus em outros países, agitados pelos massacres de judeus na Europa, e resolveram criar não apenas um refúgio para os que sobreviveram, mas uma posição de força que tornasse impossível no futuro um acontecimento desses. O governo britânico, embora consciente dos argumentos em favor de uma rápida imigração judia em larga escala, sabia também que isso levaria ao pedido de um estado judeu, o que despertaria forte oposição dos árabes, que temiam ser submetidos ou desapropriados, e dos estados árabes. Os britânicos não tinham mais tanta liberdade de ação como antes de 1939, por causa de suas estreitas relações com os Estados Unidos e sua dependência econômica deles; o governo americano, tendo ainda poucos interesses próprios no Oriente Médio, e sofrendo alguma pressão de sua grande e politicamente ativa comunidade judia, inclinava-se a usar sua influência em favor das exigências sionistas de imigração e um Estado. A questão da Palestina tornou-se então um ponto importante nas relações anglo-americanas. As tentativas de acordo sobre uma política conjunta, através da comissão de inquérito anglo-americana (1945-46), e depois discussões bilaterais, não chegaram a qualquer conclusão, pois nenhuma política sugerida recebia a aprovação de judeus e árabes ao mesmo tempo, e o governo britânico não estava disposto a executar uma política que não tivesse essa aprovação. A pressão americana sobre a Grã-Bretanha aumentou, e ataques judeus a autoridades e instalações britânicas na Palestina chegaram perto do ponto da revolta aberta.

Em 1947, a Grã-Bretanha decidiu entregar o assunto às Nações Unidas. Uma comissão especial da ONU enviada para estudar o problema apresentou um plano de partilha em termos mais favoráveis aos sionistas que o de 1937. O plano foi aceito pela Assembléia Geral das Nações Unidas em novembro de 1947, com apoio bastante ativo dos Estados Unidos e também da Rússia, que desejava a retirada dos britânicos da Palestina. Os membros árabes das Nações Unidas e os árabes palestinos rejeitaram-no, e, mais uma vez diante da impossibilidade de encontrar uma política que árabes e judeus aceitassem, a Grã-Bretanha decidiu retirar-se da Palestina numa data fixada, 14 de maio de 1948. Isso seguia um precedente recentemente estabelecido pela retirada britânica da Índia, e talvez tenha se esperado que, como na Índia, a iminência da retirada levasse as duas partes a algum tipo de acordo. À medida que se aproximava a data, a autoridade britânica inevitavelmente diminuiu e irrompeu a luta, em que os judeus logo conquistaram uma vantagem. Isso, por sua vez, levou à decisão dos países árabes vizinhos de intervir, e assim uma série de conflitos locais transformou-se numa guerra. A 14 de maio, a comunidade judia declarou sua independência como Estado de Israel, que foi imediatamente reconhecido pelos Estados Unidos e pela Rússia; e forças egípcias, jordanianas, iraquianas, sírias e libanesas avançaram sobre as partes predominantemente árabes do país. Numa situação em que não havia fronteiras fixas nem nítidas divisões de população, a luta se deu entre o novo exército israelense e os dos estados árabes, e, em quatro campanhas interrompidas por cessar-fogos, Israel conseguiu ocupar a maior parte do país. Por prudência, inicialmente, e depois por pânico e por causa da política deliberada do exército israelense, quase dois terços da população árabe deixou suas casas e tornou-se refugiada. No início de 1949, fez-se uma série de armistícios entre Israel e seus vizinhos árabes, sob a supervisão das Nações Unidas, e criaram-se fronteiras estáveis. Cerca de 75% da Palestina foram incluídos dentro das fronteiras de Is-

470

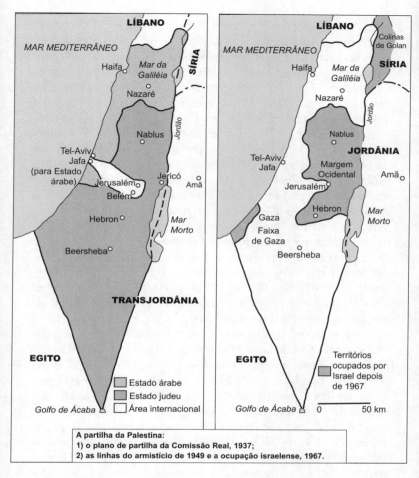

A partilha da Palestina:
1) o plano de partilha da Comissão Real, 1937;
2) as linhas do armistício de 1949 e a ocupação israelense, 1967.

rael; uma faixa de terra na costa sul, que se estendia de Gaza à fronteira egípcia, foi posta sob administração egípcia; o resto foi anexado pelo Reino Hachemita da Jordânia (nome tomado pela Transjordânia em 1946, depois que um tratado com a Grã-Bretanha redefiniu as relações entre os dois países). Jerusalém foi dividida entre Israel e a Jordânia, embora muitos outros países não reconhecessem formalmente a divisão.

A opinião pública nos países árabes foi muito afetada por esses acontecimentos. Foram encarados como uma derrota para os governos árabes, e isso iria levar a muitos levantes nos próximos anos. Também foram vistos como uma derrota para os britânicos, que tinham conseguido retirar seus funcionários e soldados do país sem perdas, mas em circunstâncias que despertaram suspeitas e hostilidade em ambos os lados. Nos países árabes, a opinião predominante era de que a política britânica na verdade ajudara aos sionistas: tendo encorajado a imigração judia, o governo não se mostrara disposto a aceitar suas implicações para os árabes, ou detê-la antes que levasse à submissão ou desapropriação deles, ou pelo menos limitar o dano que causaria. Os Estados Unidos, por sua vez, eram vistos como tendo agido inteiramente em apoio aos sionistas.

Apesar disso, as posições de britânicos e americanos permaneceram fortes. O governo israelense, no qual a figura dominante era David Ben Gurion (1886-1973), recusou-se a receber de volta qualquer número de refugiados árabes; mas era geralmente aceito pelos governos britânico, americano e israelense que eles mais cedo ou mais tarde seriam absorvidos na população dos países onde haviam se refugiado, e que se poderia conseguir não a paz, mas pelo menos um *modus vivendi* entre Israel e seus vizinhos. Nesse meio tempo, as principais energias do governo de Israel foram dedicadas à tarefa de absorver grandes números de imigrantes judeus, não apenas da Europa Oriental, mas também dos países árabes. Isso mudou a estrutura da população; em 1956, de um total de 1,6 milhão, os muçulmanos árabes e os cristãos somavam 200 mil, ou cerca de 12%. Grande parte da terra que pertencera aos árabes foi tomada, por diferentes meios legais, para assentamento judeu. Embora os cidadãos árabes tivessem direitos legais e políticos, não pertenciam plenamente à comunidade nacional que se formava. O movimento de população para dentro de Israel teve impacto também nos países árabes. Na geração após 1948, as antigas comunidades judias dos países árabes praticamente cessaram de existir; as do Iêmen e Iraque mudaram-se sobretudo para Israel; as da Síria, Egito e do Magreb, para a Europa e América do Norte, além de Israel; só a comunidade judia do Marrocos continuou sendo de tamanho significativo.

Nos poucos anos seguintes, o centro de conflito e discussão política estava não no conflito árabe-israelense, mas em outros países nos quais a Grã-Bretanha ainda tinha uma posição especial: no Irã, além da fronteira oriental do mundo árabe, onde a nacionalização da empresa de petróleo de propriedade britânica causou uma crise internacional, e no Egito. Ali, a Grã-Bretanha ainda tinha muita liberdade de ação. Tendo divergido da política britânica na Palestina, os Estados Unidos não estavam dispostos a enfraquecer a posição da Grã-Bretanha como guardiã dos interesses ocidentais em outras partes do mundo árabe, embora o grande investimento de capital americano nos campos de petróleo da Arábia Saudita levasse à substituição da influência britânica pela americana. A União Soviética, do seu lado, estava demasiado ocupada com outras regiões para seguir uma política ativa nos países árabes. Os estados árabes, embora comprometidos em princípio com a defesa dos interesses dos palestinos, preocupavam-se sobretudo com seus próprios problemas.

A base do poder britânico no Oriente Médio sempre fora a presença militar no Egito, e foi aí que a Grã-Bretanha se viu diante do problema mais urgente. Assim que a guerra acabou, houve uma exigência do governo egípcio de mudança no acordo a que se havia chegado em 1936. As negociações entre os dois governos se deram de 1946 em diante, mas fracassaram em dois pontos: primeiro, a pretensão egípcia de soberania sobre o Sudão, que o governo britânico não aceitava, na crença de que a maioria dos sudaneses não aceitaria e que a Grã-Bretanha tinha obrigações com eles; e, segundo, a questão da posição estratégica britânica no país. Seguindo o tratado de 1936, forças britânicas foram retiradas do Cairo e do Delta, mas houve um impasse em relação à Zona do Canal; estadistas e estrategistas britânicos achavam essencial permanecer lá em peso, tanto para defesa dos interesses ocidentais e do Oriente Médio quanto dos interesses britânicos no Mediterrâneo Oriental e na África. Em 1951, irrompeu uma séria luta entre forças britânicas e guerrilheiros egípcios, e em janeiro de 1952 isso detonou um movimento popular no Cairo em que instalações ligadas à presença britânica foram destruídas; o colapso da ordem, por sua vez, deu a oportunidade para a tomada do poder, em julho de 1952, por uma sociedade secreta de oficiais egípcios de patente média, a princípio uma liderança corporativa e depois sob o domínio de Gamal 'Abd al-Nasser (1918-70). O rompimento com o passado, que ia se mostrar em muitas esferas, foi simbolizado pela deposição do rei e a proclamação de uma república no Egito.

Com um controle mais firme sobre o país que os governos anteriores, os governantes militares puderam retomar as negociações com os britânicos. Dos dois pontos principais, o do Sudão foi retirado quando o governo egípcio chegou a um acordo com os principais partidos sudaneses em 1953. Os movimentos políticos no Sudão tinham podido expressar-se mais livremente depois que uma assembléia legislativa fora criada em 1947, e surgiram três forças principais: as que desejavam a independência e a manutenção de um elo com a Grã-Bretanha, as que desejavam a independência e uma ligação mais estreita com o Egito, e as que falavam pelos povos não-árabes do sul. O acordo feito com o Egito envolveu as duas primeiras, e foi aceito pela Grã-Bretanha, embora com certa relutância. Acertou-se que o poder seria transferido do condomínio anglo-egípcio para os sudaneses, sob supervisão internacional. Realizaram-se eleições no mesmo ano, e em 1955 o processo estava concluído; a administração estava em mãos sudanesas, e as forças britânicas e egípcias foram retiradas. A maior sombra sobre o futuro foi lançada pelo início da revolta e guerra de guerrilha nas províncias do sul, onde a população, não sendo árabe nem muçulmana, estava apreensiva com os resultados de sua transferência do domínio britânico para o árabe.

Com o problema sudanês resolvido, as negociações sobre o outro ponto, o da posição estratégica da Grã-Bretanha, foram em frente, e chegou-se a um acordo em 1954. As forças britânicas seriam retiradas da Zona do Canal, e mais de setenta anos de ocupação britânica chegaria ao fim; mas combinou-se que a base podia ser posta em uso ativo se houvesse um ataque ao Egito, a outro Estado árabe ou à Turquia. A inclusão da Turquia era uma manifestação de preocupação britânica e americana com a defesa dos interesses ocidentais no Oriente Médio contra uma possível agressão da Rússia; discutiam-se vários planos para um pacto de defesa do Oriente Médio, e a disposição do Egito de incluir a menção à Turquia no acordo pareceu indicar que os egípcios estavam dispostos a entrar no pacto.

O fim da ocupação estrangeira na Síria, Líbano, Egito e Sudão tornou difícil para o Iraque e para a Jordânia aceitarem menos que os outros haviam obtido. No Iraque, o regime que fora restaurado por intervenção britânica em 1941 estava ansioso por reter um elo estratégico com as potências ocidentais; tinha mais consciência da proximidade da Rússia que outros países árabes. Em 1948, fez uma tentativa de renegociar o Tratado Anglo-Iraquiano de 1930 nessas linhas, mas falhou por causa da oposição dos que desejavam o Iraque menos comprometido com a aliança ocidental. Então, em 1955, o governo fez um acordo com a Turquia para estabelecer um pacto de defesa comum e um pacto econômico (o Pacto de Bagdá); Paquistão, Irã e Grã-Bretanha juntaram-se a ele, e os Estados Unidos depois começaram a participar em sua operação. No contexto desse pacto, fez-se um acordo com a Grã-Bretanha pelo qual as duas bases aéreas britânicas foram entregues ao Iraque, mas a Grã-Bretanha concordou em dar assistência se houvesse um ataque ao Iraque, ou ameaça, e se o Iraque pedisse ajuda.

Na Jordânia, havia uma situação semelhante, de um regime ansioso por ajuda contra perigos externos — dos vizinhos árabes, e também de Israel — mas sob pressão da opinião pública nacionalista. Depois de 1948, o país ficou com uma maioria de palestinos, que encaravam Israel como seu principal inimigo e vigiavam para ver algum sinal de que o país fazia concessões aos israelenses. Em 1951, o rei 'Abdullah foi assassinado, um sinal de desconfiança nacionalista de que ele estava mais acomodatício com os israelenses e seus patronos ocidentais do que parecia sensato e correto. O instável equilíbrio mudou por um tempo em favor da completa independência. Em 1957, o tratado com a Grã-Bretanha foi encerrado por acordo, e forças britânicas retiraram-se das bases que tinham ocupado; mas o fato de nesse mesmo ano os governos britânico e americano declararem que a independência e a integridade do país eram de vital interesse para eles era um sinal da precária posição da Jordânia e do regime hachemita.

No Magreb, era mais difícil a França chegar a termos com a exigência de independência. A presença francesa ali era não só uma questão de exércitos ou de dominação de interesses econômicos metropolitanos, mas das grandes comunidades francesas que lá viviam, controlavam os setores lucrativos da economia e ocupavam o maior número de cargos no governo em todos os níveis, com exceção dos mais inferiores. Fazer alguma mudança nas relações de franceses e árabes envolvia um esforço maior e enfrentava mais forte resistência. Os esforços começaram na Tunísia e no Marrocos assim que a guerra acabou. Na Tunísia, o Partido Neo-Destur tinha a vantagem moral de seu líder, Burguiba, ter dado apoio inequívoco aos franceses livres e seus aliados quando no exílio ou na prisão durante a guerra, e da força material derivada da combinação do partido e a federação sindical, fundada após a guerra, quando os tunisianos puderam juntar-se a sindicatos pela primeira vez. No Marrocos, a força veio de uma combinação de vários elementos. Os pequenos grupos nacionalistas que haviam surgido na década de 1930 organizaram-se no Partido da Independência (Istiqlal), e estabeceleram relações com o sultão, Muhammad V (1927-62), que começou discretamente a exigir o fim do protetorado francês. A idéia da independência começou a afetar camadas mais amplas da sociedade: formou-se uma federação sindical, e o Partido Istiqlal pôde estabelecer controle sobre ela; a migração rural para Casablanca e outras cidades criou laços mais fortes entre cidade e campo, e encorajou a disseminação de idéias nacionalistas. A presença de interesses comerciais protegidos por tratado internacional desde o início do século e um novo interesse estratégico americano deram aos nacionalistas alguma esperança de certa simpatia externa.

Os fracos governos franceses dos anos do pós-guerra, baseados em coalizões mutáveis e atentos a uma opinião pública que não se recuperara da humilhação da derrota, não podiam oferecer mais que repressão ou "co-soberania", o que significava que a comunidade européia teria peso igual ao da população nativa em instituições locais, e que a voz decisiva seria a do governo metropolitano francês. Em 1952, Burguiba e vários outros foram presos na Tunísia, e teve início um movimento de resistência ativa, que provocou um movimento de violência semelhante entre os colonos franceses. No ano seguinte, a situação tornou-se crítica no Marrocos. Os contatos entre o governo e o Istiqlal haviam se estreitado, e o sultão exigiu soberania total. Em resposta, as autoridades francesas usaram, talvez pela última vez, um modo tradicional de ação política. Trouxeram as forças dos chefes tribais rurais cujo poder haviam aumentado e cuja posição era ameaçada pelo controle central mais forte implícito na visão nacionalista do futuro. Em 1953, o sultão foi deposto e exilado; o efeito disso foi torná-lo um símbolo de unificação para a maioria dos marroquinos e transformar a agitação numa insurreição armada.

Em 1954, porém, a política francesa mudou. A posição francesa na Indochina estava sob séria ameaça de um novo tipo de movimento popular armado, e na Argélia surgia um movimento semelhante. Um novo e mais decisivo governo francês abriu negociações com o Neo-Destur e com o sultão do Marrocos, que foi trazido de volta do exílio. Os dois países receberam a independência em 1956. No Marrocos, a zona espanhola e a cidade internacional de Tânger foram plenamente incorporadas ao Estado independente. A independência fortaleceu a mão do sultão (que se tornou rei em 1957), mas na Tunísia o bei, que desempenhara pequeno papel no processo político, foi deposto e Burguiba tornou-se presidente. Nos dois países, porém, a independência e as relações com a França permaneceram precárias nos anos seguintes, já que a essa altura a Argélia estava mergu-

477

lhada numa guerra de independência: os primeiros tiros foram disparados em novembro de 1954, e em breve suas repercussões eram sentidas em todo o Magreb.

A CRISE DO CANAL DE SUEZ

Em meados da década de 1950, a maioria dos países árabes que tinham estado sob domínio europeu tornara-se formalmente independente; em alguns deles permaneciam bases militares estrangeiras, mas logo seriam abandonadas. O domínio francês continuava apenas na Argélia, onde era ativamente desafiado por uma revolta popular nacionalista. O domínio ou a proteção britânicos continuavam nas bordas oriental e sul da península Arábica. O principal Estado da península, a Arábia Saudita, jamais tivera um período de dominação estrangeira, mas a influência britânica fora considerável. A descoberta e a exploração de petróleo levaram à substituição da influência britânica pela americana, mas também tornaram possível ao governo patriarcal da família saudita iniciar o processo de transformação para um sistema de governo mais plenamente desenvolvido; quando o rei 'Abd al-'Aziz morreu, em 1953, o Estado que ele fundara tornava-se mais central e importante na vida política da região. O Iêmen, por outro lado, permanecia isolado de outros países sob seu imã, apesar de tornar-se membro da Liga Árabe.

As ambigüidades da política no Iraque e na Jordânia, porém — o desejo de encerrar a presença de forças britânicas, mas ao mesmo tempo ter alguma relação militar com as potências ocidentais —, mostraram que a retirada formal de forças militares estrangeiras não criava, por si só, um relacionamento diferente com os antigos dominadores imperiais, mas antes recolocava o problema da independência numa nova forma. Os países árabes viram-se diante do crescente poder e influência, em todos os aspectos da vida econômica e política, de outro Estado ocidental, os Estados Unidos, que agora, no período de Guerra Fria e expansão econômica, acreditavam que seus interesses no Oriente

Médio só podiam ser protegidos por estreitas relações com governos locais dispostos a ligar sua política à da aliança ocidental. Muitos políticos e grupos políticos argumentavam, porém, que a única garantia de independência no mundo pós-colonial estava na manutenção da neutralidade entre os dois campos armados. Como o campo ocidental estava ligado a lembranças de dominação imperial e aos problemas da Palestina e da Argélia, ainda inflamados, e como era desse lado que vinha a principal pressão para fazer acordos de defesa, o desejo de neutralidade trazia consigo uma tendência a inclinar-se mais na direção do outro campo.

A polarização entre o bloco ocidental e o oriental e o conflito de políticas entre a neutralidade e a aliança ocidental deram uma nova dimensão aos relacionamentos entre os estados árabes. O desejo de união mais estreita entre eles tornara-se parte da linguagem comum dos políticos árabes; era agora questão de saber se essa unidade devia ser feita no quadro de um estreito acordo com as potências ocidentais ou independentemente delas.

O futuro do relacionamento entre os estados árabes e Israel também se tornou ligado à questão geral do alinhamento. Na década de 1950, o governo britânico e o americano discutiram planos para uma solução do problema: devia haver um certo ajuste das fronteiras de 1949 em favor dos árabes, o retorno de alguns dos refugiados a suas casas e a absorção da maioria deles nos países árabes em volta; se os estados árabes tivessem uma estreita ligação com as potências ocidentais, isso implicaria uma aceitação dessa solução e algum tipo de reconhecimento da existência do Estado de Israel. Por outro lado, a formação de um grupo neutro de estados árabes que tivesse relações positivas com o bloco oriental e o ocidental podia ser usada para aumentar o peso político dos países árabes e fortalecer suas forças armadas, com isso provocando uma mudança radical na situação estabelecida pelos acordos do armistício de 1949.

Quando essas diferenças de visão e política se tornaram agudas, passaram a ser relacionadas com a personalidade de Gamal 'Abd al-Nasser, líder do grupo militar que agora governava o

Egito. A assinatura do acordo sob o qual as forças britânicas deviam deixar a Zona do Canal na verdade não levava à entrada do Egito no sistema de defesa ocidental. Ao contrário, dava-lhe a liberdade de seguir uma política de não-alinhamento, e de formar em torno de si um bloco de países árabes igualmente não alinhados com o qual o mundo externo teria de lidar como um todo. Uma expressão dessa política foi a estreita relação estabelecida com os principais defensores da idéia de não-alinhamento, Índia e Iugoslávia; outra, e mais dramática, foi o acordo feito em 1955 para o fornecimento de armas ao Egito pela União Soviética e seus aliados, um acordo que rompeu o controle sobre fornecimentos de armas a Israel e aos estados árabes vizinhos que os Estados Unidos, Grã-Bretanha e França tinham tentado manter.

A política de neutralismo quase inevitavelmente atraiu o Egito e seus aliados para uma inimizade com aqueles cujos interesses seriam afetados por ela. As potências ocidentais teriam pelo menos de esperar obstáculos e limites ao defenderem seus interesses políticos e econômicos; não mais podiam controlar o desenvolvimento do problema de Israel, ou outros problemas, como talvez tivessem esperado fazer; para o governo dos Estados Unidos na era da Guerra Fria, a recusa a juntar-se à aliança ocidental no Oriente Médio era na verdade juntar-se ao bloco oriental. O apelo ao neutralismo e à maior unidade sob a liderança egípcia, feito por 'Abd al-Nasser a povos árabes passando por cima de seus governos, era uma ameaça aos regimes que defendiam políticas diferentes: em particular o do Iraque, que, após a assinatura do Pacto de Bagdá, tornou-se o principal protagonista da aliança ocidental; sua vida política nesse período foi dominada por Nuri al-Sa'id (1888-1958), que desempenhara um papel importante na política nacional árabe desde a revolta árabe durante a Primeira Guerra Mundial. A ascensão de um forte governo egípcio, com seu próprio abastecimento de armas e um forte apelo aos sentimentos de palestinos e outros árabes, era vista por Israel como uma ameaça à sua posição. Esses antagonismos locais, por sua vez, aprofundaram a hostilidade das potêncios ocidentais: os Estados Unidos por causa de sua ligação com Israel, a Grã-Bretanha por causa de sua filiação ao Pacto de Bagdá, e a França por causa do encorajamento e ajuda que achava que o Egito, com sua visão de um mundo árabe independente e não alinhado, dava à revolução argelina.

Entre 1955 e 1961, houve uma série de crises em que todos esses fatores estiveram envolvidos. Em 1956, os Estados Unidos, que tinham dado esperanças de que iam fornecer ajuda financeira ao Egito para um projeto de irrigação muito grande (a grande barragem de Assuan), de repente retiraram sua oferta. Em resposta a isso, o governo egípcio não menos de repente nacionalizou a Companhia do Canal de Suez e assumiu a administração do canal. Isso causou alarme a usuários do canal, que temiam que a liberdade de usá-lo ficasse sujeita a considerações políticas. Para os governos britânico e francês, pareceu um ato de hostilidade, tanto por causa do interesse britânico e francês na empresa que construíra e era dona do canal quanto porque isso aumentava a estatura de 'Abd al-Nasser nos países árabes. Os israelenses viram nisso uma oportunidade de enfraquecer um Estado vizinho todo-poderoso e hostil, cuja fronteira com eles tinha sido perturbada por algum tempo. O resultado foi um acordo secreto entre França, Grã-Bretanha e Israel para atacar o Egito e derrubar o governo de 'Abd al-Nasser.

Em outubro, forças israelenses invadiram o Egito e marcharam para o canal de Suez. De acordo com o acordo prévio entre os três, a Grã-Bretanha e a França enviaram um ultimato a Israel e ao Egito, para que se retirassem da Zona do Canal, e a recusa de 'Abd al-Nasser deu um pretexto para forças britânicas e francesas atacarem e ocuparem parte da Zona. Essa ação, porém, era uma ameaça não apenas ao Egito e aos estados árabes que o apoiavam, mas aos Estados Unidos e à União Soviética, que como grandes potências não podiam aceitar que passos tão decisivos fossem dados numa área em que tinham interesses sem que se levassem em conta esses interesses. Sob pressão americana e soviética, e diante da hostilidade mundial e do perigo de colapso financeiro, as três forças retiraram-se. Esse foi um dos ra-

481

ros episódios em que a estrutura de poder no mundo ficou claramente revelada: a hostilidade de forças locais atraiu potências mundiais de segundo escalão em defesa de interesses próprios, só para darem de cara com os limites de sua força quando desafiaram os interesses das superpotências.

O resultado dessa crise foi aumentar a estatura de 'Abd al-Nasser nos países árabes vizinhos, já que ele foi visto em geral como tendo saído da crise politicamente vitorioso, e também aprofundar a cisão entre os que o apoiavam e os que viam sua política como perigosa. Essa divisão agora entrava como um fator nos assuntos internos dos outros estados árabes. Em 1958, combinou-se com rivalidades locais para causar uma eclosão de guerra civil no Líbano. No mesmo ano, uma luta pelo poder entre grupos políticos na Síria levou um deles a tomar a iniciativa de união com o Egito; a união se fez, e em fevereiro os dois países fundiram-se na República Árabe Unida. Os dois reinos hachemitas, Iraque e Jordânia, estabeleceram uma união rival, mas no mesmo ano, em julho, a mesma combinação de descontentes internos com as esperanças suscitadas pela liderança egípcia de um novo mundo árabe levou à tomada do poder no Iraque por oficiais do exército. O rei e a maior parte de sua família foram mortos, e também Nuri al-Sa'id. O Iraque tornou-se uma República, e a dinastia hachemita não pôde mais esperar desempenhar um papel de destaque na política árabe (embora o outro ramo dela continuasse a reinar na Jordânia). A notícia da revolução levou ao envio de tropas americanas ao Líbano e britânicas à Jordânia, para estabilizar uma situação incerta, mas elas logo se retiraram, e no que diz respeito aos britânicos isso marcou o fim de seu papel ativo e importante na política árabe.

A princípio, a revolução pareceu abrir a perspectiva de o Iraque juntar-se à união de Egito e Síria, mas a divisão de interesses entre Bagdá e o Cairo logo se mostrou. Dentro da própria República Árabe Unida, os interesses divergentes de Damasco e Cairo também levaram, em 1961, a um golpe militar na Síria e à dissolução da união. Apesar desses reveses, 'Abd al-Nasser ainda aparecia, aos olhos da maioria dos árabes e de grande parte do mundo externo, como o símbolo do movimento de povos árabes para uma maior unidade e genuína independência.

A GUERRA DA ARGÉLIA

Os anos de crise no Oriente Médio foram também os da crise final do domínio imperial no Magreb, onde os árabes da Argélia travaram uma longa e por fim bem-sucedida batalha para conseguir libertar-se da França.

Os argelinos enfrentaram maiores dificuldades que os outros povos árabes em sua luta pela independência. Oficialmente, o país deles não era uma colônia, mas parte integrante da França metropolitana, e a exigência de separação enfrentou a resistência daqueles para os quais a terra da França era indivisível. Além disso, os colonos europeus haviam se tornado agora quase uma nação própria, enraizada na Argélia, onde 80% deles tinham nascido. Não iam de boa vontade abrir mão de sua posição de força: controlavam a terra mais fértil e a mais produtiva agricultura, melhorada pela mecanização e ainda em expansão; as cidades principais, Argel e Orã, eram mais francesas que muçulmanas argelinas; eles detinham a vasta maioria de cargos no governo e nas profissões liberais; sua forte e longa influência na administração local e no governo em Paris podia impedir quaisquer mudanças que lhes trouxessem desvantagens. Um manifesto emitido por um grupo de argelinos educados, em 1943, pedindo uma república autônoma ligada à França, não obteve resposta, a não ser a abolição de algumas desvantagens legais; um movimento mais violento em 1945 foi suprimido brutalmente. Fizeram-se então algumas mudanças: os muçulmanos argelinos seriam representados no Parlamento francês, e teriam o mesmo número de membros que os europeus na Assembléia argelina; mas as eleições para a Assembléia foram manipuladas pelo governo para produzir uma maioria dócil.

Por baixo da superfície de inabalado controle francês, porém, a sociedade argelina mudava. A população muçulmana crescia em alta taxa; em 1954, subira para quase 9 milhões, dos quais mais da metade tinha menos de vinte anos; a população européia era de quase 1 milhão. A maior parte da população muçulmana amontoava-se na parte menos produtiva da terra, sem capital para desenvolvê-la, e com limitadas facilidades de crédito, apesar de pequenas e tardias tentativas do governo de fornecê-las. Como resultado, os padrões de vida eram baixos e a taxa de desemprego rural alta. Havia uma crescente migração de camponeses do campo deprimido e superpovoado para as planícies, para trabalhar como mão-de-obra em fazendas européias, e para as cidades da costa, onde formavam um proletariado não qualificado, subempregado; em 1954, quase um quinto dos muçulmanos era de moradores de cidades na Argélia, e cerca de 300 mil tinham ido para o além-mar, para a França. As oportunidades de educação eram maiores do que antes, mas ainda pequenas; 90% da população era analfabeta. Só uns poucos milhares passavam da escola primária para a secundária, só algumas dúzias para a educação superior; em 1954, havia menos de duzentos médicos e farmacêuticos muçulmanos, e um número menor de engenheiros.

Entre os migrantes que viviam longe de suas famílias em cidades estranhas, soldados no exército francês, estudantes com oportunidades limitadas, havia uma consciência das grandes mudanças que ocorriam no mundo: as derrotas francesas na guerra da Indochina, a independência de países asiáticos e africanos, as mudanças nas idéias sobre o domínio imperial. A independência começou a parecer uma possibilidade, mas a um preço: a repressão aos distúrbios de 1945 havia mostrado que ela não seria concedida facilmente. Nos anos após 1945, o partido dos que estavam dispostos a aceitar uma melhor posição dentro do sistema político francês perdeu muito de sua influência, e dentro do partido nacionalista formou-se aos poucos um grupo revolucionário: homens em sua maioria de educação limitada, mas com experiência militar no exército francês, embora mais tarde fossem atrair membros da elite educada. Em 1954, formaram o Front de Libération Nationale (FLN), e em novembro daquele ano dispararam os primeiros tiros da revolução.

No início, foi um movimento limitado, e pôde-se duvidar de suas chances de sucesso. O impulso revolucionário e as ações do governo francês, no entanto, foram aos poucos transformando-o num movimento nacional com largo apoio no mundo. A primeira reação do governo foi de repressão militar; quando um governo mais inclinado para a esquerda chegou ao poder, pareceu disposto a fazer concessões, mas depois cedeu à oposição do exército e dos europeus da Argélia. No fim de 1956, uma tentativa de negociar um acordo com a ajuda do Marrocos e da Tunísia deu em nada, depois que alguns dos líderes argelinos que voavam de Rabat a Túnis tiveram o avião desviado para Argel e lá foram presos; o governo francês aceitou um ato que parece ter sido de iniciativa local.

A essa altura, o poder efetivo passara do governo em Paris para o exército e os europeus na Argélia; do outro lado, a maior parte da população muçulmana argelina formara ao lado da FLN. Um bem informado e simpático intelectual francês observou que, após dois anos de guerra, "quase toda a sociedade muçulmana viu-se sólida e efetivamente sustentada por uma estrutura clandestina [...] os homens no comando não vinham das fileiras revolucionárias [...] representavam toda a gama da elite da população argelina".[1] Começou a surgir o esboço de uma futura nação argelina independente, com o fervor gerado pela revolução orientada para a igualdade social e a reapropriação da terra. A guerra atingiu o auge militar em 1957, quando houve uma acirrada e extensa luta pelo controle da própria Argel. O exército restabeleceu o domínio sobre a capital, e no campo seguiu uma política de deslocamento em larga escala da população. A natureza do conflito foi aos poucos mudando: a FLN, operando a partir do Marrocos, da Tunísia e do Cairo, proclamou-se o "Governo Provisório da República Argelina" em 1958, recebendo apoio e realizando negociações em todo o mundo, e também com encorajamento de alguns elementos radicais na França. Uma tentativa do exército francês de expandir a guerra até a

Tunísia foi detida por objeções americanas e outras, e foi devido ao temor de que a pressão internacional esmagasse o fraco governo da França do pós-guerra que o exército, os europeus e seus defensores na França praticamente impuseram uma mudança de regime; a Quarta República chegou ao fim e em 1958 De Gaulle retornou ao poder, com uma nova Constituição que dava ao presidente da República poderes mais amplos.

Era esperança dos que levaram De Gaulle ao poder que ele usasse sua posição para fortalecer o domínio francês na Argélia. Logo se tornou claro, porém, que ele se encaminhava, de modo obscuro e indireto, para um acordo com os argelinos, embora não seja certo que previsse desde o começo a concessão de completa independência. Na primeira fase, sua política foi de continuar as medidas militares para suprimir a revolta, mas agindo independentemente do exército e dos europeus da Argélia, a fim de melhorar as condições dos muçulmanos. Anunciou-se um plano de desenvolvimento econômico: a indústria seria estimulada, a terra distribuída. Far-se-iam eleições para a Assembléia argelina, e esperava-se que produzissem uma liderança alternativa com a qual a França pudesse negociar sem necessidade de chegar a termos com a FLN. Essa esperança revelou-se vã, porém, e não houve alternativa para a negociação com a FLN. As primeiras conversações em 1960 deram em nada. No ano seguinte, De Gaulle tinha maior liberdade de manobra: um referendo na França mostrou que havia uma maioria a favor da concessão de autodeterminação à Argélia; uma tentativa do exército de dar um golpe de Estado contra De Gaulle foi suprimida. Retomaram-se as negociações, e dois problemas se mostraram os de mais difícil solução: o da comunidade européia e o do Saara argelino, que a França desejava reter, porque a essa altura importantes recursos de petróleo e gás natural haviam sido descobertos lá e estavam sendo explorados por uma empresa francesa. No fim, a França concedeu os dois pontos: os europeus teriam liberdade de ficar ou partir com seus bens; toda a Argélia, incluindo o Saara, se tornaria um Estado soberano, que receberia ajuda francesa. Um acordo foi assinado em março de 1962. A independência fora assegurada, mas a um alto preço para todos os envolvidos. Grande parte da população muçulmana fora deslocada, uns 300 mil ou mais tinham sido mortos, muitos que tinham ficado do lado dos franceses foram mortos ou forçados a emigrar após a independência. Os franceses tiveram cerca de 20 mil mortos. Apesar das garantias, a vasta maioria da população de colonos deixou o país; correra sangue demasiado para poder ser esquecido; um grupo ativista entre os colonos recorrera a atos de violência nos últimos estágios da guerra, e isso ajudou a tornar precária a posição dos europeus.

22. SOCIEDADES EM TRANSFORMAÇÃO (DÉCADAS DE 1940 E 1950)

POPULAÇÃO E CRESCIMENTO ECONÔMICO

Esses anos de tensão política foram também um tempo em que as sociedades mudavam rapidamente. Primeiro que tudo, o crescimento da população e sua pressão sobre os meios de subsistência eram agora observados em quase toda parte, e começavam a ser reconhecidos como a origem de muitos tipos de problemas.

No Egito, o aumento fora contínuo por mais de um século, com impulso sempre crescente. Enquanto a taxa de crescimento na década de 1930 tinha sido de pouco mais de 1% ao ano, em 1960 estava entre 2,5% e 3%; a população total aumentara de 16 milhões em 1937 para 26 milhões em 1960. A mudança foi causada basicamente por um decréscimo na taxa de mortalidade, de 27 por mil em 1939 para 18 por mil em 1960; a mortalidade infantil, em particular, decrescera nesse período de 160 para 109 por mil. Em comparação com isso, houvera pouca mudança na taxa de natalidade. Taxas de crescimento semelhantes existiam agora em outros países, embora o processo tenha começado mais tarde que no Egito. No Marrocos, parece ter havido pouco aumento natural antes de 1940, mas nos vinte anos seguintes a população cresceu de 7 milhões para 11,5 milhões. Na Tunísia, o aumento nesses anos foi de 2,6 milhões para 3,8 milhões; na Síria de 2,5 milhões para 4,5 milhões; no Iraque, de 3,5 milhões para 7 milhões.

O resultado desse rápido crescimento foi que a distribuição etária do povo mudou; em 1960, mais de metade da população na maioria dos países tinha menos de vinte anos. Houve também outras mudanças na estrutura da população. O elemento estrangeiro, que desempenhara um papel tão grande no moderno setor da economia, encolhera com a mudança das condições políticas e a retirada de privilégios econômicos. O número de residentes estrangeiros no Egito encolheu de 250 mil em 1937 para 143 mil em 1960; na Líbia, de 100 mil para a metade no mesmo período; na Tunísia, de 200 mil para menos de 100 mil; no Marrocos, de 350 mil para 100 mil; na Argélia, de quase 1 milhão para menos de 100 mil. Contra isso, houve uma grande movimentação de judeus tanto da Europa quanto do Oriente Médio e do Magreb para o novo Estado de Israel, cuja população judia aumentou de 750 mil em 1948 para 1,9 milhão em 1960; as antigas comunidades judias dos países árabes minguaram em medida correspondente, pela emigração para Israel, Europa e Américas.

Uma mudança de significado mais geral foi o movimento de população para longe da terra. Isso se deu sobretudo como resultado do aumento da população rural acima da capacidade da terra de sustentá-la, mas em alguns lugares também foi causado por mudanças nas técnicas agrícolas: a introdução de tratores em terras produtoras de grãos significou que eram necessários menos trabalhadores; os proprietários de terra intensamente cultivada para fins comerciais preferiam trabalhadores qualificados a meeiros. Num país, a Palestina, o deslocamento resultou mais diretamente de mudanças políticas. Já se notava a superpopulação rural nas aldeias árabes em 1948, mas os acontecimentos daquele ano levaram à desapropriação de mais de metade das aldeias, e em sua maioria os aldeões tornaram-se refugiados sem terra em acampamentos ou favelas na Jordânia, Síria e Líbano.

Para os camponeses que não podiam sobreviver nas aldeias, os centros de poder e comércio exerciam uma atração positiva: podiam esperar trabalhar nos crescentes setores industrial e de serviços da economia, e um padrão de vida mais alto e melhores oportunidades para a educação de seus filhos. Muitos milhares de camponeses de Kabylia, na Argélia, e do Marrocos e da Tunísia emigraram de seus países para as grandes cidades da França, e em menor escala para a Alemanha; em 1977, havia aproximadamente 500 mil norte-africanos na França. A maioria dos migrantes rurais, porém, ia para cidades de seu próprio país ou de países vizinhos. No Marrocos, Casablanca cresceu mais rapidamente que outras cidades: de uma cidade de 250 mil habitantes em 1936, tornou-se uma de 1 milhão em 1960. O Cairo tinha 1,3 milhão em 1937; em 1960, tinha 3,3 milhões, mais da metade dos quais nascera fora da cidade. A população de Bagdá cresceu de 500 mil na década de 1940 para 1,5 milhão na de 1960. O crescimento mais espetacular foi o de Amã, de 30 mil em 1948 para 250 mil em 1960; a maior parte do crescimento deveu-se ao movimento de refugiados da Palestina.

Devido a essas migrações naturais, a maioria dos países árabes passava de sociedades basicamente rurais para outras em que uma parte grande e crescente da população se concentrava numas poucas cidades grandes. No Egito, quase 40% da população vivia em cidades em 1960; quase 13% estava no Cairo (e mais que isso, se se incluísse a cidade de Giza, agora praticamente incorporada). Casablanca tinha 10% de todos os marroquinos, Bagdá 20% de todos os iraquianos.

Se se queria alimentar a crescente população, e melhorar os padrões de vida, seria preciso produzir mais no campo e na cidade. Essa necessidade deu uma nova urgência à idéia de crescimento econômico, que atraía governos também por outros motivos. Na fase de domínio imperial, tanto a Grã-Bretanha quanto a França começaram a ver o rápido crescimento econômico como um possível meio de criar um interesse comum entre governantes e governados, e quando governos nacionalistas assumiram, também eles viram o desenvolvimento econômico como o único meio de conseguir força e auto-suficiência, sem as quais as nações não poderiam ser de fato independentes.

Esse foi portanto um período em que os governos intervieram com mais força no processo econômico, para estimular o crescimento. No campo, foi uma era de obras de irrigação em grande escala, em vários países: Marrocos, Argélia, Tunísia, Síria, e acima de tudo Egito e Iraque. No Egito, mais de um século de mudanças no sistema de irrigação chegou à conclusão em fins da década de 1950, quando começaram as obras na grande barragem de Assuan, a ser construída com assistência financeira e técnica da União Soviética, que entrou quando os Estados Unidos se retiraram. Os planos anteriores de irrigação no vale do Nilo visavam armazenar a inundação anual e distribuir a água de modo a irrigar perenemente uma área maior de terra, e assim tornar possível a produção de mais de uma safra por ano, mas a grande barragem ia fazer mais que isso. O objetivo da obra era armazenar sucessivas inundações num vasto lago e soltar a água onde e quando fosse necessário. Desse modo, podiam-se ignorar as flutuações no volume de água de um ano para outro, e pela primeira vez na longa história de vida assentada no vale do Nilo a inundação anual não mais seria o acontecimento central do ano. Esperava-se assim aumentar a área cultivada em 1 milhão de *feddans*, e a área de safra ainda mais, por causa da irrigação perene de terra já em cultivo. A barragem também seria usada para gerar energia elétrica, e havia uma possibilidade de desenvolver a pesca no lago. No lado negativo, porém, a taxa de evaporação da água seria alta, e poderia haver uma mudança no clima; a retenção da água no lago significaria que seu sedimento seria depositado ali e não nas partes mais ao norte do Egito.

No Iraque, um aumento das receitas do governo devido à maior produção de petróleo tornou possível pela primeira vez executar obras de irrigação e controle de enchentes em larga escala e de acordo com um plano. Em 1950, criou-se um conselho de desenvolvimento, com controle sobre a maior parte das receitas do petróleo, e esse órgão planejou e executou grandes projetos de controle de enchentes tanto no Tigre quanto no Eufrates, e a construção de barragens em tributários do Tigre no norte.

Também foi um período em que se introduziram tratores em grande escala. Eles já estavam em uso em 1939, em terras de propriedade de europeus no Magreb e de judeus na Palestina, mas quase em nenhuma outra parte. Agora eram importados no Iraque, Síria, Jordânia e Egito, onde mais de 10 mil estavam em uso em 1959. O uso de fertilizantes químicos não estava generalizado, exceto no Egito, Líbano e Síria, como não estava o de sementes e estirpes melhoradas.

O resultado dessas mudanças foi uma ampliação das áreas cultivadas em uns poucos países, e das áreas de safra quase em toda parte, e na maioria dos lugares uma mudança da produção de cereais destinada a consumo local para a de safras a serem vendidas nas cidades ou exportadas. No Marrocos, as autoridades francesas na última fase de seu governo fizeram um esforço sistemático de "modernização do campesinato": agricultores nativos agrupados em grandes unidades eram instruídos em novos métodos e na produção de safras comerciais, e providos de facilidades cooperativas de crédito e mercado. Na Síria e no norte do Iraque, as mudanças foram feitas pela empresa privada. Na região entre os rios Tigre e Eufrates, comerciantes com capital começaram a arrendar terras de xeques tribais e plantar grãos com a ajuda de tratores; pela primeira vez, a terra nessa região de chuvas incertas podia ser cultivada em grande escala e com suficiente economia de mão-de-obra para tornar o cultivo lucrativo. O resultado foi mais uma mudança no equilíbrio entre agricultura assentada e criação de gado — que antes era o uso mais seguro e lucrativo da terra — e a ampliação do cultivo: na Síria, a área de cultivo de cereais mais que duplicou em vinte anos, passando de 748 mil hectares em 1934 para 1,89 milhão em 1954. No vale do Eufrates e em outras partes da Síria, também se expandiu o cultivo do algodão.

Por mais importante que pudesse ser, a expansão da agricultura não era a primeira prioridade da maioria dos governos com recursos para investir. O rápido desenvolvimento da indústria parecia mais urgente. A maioria dos governos dava atenção a criar a infra-estrutura sem a qual a indústria não poderia crescer: estradas, ferrovias, portos, telecomunicações e energia hidrelétrica. Nos três países do Magreb, os franceses fizeram esforços sistemáticos para melhorar o transporte e as comunicações, a geração de eletricidade e obras de irrigação.

O investimento dos governos, e em menor medida de indivíduos privados (sobretudo europeus no Magreb, e proprietários rurais com dinheiro de sobra mais a leste), levou a uma certa expansão da indústria. Na maior parte, eram indústrias de consumo: processamento de alimentos, materiais de construção e têxteis, sobretudo no Egito e na Síria, que tinham seus próprios abastecimentos de algodão. Em países com recursos minerais, a mineração tornou-se importante, sobretudo a de fosfatos na Jordânia, Marrocos e Tunísia.

Sob certos aspectos, o crescimento econômico aumentou a dependência da maioria dos países árabes em relação aos estados industrializados. A acumulação de capital nacional para investimento não era suficiente para suas necessidades, e o crescimento dependia de investimento e ajuda de fora. Nos anos posteriores à Segunda Guerra Mundial, alguns países puderam sacar sobre o saldo em libras esterlinas acumulado em função do gasto dos exércitos durante a guerra, e os do Magreb tinham fundos fornecidos pelo governo francês, da ajuda dada à França sob o Plano Marshall. Havia pouco investimento estrangeiro privado, a não ser no Marrocos, que era atraente para capitalistas franceses nos anos do pós-guerra devido ao temor do que poderia acontecer na França. Mais tarde, empréstimos americanos foram concedidos a países cujas políticas estavam em harmonia com as dos Estados Unidos, e no fim da década de 1950 empréstimos russos eram feitos ao Egito e à Síria.

A ajuda estrangeira era dada, pelo menos em parte, por motivos políticos, e, quando não era usada para expandir as forças armadas de países recém-independentes que se viam envolvidos em relações complicadas e muitas vezes hostis uns com os outros, era usada principalmente para melhorar a infra-estrutura ou desenvolver a indústria. O resultado tendia a ser um aumento da dependência em relação aos países de onde vinha a ajuda. Os países que recebiam ajuda permaneciam em débito com os que a davam, e suas principais relações comerciais continuavam sendo com os países industriais da Europa, e em medida crescente com os Estados Unidos; uma exceção foi o Egito, que no fim da década de 1950 enviava mais de 50% de suas exportações para países do bloco oriental e comprava deles cerca de 30% de suas importações. O padrão de trocas continuou em grande parte como era antes, com matérias-primas sendo exportadas e

493

produtos manufaturados importados. Houve duas mudanças significativas, porém: a importação de têxteis tornou-se menos importante, à medida que se criaram fábricas locais; a importação de trigo aumentou, já que a produção local não mais podia alimentar a crescente população das cidades.

Um tipo de exportação cresceu rapidamente de importância nesses anos, a de petróleo, e ofereceu o mais impressionante exemplo de interdependência econômica entre os países que produziam petróleo e o mundo industrializado. Após um início pequeno antes da Segunda Guerra Mundial, os recursos petrolíferos dos países do Oriente Médio e do Magreb revelaram estar entre os mais importantes do mundo. Em 1960, esses países produziam 25% do petróleo bruto do mundo e — devido ao pequeno tamanho do mercado local — eram coletivamente os maiores exportadores. A maior produção era no Irã e, entre os países árabes, no Iraque, Kuwait e Arábia Saudita, mas também havia produção em outros países do golfo Pérsico e no Egito, e em 1960 grandes jazidas haviam sido descobertas também na Líbia e na Argélia. No futuro, parecia provável que o petróleo do Oriente Médio se tornaria mais importante ainda: em 1960 as reservas eram estimadas em cerca de 60% das reservas conhecidas do mundo.

A concessão para explorar, e para extrair e exportar petróleo quando descoberto, foi mantida em toda parte por empresas estrangeiras, a maioria controlada pelo pequeno número de grandes empresas de petróleo que juntas tinham um virtual monopólio da indústria. No Iraque, a exploração estava nas mãos de uma empresa de propriedade conjunta britânica, francesa, holandesa e americana; na Líbia, nas mãos de um grande número de empresas; e na Argélia, nas de uma empresa francesa com fundos do governo. O capital delas vinha sobretudo de investidores privados ocidentais, e esse na verdade foi o mais importante exemplo de investimento privado ocidental nos países durante esse período. A alta tecnologia também era fornecida sobretudo por funcionários europeus e americanos. O grosso do petróleo era exportado para países ocidentais. Além do próprio petróleo, a contribuição dos países anfitriões restringia-se na maior parte aos escalões inferiores da mão-de-obra, qualificada e não qualificada, e mesmo isso em volume limitado, já que a extração e o processamento de petróleo não exigem muita mão-de-obra.

Mas no início da década de 1960 a situação estava mudando. Mais nativos locais ocupavam empregos de alta qualificação, e, embora a força de trabalho total ainda não fosse grande, os treinados na indústria passavam para outros setores da economia. Mais importante ainda, a divisão de lucros entre as empresas e os países anfitriões também mudava. Em 1948, 65% das receitas brutas da indústria iam para as empresas, e a parte dos países limitava-se a um *royalty*, uma pequena porcentagem num preço que as próprias empresas fixavam. A partir de 1950, a pressão dos países produtores assegurou mudanças nos acordos, até que a parte deles chegou a 50% da renda líquida das empresas. Em 1960, os principais países produtores (não só no Oriente Médio) reuniram-se na Organização dos Países Exportadores de Petróleo (OPEP), uma aliança com o objetivo de apresentar uma frente comum nas negociações com as grandes empresas de petróleo, que também trabalhavam em estreita união. Estava assim aberto o caminho para um novo processo que iria acabar com as funções das empresas sendo assumidas pelos governos, pelo menos na produção.

OS LUCROS DO CRESCIMENTO

COMERCIANTES E PROPRIETÁRIOS RURAIS

Com o advento da independência, os comerciantes e os proprietários rurais locais puderam tomar grande parte dos lucros do crescimento econômico. Os comerciantes puderam usar seu acesso aos governos independentes para obter uma fatia maior do comércio de importação-exportação; mesmo no comércio de algodão egípcio, que por tanto tempo estivera em mãos de fir-

495

mas e bancos estrangeiros, algumas empresas egípcias bastante grandes, trabalhando em estreita colaboração com políticos, desempenhavam uma parte importante. No Iraque, a maior parte da burguesia judia, que tinha se destacado no comércio com a Inglaterra e a Índia, partiu quando sua posição se tornou difícil após a criação do Estado de Israel, e seu lugar foi tomado sobretudo por comerciantes xiitas iraquianos. A maioria das novas indústrias também estava em mãos locais, devido a uma certa acumulação de capital por comerciantes e proprietários rurais, mas também por causa da necessidade de as novas indústrias terem acesso ao governo. Em alguns países, no entanto, havia a colaboração entre capitalistas nativos e estrangeiros. Isso acontecia no Marrocos, onde empresas mistas franco-marroquinas continuaram sendo importantes após a independência, e até uma certa data no Egito também. Bancos locais ou mistos também se tornavam importantes; a posse e o investimento de *royalties* e lucros privados da indústria petrolífera estavam em grande parte nas mãos de bancos administrados por libaneses e palestinos em Beirute.

Também na maioria dos lugares a expansão da agricultura nos anos após a guerra foi basicamente no interesse daqueles que possuíam ou controlavam terra, e em particular de grandes proprietários rurais que tinham acesso ao crédito dos bancos e empresas de hipoteca e podiam acumular capital para investimento. No Marrocos e na Tunísia, terra que tinha estado nas mãos de proprietários estrangeiros foi comprada após a independência por capitalistas locais ou pelo governo. No Egito, a posição dos grandes proprietários rurais permaneceu forte até 1952. Os quatrocentos e tantos membros da família real eram coletivamente os maiores proprietários de terra, e cerca de duzentos estrangeiros, que possuíam mais de cem *feddans* cada; juntos, esses grandes proprietários detinham 27% da terra cultivada. Praticamente controlavam o governo; em média, metade dos ministros, senadores e deputados vinha dessa classe. Podiam assim obter vantagens em irrigação e manter o sistema de impostos favorável a eles. Devido ao seu capital acumulado e acesso ao crédito, puderam comprar terra quando foi posta à venda, e seu controle da melhor terra tornou possível impor altos aluguéis aos rendeiros que cultivavam a maior parte dela. Alguns economistas exortavam a necessidade de uma reforma da posse da terra, e o senso de injustiça era forte entre os cultivadores, mas antes de 1952 dificilmente houve uma voz que se elevasse em favor da reforma nas assembléias públicas do país.

O poder dos proprietários de terra também aumentou na Síria e no Iraque nesse período. Na Síria, as grandes planícies do interior, entregues ao cultivo de cereais, sempre tinham sido propriedade de famílias destacadas nas cidades, mas agora a classe de grandes proprietários inchava com os que cultivavam algodão em terra irrigada no vale do Eufrates e os (proprietários ou rendeiros) que cultivavam grãos na Jazira. No Iraque, a classe de grandes proprietários rurais foi criada em grande parte por mudanças que haviam ocorrido desde fins do século XIX: a ampliação da agricultura com a ajuda de tratores, bombas e obras de irrigação, a transição do pastoreio para a agricultura assentada, e o registro do direito à terra. A política do governo mandatário britânico e, depois, do governo independente, atuou em favor dos proprietários rurais, e em particular daqueles que eram xeques tribais e podiam usar sua autoridade em favor dos britânicos e da monarquia. Em 1958, mais de 60% das terras de propriedade privada estavam nas mãos dos que possuíam mais de 1 mil *dunums*, e 49 famílias possuíam mais de 30 mil *dunums* cada. (O *dunum* iraquiano equivale a aproximadamente 0,25 de um hectare e 0,6 de um acre.) As propriedades eram maiores que no Egito, porque o cultivo era extenso e a terra abundante, e a excessiva salinidade tendia a esgotá-la rapidamente. Além dos xeques tribais, a classe proprietária rural incluía famílias de notáveis urbanos que haviam obtido terra através do serviço público ou prestígio religioso, e comerciantes muçulmanos com capital para investir. Como no Egito, os proprietários rurais tinham uma posição política forte, mediante a participação em ministérios e no Parlamento, e porque a monarquia e o grupo dominante precisavam deles.

O PODER DO ESTADO

O triunfo do nacionalismo pode portanto ter parecido a princípio ser apenas das classes possuidoras nativas, mas na maioria dos países isso pouco durou, e o vitorioso foi o próprio Estado, os que controlavam o governo e os que faziam parte do serviço público e militar por meio dos quais se exercia o poder. O processo social básico pelo qual o governo assumiu o controle direto de todos seus territórios já estava completo na maioria dos países quando os governantes estrangeiros partiram, mesmo naqueles, como o Marrocos, onde a autoridade dos governos tinha sido fraca até então; os governos independentes herdaram os meios de controle, exércitos, forças policiais e burocracias. Também na Arábia Saudita o governo mais forte e mais bem organizado que 'Abd al-'Aziz legou a seus filhos mantinha várias regiões diferentes numa sociedade política unificada. Só nas bordas do sul da península o processo ainda estava incompleto. No Iêmen, o governo do imã dificilmente se estendia a todo o país. A administração britânica em Áden criara um frouxo agrupamento de pequenos chefes tribais sob proteção britânica no campo ao redor, mas não os governava diretamente. Em Omã, também, o poder do governante, apoiado pelos britânicos, ainda não alcançava todo o interior, de sua capital em Masqat, no litoral.

As atividades dos governos agora começavam a estender-se além da manutenção da lei e da ordem, da coleta de impostos e fornecimento de alguns serviços básicos. Quase em toda parte, os serviços públicos foram tomados em propriedade pública: bancos de emissão, ferrovias, telefones, abastecimento de água, gás e eletricidade. Isso estava de acordo com o que acontecia em todo o mundo, mas havia um motivo especial ali: na maioria dos países, os serviços públicos tinham sido propriedade de empresas estrangeiras, e a nacionalização significou tanto uma mudança de propriedade privada para pública quanto de estrangeira para nacional.

O movimento de nacionalização teve seu próprio impulso.

Os novos governos temiam a continuação ou surgimento de centros de poder econômico independentes, que poderiam gerar poder político ou juntar-se aos ex-governantes. Além disso, a rápida industrialização seria difícil e lenta se deixada à iniciativa privada: a acumulação de capital privado para investimentos fora limitada sob a dominação estrangeira, e ainda era inadequada; era difícil dirigi-la para o investimento produtivo enquanto não houvesse mercado monetário organizado; os investidores privados podiam hesitar em aplicar seu dinheiro em indústrias novas e não testadas, em vez de em prédios urbanos ou terra; mesmo que o fizessem, as fábricas que instalassem talvez não fossem aquelas a que o plano nacional daria prioridade.

Havia argumentos a favor da intervenção do governo no processo econômico, e essa intervenção era agora possível por causa da acumulação de recursos em sua mão. A retirada dos governos estrangeiros significou que as receitas dos impostos estavam agora sob pleno controle dos governos, e as receitas eram ainda maiores porque os privilégios que as empresas estrangeiras tinham gozado foram cortados. Em alguns países, os recursos para investimento eram proporcionados agora pelas maiores receitas do petróleo; mesmo países que não possuíam petróleo podiam lucrar com os pagamentos feitos pelas empresas por direitos de trânsito, ou com empréstimos concedidos pelos países mais ricos. Em 1960, 61% das receitas do governo no Iraque vinham do petróleo, 81% na Arábia Saudita, quase 100% nos pequenos estados do golfo Pérsico; na Síria, 25% da receita vinham dos oleodutos que transportavam petróleo do Iraque e da Arábia para a costa mediterrânea, e na Jordânia 15%. Empréstimos para desenvolvimento também vinham dos países industrializados e agências internacionais.

Mesmo antes da independência, algumas atividades econômicas tinham sido postas sob controle do Estado. A extração de fosfatos no Marrocos estava sob o controle de uma agência do governo desde que se tornou importante; no Sudão, a concessão dada a empresas britânicas para cultivar algodão no distrito de Jazira expirara em 1951. Após a independência, o processo acelerou-se. A Tunísia assumiu a indústria de fosfatos, e também na Jordânia a empresa de fosfatos tinha um grande grau de participação do governo. No Egito, a política do governo militar que tomou o poder em 1952 avançou cada vez mais na direção da nacionalização das fábricas, até culminar em 1961 com a tomada pelo Estado de todos os bancos e empresas de seguro, e quase todas as grandes empresas industriais. No ano anterior, decretara-se o primeiro plano qüinqüenal, visando a um rápido crescimento industrial e agrícola sob o controle do governo. A principal exceção a essa tendência foi o Marrocos, onde em 1960 surgira uma clara opção entre uma economia controlada, com rápida industrialização e restrições ao consumo, e uma economia dependente de empresa privada e investimento. A escolha envolveu uma luta pelo poder entre um partido nacionalista, pressionando por rápida mudança, e as forças mais conservadoras reunidas em torno do rei; terminou na tomada do poder direto pelo rei, e numa escolha em favor da iniciativa privada.

O exemplo mais espetacular de intervenção do Estado nos processos econômicos foi dado não pela indústria, mas pela reforma do sistema de propriedade da terra. Isso foi da maior importância política e social, porque a maioria da população dos países árabes ainda vivia no campo e também porque quase em toda parte os grandes proprietários rurais formavam a classe mais poderosa, aquela que possuía mais influência sobre o governo e mais capital; atingir a propriedade deles era destruir um poder que podia controlar o governo, e liberar capital para investimento em outra parte.

O primeiro plano, e de mais longo alcance, de reforma agrária foi anunciado pelo novo governo militar do Egito pouco depois que tomou o poder em 1952. O fato de um plano tão detalhado poder ter sido apresentado tão logo após a tomada do poder, embora a questão mal tivesse sido discutida por governos anteriores ou no Parlamento, era um sinal tanto do poder independente do governo quanto do surgimento de um novo grupo dominante, com idéias bastante diferentes das daqueles que tinha afastado. A parte mais destacada do plano era a limitação do tamanho máximo das propriedades a duzentos *feddans* por indivíduo, com cem *feddans* para os filhos; o máximo foi reduzido para cem *feddans* em 1961, e para cinqüenta em 1969. A terra acima do máximo seria comprada pelo Estado a um preço fixo em títulos do governo, e distribuída a pequenos agricultores; além disso, a terra pertencente à família real foi confiscada sem compensação. O valor do arrendamento que um proprietário podia cobrar do rendeiro foi limitado, e os termos de arrendamento durariam pelo menos três anos. Rendeiros e pequenos proprietários seriam ajudados a obter crédito e mercado para seus produtos por cooperativas a serem estabelecidas pelo governo. Na década seguinte, cerca de 500 mil *feddans* foram comprados compulsoriamente pelo Estado, e parte disso foi distribuída. Os efeitos foram de longo alcance, mas nem sempre o que se havia esperado: politicamente, quebrou-se o poder dos grandes proprietários e da família real; economicamente, a renda foi redistribuída dos grandes para os pequenos proprietários e rendeiros-cultivadores, enquanto o grupo intermediário de proprietários médios mal foi afetado.

Na Síria, uma medida semelhante foi iniciada em 1958: limitou-se o tamanho máximo das propriedades, redefiniram-se contratos agrícolas nos interesses do rendeiro ou meeiro, e fixou-se um salário mínimo para os trabalhadores agrícolas. Nos primeiros anos, não pôde ser aplicado tão eficazmente como no Egito, porque a burocracia não era adequada à tarefa, não havia um levantamento completo do direito à terra e o poder político dos proprietários rurais ainda não fora quebrado. Também no Iraque adotou-se uma medida semelhante, depois do golpe militar de 1958, mas antes já emergira da revolução um grupo governante estável com idéias nítidas e aceitas sobre como se devia organizar a sociedade; nos primeiros anos houve discordância entre os governantes sobre se a terra tomada pelo Estado devia ser mantida e desenvolvida por ele, ou distribuída em pequenas propriedades.

RICOS E POBRES URBANOS

O crescente tamanho da população, a migração do campo para a cidade e o número e poder cada vez maior da burguesia nacional — proprietários rurais, comerciantes, donos e gerentes de fábricas, funcionários públicos e oficiais do exército — afetaram a natureza da vida urbana em muitos aspectos. Com a chegada da independência, a classe média local mudou-se para os bairros antes habitados sobretudo por europeus, e os migrantes rurais passaram para aqueles que ela deixara vagos, ou para novos. Em cada caso, houve uma mudança nos costumes e estilos de vida: a classe média passou a viver num estilo antes típico dos moradores estrangeiros, e os migrantes rurais adotaram os modos dos pobres urbanos.

No Magreb, o processo pelo qual as classes com uma educação moderna tomaram o centro das cidades dos estrangeiros já havia começado antes da independência, na década de 1940 e início da de 1950. A segregação urbana que fora a política do protetorado francês no Marrocos, e que também existia na Argélia e em menor grau na Tunísia, se desfazia, e o advento da independência levou o processo mais adiante. Os europeus partiram com seu capital, e os novos governantes, os funcionários e os proprietários rurais e comerciantes ligados a eles ocuparam o lugar. No Cairo e em Alexandria, a segregação jamais fora tão completa, mas havia bairros mais europeus que egípcios, e a natureza destes mudou. A abertura do Gazira Sporting Club a egípcios e o incêndio de certos prédios ligados a estrangeiros nos motins de 1952 no Cairo foram símbolos de uma mudança social. No Líbano, Síria e Iraque, as colônias estrangeiras nunca tinham sido muito grandes ou exclusivas, mas na Palestina a desapropriação da maioria da população árabe em 1948 significou que as antigas cidades mistas tornaram-se cidades basicamente povoadas por judeus de origem européia; os imigrantes judeus dos países árabes instalaram-se sobretudo em novas cidades ou aldeias. Em Jerusalém, agora dividida entre Israel e Jordânia, a metade jordaniana, que incluía a Cidade Velha, era qua-

502

se inteiramente árabe, mas uma grande parte da burguesia árabe de Jerusalém, como de Haifa e Jafa, instalou-se em cidades fora da Palestina, e foram seu capital e energia a principal causa do rápido crescimento de Amã.

Em seus novos bairros, a burguesia vivia em grande parte como os europeus tinham vivido, no mesmo tipo de casas e usando o mesmo tipo de roupas, embora pudesse haver algumas combinações entre um estilo velho e um novo de vida; um marroquino em Casablanca podia usar roupas européias no comércio, mas o traje tradicional, a djelalba, na mesquita às sextas-feiras; uma casa moderna podia ter um quarto mobiliado em estilo oriental, com divãs baixos, bandejas de cobre e reposteiros. Em alguns dos bairros novos, membros de diferentes comunidades religiosas misturavam-se mais do que o teriam feito na *medina*; viviam nos mesmos prédios de apartamentos ou ruas, e seus filhos iam às mesmas escolas; os casamentos entre muçulmanos e cristãos e judeus ainda eram raros, mas talvez um pouco menos que antes.

Na abertura dos novos bairros, a riqueza podia mostrar-se mais livremente que nas cidades velhas, onde o temor do governante ou dos vizinhos levava as pessoas a ocultar os indícios de sua prosperidade. As casas apresentavam uma frente mais ousada para a rua, os aposentos eram mais prodigamente mobiliados, as jóias mais abertamente exibidas. Um símbolo particular de *status* tornou-se importante nesse período — o automóvel particular. Relativamente raro antes da Segunda Guerra Mundial, tornava-se agora mais comum; no Cairo, o número quase duplicou entre 1945 e 1960. O aumento no número de carros, e também de caminhões e ônibus, tornou necessárias ruas novas e mais largas na cidade e no campo. Abrir um largo *boulevard* num bairro da cidade velha tornou-se quase um ato simbólico de modernidade e independência. Isso tinha acontecido primeiro na década de 1870, quando Isma'il Paxá mandou abrir a rua Muhammad 'Ali no Cairo, e era repetido agora em outras partes do Oriente Médio, embora não no Magreb. Automóveis particulares, e as estradas para eles feitas, mudaram o modo como viviam as classes ricas. Suas vidas não mais se confinavam ao bairro; eles podiam possuir toda a cidade e seu interior rural, e moravam longe dos locais de trabalho.

Os bairros que os burgueses deixavam eram tomados pelos migrantes rurais. Alguns deles foram para a *medina*, arrastados pela atração de algum famoso santuário ou mesquita, ou pela existência de alojamentos disponíveis: nas cidades mistas, alguns instalavam-se no que eram antes os bairros da pequena burguesia européia, como Shubra no Cairo. Em algumas cidades, as favelas que já existiam cresceram e multiplicaram-se onde quer que houvesse um terreno baldio; mas isso não aconteceu no Cairo, onde a "Cidade dos Mortos", os vastos cemitérios fora da cidade velha, serviu aos mesmos fins de abrigar o excesso de população. As favelas foram mudadas de um lugar para outro pelas autoridades, mas com o tempo algumas delas adquiriram as construções permanentes e as amenidades da cidade; os campos de refugiados palestinos nos arredores de Beirute, Damasco e Amã tornaram-se virtuais bairros da cidade. Em uns poucos países, os governos iniciaram programas de construção de habitações populares de baixo custo, na periferia externa da cidade ou perto das novas áreas industriais. Na última década de domínio francês no Marrocos, um talentoso planejador urbano tentou estabelecer um programa desse tipo; no Egito, anunciou-se em 1960 um plano qüinqüenal de habitação, incluindo a construção de uma nova cidade-satélite perto do Cairo, Madinat Nasr. Nesses anos, um arquiteto egípcio, Hasan Fathi (1900-89), fazia importantes perguntas sobre a forma como se projetavam e executavam esses planos. Em vez de adotar os métodos e as formas correntes de arquitetura ocidental, ele sugeria, podia-se aprender muita coisa com a tradição de planejamento urbano e construção islâmicos.

No Cairo, Beirute e umas poucas outras cidades, as formas características da "modernidade", e a renda necessária para mantê-las, haviam se espalhado além de uma pequena classe, e entre bairros ricos e pobres havia um "cinturão de transição", em que uma pequena burguesia de lojistas, pequenos funcionários e artesãos qualificados tentava manter padrões de classe média. Na maioria das cidades, porém, havia um fosso entre ricos e pobres. Os migrantes rurais tendiam a adotar os hábitos das massas urbanas num ponto onde os moradores da cidade talvez os estivessem abandonando, e assim perpetuava-se um estilo de vida tradicional. Mulheres que no campo trabalhavam sem véus no eito ou puxavam água nos poços, agora velavam-se e isolavam-se. Mesmo nesse nível de sociedade, porém, houve algumas mudanças. A poligamia, que fora praticada em certa medida em algumas camadas sociais, tornou-se mais rara, por causa dos problemas da vida em pequenos apartamentos, ou de um conceito diferente de vida familiar. A taxa de divórcios era alta, mas pode ter diminuído. A taxa de nascimentos, embora alta se comparada com a dos países industriais, era mais baixa na cidade que no campo, porque as moças que iam às escolas tendiam a casar-se mais tarde, e os homens tentavam arranjar um emprego fixo e economizar algum dinheiro antes de casar-se, e também por causa da disseminação do controle de natalidade; no Egito, em fins da década de 1950, mais de 50% dos que tinham educação superior a praticavam, e cerca de 10% dos pobres urbanos, mas praticamente ninguém entre os pobres rurais. A essa altura, os problemas de explosão populacional já eram amplamente conhecidos e discutidos no Egito, e alguns dos ulemás declaravam legítimo o controle da natalidade.

A vida continuou sendo dura para os pobres urbanos. Uma grande proporção deles não tinha emprego. Da população do Cairo, estimou-se que em 1960 7,5% trabalhavam na indústria, 23% nos serviços e 66% não tinha trabalho fixo ou regular. Nos cortiços ou barracos superpovoados onde morava a maioria deles, a doença era generalizada: as grandes epidemias de peste e cólera que dizimavam dezenas de cidades em épocas anteriores já haviam mais ou menos desaparecido, mas a tuberculose, o tifo, a malária e as doenças dos olhos eram comuns. A mortalidade infantil era alta; nas favelas de Bagdá, estimava-se que a taxa em 1956 era de 341 em cada mil gravidezes.

Há alguns indícios, porém, de que as condições de vida melhoravam pelo menos entre alguns dos pobres. Chá e açúcar, que antes estavam além de suas posses, agora haviam se tornado elementos básicos da vida no Marrocos e no Iraque; o consumo de alimentos no Egito aumentou de uma média de 2300 calorias por dia no início da década de 1950 para 2500 calorias uma década depois. Os serviços sociais expandiam-se, clínicas proporcionavam serviços de saúde, melhores abastecimentos de água baixavam a incidência de algumas doenças, em algumas cidades o transporte público melhorou, uma maior proporção de crianças ia à escola elementar, e fizeram-se campanhas contra o analfabetismo. Mais mulheres trabalhavam, principalmente como empregadas domésticas ou em fábricas; eram em sua maioria jovens e solteiras e viviam com a família, e o fato de trabalharem fora e ganharem dinheiro ainda não causava muita mudança na estrutura da vida familiar; aumentava a renda das famílias, mas não tornava necessariamente as próprias trabalhadoras mais prósperas ou independentes.

Essas mudanças afetaram mais algumas camadas da população que outras. O fosso entre trabalhadores industriais e não qualificados provavelmente se ampliou. Os governos começaram a intervir mais ativamente na indústria, para regular as condições de trabalho; no Egito, fixaram-se o dia e a semana máximos de trabalho. Na maioria dos países, autorizaram-se os sindicatos; a mudança se deu na maior parte na década de 1940, sob o impacto da guerra, depois do governo trabalhista na Grã-Bretanha e partidos esquerdistas nos governos de coalizão franceses. O número de operários sindicalizados aumentou com a expansão da indústria. No Marrocos e na Tunísia, os sindicatos faziam parte integral do movimento nacionalista, e também no Egito as organizações operárias estiveram ativas na oposição ao domínio britânico depois de 1945. Uma vez atingida a independência, os governos tentaram limitar as atividades políticas dos sindicatos, mas em alguns lugares eles foram eficazes na conquista de melhores condições de trabalho.

As desigualdades entre cidade e campo eram ainda maiores que as de dentro da cidade. Todas as classes urbanas beneficiaram-se em certa medida das mudanças nas condições de vida urbanas, mas as melhorias mal tinham começado a afetar a vida nas aldeias. A maioria dos aldeões, na maior parte dos países árabes, vivia como sempre tinha vivido, produzindo muitos filhos mas vendo a maioria deles morrer na infância ou juventude, sem assistência médica e com educação apenas rudimentar, sem eletricidade, emaranhados num sistema de cultivo em que o excedente da produção agrícola era tomado pelos proprietários rurais ou coletores de impostos, e em condições de superpovoação que os privavam de uma posição de negociação forte. Algumas tentativas foram feitas por governos na década de 1940 para melhorar a condição deles, sem mudar o padrão de relações sociais: em particular, as "unidades rurais combinadas" no Egito, que ofereciam serviços de saúde e outros a grupos de aldeias. A primeira tentativa séria de mudar as relações das classes rurais, e redistribuir a renda da agricultura, só apareceu com as medidas de reforma agrária introduzidas em alguns países na década de 1950. Algumas coisas mudavam, porém: os migrantes para a cidade mandavam dinheiro para as famílias em casa, e os horizontes da vida na aldeia eram ampliados pelo movimento para as cidades, a extensão de estradas para carros e caminhões, a circulação de jornais, a disseminação do rádio e das escolas elementares.

23. CULTURA NACIONAL (DÉCADAS DE 1940 E 1950)

PROBLEMAS DE EDUCAÇÃO

As mudanças na sociedade, e entre elas a chegada ao poder de uma elite nacional, levaram a uma rápida disseminação da educação. As exigências da vida nas cidades tornavam tanto mais necessárias a alfabetização e a aquisição de qualificações; os governos nacionalistas empenhavam-se na construção de países fortes, e isso envolvia o uso de todas as potencialidades humanas; governos centralizados modernos precisavam comunicar-se com seus cidadãos mais plenamente do que fora necessário antes.

A criação de uma elite educada através do ensino superior era, claro, um processo que tinha começado muito antes em alguns dos países árabes, mas o ritmo acelerou-se com a conquista da independência. Em 1939, havia meia dúzia de universidades, a maioria delas pequenas e controladas por estrangeiros; em 1960, havia vinte universidades completas, três quartos delas nacionais, e várias outras instituições de ensino superior. O número de estudantes universitários era da ordem de 100 mil, excluindo-se os que estudavam na Europa e na América. O número maior, de longe, estava no Egito, com a Síria, o Líbano e o Iraque vindo a seguir. Mas no Magreb o aumento foi menos rápido. Quando os franceses deixaram a Tunísia, havia apenas 143 médicos e 41 engenheiros nativos; no Marrocos, apenas dezenove médicos muçulmanos e dezessete judeus marroquinos, quinze engenheiros muçulmanos e quinze judeus, mas um pouco mais de advogados, professores e funcionários. A formação da elite teve de começar de um nível mais baixo.

A lógica do nacionalismo foi além da formação de elites, chegando à educação de todo um povo. A educação popular de massa foi uma das primeiras tarefas que os novos governos se impuseram, e às quais dedicaram uma alta proporção de suas rendas. Quase em toda parte, abriam-se escolas em larga escala, em bairros pobres das cidades e em algumas aldeias. No Egito, em 1960, 65% das crianças em idade escolar freqüentavam escolas, e havia uma população estudantil de 3 milhões, 200 mil delas em escolas secundárias. No Marrocos, só 12% das crianças muçulmanas estavam na escola em 1954, apesar dos esforços feitos pelos franceses nos últimos anos do protetorado, mas em 1963 o número subira para 60%, e quase 100% das crianças de sete anos. Na Tunísia, o aumento no mesmo período foi de 11% para 65%. Esse aumento na população escolar, junto com esforços de educação de adultos, levou alguns países mais perto da meta de completa alfabetização, embora ainda longe dela. No Egito, 76% dos homens eram analfabetos em 1937, e em 1960 o número caíra para 56%. Nos países da península Arábica, porém, a mudança foi mais lenta. Os regimes conservadores com sanção religiosa na Arábia Saudita e no Iêmen foram mais cautelosos que outros com a abertura de novos tipos de escola e a exposição dos estudantes aos ventos de novas idéias; além das cidades santas de Meca e Medina, as outras não possuíam grandes centros dos quais a cultura letrada urbana pudesse irradiar-se para o campo. Nos estados da periferia controlados ou protegidos pela Grã-Bretanha, os recursos eram pequenos, e nem os britânicos nem os governantes aos quais eles protegiam tinham um desejo ativo de mudança rápida, com todos os problemas que isso traria; a exceção foi o Kuwait, onde receitas crescentes da exportação de petróleo eram usadas para criar uma sociedade moderna.

A proporção de mulheres não educadas e iletradas era muito maior que a de homens; no Egito, 94% eram analfabetas em 1937 e 83% em 1960, e na maioria dos países os números eram ainda mais altos. O objetivo dos governos nacionais, porém, era educar tanto as moças quanto os rapazes, já que de outro modo metade da força potencial do país não seria utilizada na economia de salários. No Egito, 50% das meninas em idade escolar estavam na escola em 1960; na Tunísia, aproximadamente 30%.

A proporção de moças na educação secundária ou superior era menor, mas crescente: na Universidade de Bagdá, 22% dos estudantes eram moças em 1960-61, na de Rabat 14%, na de Túnis 23%; no Sudão, onde a educação feminina começara depois, criara-se uma faculdade particular para mulheres, e algumas moças estudavam na Universidade de Cartum em 1959-60.

Alguns dos problemas da educação em rápida expansão foram aqueles comuns a todos os países nesse estágio de mudança e crescimento. O rápido aumento populacional significou que, mesmo que crescesse a proporção de crianças em idade escolar freqüentando escolas, o número total de crianças que ainda não estavam na escola não diminuiu necessariamente. Para acomodar o máximo possível, abriram-se escolas rapidamente, as classes eram grandes demais para um ensino efetivo, e a maioria dos professores não estava bem treinada para seu trabalho. Os resultados eram vistos em todos os níveis; em particular, a educação árabe tendia a ser inadequada no nível secundário, e os estudantes que iam para a universidade não eram, em geral, bem preparados para o estudo superior. Havia uma tendência a concentrar-se mais na educação acadêmica que pudesse levar ao serviço público ou às profissões liberais do que na formação técnica ou vocacional; o uso das mãos, além da mente, era estranho ao conceito de educação na cultura islâmica, como na maioria das outras culturas pré-modernas. Mas o aumento da indústria do petróleo trazia uma diferença; os trabalhadores árabes nela adquiriam qualificação e conhecimento que podiam usar em outros setores da economia.

Havia alguns problemas, porém, que expressavam a experiência histórica específica das sociedades árabes. Quando se tornaram independentes, elas herdaram uma variedade de escolas: algumas públicas, algumas privadas; algumas modernas, algumas islâmicas tradicionais; algumas ensinando por meio do árabe, outras de uma língua européia, geralmente inglês ou francês. A tendência dos governos independentes era unificar os sistemas e pô-los sob o controle do Estado. As escolas islâmicas tradicionais foram fechadas ou incorporadas no sistema do Estado; a antiga mesquita-escola de Azhar no Cairo tornou-se parte de uma universidade do tipo moderno, a de Zaytuna em Túnis tornou-se a escola de *charia* da Universidade de Túnis, a Qarawiyyin em Fez praticamente deixou de existir como instituição de ensino, mas as escolas de Medina e das cidades-santuário xiitas no Iraque continuaram sem muita mudança.

Em alguns países, escolas estrangeiras foram postas sob o controle do Estado e ensinavam de acordo com o programa escolar estatal, mas houve exceções: no Líbano, as duas universidades estrangeiras, a americana e a francesa, ainda floresciam, embora ao lado delas se criasse uma universidade do Estado, e no Egito a Universidade Americana do Cairo e as escolas de missões católicas, que tinham proteção diplomática do Vaticano, puderam preservar sua independência. A tendência principal era arabizar as escolas: as escolas estrangeiras que ensinavam por meio de línguas estrangeiras agora usavam o árabe em grande medida. Isso não era regra geral no nível primário. Na Síria, foi seguido a ponto de não se estudar nenhuma língua estrangeira antes dos onze anos, com conseqüências para a educação secundária ou superior. No Magreb, porém, onde a presença de uma grande população estrangeira controlando o governo e a economia levara à penetração de um conhecimento do francês num nível mais baixo da sociedade que no leste árabe, os governos independentes, embora enfatizando a importância do árabe, encaravam o bilingüismo como parte de seu capital cultural. Em algumas universidades, fizeram-se esforços para ensinar todas as matérias em árabe, incluindo as ciências naturais, mas isso trouxe problemas: podia-se produzir livros didáticos em árabe, mas o estudante que não soubesse ler obras eruditas ou científicas nas línguas principais de ensino superior ficava em desvantagem. Muitos milhares de estudantes eram enviados a estudar no exterior com bolsas do governo, e tinham de ir com uma língua estrangeira inteiramente aprendida.

Como em todas as sociedades, os que tinham riqueza, acesso ao poder ou uma tradição familiar de cultura podiam superar esses problemas ou escapar deles. Em todos os países, havia algumas escolas melhores que as outras, controladas por organizações estrangeiras ou privadas, e com classes menores e melhores professores, como os *lycées* no Magreb, Egito e Líbano, aos quais o governo francês oferecia professores. Os estudantes dessas escolas podiam estudar no exterior com sucesso, com fundos da família ou do governo, e o resultado era a perpetuação do fosso entre as duas culturas, mas de forma um tanto diferente do que existia antes. Uma elite que tendia a perpetuar-se vivia não — como fizera uma geração antes — num ambiente cultural inglês, americano ou francês, mas num ambiente anglo-árabe ou franco-árabe, sabendo bem duas ou três línguas, à vontade no árabe mas adquirindo sua alta cultura e conhecimento do mundo através do inglês ou francês (e cada vez mais através do inglês, a não ser no Magreb). Uma classe muito maior, porém, estava à vontade no árabe, e obtinha seu conhecimento da política mundial, suas idéias sobre sociedade e sua compreensão da ciência de livros, jornais e transmissões radiofônicas em árabe.

LÍNGUA E AUTO-EXPRESSÃO

A essa altura, havia um crescente volume de material para alimentar a mente dos que viam o mundo através da língua árabe, e a maior parte era material comum a todos os países árabes.

Foi a grande era do cinema. No início da década de 1960, a televisão começava a surgir nos países árabes, mas os cinemas eram numerosos: havia 194 no Egito em 1949, e em 1961 eram 375; o aumento na maioria dos outros centros foi da mesma ordem. Os filmes americanos eram populares, como o eram em quase todo o mundo, e os franceses no Magreb, mas também se exibiam amplamente filmes feitos no Egito. Em 1959, sessenta longas-metragens foram produzidos no Cairo; a maioria era de filmes musicais românticos, de um tipo que se fizera desde o início, mas havia alguns mais sérios, de realismo social. Eles aumentaram a consciência comum dos árabes, espalhando por toda parte um acervo de imagens, uma familiaridade com vozes egípcias, árabe coloquial egípcio e música popular egípcia, que substituía a andaluza no Magreb.

Foi também a era do rádio. Os aparelhos de rádio eram importados em larga escala nas décadas de 1940 e 1950. Em 1959, havia 850 mil no Egito e 500 mil no Marrocos, e cada aparelho podia ser ouvido por dezenas de pessoas, em cafés ou praças de aldeias; os acontecimentos da guerra e do período do pós-guerra, vitórias e derrotas, promessas, esperanças e temores, tornavam-se mais amplamente conhecidos e de um modo mais rápido que antes. Cada governo tinha sua estação de rádio, e as grandes potências com interesses nos países árabes também tinham suas transmissões em ondas curtas em árabe. Grande parte dos programas transmitidos por todas as estações — entrevistas, músicas e peças — originava-se no Cairo, e também disseminara um conhecimento do Egito e suas maneiras de falar. A estação mais influente dessa época foi "A Voz dos Árabes", transmitida do Egito para os países vizinhos, expressando em tom estridente as aspirações dos árabes na ótica do Egito. Algumas vozes egípcias tornaram-se conhecidas em toda parte — a do governante do país, Gamal 'Abd al-Nasser, e a da mais famosa das cantoras egípcias, Umm Kulthum; quando ela cantava, todo o mundo árabe ouvia.

Com a disseminação da alfabetização e do interesse por assuntos públicos, os jornais circulavam mais amplamente e tornavam-se mais importantes na formação da opinião pública. Mais uma vez, os do Cairo eram os mais largamente lidos e influentes. *Al-Ahram* continuou sendo o mais famoso, com uma circulação de centenas de milhares de exemplares. A imprensa egípcia era relativamente livre até a subida ao poder dos políticos militares em 1952, mas depois disso ficou sob o controle do Estado, até ser nacionalizada em 1960, juntamente com outras grandes empresas. Mesmo depois, os jornais egípcios continuaram sendo amplamente lidos, porque mostravam como os governantes do país viam o mundo; os artigos de Hasanayn Haykal, editor de *al-Ahram*, eram acontecimentos políticos importantes. Na maioria dos outros países, também, os jornais eram estritamente controlados quanto às notícias e opiniões, mas havia uns poucos em que se podia dar livremente as notícias e expressar opiniões de toda espécie. A imprensa mais livre era a de Beirute: seu público educado era grande e variado, e vindo tanto de outros países quanto do Líbano, e o delicado equilíbrio de forças políticas tornava impossível o surgimento de um governo forte e opressivo. Os jornais e periódicos de Beirute, como os do Cairo, eram lidos muito além das fronteiras do país.

Cairo e Beirute eram também os principais centros de edição de livros para os países árabes, e nos dois lugares o número de livros lançados e de exemplares impressos aumentou enormemente, para abastecer um crescente número de estudantes e leitores em geral. Na década de 1960, publicavam-se cerca de 3 mil livros por ano no Egito. Eram livros de todos os tipos: didáticos de todos os níveis, obras de ciência e literatura populares, os primórdios de uma literatura especial para crianças (o conceito do mundo da criança, formulado na Europa no século XIX, tornava-se agora universal), e também literatura pura.

Da maior importância eram os livros em que escritores árabes examinavam suas relações com sua própria sociedade e o passado dela. A essa altura já havia uma bem estabelecida tradição de pesquisa histórica em algumas das universidades — Túnis, Cairo, a Universidade Americana de Beirute — e produziram-se algumas interpretações originais de história árabe e islâmica, como *Nash'et 'ilm al-tarikh 'ind al-'arab* (Surgimento da literatura histórica entre os árabes), de 'Abd al-'Aziz Duri, e *Histoire du Maghreb*, de Abdullah Laroui (n. 1933), uma tentativa de retomar a interpretação da história do Magreb dos escritores franceses que, para ele, não haviam compreendido sua essência:

> Podemos distinguir um longo período durante o qual o Magreb é um simples objeto, e só pode ser visto pelos olhos de seus conquistadores estrangeiros [...] a história desse período deixa de ser qualquer coisa que não uma história de estrangeiros em solo africano [...] Em várias ocasiões, o mecanismo social parou no Magreb. Indivíduos e grupos muitas vezes

concluíram uma paz em separado com o destino. Que podemos fazer para impedir que isso torne a acontecer, agora que o fim da colonização nos ofereceu a oportunidade de começar de novo? [...] O que cada um de nós deseja saber hoje é como sair de nós mesmos, como escapar das montanhas de dunas, como nos definir em termos de nós mesmos e não de outrem, como deixarmos de ser exilados em espírito.[1]

O romance e o conto continuaram sendo as principais formas em que os escritores árabes examinavam suas relações com sua sociedade. Ao romance que expressava temas nacionalistas, e a situação do árabe educado despedaçado entre a herança herdada e a da Europa, acrescentava-se agora o de análise social e crítica implícita. Como antes, a ficção mais interessante era produzida no Egito. Numa série de romances da vida urbana, passados no Cairo e escritos nas décadas de 1940 e 1950, Najib Mahfuz (n. 1911) descreveu as vidas da pequena burguesia do Egito, com suas ansiedades e confusões num mundo que se tornava estranho para eles; concederam-lhe o Prêmio Nobel de Literatura de 1988. 'Abd al-Rahman al-Sharqawi (n. 1920) descreveu a vida dos pobres rurais em seu romance *al-Ard* (A terra). Tais obras ajudaram, ao menos por implicação, a explicar a alienação da sociedade de seus governantes, mas também a do indivíduo da sociedade. Ouviu-se uma nova nota com o surgimento de várias romancistas, cuja obra tratava dos esforços das mulheres para viver com mais liberdade; o título do primeiro romance de Layla Ba'albaki, *Ana ahya* (Eu vivo), era simbólico dos objetivos delas. Em alguns romancistas, podia-se observar um novo tipo de revolta: contra o presente, em nome de um passado "autêntico", antes que os deslocamentos da vida moderna começassem a mostrar-se. Escritores desse tipo viam a religião a uma luz diferente; o Islã que mostravam não era o dos modernistas, nem o da real ou imaginada primeira era de pureza, mas o Islã como se havia de fato desenvolvido, o culto dos santos e a reverência a seus santuários, as práticas sufitas da aldeia.

No Egito, e em menor medida em outros países, esses temas eram também expressos num veículo relativamente novo, o teatro. As peças tornavam-se uma forma de diversão popular: o cinema e o rádio acostumaram o público a ver e ouvir a tensão das relações humanas expressa em palavras e gestos, e também proporcionaram patrocínio a autores de peças. O drama poético, escrito em linguagem clássica e destinado mais a ser lido que interpretado, ainda era escrito, por exemplo por Tawfik al-Hakim (1899-1987), mas ao lado dele surgiu o drama da sociedade moderna, destinado a ser interpretado, e apresentado em pequenos teatros do Cairo e de outras cidades. Em medida crescente, essas peças eram escritas em termos coloquiais, ou numa linguagem que se aproximava do coloquial, e os motivos foram explicados por um estudioso da literatura. A linguagem clássica tende mais à declamação estática que à ação dramática; é uma linguagem pública, que não pode tornar-se facilmente a voz de um temperamento individual; é abstrata, sem referência a um ambiente específico. A linguagem coloquial, por outro lado, pode não ter a ressonância necessária para elevar-se à altura de um momento dramático ou trágico.

Alguma coisa dessa mesma insatisfação com a natureza gélida, impessoal da linguagem clássica e das formas de expressão a ela associadas pode ser encontrada na poesia dessa época. A partir de fins da década de 1940, houve uma revolução poética, sobretudo entre os poetas mais jovens do Líbano, Síria, Palestina e Iraque, que viviam principalmente em Bagdá e Beirute, onde seu porta-voz, o periódico *Shi'r*, era publicado. Foi uma mudança múltipla que tentaram provocar. Houve uma mudança de intenção e conteúdo do poema. Os românticos da geração anterior tinham tentado substituir a poesia da retórica e dos acontecimentos públicos pela que expressava emoção pessoal e via o mundo natural como um sinal externo dessa emoção. Agora os novos poetas tentavam romper com o subjetivismo dos românticos, mas preservando algo do que tinham aprendido com eles. A poesia devia expressar a realidade das coisas, mas a realidade não podia ser aprendida só pelo intelecto; tinha de ser apreendida pela personalidade total do poeta, tanto pela imaginação quanto pela mente. Os poetas individuais diferiam na ênfase que davam a vários aspectos da multifacetada realidade. Alguns interessavam-se por problemas de sua própria identidade numa era de ansiedade; outros, tomando das discussões literárias da década de 1950 a idéia de que o escritor devia ser "engajado", preocupavam-se com o tema da nação árabe e suas fraquezas. Uma nova nação árabe, um novo indivíduo árabe precisavam ser criados, e o poeta devia ser o "criador de um novo mundo". Um destacado poeta desse grupo, o sírio Ahmad Sa'id (n. 1929), que escreveu sob o nome de Adunis, disse que a poesia devia ser "uma mudança na ordem das coisas".[2]

Na poesia de Badr Shakir al-Sayyab (1926-64), a aldeia iraquiana onde ele foi criado torna-se um símbolo de vida — não de vida individual, mas do povo árabe — cercada pelas ruas da cidade, a estéril prisão do espírito humano:

> Ruas das quais dizem as histórias contadas ao pé da lareira: Ninguém delas retorna, como ninguém retorna das praias da morte [...] quem fará a água brotar delas em nascentes, para que nossas aldeias sejam erguidas em torno? [...] Quem fechou as portas de Jaykur contra seu filho que nelas bate, quem dela desviou as estradas, de modo que, aonde ele vai, a cidade ergue a cabeça para ele? [...] Jaykur é verde; o crepúsculo tocou as pontas de suas palmeiras com um sol de luto. Meu caminho foi para ela como um relâmpago; brotou, depois desapareceu, e depois a luz voltou e a fez arder, até iluminar a cidade.[3]

Um novo mundo precisava de uma nova linguagem, e esses poetas tentaram romper com as visões aceitas de como se devia escrever poesia. A unidade básica da linguagem poética não devia ser o verso composto de um número fixo de pés, mas do pé único; o sistema aceito de rimas — e a própria rima — podiam ser abandonados; estritas relações sintáticas entre palavras podiam dar lugar a agrupamentos mais frouxos. Palavras e imagens esvaziadas de sentido pela repetição deviam ser mudadas por outras e criado um novo sistema de símbolos. Alguns desses eram privados, outros extraídos do acervo comum de símbolos da moderna poesia francesa ou inglesa.

Uma das marcas distintivas do grupo foi a extensão em que sua inteligência e sensibilidade poética tinham sido formadas pela poesia européia. Eles tentaram aumentar a consciência poética do leitor árabe para incluir a herança da cultura de todo o mundo: imagens de fertilidade tomadas de *The waste land*, de Eliot, a da morte e ressurreição de Tammuz (Adônis), tomada da mitologia clássica mas ganhando uma ressonância local por sua associação com o campo sírio. (A adoção por Ahmad Sa'id do pseudônimo Adunis — Adônis — foi significativa.)

No Magreb, surgiu nessa época um grupo de escritores que publicavam romances, peças e poemas em francês, mas expressando uma sensibilidade e um modo de pensamento específicos. Na Argélia, escritores da "geração de 1952" como Kateb Yacine (1929-89), Mouloud Feraoun (1913-62) e Mouloud Mammeri (1917-88) usavam seu domínio do francês para explorar problemas de libertação pessoal e identidade nacional. O fato de escreverem em francês não significa que fossem arrancados de suas raízes; era resultado de sua educação e da posição de suas comunidades; alguns dos argelinos eram berberes de Kabylia, que se sentiam mais à vontade em francês do que em árabe. Alguns participaram da luta nacional e todos foram marcados por ela; o mais conhecido na França, Kateb Yacine, desistiu de escrever em francês depois de 1970 e dedicou-se a criar teatro em árabe coloquial.

MOVIMENTOS ISLÂMICOS

A nova poesia era escrita para ser lida e meditada, e era diferente, em importantes aspectos, da poesia escrita para ser recitada diante de grandes platéias nos festivais poéticos que eram uma característica distinta da época. Era lida por uma minoria

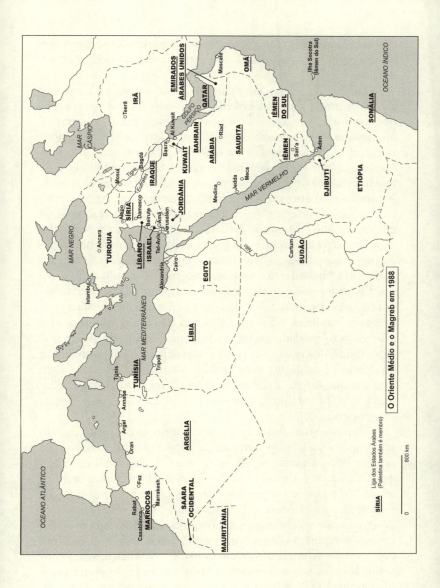

que podia entender suas alusões, mas apesar disso expressava um *malaise* geral, uma insatisfação dos árabes consigo mesmos e com seu mundo.

Em camadas mais vastas da população, tais sentimentos e o desejo de mudança eram expressos em palavras e imagens associadas ao Islã, em uma ou outra de muitas formas. A tentativa modernista de reformular o Islã de modo a torná-lo uma resposta viável às demandas da vida moderna ainda era talvez a forma mais difundida do Islã entre a elite educada que liderara os movimentos nacionalistas e agora dominava os novos governos. Numa forma menos rigorosamente intelectual, era expressa para um público maior por escritores muito lidos: por exemplo, o egípcio Khalid Muhammad Khalid (n. 1920), cuja formulação trazia consigo uma aguda rejeição da religião ensinada na Azhar. Afirmava que o Islã do "sacerdócio" era uma religião de reação, atacando a liberdade do intelecto humano, apoiando os interesses dos poderosos e ricos, e justificando a pobreza. A verdadeira religião era racional, humana, democrática e dedicada ao progresso econômico; o governo legítimo não era o religioso, mas o baseado na unidade nacional e visando a prosperidade e a justiça. Alguns dos principais escritores da época começaram então a escrever num idioma mais explicitamente islâmico, e também aqui a maior ênfase era na justiça social; para Taha Husayn, o califa 'Umar foi um reformador social de idéias idênticas às dos da era moderna.

Com tais vozes havia agora outras misturadas, proclamando que a justiça social só poderia ser alcançada pela liderança de um governo que tomasse o Islã como base de sua política e leis. Após a guerra, o movimento dos Irmãos Muçulmanos tornou-se um fator político importante no Egito, e considerável na Síria e alguns outros países. Nos anos entre 1945 e 1952, anos de desintegração do sistema político egípcio, os ensinamentos dos Irmãos pareceram oferecer um princípio de ação unificada em cujos termos se devia travar, em unidade e confiança, a luta contra os britânicos e a corrupção. Após a tomada do poder pelos oficiais em 1952, os Irmãos, com os quais alguns dos oficiais ti-

520

nham ligações, pareceram oferecer uma meta para a qual se podiam dirigir as políticas do novo governo. Foram a única organização política isenta a princípio do decreto que dissolvia os partidos políticos. Mas as relações logo se tornaram hostis, e após uma tentativa contra a vida de 'Abd al-Nasser em 1954 alguns dos líderes dos Irmãos foram executados; depois disso, eles serviram como o canal mais eficaz de oposição clandestina e continuaram a oferecer um modelo alternativo de sociedade justa.

O fundador, Hasan al-Banna, fora assassinado nos anos perturbados após a guerra, mas outros escritores ligados ao movimento expressavam agora a idéia de uma sociedade justa especificamente islâmica: Mustafá al-Siba'i na Síria e Sayyid Qutb (1906-66) no Egito. Num livro famoso, *al-'Adala al-ijtima'iyya fi'l-islam* (Justiça social no Islã), Sayyid Qutb apresentou uma vigorosa interpretação da doutrina social do Islã. Para os muçulmanos, diferentemente dos cristãos, não havia, segundo ele, fosso algum entre fé e vida. Todos os atos humanos podiam ser vistos como atos de adoração, e o Corão e o Hadith forneciam os princípios sobre os quais se deviam basear as ações. O homem só era livre se fosse libertado da sujeição a todos os poderes, exceto o de Deus: do poder dos sacerdotes, do medo, e da dominação de valores sociais, desejos e apetites humanos.

Afirmava que entre os princípios a serem extraídos do Corão estava o da mútua responsabilidade dos homens em sociedade. Embora os seres humanos fossem fundamentalmente iguais aos olhos de Deus, tinham tarefas diferentes, correspondentes a suas diferentes posições na sociedade. Homens e mulheres eram iguais espiritualmente, mas diferentes em função e obrigação. Também os governantes tinham responsabilidades especiais: manter a lei, que devia ser usada com rigor para preservar direitos e vidas; impor a moralidade; manter uma sociedade justa. Isso envolvia manter o direito à propriedade, mas assegurando que ela fosse usada para o bem da sociedade: a riqueza não devia ser usada para o luxo ou usura, ou de modos desonestos; devia ser tributada em benefício da sociedade; as necessidades da vida comunal não deviam ficar em mãos de indivíduos, mas ser propriedade comum. Enquanto os governantes mantivessem o tecido de uma sociedade justa, deviam ser obedecidos, mas se deixassem de fazê-lo, caducava o dever de obediência. A grande era de justiça islâmica fora a primeira; depois disso, governantes não aprovados pelo povo tinham causado sucessivos desastres à comunidade muçulmana. Uma verdadeira sociedade islâmica só podia ser restaurada pela criação de uma nova mentalidade, através da educação correta.

No Egito e outros países, os líderes desses movimentos tendiam a ser homens de educação e posição relativamente superiores na sociedade, mas seus seguidores vinham em grande parte de uma camada inferior, daqueles que tinham adquirido uma certa educação mais em árabe que em francês ou inglês, e que ocupavam posições intermediárias na sociedade urbana, mas não tinham acesso às mais altas esferas. Para eles, movimentos desse tipo ofereciam uma possível base moral para a vida no mundo moderno. Forneciam um sistema de princípios importante para todos os problemas sociais e acessíveis a todos os homens e mulheres, diferentemente dos santos e santuários do Islã, que por sua natureza estavam relacionados com um local certo e um grupo limitado. Tal sistema era assim apropriado a uma sociedade na qual a ação social e política abrangia toda a comunidade nacional, e até esperava transcender fronteiras nacionais e estender-se a todo o mundo do Islã.

Amplas camadas da sociedade não haviam sido atraídas para a nova vida em grande escala; para os aldeões e o novo proletariado urbano de migrantes do campo, o túmulo do santo local ainda mantinha seu lugar como encarnação de uma garantia de que a vida tinha um sentido; para os migrantes rurais nas cidades, os grandes locais de peregrinação — Mawlay Idris em Fez, Sayyida Zaynab no Cairo, Ibn 'Arabi em Damasco — eram sinais familiares num mundo estranho. O guardião do túmulo podia ter perdido algumas de suas funções sociais para o médico, o policial ou o funcionário do governo, mas ainda podia ser um mediador efetivo nos problemas do cotidiano para os afetados pela desgraça, mulheres sem filhos, vítimas de roubo ou do despeito dos vizinhos. Era possível que uma *tariqa* surgida da memória de santo morto havia não muito tempo estendesse seu domínio pelo uso de métodos modernos de organização nos interstícios da sociedade burguesa.

24. O AUGE DO ARABISMO (DÉCADAS DE 1950 E 1960)

NACIONALISMO POPULAR

Um certo elemento islâmico iria permanecer sempre importante nessa combinação de idéias que compunha o nacionalismo popular da época, estendendo-se além da elite altamente educada para as camadas maiores daqueles que, sobretudo na cidade, eram levados pela educação e pelos meios de comunicação a algum tipo de participação política. Mas, fosse o Islã o dos modernistas ou o dos Irmãos, continuava no todo sendo um elemento subordinado no sistema. Os principais elementos que davam o tom do nacionalismo popular vinham de outras fontes. Essa foi a época em que se tornou importante a idéia do "Terceiro Mundo": quer dizer, a idéia de uma frente comum de países em processo de desenvolvimento, sobretudo pertencentes aos ex-impérios coloniais, mantendo-se descomprometidos com qualquer dos dois blocos, o do "Ocidente" e o do "Oriente" comunista, exercendo um certo poder coletivo pela ação conjunta, e em particular pelo domínio de uma maioria na Assembléia Geral das Nações Unidas. Um segundo elemento era a idéia da unidade árabe: a de que os estados árabes recém-independentes tinham bastante em comum, em cultura e experiência histórica divididas, além de interesses partilhados, para tornar-lhes possível entrar em estreita união uns com os outros, e essa união lhes daria não só maior poder coletivo, mas traria aquela unidade moral entre povo e governo que tornaria o governo legítimo e estável.

A esses elementos, acrescentava-se agora um outro — o do socialismo: quer dizer, a idéia do controle dos recursos pelo governo no interesse da sociedade, a propriedade e direção pelo Estado da produção e a divisão eqüitativa de renda através de impostos e da provisão de serviços sociais. A força crescente dessa idéia era em parte um reflexo do que acontecia em outras partes no mundo: a força dos partidos socialistas e comunistas na Europa Ocidental, a crescente influência da URSS e seus aliados no mundo, a chegada ao poder do Partido Comunista da China, a mistura de idéias nacionalistas e socialistas em programas de alguns dos partidos que assumiram o poder nos estados recém-independentes da Ásia. Especificamente, isso foi mostrado na expressão de idéias marxistas em língua árabe. Mais uma vez, o centro de atividade foi o Egito. Os historiadores começaram a interpretar a história egípcia em termos marxistas, de modo que o que pareciam ser movimentos nacionalistas eram vistos agora como movimentos de determinadas classes defendendo seus próprios interesses. Uma crítica socialista da cultura egípcia foi escrita por Mahmud Amin al-'Alim e 'Abd al-'Azim Anis. Eles declaravam que a cultura deve refletir toda a natureza e situação de uma sociedade, a literatura deve mostrar a relação do indivíduo com a experiência de sua sociedade. A literatura que foge dessa experiência é vazia; assim, os escritos que refletem o nacionalismo burguês estão agora privados de significado. A nova literatura deve ser julgada perguntando-se se expressa ou não adequadamente a luta com o "polvo do imperialismo", que é o fato básico na vida egípcia, e se espelha a vida da classe operária. Vista sob a essa luz, a questão das formas de expressão torna-se importante. Um fosso entre expressão e conteúdo, eles sugerem, é um sinal de fuga da realidade; Najib Mahfuz, escrevendo sobre a vida popular mas evitando o uso do árabe coloquial, parece-lhes mostrar uma certa alienação da vida real.

As formas como esses vários elementos foram integrados nos movimentos populares variaram de um país para outro. No Magreb, as circunstâncias da luta contra os franceses tinham levado à criação de movimentos nacionalistas com mais amplo apoio popular e melhor organização que os mais a leste. Como os franceses estavam presentes não simplesmente como um governo estrangeiro, mas como um grupo privilegiado de moradores que controlavam os recursos de produção, o único modo de opor-se a eles com sucesso fora através da revolta popular, bem organizada e espalhando-se para além das cidades, até o campo. Na Tunísia, a independência fora conseguida e o novo governo era dominado por uma combinação de sindicatos e do Partido Neo-Destur, liderada por uma elite educada com raízes, em sua maior parte, em pequenas cidades e aldeias do Sahel, e com ramificações por todo o país. O mesmo na Argélia: a organização que lançou a revolta contra o domínio francês em 1954, a Front de Libération Nationale (FLN), liderada sobretudo por homens de origem humilde mas com formação militar, foi atraindo aos poucos para si, sob a pressão da guerra, amplo apoio em todas as camadas da sociedade. Quando passou de uma força revolucionária para um governo, sua liderança foi uma mistura dos chefes militares históricos da revolução e de tecnocratas altamente educados, sem os quais um governo moderno não podia ser exercido, e extraiu sua força de uma rede nacional de ramificações do partido em que pequenos comerciantes, proprietários rurais e professores desempenharam uma parte. No Marrocos, uma coalizão semelhante de interesses — entre o rei, o Istiqlal e os sindicatos — conquistara a independência mas não se revelara tão estável e unificada quanto nos outros países do Magreb. O rei pôde afirmar, contra o Partido Istiqlal, que era a autêntica encarnação da comunidade nacional, e também pôde estabelecer seu controle sobre o novo exército. O Istiqlal, sem o apoio popular que poderia extrair de uma pretensão geralmente aceita de que expressava a vontade nacional, tendeu a dividir-se em facções ao longo de linhas de classe; disso surgiu um novo movimento, a Union Nationale des Forces Populaires, dirigida por líderes do campo e das montanhas, e dizendo falar pelos interesses do proletariado das cidades.

Na maioria dos países do Oriente Médio, a independência fora conseguida pela manipulação de forças políticas, tanto internas quanto externas, e por negociações relativamente pacíficas, apesar de momentos de perturbação popular. O poder nos novos estados independentes foi num primeiro momento para as mãos de famílias dominantes ou elites intelectuais, que tinham tido a posição social e a habilidade política necessária durante o período de transferência de poder. Esses grupos não possuíam em geral, porém, a habilidade e o apelo necessários para mobilizar apoio popular nas novas circunstâncias da independência, ou para criar um Estado no sentido pleno. Não falavam a mesma linguagem política daqueles que diziam representar, e seus interesses estavam na preservação do tecido social e distribuição de riqueza existente, mais do que em mudanças no sentido de maior justiça social. Nesses países, os movimentos políticos tenderam a desfazer-se após a independência, e estava aberto o caminho para novos movimentos e ideologias, que misturariam elementos de nacionalismo, religião e justiça social de uma maneira mais atraente. Os Irmãos Muçulmanos foram um desses movimentos, sobretudo no Egito, Sudão e Síria. Grupos comunistas e socialistas também passaram a desempenhar um papel significativo em oposição tanto ao domínio imperial em sua última fase quanto aos novos governos que tomaram o seu lugar.

No Egito, o movimento comunista cindiu-se em pequenos grupos, que apesar disso conseguiram desempenhar um papel em certos momentos de crise. Em particular, durante o confronto com os britânicos nos anos após o fim da guerra, o Comitê dos Operários e Estudantes, dominado pelos comunistas, proporcionou liderança e orientação às forças populares levantadas. No Iraque, um papel semelhante foi desempenhado pelos comunistas no movimento que obrigou o governo a retirar-se do acordo de defesa assinado com os britânicos em 1948. O acordo teve o apoio da maioria dos líderes políticos estabelecidos, e oferecia algumas vantagens ao Iraque, como o fornecimento de armas para o exército e a possibilidade de apoio britânico na luta que então se iniciava na Palestina, mas parecia implicar um elo permanente entre o Iraque e a Grã-Bretanha, e portanto, em último caso, uma subordinação permanente dos interesses iraquianos aos britânicos. A oposição a ele serviu de foco em torno do qual puderam juntar-se vários interesses diferentes: os dos camponeses alienados de seus xeques que se haviam transformado em proprietários rurais; do proletariado urbano diante dos altos preços dos alimentos; dos estudantes; e de líderes nacionalistas de coloração diferente. Nessa situação, o Partido Comunista desempenhou um papel importante, oferecendo um elo entre diferentes grupos. No Sudão, também, o grupo dominante que herdou a posição britânica estava ligado a dois partidos, cada um dos quais ligado a uma liderança religiosa tradicional, e semelhantes em composição social, embora diferissem no grau em que desejavam ligar o Sudão ao Egito; havia um papel popular que não podiam desempenhar, e que o Partido Comunista, formado em grande parte por estudantes que tinham estudado no Egito, tentara preencher.

Diante dessa fragmentação de forças políticas, houve várias tentativas de criar novos tipos de movimento que combinassem todos os elementos importantes. Dois foram de particular importância nas décadas de 1950 e 1960. Um foi o Partido Ba'th (Ressurreição), que surgiu na política síria. Era um partido que apresentava um desafio à dominação da política síria por um pequeno número de grandes famílias urbanas e pelos partidos ou frouxas associações de líderes que expressavam os interesses delas. Apelava basicamente à nova classe educada, criada pelo rápido aumento na escolarização, e que vinha de comunidades de fora da maioria muçulmana sunita: alawitas, drusos e cristãos. Originara-se dos debates intelectuais sobre a identidade nacional dos sírios e suas relações com outras comunidades de língua árabe: um debate mais urgente na Síria que em outras partes, porque as fronteiras traçadas por Grã-Bretanha e França em seu próprio interesse correspondiam menos que na maioria dos países do Oriente Médio às divisões naturais e históricas.

A resposta que o principal teórico do Ba'th, Michel 'Aflaq (1910-89), um cristão de Damasco, deu a essa questão foi expressa em termos inflexivelmente árabes. Só há uma nação árabe, com direito a viver num único Estado unido. Foi formada por uma grande experiência histórica, a criação pelo Profeta da religião do Islã e da sociedade que a encarnou. Essa experiência pertencia não só aos muçulmanos árabes, mas a todos os árabes que se haviam apropriado dela como sua, e encaravam-na como a base de sua pretensão a uma missão especial no mundo e a um direito de independência e unidade. Eles só podiam conseguir esse objetivo através de uma dupla transformação: primeiro do intelecto e da alma — uma apropriação da idéia da nação árabe através da compreensão e do amor — e depois do sistema político e social.

Nesse sistema de idéias, o elemento de reforma social e socialismo era a princípio sem importância, mas em meados da década de 1950 o Ba'th amalgamou-se com um partido mais explicitamente socialista. Nessa forma, sua influência espalhou-se na Síria e nos países vizinhos, Líbano, Jordânia e Iraque, e também nos da península Arábica. Seu apelo estendeu-se além dos estudantes e intelectuais perturbados por questões de identidade; foi particularmente grande entre a geração de oficiais do exército de origem provinciana humilde, e na classe operária urbana de migrantes do campo. Na década de 1950, houve alternâncias de domínio militar e governo parlamentar na Síria; numa situação de poder fragmentado, um partido que tinha uma política clara e apelo popular pôde desempenhar um papel que excedia o seu número, e o Ba'th foi importante tanto no movimento que levou à formação da República Árabe Unida em 1958 quanto em sua divisão em 1961. Também no Iraque, após a revolução de 1958, teve uma influência crescente.

O Ba'th foi uma ideologia que se tornou uma força política, mas o outro movimento importante da época foi um regime que aos poucos desenvolveu um sistema de idéias em termos das quais alegava legitimidade. Os oficiais do exército egípcio que tomaram o poder em 1952, e dos quais 'Abd al-Nasser logo emergiu como líder incontesté, tinham um programa de ação limitado, no início, e nenhuma ideologia comum, além do apelo ao interesse nacional acima dos interesses de partidos e facções, e um sentimento de solidariedade com as massas camponesas, das quais provinha a maioria deles, embora não todos. Com o tempo, porém, adquiriram uma ideologia característica, geralmente identificada com a personalidade de 'Abd al-Nasser. Nessa ideologia nasserista havia vários elementos que na época tinham o poder de mover a opinião pública. A linguagem do Islã era a linguagem natural que os líderes usavam nos apelos às massas. Em geral, eles defendiam uma versão reformista do Islã, que não se opunha, mas antes endossava os tipos de secularização e mudança modernizante que estavam introduzindo. Nesse período, a Azhar entrou mais estritamente sob o controle do governo.

Em geral, porém, o apelo ao Islã era menos enfatizado que o apelo ao nacionalismo e à unidade árabe. A unidade árabe fora aceita por governos anteriores do Egito como um aspecto importante da política externa, mas o desenvolvimento histórico separado do Egito e a cultura distinta que surgira no Nilo haviam-no mantido um tanto distante dos sentimentos de seus vizinhos. Agora, porém, o regime de 'Abd al-Nasser começava a pensar no país como parte do mundo árabe, e seu líder natural. Acreditava que sua liderança devia ser usada no sentido da revolução social: a propriedade ou controle pelo Estado dos meios de produção e a redistribuição da renda eram essenciais para maximizar a força nacional e gerar apoio de massa ao regime.

O programa de reforma social era justificado em termos da idéia de um "socialismo árabe" específico, um sistema a meio caminho entre o marxismo, que representava o conflito de classes, e o capitalismo, que significava o primado dos interesses individuais e a dominação das classes que possuíam os meios de produção. No "socialismo árabe", achava-se que toda a sociedade se formava em torno do governo que defendia os interesses de todos. Essa idéia foi apresentada na "Carta Nacional", lançada em 1962:

> A revolução é o meio pelo qual a nação árabe pode libertar-se de seus grilhões, e livrar-se da negra herança que a tem sobrecarregado [...] É a única forma de superar o subdesenvolvimento que lhe foi imposto pela supressão e exploração [...] e de enfrentar o desafio que espera as nações árabes e outras subdesenvolvidas: o desafio oferecido pelas espanto-

sas descobertas científicas que ajudaram a alargar o fosso entre os países adiantados e os atrasados [...] Eras de sofrimento e esperança acabaram produzindo objetivos claros para a luta árabe. Esses objetivos, a verdadeira expressão da consciência árabe, são liberdade, socialismo e unidade [...] Liberdade hoje significa a do país e a do cidadão. O socialismo tornou-se ao mesmo tempo um meio e um fim: suficiência e justiça. A estrada para a unidade é a convocação popular para a restauração da ordem natural de uma única nação.[1]

Declarava-se que a democracia política era impossível sem a democracia social, e isso envolvia a propriedade pública dos meios de comunicação e de outros serviços públicos, bancos e empresas de seguro, indústria pesada e média, e — mais importante — comércio exterior. Devia haver igualdade de oportunidades, assistência médica e educação para todos, homens e mulheres igualmente; devia-se encorajar o planejamento familiar. As divisões de classe deviam ser resolvidas dentro da unidade nacional, e também as divisões entre os países árabes: o Egito devia apelar à unidade árabe sem aceitar o argumento de que isso seria interferência nos assuntos de outros países. Nos anos seguintes, executaram-se vigorosamente medidas de reforma social: limitações de horas de trabalho, salário mínimo, ampliação dos serviços de saúde pública, uma proporção dos lucros da indústria distribuída em serviços de seguro e assistência social. Essas medidas foram tornadas possíveis pelo rápido crescimento do Egito no início da década de 1960. Em 1964, porém, o crescimento cessara, e o consumo privado *per capita* não mais aumentava.

Mesmo em seu ponto mais alto, o regime de 'Abd al-Nasser não conseguiu canalizar todas as forças políticas do povo egípcio. Seu movimento político de massa, a União Socialista Árabe, foi um canal através do qual se comunicavam ao povo as intenções do governo, em vez de um canal pelo qual se expressassem os desejos, sugestões e queixas populares. Os Irmãos Muçulmanos acusaram-no de usar a linguagem do Islã para encobrir uma política basicamente secular; os marxistas criticaram o "socialismo árabe" por ser diferente do "socialismo científico", baseado no reconhecimento das diferenças de classes.

Em outros países árabes, porém, o "nasserismo" teve uma aceitação pública vasta e continuada. A personalidade de 'Abd al-Nasser, os sucessos do regime — a vitória política na crise do canal de Suez de 1956, a construção da grande barragem de Assuan, as medidas de reforma social — e a promessa de liderança forte em defesa da causa palestina: tudo isso pareceu oferecer a esperança de um mundo diferente, de uma nação árabe rejuvenescida por uma autêntica revolução social e tomando seu lugar de direito no mundo. Essas esperanças foram encorajadas pelo hábil uso da imprensa e do rádio, que apelavam por cima dos governos ao "povo árabe". Esses apelos aprofundaram os conflitos entre governos árabes, mas o nasserismo continuou sendo um símbolo poderoso de unidade e revolução, e encarnou-se em movimentos políticos de largo escopo, como o Movimento de Nacionalistas Árabes, fundado em Beirute, e muito popular entre os refugiados palestinos.

A ASCENDÊNCIA DO NASSERISMO

Por toda a década de 1960, a vida pública dos países árabes continuou a ser dominada pela idéia de uma forma de nacionalismo árabe socialista, neutralista, tendo 'Abd al-Nasser como seu líder e símbolo.

Com a conquista da independência pela Argélia em 1962, praticamente chegou ao fim a era dos impérios europeus, mas ainda havia algumas áreas do Oriente Médio onde o poder britânico continuou, encarnado em formas de governo e baseado em último caso na possibilidade de emprego da força armada. Em Áden e no protetorado em torno, os interesses britânicos tinham se tornado mais importantes na década de 1950. A refinaria de petróleo de Áden era importante, e também era a base naval, pelo temor de que a URSS estabelecesse seu controle no Chifre da África, na margem oposta do mar Vermelho. O frouxo protetorado sobre a região em torno transformava-se num sistema de controle mais formal.

O despertar da consciência política em Áden, estimulado pela ascensão do nasserismo e por mudanças que ocorriam no Iêmen, levou os britânicos a aumentar o grau de participação local no governo. Estabeleceu-se uma Assembléia Legislativa em Áden, e os estados protegidos vizinhos formaram uma federação que incluía a própria Áden. Mas essas concessões limitadas trouxeram novas demandas da pequena classe educada e dos operários de Áden, e dos que se opunham ao domínio dos governantes da federação, com encorajamento do Egito. Estourou a agitação, e em 1966 o governo britânico decidiu retirar-se. A essa altura, a oposição dividira-se em dois grupos, e quando se deu a retirada em 1967, foi um grupo urbano de tendência marxista que conseguiu tomar o poder.

No golfo Pérsico, não foi tanto a pressão local como uma modificação do conceito da posição britânica no mundo que levou à retirada. Em 1961, concedeu-se plena independência ao Kuwait: uma classe dominante estável de famílias de comerciantes, reunida em torno de uma família reinante, podia agora criar um novo tipo de governo e sociedade pela exploração de seu petróleo. Mais abaixo no golfo Pérsico, uma revisão dos recursos e da estratégia britânica levou em 1968 à decisão do governo de retirar suas forças militares, e portanto seu controle político, de toda a área do oceano Índico até 1971. Num certo sentido, essa decisão ia contra um interesse local britânico. A descoberta de petróleo em várias partes do golfo Pérsico e sua exploração em larga escala em Abu Dhabi deram nova importância ao que tinha sido uma área pobre e levaram a certa extensão do controle britânico dos pequenos portos da costa para o interior, onde agora se tornava importante a delimitação precisa de fronteiras. Por influência britânica, estabeleceu-se uma frouxa federação, a União dos Emirados Árabes, para assumir o papel unificador que os britânicos haviam exercido. Consistia de sete pequenos

533

estados (Abu Dhabi, Dubai, Sharja e quatro outros), mas nem Bahrain nem Qatar entraram. Durante algum tempo, a independência do Bahrain foi ameaçada por pretensões iranianas de soberania, baseada em argumentos históricos, mas estas foram retiradas em 1970.

Depois disso, a única parte da península onde continuava uma presença britânica foi onde ela nunca existira oficialmente. O governante de Omã estava havia longo tempo sob o virtual controle de um pequeno número de oficiais britânicos. Seu governo dificilmente se estendia ao interior, onde o poder de fato estava nas mãos do imã da seita ibadita. Na década de 1950, porém, a perspectiva de descoberta de petróleo no interior levou a uma extensão do poder do sultão, apoiado pelos britânicos. Isso, por sua vez, deu origem a uma revolta local, apoiada pela Arábia Saudita, que tinha suas próprias pretensões territoriais; por trás do conflito, havia os interesses em choque de empresas de petróleo britânicas e americanas. A revolta foi suprimida, com ajuda britânica, e o imanato extinto, mas em 1965 uma outra mais séria irrompeu na parte ocidental do país, Dhufar. Essa continuou até a década de 1970, também com apoio de fora. O sultão não queria fazer qualquer concessão à mudança, e em 1970 foi deposto por instigação britânica em favor de seu filho.

Na década de 1960, a principal atenção dos interessados no que parecia ser o surgimento de uma nação árabe não mais se dirigia para os vestígios de domínio imperial, mas para outros dois tipos de conflito: entre as duas "superpotências", e entre os estados governados por grupos comprometidos com uma rápida mudança ou revolução em linhas vagamente nasseristas e os governados por dinastias ou grupos mais cautelosos com a mudança política e social, e mais hostis à disseminação da influência nasserista. Na Síria, o poder foi tomado pelo Partido Ba'th em 1963: primeiro pelos líderes civis, depois por oficiais do exército a ele filiados. No Iraque, o governo de oficiais estabelecido pela revolução de 1958 foi derrubado em 1963 por um mais inclinado ao Ba'th e ao nasserismo; mas as discussões sobre unidade entre Iraque, Síria e Egito mostraram as diferenças de interesse e idéias entre os três. No Sudão, houve um golpe militar em 1958, e o governo dele resultante seguiu uma política de neutralismo e desenvolvimento econômico, até a restauração do governo parlamentar em 1964, por pressão popular. Na Argélia, o primeiro governo estabelecido após a independência, tendo Ahmad Ben Bella à frente, foi substituído em 1965 por um mais inteiramente comprometido com o socialismo e o neutralismo, liderado por Hawari Boumediene. Do outro lado, porém, havia as monarquias do Marrocos, Líbia, Jordânia e Arábia Saudita, com a Tunísia numa posição ambígua, governada por Burguiba como líder de um partido nacionalista de massa comprometido com reformas de longo alcance, mas hostil à extensão da influência egípcia e a muitas das atuais idéias de nacionalismo árabe.

O senso de uma nação em processo de formação foi fortalecido nesse período pela nova riqueza e outras mudanças criadas pela exploração do petróleo. Os recursos petrolíferos dos países árabes e outros do Oriente Médio haviam se tornado agora realmente importantes na economia mundial, e isso estava tendo um profundo impacto sobre as sociedades dos países produtores. Em meados da década de 1960, os cinco maiores países produtores de petróleo árabes — Iraque, Kuwait, Arábia Saudita, Líbia e Argélia — tinham juntos receitas de cerca de 2 bilhões de dólares por ano. As receitas eram usadas — com maior responsabilidade no Iraque, Kuwait, Líbia e Argélia, e menos na Arábia Saudita, até que uma revolução na família substituiu Sa'ud, o filho mais velho de 'Abd al-'Aziz, que se tornara rei com a morte do pai, pelo irmão mais hábil Faysal (1964-75) — para construir a infra-estrutura de sociedades modernas, ampliar os serviços sociais, mas também criar estruturas mais complexas de administração e das forças de defesa e segurança nas quais se apoiavam.

Esses acontecimentos começavam a mudar o lugar da península Arábica no mundo árabe, de dois modos diferentes. Por um lado, os governantes da Arábia Saudita e dos países do golfo Pérsico puderam usar sua riqueza para conseguir uma posição de maior influência nos assuntos árabes; nesse período, começaram a dar ajuda em larga escala aos estados mais pobres. Por outro, suas sociedades, em rápida mudança, começaram a atrair grandes números de migrantes de outros países árabes. Isso se deu menos na Argélia e no Iraque, que tinham grandes populações e podiam produzir seus próprios trabalhadores qualificados e educados, mas na Arábia Saudita, Kuwait e outros países do golfo Pérsico, e na Líbia, as populações eram pequenas demais para atender às necessidades do desenvolvimento de recursos, e as classes educadas menores ainda. Os migrantes eram em sua maior parte palestinos, sírios e libaneses; a não ser na Líbia, menos vinham do Egito, onde as necessidades de um grande exército ativo e uma economia cada vez mais controlada pelo Estado faziam o governo relutar em permitir a emigração em larga escala. No início da década de 1970, talvez houvesse aproximadamente 500 mil migrantes. A maioria deles era de trabalhadores alfabetizados ou qualificados, e traziam consigo, para os países de imigração, idéias correntes nos países de onde vinham: idéias de revolução nasserista ou nacionalismo ba'thista, e o interminável anseio dos palestinos por reconquistar seu país. As idéias e aspirações pareciam apoiar o interesse do Egito de 'Abd al-Nasser em usar a riqueza dos estados do petróleo como um instrumento para criar um forte bloco de países árabes sob a liderança egípcia.

A CRISE DE 1967

Já no início da década de 1960 havia sinais de que as reivindicações e pretensões do nasserismo iam além de seu poder. A dissolução da união entre Egito e Síria, em 1961, e o fracasso das últimas conversações sobre unidade mostravam os limites da liderança de 'Abd al-Nasser e dos interesses comuns dos estados árabes. Mais significativos eram os acontecimentos que ocorriam no Iêmen. Em 1962, o imã Zaydi, governante do país, morreu, e seu sucessor foi quase imediatamente deposto por um movimento no qual liberais educados que tinham estado no exílio se juntaram a oficiais do novo exército regular, com um certo apoio tribal limitado. O antigo imanato tornou-se a República Árabe do Iêmen (agora muitas vezes chamada de Iêmen do Norte, para distingui-la do Estado estabelecido após a retirada britânica do Iêmen e do protetorado em torno, oficialmente conhecido como República Popular do Iêmen, mas muitas vezes chamada de Iêmen do Sul). O grupo que tomou o poder pediu imediatamente ajuda, e unidades do exército egípcio foram mandadas. Mesmo com esse apoio, porém, a tarefa de governar um país que tinha sido diretamente controlado, mas mantido junto pela habilidade e os contatos do imanato, revelou-se difícil demais para o novo governo. Partes do campo, que ainda aceitavam a autoridade do imã, ou se opunham ao tipo de controle que o governo tentava criar, levantaram-se em revolta. Tinham apoio da Arábia Saudita, e seguiram-se vários anos de guerra civil, em que se entrelaçaram o conflito entre grupos locais e entre o Egito e as monarquias árabes "tradicionais". Nenhum dos lados pôde vencer o outro; os que os egípcios apoiavam podiam controlar apenas as cidades principais e as estradas entre elas, mas não a maior parte do campo, e um grande exército egípcio, combatendo em condições desconhecidas, foi retido ali por vários anos.

As limitações do poder egípcio e árabe foram mostradas mais decisivamente numa crise maior ocorrida em 1967, levando o Egito e outros estados árabes a um confronto direto e desastroso com Israel. Era inevitável que a dinâmica da política nasserista levasse 'Abd al-Nasser à posição de principal defensor dos árabes no que para a maioria deles era o problema central: o das relações com Israel. A princípio cauteloso na abordagem do problema, em 1955 o governo militar do Egito começara a firmar sua liderança. Os acontecimentos de 1956 e dos anos posteriores transformaram 'Abd al-Nasser na figura simbólica do nacionalismo árabe, mas por trás disso havia uma certa linha de política egípcia: tornar o Egito líder de um bloco árabe tão estreitamente unido que o mundo externo só pudesse tratar com ele através de um acordo com o Cairo. A tarefa de agir como líder e porta-voz da causa palestina tinha perigos óbvios, e até 1964 o Egito executou-a com cuidado; naquele ano, recusou-se a ser atraído a um confronto com Israel sobre os planos israelenses de usar as águas do Jordão para irrigação. Dessa época em diante, porém, 'Abd al-Nasser ficou exposto a pressão de todos os lados. Os regimes "conservadores", com os quais já estava em conflito por causa da guerra civil no Iêmen, afirmavam que sua cautela era um sinal de que ele na verdade não acreditava na causa que devia apoiar. Na Síria, o poder caíra nas mãos de um grupo ba'thista que achava que só através da revolução social e do confronto direto com Israel se podia resolver o problema da Palestina e criar uma nova nação árabe.

Na teia de relações interárabes tecia-se agora um novo fio. Desde 1948, os próprios palestinos não tinham podido desempenhar um papel independente nas discussões sobre seu destino: sua liderança desmoronara, estavam espalhados por vários estados, e os que haviam perdido casa e trabalho tinham de reconstruir uma nova vida para si. Só tinham podido desempenhar um papel sob o controle dos estados árabes e com a permissão deles. Em 1964, a Liga Árabe criara uma entidade separada para eles, a Organização para Libertação da Palestina (OLP), mas esta se achava sob controle egípcio e as forças armadas a ela ligadas faziam parte dos exércitos do Egito, Síria, Jordânia e Iraque. A essa altura, surgia uma nova geração de palestinos, no exílio mas com uma lembrança da Palestina, educada no Cairo ou Beirute e reagindo a correntes de pensamento ali atuantes. Aos poucos, em fins da década de 1950, começaram a surgir dois tipos de movimentos claramente palestinos: o Fatah, empenhado em manter-se inteiramente independente dos regimes árabes, cujos interesses não eram os mesmos dos palestinos, e em confronto direto com Israel; e vários movimentos menores, que emergiram dos grupos nacionalistas árabes pró-nasseristas em Beirute e aos poucos passaram para uma análise marxista da sociedade e da ação social, e a crença em que o caminho para a recuperação da Palestina estava numa revolução fundamental nos países árabes.

538

Em 1965, esses grupos começavam a empreender ações diretas contra Israel, e os israelenses começavam a retaliar, não contra o Ba'th sírio, que apoiava os palestinos, mas contra a Jordânia. Essas ações israelenses não eram simplesmente uma resposta ao que os palestinos faziam, mas nasciam da dinâmica da política israelense. A população de Israel continuara a crescer, sobretudo pela imigração; em 1967, estava em cerca de 2,3 milhões, dos quais os árabes compunham uns 13%. Seu poder econômico aumentara, com a ajuda dos Estados Unidos, contribuições dos judeus no mundo externo e reparações da Alemanha Ocidental. Também viera escalando a força e a especialização de suas forças armadas, e da força aérea em particular. Israel sabia-se militar e politicamente mais forte que os vizinhos árabes; diante da ameaça desses vizinhos, o melhor curso era mostrar sua força. Isso poderia levar a um acordo mais estável do que o que pudera conseguir; mas por trás disso havia a esperança de conquistar o resto da Palestina e terminar a guerra inacabada de 1948.

Todas essas linhas convergiram em 1967. Diante da retaliação israelense contra outros estados árabes, e com informações (que podiam ser infundadas) de um iminente ataque israelense à Síria, 'Abd al-Nasser pediu às Nações Unidas que retirassem as forças que haviam sido estacionadas na fronteira com Israel desde a guerra do canal de Suez em 1956, e quando se fez isso ele fechou o golfo de Ácaba aos navios israelenses. Talvez lhe tenha parecido que nada tinha a perder: ou os Estados Unidos interviriam no último instante para negociar um acordo político que seria uma vitória para ele, ou, se se chegasse a uma guerra, suas forças armadas, equipadas e treinadas pela URSS, eram suficientemente fortes para vencer. Seus cálculos poderiam ter se revelado corretos se os Estados Unidos tivessem pleno controle da política israelense, pois havia um movimento dentro do governo americano para resolver o problema pacificamente. Mas as relações entre as grandes potências e seus clientes jamais são simples. Os israelenses não estavam dispostos a dar ao Egito uma vitória política que não correspondesse ao equilíbrio de poder entre eles, e também nada tinham a perder; acreditavam que suas forças armadas eram mais fortes, e no caso de um revés inesperado podiam estar certos do apoio dos Estados Unidos. À medida que cresceu a tensão, a Jordânia e a Síria fizeram acordos militares com o Egito. A 5 de junho, Israel atacou o Egito e destruiu sua força aérea; e nos poucos dias seguintes os israelenses ocuparam o Sinai até o canal de Suez, Jerusalém e a parte palestina da Jordânia, e parte do sul da Síria (o Jawlan, ou "colinas de Golan"), antes que um cessar-fogo acertado nas Nações Unidas encerrasse a luta.

A guerra foi um momento decisivo, sob muitos e diferentes aspectos. A conquista de Jerusalém pelos israelenses, e o fato de que os lugares santos muçulmanos e cristãos agora estavam sob controle judeu, acrescentaram outra dimensão ao conflito. A guerra mudou o equilíbrio de forças no Oriente Médio. Ficou claro que Israel era militarmente mais forte que qualquer combinação de estados árabes, e isso mudou a relação de cada um deles com o mundo externo. O que era, certa ou erroneamente, encarado como uma ameaça à existência de Israel despertou simpatia na Europa e América, onde as lembranças do destino judeu durante a Segunda Guerra Mundial ainda eram fortes; e a rápida vitória israelense também tornou Israel mais desejável como aliado aos olhos dos americanos. Para os estados árabes, e sobretudo o Egito, o que acontecera fora em todos os sentidos uma derrota que mostrava os limites de sua capacidade militar e política; para a URSS, foi também uma espécie de derrota, mas uma derrota que deixou os russos mais decididos a impedir que seus clientes incorressem em outra da mesma magnitude. Num nível muito profundo, a guerra deixou sua marca em todos no mundo que se identificavam como judeus ou como árabes, e o que fora um conflito local tornou-se mundial.

O resultado mais importante a longo prazo foi a ocupação israelense do que restava da Palestina árabe: Jerusalém, Gaza e parte ocidental da Jordânia (geralmente conhecida como "Margem Ocidental"). Mais palestinos tornaram-se refugiados, e mais caíram sob o domínio israelense. Isso fortaleceu o senso de identidade palestina, e a convicção entre eles de que no fim só podiam contar consigo mesmos; e também colocou um problema para os israelenses, estados árabes e grandes potências. Devia Israel continuar ocupando o que conquistara, ou negociar a terra por algum tipo de acordo pacífico com os estados árabes? Devia haver algum tipo de entidade política para os palestinos? Como podiam os estados árabes recuperar a terra que tinham perdido? Como podiam as potências conseguir um acordo que não resultasse em outra guerra, à qual podiam ser arrastadas?

É possível que alguma iniciativa dos vencedores abrisse o caminho para a resposta a algumas dessas questões; mas a iniciativa não veio, talvez porque levou algum tempo para que os israelenses digerissem os resultados de uma vitória tão súbita e completa. Os palestinos, vendo-se em sua maioria unidos sob domínio israelense, exigiram uma existência nacional separada e independente. Os israelenses começaram a administrar as terras conquistadas praticamente como partes de Israel. O Conselho das Nações Unidas finalmente conseguiu em novembro chegar a um acordo sobre a Resolução 242, por cujos termos haveria paz dentro de fronteiras seguras e reconhecidas, Israel se retiraria dos territórios que tinha conquistado, e se cuidaria dos refugiados. Mas houve desacordo sobre o modo como isso devia ser interpretado; se os palestinos deviam ser encarados como uma nação ou uma massa de refugiados individuais. Os chefes de estados árabes adotaram sua própria resolução numa conferência realizada em Cartum, em setembro de 1967: nenhum reconhecimento das conquistas israelenses e nenhuma negociação. Também aqui, porém, poderia haver interpretações diferentes: para o Egito e a Jordânia pelo menos, o caminho ainda estava aberto para um acordo negociado.

25. UNIÃO E DESUNIÃO ÁRABE (DEPOIS DE 1967)

A CRISE DE 1973

'Abd al-Nasser viveu mais três anos após a sua derrota. A posição dele no mundo árabe fora seriamente abalada por ela; suas relações com os Estados Unidos e a Grã-Bretanha azedaram com a acusação, na qual ele acreditava, de que eles haviam ajudado militarmente Israel durante a guerra, e pela insistência americana em que Israel só se retiraria dos territórios conquistados em troca da paz. A posição de Nasser em relação a outros governantes árabes foi enfraquecida quando as limitações de seu poder se tornaram claras. Um dos resultados imediatos da guerra de 1967 foi que ele reduziu suas perdas no Iêmen e fez um acordo com a Arábia Saudita pelo qual retiraria suas forças.

Dentro do Egito, porém, a posição de 'Abd al-Nasser continuou forte. No fim da fatídica semana de junho de 1967 ele anunciou sua renúncia, mas isso provocou generalizados protestos no Egito e em outros países árabes, talvez devido a uma habilidosa organização, mas talvez por um sentimento de que sua renúncia seria uma derrota e humilhação maiores. O domínio que ele tinha sobre o sentimento popular em outros países árabes também continuou forte. Tanto por sua estatura quanto pela reconhecida posição do Egito, ele era o intermediário indispensável entre os palestinos e aqueles entre os quais eles viviam. Nos anos seguintes a 1967, o crescimento do sentimento nacional palestino e a força crescente do Fatah, que controlou a OLP a partir de 1969, levaram a vários incidentes de ação guerrilheira contra Israel, e a represálias israelenses contra as terras onde os palestinos tinham alguma liberdade de ação. Em 1969, a intervenção egípcia propiciou um acordo entre o governo libanês e a

542

OLP, estabelecendo os limites dentro dos quais a OLP teria liberdade de ação para operar no sul do Líbano. No ano seguinte, 1970, irrompeu uma séria luta na Jordânia entre o exército e grupos de guerrilha palestinos, que pareciam a ponto de tomar o poder no país. O governo jordaniano conseguiu impor sua autoridade e acabar com a liberdade de ação dos grupos palestinos, e mais uma vez foi a mediação de 'Abd al-Nasser que fez a paz entre eles.

Imediatamente após isso, 'Abd al-Nasser morreu de repente. As cenas extraordinárias em seu funeral, com milhões chorando nas ruas, certamente significavam alguma coisa; pelo menos no momento, era difícil imaginar o Egito ou o mundo árabe sem ele. Sua morte foi o fim de uma era de esperança de um mundo árabe unido e renovado.

'Abd al-Nasser foi sucedido por um colega de longa data, Anwar Sadat (1918-81). Pareceu a princípio que o Egito continuaria como antes. Também em outros países árabes as mudanças em 1969 e 1970 levaram ao poder pessoas que pareciam capazes de seguir uma política mais ou menos semelhante ao nasserismo, ou pelo menos consistente com ele. No Marrocos e na Tunísia, é verdade, não houve mudança básica nessa época; o rei Hasan e os que o cercavam, e Burguiba e o Neo-Destur, permaneceram no poder. Também na Argélia a mudança dentro do grupo governante ocorrera alguns anos antes. Mais a leste, o governo do rei Faysal na Arábia Saudita, do rei Hussein na Jordânia, e as dinastias dos estados do golfo Pérsico continuaram. Na Líbia, porém, uma conhecida combinação de oficiais e intelectuais radicais derrubou a monarquia em 1969; após algum tempo, surgiu no novo grupo governante a figura dominante de um oficial, Muammar al-Kadhafi. No Sudão, um grupo semelhante, liderado por Jaafar al-Nimeiri, derrubou o regime constitucional em 1969. Na Síria, o regime ba'thista, que se envolvera profundamente na derrota de 1967, foi substituído em 1970 por um grupo de oficiais liderados por Hafez al-Asad, também pertencentes ao Ba'th porém mais cautelosos em política. No Iraque, um período de governo por coalizões mais ou menos instável de oficiais do exército e civis foi encerrado quando um grupo mais coeso ligado ao Ba'th tomou o poder em 1968; Sadam Hussein emergiu aos poucos como sua figura mais forte. No Iêmen do Sul, também, 1969 foi um ano crítico. A coalizão de forças que tomara o poder com o advento da independência foi substituída por um grupo mais estritamente marxista. No Iêmen do Norte, porém, esses anos não assinalaram uma mudança decisiva: o fim da guerra civil levou ao poder uma coalizão de elementos dos dois lados, cujas relações uns com os outros ainda precisavam ser definidas. Só em 1974 estabeleceu-se um regime mais ou menos estável, com apoio do exército e de alguns poderosos líderes tribais.

Em 1973, ocorreram fatos não menos dramáticos que os de 1967, e que pareceram assinalar um novo estágio no caminho da unidade árabe e da reasserção de independência diante das grandes potências. Mais uma vez, houve um confronto com Israel. Já antes da morte de 'Abd al-Nasser, o desejo de compensar a derrota de 1967 revelara-se numa "guerra de atrito" ao longo do canal de Suez e no rearmamento dos exércitos egípcio e sírio pela URSS. No início de 1970, o novo governante do Egito, Sadat, fez uma certa mudança na política quando pediu a retirada de consultores e técnicos soviéticos, mas o exército continuou sendo equipado e treinado pelos soviéticos, e em outubro de 1973 desfechou um súbito ataque às forças israelenses na margem oriental do canal de Suez; no mesmo instante, e por acordo, o exército sírio atacava os israelenses em Golan.

Na primeira onda de luta, o exército egípcio conseguiu atravessar o canal e estabelecer uma cabeça-de-ponte, e os sírios ocuparam parte de Golan; armas fornecidas pelos russos possibilitaram-lhes neutralizar a força aérea israelense, que conquistara a vitória de 1967. Nos poucos dias seguintes, porém, a maré militar virou. Forças israelenses atravessaram o canal e estabeleceram sua própria cabeça-de-ponte na margem ocidental, e empurraram os sírios para Damasco. Além de sua habilidade, o sucesso dos israelenses deveu-se em parte ao equipamento que lhes foi enviado às pressas pelos americanos, e em parte a divergências políticas entre o Egito e a Síria que logo se revelaram. As campanhas mostraram mais uma vez a superioridade militar dos israelenses, mas nem aos olhos dos árabes nem aos do mundo a guerra pareceu uma derrota. Os ataques tinham mostrado cuidadoso planejamento e séria determinação; haviam atraído não apenas simpatia, mas ajuda financeira de outros países árabes; e terminaram num cessar-fogo imposto pela influência das superpotências que mostrou que, embora os Estados Unidos não permitissem que Israel fosse derrotado, nem eles nem a URSS permitiriam que o Egito tampouco o fosse, e não desejavam que a guerra se intensificasse a ponto de arrastá-los.

Parte do motivo da intervenção das potências foi o uso pelos países árabes do que parecia ser sua arma mais forte — o poder de impor um embargo à exportação de petróleo. Pela primeira e talvez última vez, essa arma foi usada com sucesso. Os países árabes produtores de petróleo decidiram reduzir sua produção enquanto Israel permanecesse ocupando terras árabes, e a Arábia Saudita impôs um embargo total às exportações para os Estados Unidos e a Holanda, vista como o mais favorável a Israel entre os países da Europa Ocidental, e também o centro do mercado livre de petróleo.

Os efeitos dessas decisões foram tanto maiores porque coincidiram mais ou menos com outra mudança para a qual os países exportadores de petróleo vinham se dirigindo havia algum tempo. A demanda de petróleo do Oriente Médio crescia, à medida que as necessidades dos países industriais aumentavam mais que a produção, e a Organização dos Países Exportadores de Petróleo (OPEP) vinha se tornando mais forte e mais decidida a aumentar sua parcela dos lucros, que era uma proporção menor do preço que a quantia cobrada em impostos pelos países consumidores que importavam petróleo. No fim de 1973, a OPEP decidiu aumentar os preços de venda do petróleo em cerca de 300%; o Irã e os países árabes foram os articuladores básicos dessa decisão. (O aumento no preço pago pelo consumidor foi menor, porém, já que os impostos e outros custos não aumentaram tanto.)

A PREDOMINÂNCIA DA INFLUÊNCIA AMERICANA

Dentro de poucos anos, porém, tornou-se claro que o que poderia ter parecido uma declaração de independência política e econômica foi na verdade um primeiro passo para uma maior dependência em relação aos Estados Unidos. A iniciativa fora tomada, como tinha sido em toda iniciativa árabe nos últimos vinte anos mais ou menos, pelo Egito. Para Sadat, a guerra de 1973 não tinha sido travada para conseguir vitória militar, mas para dar uma chacoalhada nas superpotências, a fim de que elas tomassem a iniciativa na negociação de algum acordo sobre os problemas entre Israel e os árabes que impedisse uma outra crise e um confronto perigoso. Foi isso de fato o que aconteceu, mas de uma forma que aumentou o poder de uma das superpotências, os EUA. A intervenção dos americanos na guerra tinha sido decisiva, primeiro com o fornecimento de armas a Israel para impedir sua derrota, e depois propiciando um equilíbrio de forças que conduzia a um acordo. Nos dois anos seguintes, a mediação americana levou a um acordo sírio-israelense pelo qual Israel se retirou de parte do território sírio conquistado em 1967 e 1973, e a dois acordos semelhantes entre Israel e Egito. Houve uma breve e abortiva tentativa de levar as duas superpotências, Israel e os estados árabes a uma conferência geral sob os auspícios das Nações Unidas, mas a linha mestra da política americana era excluir o máximo possível a União Soviética do Oriente Médio, apoiar Israel política e militarmente, levá-lo a acordos com os países árabes pelos quais ele se retiraria dos territórios ocupados em troca de paz, mas manter a OLP fora das discussões, em deferência aos desejos israelenses, pelo menos enquanto a OLP não reconhecesse Israel.

Essa política mudou por um breve período em 1973, quando um novo presidente americano, Jimmy Carter, tentou formular uma abordagem conjunta do problema pelos EUA e a URSS, e encontrar um meio pelo qual os palestinos fossem atraídos ao processo de negociação. Esses esforços, porém, não deram em nada por dois motivos: a oposição israelense, que aumentou quando um governo mais fortemente nacionalista tomou o poder em Israel, tendo Menahem Begin como primeiro-ministro; e a súbita decisão de Sadat, em novembro de 1977, de ir a Jerusalém e oferecer a Israel uma abertura para a paz por meio de negociação direta.

Era visível que Sadat tinha em mente tentar pôr um fim à seqüência de guerras que, acreditava, os árabes não poderiam vencer, mas também havia perspectivas mais amplas: as negociações diretas, patrocinadas pelos EUA, eliminariam a União Soviética como um fator no Oriente Médio; uma vez em paz com Israel, o Egito poderia tornar-se um aliado mais importante para os americanos, com todas as conseqüências que disso poderiam resultar, tanto em apoio econômico quanto numa atitude americana mais favorável para as reivindicações dos árabes palestinos. Na mente do governo israelense da época, o objetivo era outro: fazer a paz com o Egito, seu mais formidável inimigo, mesmo ao preço da retirada do Sinai, e por conseguinte libertar as mãos para o objetivo essencial de sua política — instalar colonos judeus nos territórios conquistados da Margem Ocidental, e aos poucos anexá-los, e poder lidar efetivamente com qualquer oposição da Síria ou da OLP. Nas discussões que se seguiram à viagem de Sadat, portanto, a questão central era a da conexão a ser estabelecida entre uma paz egípcio-israelense e o *status* futuro da Margem Ocidental. Quando se chegou finalmente a um acordo, com a mediação americana, em 1978 (o "Acordo de Camp David"), ficou claro que nessa questão essencial prevalecera a opinião israelense contra a egípcia, e até certo ponto a dos Estados Unidos. Segundo o acordo, haveria paz formal entre Egito e Israel, e um certo tipo de autonomia, a ser definida depois, para a Margem Ocidental e Gaza; e, após cinco anos, teriam início as discussões sobre o *status* definitivo. Nas discussões posteriores sobre autonomia, logo ficou claro que as idéias israelenses eram diferentes das do Egito e dos Estados Unidos, e Israel recusou-se a suspender sua política de colonização judia dos territórios conquistados.

O presidente Sadat foi assassinado em 1981 por membros

de um grupo que se opunha à sua política e desejava restaurar as bases islâmicas da sociedade egípcia, mas as linhas principais de sua política foram mantidas pelo sucessor, Hosni Mubarak. Nos anos seguintes, as relações do Egito com os Estados Unidos se estreitaram, e ele recebeu muita ajuda econômica e militar. O acordo com Israel, porém, foi repudiado não só pelos palestinos, mas pela maioria dos outros estados árabes, com maior ou menor grau de convicção, e o Egito foi formalmente expulso da Liga Árabe, que mudou seu quartel-general do Cairo para Túnis. Apesar disso, as vantagens a serem obtidas de um alinhamento mais de perto com a política americana eram tão grandes que vários outros países árabes também se deslocaram nessa direção: Marrocos, Tunísia, Jordânia, e em particular os países produtores de petróleo da península Arábica, pois, após o auge de sua influência em 1973, logo se tornou claro que a riqueza oriunda do petróleo podia gerar mais fraqueza que força.

Julgada por todos os padrões anteriores, essa riqueza era de fato muito grande. Entre 1973 e 1978, as receitas anuais do petróleo nos principais países produtores árabes cresceram enormemente: na Arábia Saudita, de 4,35 bilhões para 36 bilhões de dólares; no Kuwait, de 1,7 bilhão para 9,2 bilhões; no Iraque, de 1,8 bilhão para 23,6 bilhões; na Líbia, de 2,2 bilhões para 8,8 bilhões. Alguns outros países também aumentaram muito sua produção, em particular Qatar, Abu Dhabi e Dubai. O controle dos países sobre seus recursos também se expandiu. Em 1980, todos os principais estados produtores tinham ou nacionalizado a produção de petróleo ou adquirido uma maior participação nas empresas operadoras, embora as grandes empresas multinacionais ainda tivessem uma posição forte no transporte e na venda. O aumento da riqueza levou a um aumento da dependência em relação aos países industrializados. Os países produtores tinham de vender seu petróleo, e os países industrializados eram seus principais clientes. Durante a década de 1970, o excesso de demanda sobre a procura chegou ao fim, por causa da recessão econômica, das tentativas de reduzir o consumo de combustível e da maior produção por países que não eram membros da OPEP;

a posição de negociação e a unidade da OPEP enfraqueceram-se, e não se pôde manter um nível alto e uniforme de preços. Os países que tinham receitas maiores do que podiam gastar em desenvolvimento, por limitações de população e recursos naturais, tinham de investir o excedente em algum lugar, e o fizeram em sua maior parte nos países industrializados. Também tinham de ir a esses países em busca de bens de capital e especialização técnica, que precisavam para o desenvolvimento econômico e para organizar suas forças armadas.

A crescente dependência teve outro aspecto. O uso, pelos países árabes, da arma do embargo em 1973 fez os estados industriais compreenderem a extensão de sua dependência do petróleo do Oriente Médio, e houve indícios, no correr da década, de que os Estados Unidos podiam intervir pela força se o fornecimento de petróleo viesse a ser interrompido de novo, fosse por causa de revoluções nos países produtores, fosse — na visão dos americanos — pelo perigo de uma extensão da influência soviética nos países do golfo Pérsico. A intervenção seria um último recurso, porém, e na maior parte os Estados Unidos dependiam de seus principais aliados na região do golfo Pérsico, Arábia Saudita e Irã. No fim da década de 1970, porém, a situação mudou. A ocupação russa do Afeganistão em 1979 suscitou temores, justificados ou não, de que a URSS talvez pretendesse estender mais seu controle no mundo do oceano Índico. A revolução iraniana de 1978-79 destruiu a posição do xá, o mais forte aliado dos Estados Unidos, e substituiu seu governo por um outro empenhado em fazer do Irã um Estado realmente islâmico, como primeiro passo para uma mudança semelhante em outros países muçulmanos; havia um certo perigo de que a revolução se espalhasse para oeste nos países vizinhos, o que iria perturbar o sistema político dos países do golfo e suas relações com os Estados Unidos. Essas considerações levaram à formulação de planos americanos para a defesa do golfo em caso de necessidade, em acordo com os estados do Oriente Médio dispostos a cooperar. Mas a maioria desses estados tentou manter certa distância de uma aliança plena com os americanos, e em

1981 a Arábia Saudita e os estados árabes menores criaram seu próprio Conselho de Cooperação do Golfo.

A abertura para o Ocidente foi mais que uma mudança na política externa ou militar; foi também uma mudança nas atitudes e políticas da maioria dos governos árabes em relação à economia. Foi uma mudança conhecida no Egito, significativamente, como *infitah* (política de porta aberta), nome de uma lei promulgada em 1974. Várias causas levaram a isso: o poder dos Estados Unidos, mostrado na guerra de 1973 e seus resultados; a necessidade de empréstimos e investimentos estrangeiros para desenvolver recursos e adquirir força, talvez também uma crescente consciência das limitações do controle do Estado na economia; e a pressão de interesses privados.

A *infitah* consistiu de dois processos, estreitamente ligados um ao outro. Por um lado, houve uma mudança no equilíbrio entre os setores público e privado da economia. Fora o Líbano, que praticamente não tinha setor público, mesmo os países mais comprometidos com a empresa privada mantiveram algumas áreas de controle público, pois não havia possibilidade de rápido desenvolvimento a não ser através do investimento e direção pelo Estado; na Arábia Saudita, por exemplo, a indústria do petróleo foi nacionalizada, e as maiores das novas empresas industriais pertenciam ao Estado. Na maioria dos países, porém, deu-se um espaço mais amplo à empresa privada, na agricultura, indústria e comércio. Isso foi mais visível no Egito, onde a década de 1970 assistiu a uma mudança rápida e de longo alcance do socialismo de Estado da década de 1960. Na Tunísia, uma tentativa de controle pelo Estado das importações e exportações, da produção industrial e da distribuição interna enfrentou dificuldades e foi encerrada em 1969. Na Síria e no Iraque, também, apesar dos princípios socialistas do Partido Ba'th, ocorreu uma mudança semelhante.

Segundo, a *infitah* significava uma abertura para investimentos e empresas do estrangeiro, e especificamente ocidentais. Apesar do acúmulo de capital da produção de petróleo, os recursos de capital da maioria dos países árabes não eram adequados aos desenvolvimentos rápidos e em larga escala com os quais a maioria dos governos se comprometera. O investimento dos Estados Unidos e da Europa, e de órgãos estrangeiros, era encorajado por garantias e privilégios fiscais, e reduziram-se as restrições às importações. Os resultados, no todo, não foram o que se esperava. Pouco capital privado estrangeiro foi atraído para os países onde, na maior parte, os regimes pareciam instáveis e as oportunidades de lucro incertas. A maior parte da ajuda veio de governos ou agências internacionais, e foi usada para armamentos, infra-estrutura e projetos custosos e superambiciosos. Parte da ajuda foi concedida sob condições, explícitas ou implícitas; a pressão do Fundo Monetário Internacional sobre o Egito para reduzir seu déficit levou a uma tentativa de elevar os preços dos alimentos, que provocou sérios distúrbios em 1977. Além disso, o afrouxamento das restrições às importações significou que as jovens indústrias locais começaram a enfrentar a concorrência de indústrias bem estabelecidas nos Estados Unidos, Europa Ocidental e Japão, pelo menos nas linhas de produção em que se precisava de um alto nível de especialização técnica e experiência. Como resultado, os países árabes, assim como a maioria dos do Terceiro Mundo, permaneceriam numa situação em que produziam bens de consumo para si mas importavam produtos que exigiam tecnologia mais sofisticada.

A INTERDEPENDÊNCIA DOS PAÍSES ÁRABES

A morte de 'Abd al-Nasser e os acontecimentos da década de 1970 enfraqueceram o que pode ter sido uma ilusão de independência, e também de unidade, mas sob certos aspectos os laços entre diferentes países árabes tornaram-se mais estreitos nesse período. Havia mais organizações interárabes que jamais houve, e algumas delas funcionavam. A Liga Árabe perdeu muito do que sempre fora uma autoridade limitada quando o Egito foi expulso, mas aumentou o número de seus membros: a Mauritânia, na África Ocidental, o Djibuti e a Somália, na África

Oriental, foram aceitos, embora nenhum deles tivesse sido visto anteriormente como um país árabe, e sua aceitação foi um sinal da ambigüidade do termo "árabe". Nas Nações Unidas e outros organismos internacionais, os membros da Liga muitas vezes conseguiram seguir uma política comum, sobretudo no que se referia ao problema dos palestinos.

As diferenças de interesse entre os estados que tinham recursos petrolíferos e os que não tinham foram diminuídas pela criação de instituições econômicas através das quais parte da riqueza dos países mais ricos podia ser dada ou emprestada aos mais pobres. Algumas dessas instituições eram supranacionais: o fundo especial criado pela OPEP, o estabelecido pela organização de países árabes produtores de petróleo (OPAEP), o Fundo Árabe de Desenvolvimento Econômico e Social. Outros foram instituídos por países individuais, Kuwait, Arábia Saudita e Abu Dhabi. No fim da década de 1970, o volume de ajuda era muito grande. Em 1979, cerca de 2 bilhões de dólares foram dados pelos países produtores de petróleo a outros países em desenvolvimento, através de vários canais; isso era 2,9% de seu PNB.

Outros tipos de ligação eram mais importantes, por serem entre seres humanos individuais, além das sociedades das quais eles faziam parte. Estava em processo de formação uma cultura comum. A rápida expansão da educação que começara quando os países se tornaram independentes continuou com acelerada rapidez, em todos os países, em maior ou menor grau. Em 1980, a proporção de meninos com idade entre sete e dez anos que estudavam era de 88% no Egito e 57% na Arábia Saudita; o de meninas era de 90% no Iraque e 31% na Arábia Saudita. O índice de alfabetização no Egito era de 56,8% para homens e 29% para mulheres. No Egito e na Tunísia, quase um terço dos estudantes universitários era de mulheres, e no Kuwait mais de 50%; mesmo na Arábia Saudita, a proporção era quase de um quarto. A qualidade das escolas e das universidades variava; a necessidade de educar o máximo possível, o mais cedo possível, significou que as classes eram grandes, os professores não tinham bom treinamento e os prédios eram inadequados. Um fator comum na maioria das escolas era a ênfase no ensino do árabe, e de outras matérias através do árabe. Para a maioria dos que deixavam as escolas e dos diplomados universitários, o árabe era a única língua em que se sentiam à vontade, e o meio através do qual viam o mundo. Isso fortaleceu a consciência de uma cultura comum partilhada por todos os que falavam árabe.

Essa cultura e essa consciência comuns eram agora disseminadas por um novo meio. Rádio, cinema e jornais continuaram sendo importantes, mas à sua influência acrescentou-se a da televisão. A década de 1960 foi a década na qual os países árabes estabeleceram estações de televisão, e o aparelho de TV tornou-se parte essencial da casa, dificilmente menos importante que o fogão ou a geladeira, em todas as classes, com exceção das mais pobres, e dos que viviam em aldeias ainda não alcançadas pela eletricidade. Em 1973, estimava-se que havia cerca de 500 mil aparelhos no Egito, um número idêntico no Iraque, e 300 mil na Arábia Saudita. As transmissões incluíam notícias, apresentadas de modo a angariar apoio para a política do governo, programas religiosos na maioria dos países, em maior ou menor grau, filmes ou séries importados dos Estados Unidos e da Europa, e também peças e programas musicais feitos no Egito e no Líbano; as peças veiculavam idéias, imagens e, o mais frágil de todos, o humor, através das fronteiras dos estados árabes.

Outro elo entre os estados árabes que se estreitou nesses dez anos foi o criado pela movimentação de indivíduos. Esse foi o período em que o transporte aéreo chegou ao alcance das possibilidades de grandes camadas da população. Construíram-se aeroportos, a maioria dos países tinha suas empresas aéreas nacionais, rotas aéreas ligavam as capitais árabes umas às outras. A viagem rodoviária também aumentou, à medida que as estradas eram melhoradas e automóveis e ônibus se tornavam mais comuns: o Saara e os desertos sírio e árabe foram cortados por estradas bem conservadas. Apesar dos conflitos políticos que podiam fechar fronteiras e deter viajantes ou produtos, essas estradas transportavam números crescentes de turistas e homens de negócios; os esforços feitos pela Liga Árabe e outros organismos para fortalecer os laços comerciais entre os países árabes tiveram um certo êxito, embora o comércio interárabe ainda representasse menos de 10% do comércio externo dos países árabes em 1980.

A mais importante movimentação pelas rotas terrestres e aéreas, porém, não foi de produtos, mas de migrantes dos países árabes mais pobres para os enriquecidos pelo petróleo. O movimento de migração iniciara-se na década de 1950, mas em fins da de 1960 e na de 1970 o fluxo aumentou, por dois diferentes fatores. Por um lado, o imenso aumento nos lucros do petróleo e a criação de ambiciosos projetos de desenvolvimento elevaram a demanda de mão-de-obra nos estados produtores de petróleo, e cresceu o número desses estados; além da Argélia e do Iraque, nenhum deles tinha a força humana necessária, em vários níveis, para desenvolver seus recursos. Por outro lado, a pressão da população nos países mais pobres tornou-se maior, e as perspectivas de migração mais atrativas. Este foi particularmente o caso do Egito após 1967; houve pouco crescimento econômico, e o governo estimulou a migração no período da *infitah*. O que tinha sido basicamente um movimento de homens jovens educados tornava-se agora uma migração em massa de trabalhadores de todos os níveis de qualificação, para trabalhar não só no funcionalismo público e nas profissões liberais, mas como peões de obra ou no serviço doméstico. Em sua maior parte, foi um movimento de homens solteiros, ou, cada vez mais, de mulheres que abandonavam as famílias; mas os palestinos, tendo perdido suas casas, tendiam a mudar-se com famílias inteiras, e a instalar-se permanentemente nos países de migração.

As estimativas do número total de trabalhadores não podem ser precisas, mas no fim da década de 1970 pode ter havido até 3 milhões de migrantes árabes, talvez metade na Arábia Saudita, com grandes números também no Kuwait, nos outros estados do golfo Pérsico e na Líbia. O grupo maior, talvez um terço do número total, vinha do Egito, e um número semelhante dos dois Iêmens; 500 mil eram jordanianos ou palestinos (incluindo os dependentes dos trabalhadores), e números menores vinham da Síria, Líbano, Sudão, Tunísia e Marrocos. Também houve alguma migração entre os países mais pobres: à medida que os jordanianos se mudavam para o golfo Pérsico, egípcios tomavam seus lugares em algumas áreas da economia jordaniana.

O maior conhecimento de povos, costumes e dialetos trazido por essa migração em grande escala deve ter aprofundado o senso da existência de um único mundo árabe, dentro do qual os árabes podiam movimentar-se com relativa liberdade e entender-se uns aos outros. Não aumentou necessariamente, porém, o desejo de união mais estreita; havia também uma consciência das diferenças, e os migrantes sabiam que eram excluídos das sociedades locais para as quais se mudavam.

DESUNIÃO ÁRABE

Apesar do fortalecimento desses laços, na esfera política a principal tendência da década de 1970 foi mais para a diferença e mesmo hostilidade do que para uma maior união. Embora a personalidade de 'Abd al-Nasser tenha despertado hostilidades e levado a divisões entre estados árabes e a conflitos entre governos e povos, ainda assim gerou uma espécie de solidariedade, uma sensação de que havia uma nação árabe em construção. Durante os primeiros anos após a morte dele, alguma coisa disso continuou, e sua última manifestação foi na guerra de 1973, quando pareceu por um instante haver uma frente comum de estados árabes, independente da natureza de seus regimes. Mas a frente comum se desintegrou quase imediatamente; e embora ainda se discutissem e anunciassem de vez em quando tentativas de união entre dois ou mais estados árabes, a impressão geral que os estados árabes davam a seus povos e ao mundo no fim da década de 1970 era de fraqueza e desunião.

A fraqueza era mostrada mais obviamente em relação ao que os povos árabes encaravam como seu problema comum: o de Israel e o destino dos palestinos. Em fins da década de 1970, a situação nas regiões ocupadas por Israel na guerra de 1967 mudava rapidamente. A política de assentamento judeu, iniciada logo depois da guerra de 1967 por motivos em parte estratégicos, assumira um novo significado com a chegada ao poder em Israel do governo mais rigidamente nacionalista chefiado por Begin; o assentamento se fez em grande escala, com expropriação de terra e água dos habitantes árabes, e com o objetivo último de anexar essa área a Israel; a parte árabe de Jerusalém e a região de Golan conquistada à Síria foram na verdade formalmente anexadas. Diante de tais medidas, tanto os palestinos quanto os estados árabes pareceram impotentes. A OLP e seu dirigente, Yasser 'Arafat, podiam falar pelos palestinos nas áreas ocupadas e obter apoio internacional, mas não mudar a situação de qualquer modo apreciável. Nenhum dos caminhos de ação que, teoricamente, estavam abertos aos estados árabes parecia levar a parte alguma. A oposição ativa a Israel era impossível, em vista do poder armado superior dos israelenses, e dos interesses separados dos estados árabes, que eles não pareciam dispostos a pôr em perigo. O caminho tentado pelo Egito resultou numa retirada israelense do Sinai, mas logo se tornou claro que o Egito não obtivera suficiente influência sobre Israel para convencê-lo a mudar sua política, ou sobre os EUA para levá-los a opor-se mais à política israelense que de uma maneira formal.

A fraqueza militar, o crescimento de interesses separados e da dependência econômica, tudo levou a uma desintegração de qualquer frente comum que parecera existir até a guerra de 1973. A linha óbvia ao longo da qual ela se desintegrou foi a que dividia os estados cuja inclinação última eram os EUA, um compromisso político com Israel e uma economia livre capitalista, e os que se apegavam a uma política de neutralismo. Achava-se que entre os que estavam neste segundo campo incluíam-se a Argélia, Líbia, Síria, Iraque e Iêmen do Sul, juntamente com a OLP, formalmente encarada pelos estados árabes como tendo o *status* de um governo separado.

Na prática, porém, as linhas não eram tão claramente definidas, e alianças entre países individuais podiam atravessá-las. Dentro de cada campo, as relações não eram necessariamente claras ou fáceis. Entre os "pró-Ocidente", a política independente adotada pelo Egito no trato com Israel causava hesitação e vexame, e praticamente todos os estados árabes cortaram formalmente relações com ele, embora não cortassem o fluxo de remessas de dinheiro dos migrantes para suas famílias. No outro campo, havia variadas relações com a outra superpotência; Síria, Iraque e Iêmen do Sul obtinham ajuda militar e econômica da URSS. Também havia um profundo antagonismo entre os dois regimes ba'thistas, da Síria e do Iraque, causado por rivalidade pela liderança do que pareceu por um tempo ser um partido nacionalista poderoso e em expansão e por diferentes interesses entre países que tinham uma fronteira comum e partilhavam o sistema de água do Eufrates. Além disso, havia um interminável atrito com a Líbia, cuja figura dominante, Kadhafi, parecia às vezes estar tentando tomar o manto de 'Abd al-Nasser, sem qualquer base de força, a não ser a que o dinheiro podia proporcionar.

Nesse período, houve três conflitos armados sérios, que afetaram gravemente as relações entre os estados árabes. O primeiro ocorreu no extremo oeste do mundo árabe. Referia-se a um território conhecido como Saara Ocidental, uma extensão ocidental escassamente povoada do deserto do Saara até a costa atlântica no sul do Marrocos. Fora ocupado e governado pela Espanha desde fins do século XIX, mas tinha pouca importância estratégica ou econômica até a descoberta na década de 1960 de importantes jazidas de fosfatos, que uma empresa espanhola extraía. Na década de 1970, o Marrocos começou a reivindicar a área, porque a autoridade do sultão tinha antes chegado até lá. A Espanha opunha-se a essas reivindicações, e também a Mauritânia, país imediatamente ao sul, que estivera sob domínio francês desde os primeiros anos do século XX, tornara-se independente em 1960 e também reivindicava parte do território. Após um longo processo diplomático, Espanha, Marrocos e Mauritânia chegaram a um acordo em 1975, pelo qual a Espanha se retiraria e o território seria dividido entre os outros dois. Mas isso não encerrou a crise; a essa altura, o povo do território tinha organizado seus próprios movimentos políticos, e após o acordo de 1975 um deles, conhecido pelo acrônimo de "Polisario", surgiu como oponente das reivindicações marroquinas e mauritanas e exigiu a independência. A Mauritânia desistiu de suas reivindicações em 1979, mas o Marrocos continuou envolvido numa longa luta com a Polisario, que tinha o apoio da Argélia, país que também dividia uma fronteira com o território e não queria ver a extensão do poder marroquino. Teve início um conflito que iria continuar, de uma forma ou de outra, por vários anos, e complicar as relações não apenas entre Marrocos e Argélia, mas também dentro das organizações das quais os dois faziam parte: a Liga Árabe e a Organização da Unidade Africana.

Outro conflito, que estourou no Líbano mais ou menos na mesma época, arrastou para si, de uma forma ou de outra, as principais forças políticas do Oriente Médio: os estados árabes, a OLP, Israel, a Europa Ocidental e as superpotências. Tinha origens em certas mudanças na sociedade libanesa que punham em questão o sistema político. Quando o Líbano se tornou independente, na década de 1940, incluiu três regiões com diferentes tipos de população e tradições de governo: a região do monte Líbano, com uma população sobretudo cristã maronita no norte e drusa e cristã no norte e no sul, as cidades litorâneas de população mista, muçulmana e cristã, e certas áreas rurais a leste e ao sul do monte Líbano, onde a população era basicamente muçulmana xiita. A primeira dessas áreas tinha uma longa tradição de administração separada sob seus próprios senhores, e depois como um distrito privilegiado do Império Otomano; a segunda e a terceira tinham sido parte integrante do Império, e incorporadas ao Líbano pelo governo mandatário francês. O novo Estado tinha uma constituição democrática e, quando os franceses deixaram o país, houve um acordo entre os líderes dos maronitas e dos muçulmanos sunitas de que o presidente da República seria sempre maronita, o primeiro-ministro sunita, e outros postos do governo e da administração distribuídos entre as diferentes comunidades religiosas, mas de modo a preservar o poder efetivo em mãos cristãs.

Entre 1945 e 1958, o sistema conseguiu manter um equilíbrio e um certo grau de cooperação entre os líderes das diferentes comunidades, mas no período de uma geração suas bases começaram a se enfraquecer. Houve uma mudança demográfica: a população muçulmana cresceu mais rápido que a cristã, e na década de 1970 admitia-se em geral que as três comunidades coletivamente vistas como muçulmanas (sunitas, xiitas e drusos) eram maiores em número que as comunidades cristãs, e alguns de seus líderes mostravam-se menos dispostos a aceitar uma situação em que a presidência e o poder último ficavam nas mãos dos cristãos. Além disso, as rápidas mudanças econômicas no país e no Oriente Médio haviam levado à transformação de Beirute numa grande cidade, na qual metade da população do país vivia e mais da metade trabalhava. O Líbano tornara-se uma extensa cidade-Estado; precisava do controle de um governo forte e eficaz. O fosso entre ricos e pobres aumentara, e os pobres eram sobretudo muçulmanos sunitas ou xiitas; precisavam de uma redistribuição de riqueza, através de impostos e serviços sociais. Um governo baseado num frágil acordo entre líderes não estava em boa posição para fazer o que se exigia, pois só podia sobreviver se não seguisse qualquer política que perturbasse interesses poderosos.

Em 1958 o equilíbrio se desfez, e houve vários meses de guerra civil, que terminou com uma reasserção do equilíbrio sob o *slogan* "Não há vencedores, não há vencidos". Mas as condições subjacentes que haviam levado ao colapso continuaram existindo, e na década e meia seguinte acrescentou-se a elas um outro fator — o papel maior desempenhado pelo Líbano no confronto entre os palestinos e Israel. Depois que o poder da Fatah e outras organizações guerrilheiras na Jordânia foi quebrado em 1970, os principais esforços deles concentraram-se no sul do Líbano, cuja fronteira com Israel era a única através da qual podiam esperar operar com alguma liberdade, e com apoio da grande população de refugiados palestinos. Isso causou alarme em importantes elementos entre os cristãos, e em particular no seu mais bem organizado partido político, o Kata'ib (Partido Falangista): tanto porque as atividades palestinas no sul estavam levando a uma forte reação israelense, que podia ameaçar a independência do país, quanto porque a presença de palestinos dava apoio aos grupos, sobretudo muçulmanos e drusos, que queriam mudar o sistema político no qual o poder ficava sobretudo em mãos cristãs.

Em 1975 houve um perigoso confronto de forças, e cada protagonista encontrou armas e encorajamento no exterior: o Kata'ib e seus aliados em Israel, os palestinos e seus aliados na Síria. A luta séria irrompeu na primavera daquele ano, e continuou, com altos e baixos, até fins de 1976, quando se chegou a uma trégua mais ou menos estável. A principal instigadora disso foi a Síria, que mudara a política durante o período da luta. Tinha apoiado os palestinos e seus aliados no início, mas depois aproximara-se do Kata'ib e seus aliados, quando eles pareciam em perigo de derrota: seu interesse estava basicamente em manter um equilíbrio de forças que contivesse os palestinos e lhes dificultasse seguir uma política no sul do Líbano que arrastasse a Síria a uma guerra com Israel. Para preservar esses interesses, enviou forças armadas ao Líbano, com uma certa aprovação dos outros estados árabes e dos EUA, e elas permaneceram lá após o fim da luta. Seguiram-se uns cinco anos de incômoda trégua. Grupos maronitas dominavam no norte, o exército sírio estava no leste, e a OLP dominava no sul. Beirute dividiu-se entre uma parte oriental, controlada pelo Kata'ib, e uma parte ocidental, controlada pela OLP e seus aliados. A autoridade do governo quase deixara de existir. O poder incontido da OLP no sul levava-a a um intermitente conflito com Israel, que em 1978 desencadeou uma invasão; foi detido por pressão internacional, mas deixou atrás um governo sob controle israelense numa faixa ao longo da fronteira. A invasão e a situação perturbada no sul levaram os habitantes xiitas da área a criar sua própria força política e militar, o Amal.

Em 1982, a situação adquiriu uma dimensão mais perigosa. O governo nacionalista em Israel, tendo assegurado a fronteira sul pelo tratado de paz com o Egito, tentava agora impor sua própria solução do problema dos palestinos. Isso envolveu uma

560

tentativa de destruir o poder militar e político da OLP no Líbano, instalar um regime amistoso lá e depois, livre da resistência efetiva palestina, seguir sua política de assentamento e anexação da Palestina ocupada. Com certo grau de aquiescência dos EUA, Israel invadiu o Líbano em junho de 1982. A invasão culminou num longo sítio à parte ocidental de Beirute, habitada sobretudo por muçulmanos e dominada pela OLP. O sítio acabou com um acordo, negociado através do governo americano, pelo qual a OLP evacuaria Beirute Ocidental, com garantias de segurança para os civis palestinos dadas pelos governos libanês e americano. Ao mesmo tempo, uma eleição presidencial resultou em o chefe militar do Kata'ib, Bechair Gemayel, tornar-se presidente; ele foi assassinado logo depois, e seu irmão, Amin, foi eleito então. O assassinato foi tomado por Israel como uma oportunidade para ocupar Beirute Ocidental, e isso permitiu que o Kata'ib efetuasse um massacre de palestinos em larga escala nos acampamentos de refugiados de Sabra e Chatila.

A retirada da OLP, embora encerrasse a luta por algum tempo, fez o conflito passar para uma fase mais perigosa. O fosso entre grupos locais aumentou. O novo governo, dominado pelo Kata'ib e apoiado por Israel, tentou impor sua solução: concentração de poder em suas mãos, e um acordo pelo qual forças israelenses se retirariam em troca de um virtual controle político e estratégico do país. Isso despertou forte oposição de outras comunidades, os drusos e xiitas, com apoio da Síria. Embora a invasão houvesse mostrado a impotência da Síria ou de outros países árabes para empreender uma ação combinada e efetiva, tropas sírias continuavam em partes do país, e a influência síria era forte junto aos que se opunham ao governo. A Síria e seus aliados podiam obter um certo apoio da URSS, enquanto os EUA estavam em posição de dar apoio tanto militar quanto diplomático ao Kata'ib e a seus arrimos israelenses. Como uma das condições sob as quais a OLP deixou Beirute, uma tropa militar com forte elemento americano fora enviada ao Líbano. Fora rapidamente retirada, mas retornou após o massacre de Sabra e Chatila. A partir desse momento, o componente americano na força multinacional foi aos poucos aumentando suas funções, de defesa da população civil para apoio ativo ao novo governo libanês e a um acordo líbano-israelense que ajudou a negociar em 1983. Nos últimos meses daquele ano, a força estava empenhada em operações militares de apoio ao governo libanês, mas, após ataques aos *marines*, e sob pressão da opinião pública americana, retirou suas forças. Sem apoio efetivo americano ou israelense, e enfrentando forte resistência dos drusos, xiitas e da Síria, o governo libanês cancelou o acordo com Israel. Um dos resultados desse episódio foi o surgimento do Amal e outros grupos xiitas como grandes fatores na política libanesa. Em 1984, o Amal tomou o controle de fato de Beirute; foi em parte sob sua pressão que as forças israelenses se retiraram de todo o Líbano, com exceção de uma faixa ao longo da fronteira sul.

Um terceiro conflito nesses anos envolveu um estado árabe com um não-árabe, e ameaçou arrastar outros estados árabes; foi a guerra entre Iraque e Irã, que começou em 1980. Havia certas questões de fronteira em causa entre eles, que tinham sido resolvidas em favor do Irã em 1975, quando o xá estava no auge de seu poder no mundo. A revolução iraniana, e o período de confusão e aparente fraqueza que a seguiu deram ao Iraque a oportunidade de refazer o equilíbrio. Mas havia algo mais importante em causa. O novo regime iraniano apelara aos muçulmanos em toda parte para que restaurassem a autoridade do Islã na sociedade, e talvez parecesse ter uma atração especial pela maioria xiita do Iraque; o regime iraquiano enfrentou um duplo desafio, como um governo nacionalista secular e como um governo dominado por muçulmanos sunitas. Em 1980, o exército iraquiano invadiu o Irã. Após seus primeiros sucessos, porém, não conseguiu ocupar parte alguma do país permanentemente, e depois de um tempo o Irã pôde tomar a ofensiva e invadir o Iraque. A guerra não cindiu a sociedade iraquiana, pois os xiitas do Iraque permaneceram pelo menos aquiescentes, mas de certa forma cindiu o mundo árabe. A Síria apoiou o Irã, por causa de seu próprio desacordo com o Iraque, mas a maioria dos outros estados deu apoio financeiro ou militar ao Iraque, porque uma vitória iraniana perturbaria o sistema político no golfo Pérsico e podia também afetar a ordem da sociedade em países onde o sentimento muçulmano, e sobretudo xiita, era forte.

A luta acabou chegando ao fim com um cessar-fogo negociado pelas Nações Unidas em 1988. Nenhum dos lados ganhou território, e os dois sofreram pesadamente em vidas humanas e recursos econômicos. Num certo sentido, porém, os dois resgataram alguma coisa: nenhum regime desmoronou sob a pressão da guerra, e a revolução iraniana não se espalhara para o Iraque ou o golfo Pérsico.

O fim da guerra entre Iraque e Irã abriu perspectivas de uma mudança nas relações entre estados árabes. Pareceu provável que o Iraque, com suas energias liberadas e com um exército bem treinado na guerra, fosse desempenhar um papel mais ativo em outras esferas: no golfo Pérsico, e na política geral do mundo árabe. Suas relações com o Egito e a Jordânia haviam sido fortalecidas pela ajuda que eles lhe tinham dado durante a guerra; as com a Síria estavam ruins, porque a Síria ajudara ao Irã, e como oponente da Síria o Iraque podia intervir mais ativamente nos emaranhados assuntos do Líbano.

O problema da Palestina também passou para uma nova fase em 1988. No fim do ano anterior, a população dos territórios sob ocupação israelense, a Margem Ocidental e Gaza, tinham explodido num movimento de resistência quase universal, às vezes pacífico, às vezes violento, embora evitando o uso de armas de fogo; a liderança local tinha ligações com a OLP e outras organizações. Esse movimento, a *intifada*, continuou por todo 1988, mudando as relações dos palestinos uns com os outros e com o mundo externo aos territórios ocupados. Revelou a existência de um povo palestino unido, e restabeleceu a divisão entre territórios sob ocupação israelense e o próprio Estado de Israel. O governo israelense, cada vez mais na defensiva contra críticas externas e diante de um público profundamente dividido, não conseguiu suprimir o movimento. O rei Hussein, da Jordânia, vendo-se incapaz de controlar o levante ou falar em nome dos palestinos, retirou-se da participação ativa na busca de um acordo. A OLP estava em posição de entrar no vácuo, mas sua própria natureza mudara. Tinha de levar em conta a opinião dos que se achavam nos territórios ocupados, e o desejo deles de encerrar a ocupação. O Conselho Nacional Palestino, órgão representativo dos palestinos, reuniu-se em Argel e apresentou uma carta proclamando a disposição de aceitar a existência de Israel e negociar um acordo final com ele. Esses fatos se davam num novo contexto: uma certa reasserção de unidade árabe em relação ao problema, a volta do Egito como participante ativo nos assuntos árabes, e uma mudança nas relações entre os Estados Unidos e a URSS. Os primeiros declararam sua disposição de conversar com a OLP pela primeira vez, e a última começou a intervir mais ativamente nos assuntos do Oriente Médio.

26. UMA PERTURBAÇÃO DE ESPÍRITOS (DEPOIS DE 1967)

DIVISÕES ÉTNICAS E RELIGIOSAS

Os conflitos no Líbano e no Iraque mostraram como as inimizades entre estados podiam facilmente entrelaçar-se com as de elementos discordantes dentro de um Estado. Nesse período, algumas das discórdias internas que existiam em todos os estados árabes tornaram-se mais significativas. No Iraque, havia a oposição entre árabes e curdos. A minoria curda no nordeste do país havia muito era negligenciada nas medidas de transformação social e econômica, executadas sobretudo em distritos perto das grandes cidades. Como habitantes de vales montanheses, ou membros de tribos nômades, os curdos não queriam controle estreito por burocracias urbanas; também foram afetados pela idéia de independência curda, que estava no ar desde o último período otomano. Desde a época do mandato britânico que havia revoltas curdas intermitentes, e elas tornaram-se mais persistentes e mais bem organizadas, e com mais apoio de estados hostis ao Iraque, desde a época da revolução de 1958. Durante alguns anos, a revolta teve apoio do Irã, mas este foi retirado quando os dois países chegaram a um acordo sobre várias questões em 1975. Depois disso acabou a revolta, e o governo tomou algumas medidas para dar às áreas curdas uma administração especial e um programa de desenvolvimento econômico, mas a situação continuou agitada, e a revolta ardeu mais uma vez em fins da década de 1980, durante a guerra entre o Iraque e o Irã.

Na Argélia, havia uma situação potencial semelhante. Parte da população das áreas das montanhas Atlas no Marrocos e Kabylia na Argélia era berbere, falando dialetos de uma língua diferente do árabe, e com uma longa tradição de organização e liderança locais. No período de domínio francês, o governo tendera a manter a diferença entre eles e os habitantes de língua árabe, em parte por motivos políticos, mas também por uma tendência natural das autoridades locais a preservar a natureza especial das comunidades que governavam. Quando governos nacionalistas chegaram ao poder após a independência, sua política foi de estender o controle do governo central e também o domínio da cultura árabe. No Marrocos, essa política foi fortalecida por dois fatores, a longa e poderosa tradição da soberania do sultão, e o prestígio da cultura árabe das grandes cidades; o berbere não era uma língua escrita de alta cultura, e à medida que as aldeias berberes entravam na esfera de radiação de vida urbana, tendiam a passar para a língua árabe. Na Argélia, porém, havia uma situação diferente: a tradição de cultura árabe era mais fraca, pois o país não tivera grandes cidades ou escolas, e a da cultura francesa mais forte, e parecendo oferecer uma visão alternativa do futuro. A autoridade do governo, também, não tinha raízes tão firmes; a pretensão à legitimidade baseava-se em sua liderança na luta pela independência, e nessa luta os berberes de Kabylia tinham desempenhado parte integral.

Diferenças étnicas, portanto, podiam dar nova profundidade a diferenças de interesse, como o podiam as diferenças de religião. O exemplo do Líbano mostrou que uma luta pelo poder podia facilmente expressar-se em termos religiosos. No Sudão, havia uma situação análoga. Os habitantes das partes sul do país não eram árabes nem muçulmanos; alguns eram cristãos, convertidos por missionários durante o período de domínio britânico. Tinham lembranças de uma época em que estavam sujeitos a ataques do norte para captura de escravos, e após a independência, com o poder nas mãos de um grupo basicamente árabe e muçulmano, estavam apreensivos quanto ao futuro: o novo governo podia tentar estender o Islã e a cultura árabe para o sul, e cuidaria mais dos interesses de regiões perto da capital do que das mais distantes. Logo que o país se tornou independente, estourou uma revolta no sul, que continuaria até 1972, quando foi encerrada por um acordo que dava ao sul um considerável grau de autonomia. Tensões e suspeitas mútuas continuaram a existir, no entanto, e vieram à tona no início da década de 1980, quando o governo começou a seguir uma política mais explicitamente islâmica: uma revolta contra o domínio de Cartum continuou em larga escala por toda a década, e o governo não pôde nem suprimi-la nem chegar a termos com ela.

Uma situação de muito perigo e complexidade existia nos países com grandes populações xiitas: Iraque, Kuwait, Bahrain, Arábia Saudita, Síria e Líbano. Parecia provável que a revolução iraniana despertasse um mais forte senso de identidade xiita, e isso podia ter implicações políticas em países em que o governo estava firmemente nas mãos dos sunitas. Por outro lado, porém, um senso de nacionalidade ou de interesse econômico comuns podia atuar no sentido oposto. Na Síria, havia uma situação diferente, pelo menos temporariamente. O regime ba'thista que detinha o poder desde a década de 1960 tinha sido dominado desde 1970 por um grupo de oficiais e políticos, com Assad à frente, oriundo em grande parte da comunidade alawita, um ramo dissidente do xiismo; a oposição ao governo, portanto, tendia a assumir a forma de uma forte asserção do Islã sunita pelos Irmãos Muçulmanos ou organizações semelhantes.

RICOS E POBRES

Um fosso de outro tipo alargava-se na maioria dos países árabes — entre ricos e pobres. Evidentemente, sempre existira, mas assumiu um sentido diferente numa época de rápida transformação econômica. Foi um período mais de crescimento que de mudança estrutural fundamental. Sobretudo devido ao aumento dos lucros com o petróleo, a taxa de crescimento foi alta não apenas nos países produtores de petróleo, mas também em outros, que lucravam com empréstimos e doações, investimentos e remessas de dinheiro dos trabalhadores migrantes. A taxa anual na década de 1970 foi de mais de 10% nos Emirados Árabes e na Arábia Saudita, 9% na Síria, 7% no Iraque e na Argélia, 5% no Egito. Mas o crescimento não se deu por igual em todos os setores da economia. Grande parte do aumento das receitas do governo foi gasta na aquisição de armamentos (sobretudo dos EUA e da Europa) e na expansão da máquina administrativa; o setor da economia que mais rapidamente cresceu foi o de serviços, em particular o funcionalismo público; em 1976 os funcionários públicos compunham 13% da população economicamente ativa do Egito. O outro campo importante de expansão foi o da indústria de consumo: têxteis, processamento de alimentos e construção. Essa expansão foi encorajada por dois fatos do período: o afrouxamento, na maioria dos países, das restrições à empresa privada, que resultou na proliferação de pequenas empresas, e o imenso aumento no volume de remessas dos migrantes. Em 1979, o volume total destas estava na faixa de 5 bilhões de dólares por ano; eram encorajadas pelos governos, porque aliviavam o problema da balança de pagamentos, e usadas em grande parte para imóveis e bens de consumo duráveis.

No todo, os investidores privados não tinham motivo para aplicar seu dinheiro em indústria pesada, em que tanto as despesas de capital como os riscos eram altos, e o investimento estrangeiro nela também era limitado. Praticamente as únicas indústrias pesadas novas foram aquelas em que os governos escolheram investir, quando tinham os recursos necessários. Várias das empresas produtoras de petróleo tentaram desenvolver indústrias petroquímicas, e também de aço e alumínio; no todo, os avanços foram em maior escala do que os justificáveis pelas dimensões do mercado. Os planos industriais mais ambiciosos foram na Arábia Saudita — onde se construíram dois grandes complexos, um na costa do mar Vermelho e outro na costa do golfo Pérsico — e na Argélia. Sob Boumediene, a política do governo argelino foi de dedicar a maior parte de seus recursos a indústrias pesadas como aço, e a indústrias que envolvessem alta tecnologia, com a esperança de tornar o país independente dos poderosos países industriais, e depois, num estágio posterior, usar a nova tecnologia e os produtos da indústria pesada para desenvolver a agricultura e a produção de bens de consumo. Após a morte de Boumediene em 1979, porém, essa política foi mudada, e deu-se maior ênfase à agricultura e aos serviços sociais.

Quase em toda parte o setor mais negligenciado foi a agricultura. A principal exceção foi a Síria, que dedicou mais da metade de seu investimento à agricultura, e em particular à barragem de Tabqa, no Eufrates, iniciada em 1968 com a ajuda da URSS, e que no fim da década de 1960 produzia energia hidrelétrica, além de permitir a extensão da irrigação no vale do rio. O resultado dessa negligência geral da agricultura foi que, embora grande parte da população de cada país vivesse nas aldeias, a produção agrícola não cresceu na maioria dos países, e em alguns declinou. Na Arábia Saudita, 58% da população economicamente ativa viviam no campo, mas produziam apenas 10% do produto interno bruto. As circunstâncias ali eram excepcionais, devido à avassaladora importância da produção de petróleo, mas no Egito as proporções não eram muito diferentes: 52% viviam no campo e produziam 28% do PIB. No fim da década de 1970, uma grande proporção dos alimentos consumidos nos países árabes era importada.

O crescimento econômico não elevou tanto o padrão de vida quanto se podia esperar, porque a população cresceu mais rápido que nunca, e porque os sistemas políticos e sociais da maioria dos países árabes não proporcionavam uma distribuição mais justa dos ganhos da produção. Tomando-se os países árabes como um todo, a população total, que tinha sido de 55-60 milhões em 1930 e aumentado para uns 90 milhões em 1960, atingira cerca de 179 milhões em 1979. A taxa de crescimento natural na maioria dos países ficou entre 2% e 3%. O motivo para isso não estava basicamente no aumento de nascimentos; na verdade, a taxa de natalidade se achava em declínio, à medida que o controle da natalidade se espalhava e as condições urbanas levavam os jovens a casar-se mais tarde. O principal motivo foi um aumento na expectativa de vida, e em particular o declínio da mortalidade infantil.

Como antes, o crescimento da população inchou as cidades, tanto porque o aumento natural da população urbana foi mais alto que antes, com a melhoria das condições de saúde, como por causa da imigração vinda do campo. Em meados da década de 1970, mais ou menos metade da população da maioria dos países árabes vivia em cidades: mais de 50% no Kuwait, Arábia Saudita, Líbano, Jordão e Argélia, e entre 40% e 50% no Egito, Tunísia, Líbia e Síria. O aumento se deu tanto nas menores cidades quanto nas maiores, mas foi mais visível nas capitais e principais centros de comércio e indústria. Em meados da década de 1970 havia oito cidades árabes com populações de mais de 1 milhão: o Cairo tinha 6,4 milhões de habitantes e Bagdá 3,8 milhões.

A natureza do crescimento econômico, e da rápida urbanização, levou a uma maior e mais óbvia polarização da sociedade do que a que havia antes. Os beneficiários do crescimento foram no primeiro caso os membros dos grupos dominantes, oficiais do exército, autoridades do governo dos mais altos escalões, técnicos, homens de negócio empenhados na construção, importação e exportação, ou indústrias de consumo, ou tendo alguma ligação com empresas multinacionais. Os trabalhadores industriais qualificados também amealharam alguns benefícios, sobretudo onde as circunstâncias políticas lhes permitiram organizar-se de fato. Outros segmentos da população beneficiaram-se menos ou absolutamente nada. Nas cidades, havia uma população de pequenos empregados, pequenos comerciantes e os dedicados ao serviço dos ricos, e em torno deles havia uma população flutuante maior, dos empregados no "setor informal", como vendedores ambulantes ou biscateiros, ou sem emprego algum. No campo, os proprietários rurais médios ou grandes nos países onde não houve reforma agrária puderam cultivar lucrativamente sua terra, porque tinham acesso ao crédito, mas os camponeses mais pobres, que possuíam pouca terra ou nenhuma, dificilmente podiam esperar melhorar sua posição. Os trabalhadores migrantes nos países produtores de petróleo podiam ganhar mais do que esperariam em seus próprios países, mas não tinham segurança e nenhuma possibilidade de melhorar sua posição por uma ação concertada. Podiam ser afastados à vontade, pois havia outros à espera de seus lugares. No fim da década de 1970, estavam mais vulneráveis ainda, já que muitos deles não vinham mais de países árabes, mas eram trazidos temporariamente e por contrato de mais a leste — do sul da Ásia, Tailândia, Malásia, Filipinas ou Coréia.

Alguns governos, sob a influência de idéias correntes no mundo externo, criavam agora serviços sociais que resultavam numa certa redistribuição de renda: habitação popular, serviços de saúde e educação, e sistemas de seguro social. Nem toda a população podia beneficiar-se deles, mesmo nos países mais ricos. No Kuwait, todos os kuwaitianos aproveitavam-nos inteiramente, mas a parte não kuwaitiana da população muito menos; na Arábia Saudita, as grandes cidades tinham suas favelas em torno, e as aldeias não eram ricas. A situação era mais difícil nas grandes cidades que tinham crescido rapidamente com a imigração e o aumento natural. Se as favelas ali estavam sendo eliminadas, as habitações baratas que as substituíam não eram necessariamente muito melhores, sem as instalações e o senso de comunidade que podia haver numa favela. As instalações de transporte público eram deficientes em quase toda parte, e havia uma nítida distinção entre os que tinham transporte privado e os que não. Na maioria das cidades, os sistemas de água e esgoto haviam sido construídos para comunidades menores, e não podiam arcar com as demandas da população maior; no Cairo, o sistema de esgoto praticamente entrara em colapso. No Kuwait e na Arábia Saudita, o problema do abastecimento de água era enfrentado pela dessalinização da água do mar, um método dispendioso mas eficaz.

MULHERES NA SOCIEDADE

Esse foi também um período em que outro tipo de relacionamento dentro da sociedade se tornou um problema explícito. O papel da mulher, que se transformava, e mudanças na estrutura da família suscitaram questões não apenas para os homens que desejavam criar uma comunidade nacional forte e saudável, mas para as mulheres conscientes de sua posição como mulheres.

Nas gerações passadas, haviam ocorrido várias mudanças que iriam afetar a posição das mulheres na sociedade. Uma delas foi a disseminação da educação: em todos os países, mesmo nas sociedades mais conservadoras da península Arábica, as meninas agora iam para a escola. No nível primário, em alguns países havia quase tantas meninas quanto meninos nas aulas: nos níveis superiores, a proporção crescia rápido. O grau de alfabetização entre as mulheres também aumentava, embora ainda fosse menor que entre os homens; em alguns países, praticamente todas as mulheres da geração mais jovem eram alfabetizadas. Em parte por esse motivo, mas também por outros, a gama de trabalho para as mulheres se alargara. No campo, quando os homens migravam para as cidades ou para os países produtores de petróleo, as mulheres muitas vezes cuidavam da terra e do gado enquanto os homens da família estavam fora. Na cidade, fábricas modernas empregavam mulheres, mas aí o trabalho era precário; elas eram empregadas quando havia escassez de homens, e em condições de depressão ou superemprego eram as primeiras a ser demitidas. As mulheres não qualificadas tinham mais probabilidade de encontrar trabalho como empregadas domésticas; eram basicamente jovens solteiras das aldeias. As mulheres educadas trabalhavam em números crescentes nas repartições públicas, sobretudo em cargos secretariais, e havia um número cada vez maior de mulheres profissionais liberais: advogadas, médicas e assistentes sociais. Em alguns países, havia um número pequeno mas crescente de mulheres nos altos níveis de responsabilidade no governo; isso se dava em particular em países como a Tunísia, Iêmen do Sul e Iraque, que faziam um esforço deliberado para romper com o passado e criar uma "sociedade moderna". Apesar dessas mudanças, porém, só uma pequena proporção de mulheres era empregada fora de casa, e em quase todos os níveis elas ficavam em desvantagem na competição com os homens.

As condições de vida na cidade e o trabalho fora de casa tiveram um certo efeito sobre a vida da família e o lugar das mulheres nela. Na aldeia, a migração dos trabalhadores significou que a esposa tinha maiores responsabilidades pela família e precisava tomar uma gama de decisões que antes caberiam ao marido. Na cidade, a família ampliada talvez não tivesse a mesma realidade da aldeia; a esposa podia não mais viver numa grande comunidade feminina de irmãs e primas, sob o domínio da sogra; maridos e esposas eram lançados mais diretamente em contato uns com os outros; as crianças podiam não ser mais educadas para a vida social dentro da grande família, e ser formadas tanto pela escola e a rua quanto pelo lar. O comércio de idéias e a ampliação dos serviços médicos levaram à disseminação do anticoncepcional; as famílias urbanas, por necessidade econômica e devido a novas possibilidades, tendiam a ser menores que as rurais. Em virtude da educação e do emprego, as moças casavam-se mais ou menos aos vinte anos, e não em meados da adolescência. Na rua e no local de trabalho, o isolamento rompia-se inevitavelmente. Não apenas o véu era menos comum do que antes, como desapareciam outras formas de separação de homens e mulheres. Na Arábia Saudita, tentava-se impedir isso: em geral, ainda se usava o véu nas ruas, a educação era estritamente segregada, e definiu-se uma esfera de trabalho separado para as mulheres — podiam trabalhar como professoras, ou em clínicas femininas, mas não em repartições públicas ou outros lugares onde pudessem misturar-se com homens.

Essas mudanças se davam, porém, dentro de um esquema legal e ético ainda em grande parte intocado, e que mantinha o primado do homem. Na verdade, faziam-se algumas alterações no modo como se interpretavam as leis islâmicas de *status* pessoal. Entre os países árabes, só a Tunísia abolira a poligamia, mas ela se tornava mais rara em toda parte. Em alguns países, por exemplo Tunísia e Iraque, tornara-se mais fácil a mulher pedir a dissolução do casamento, mas em toda parte manteve-se o direito de o marido divorciar-se da esposa sem apresentar motivos, e sem processo legal; também permaneceu intocado o direito do marido divorciado à custódia dos filhos após uma certa idade. Em alguns países, a idade mínima para o casamento foi elevada. Em alguns, as leis de herança eram igualmente reinterpretadas, mas em nenhum havia uma lei de herança secular. Menos ainda havia algum país árabe introduzindo leis seculares de *status* pessoal em substituição às oriundas da *charia*, como acontecera na Turquia.

Mesmo quando as leis mudaram, os costumes sociais não mudaram necessariamente com elas. As novas leis nem sempre podiam ser impostas, sobretudo quando iam contra costumes sociais profundamente arraigados que afirmavam e preservavam o domínio do homem. Que as meninas deviam casar cedo, que seus casamentos fossem arranjados pela família, e que as esposas pudessem ser facilmente repudiadas eram idéias firmemente enraizadas, preservadas pelas próprias mulheres; a mãe e a sogra eram muitas vezes pilares do sistema. Um grande número de mulheres ainda aceitava o sistema em princípio, mas tentava conseguir para si uma melhor posição dentro dele pela manipulação mais ou menos sutil de seus homens. A atitude delas foi expressa, por exemplo, nos contos de uma escritora egípcia, Alifa Rifaat, descrevendo mulheres muçulmanas cujas vidas ainda eram pontilhadas pelo chamado do minarete para as cinco preces diárias:

Ela [...] levou a mão aos lábios, beijando-a na frente e nas costas em agradecimento à generosidade d'Ele. Lamentava só poder dar graças a Seu Criador através daqueles gestos, e de umas poucas e simples súplicas ditas. Durante a vida de Ahmed, ela ficava de pé às suas costas quando ele fazia as preces, seguindo os movimentos quando ele se curvava e depois se prostrava, ouvindo reverentemente as palavras que ele recitava e sabendo que quem se põe de pé atrás de um homem que conduz as preces, e segue seus movimentos, faz também as preces [...] com a morte dele, ela desistira de fazer as preces regulares.[1]

Um número crescente de mulheres, porém, não aceitava o sistema e exigia o direito de definir sua identidade e fazer mudanças, em seu *status* social, que refletissem essa nova definição. Ainda não estavam em posição de poder; as mulheres ministras ou membros do Parlamento pouco mais eram que meros símbolos de mudança. Suas opiniões eram expressas através de organizações femininas e na imprensa. Além das romancistas, havia várias escritoras polêmicas bastante conhecidas, cujas obras eram amplamente difundidas, tanto nos países árabes quanto no mundo externo, em traduções. A marroquina Fátima Mernissi, em *Além do véu*, afirmava que a desigualdade sexual se baseava, ou pelo menos se justificava, numa visão especificamente islâmica das mulheres como donas de um perigoso poder que devia ser contido; era, segundo ela, uma visão incompatível com as necessidades de um país independente no mundo moderno.

Houve, é verdade, um fenômeno de fins da década de 1970 e início da de 1980 que poderia parecer mostrar uma tendência contrária. Nas ruas e locais de trabalho, e em particular nas escolas e universidades, uma crescente proporção de moças cobria os cabelos, senão o rosto, e evitava misturar-se social e profissionalmente com os homens. Pelo que poderia parecer um paradoxo, isso era mais um sinal de afirmação de sua identidade que do poder do homem. As que tomavam esse caminho muitas vezes não vinham de famílias onde a segregação era a regra, mas faziam isso como um ato de escolha deliberada, resultante de uma certa visão do que devia ser uma sociedade islâmica, e em certa medida influenciada pela revolução iraniana. Quaisquer que fossem os motivos dessa atitude, porém, a longo prazo tendia a reforçar uma visão tradicional do lugar das mulheres na sociedade.

UMA HERANÇA E SUA RENOVAÇÃO

Os acontecimentos de 1967, e os processos de mudança que os seguiram, tornaram mais intensa essa perturbação dos espíritos, esse senso de um mundo que dera errado, que já se expressara na poesia das décadas de 1950 e 1960. A derrota de 1967 foi amplamente encarada como não apenas um revés militar, mas uma espécie de julgamento moral. Se os árabes tinham sido derrotados tão rápida, completa e publicamente, não seria isso um sinal de que havia alguma coisa de podre em suas sociedades e no sistema moral que elas expressavam? A heróica era de luta pela independência acabara; essa luta não mais podia unir os países árabes, nem o povo de nenhum deles, e os fracassos e deficiências não mais podiam ser atribuídos tão inteiramente como antes ao poder e à intervenção do estrangeiro.

Entre homens e mulheres educados e de reflexão, havia uma crescente consciência das vastas e rápidas mudanças em suas sociedades, e das maneiras como sua própria posição era afetada por elas. O aumento da população, o crescimento das cidades, a disseminação da educação popular e os meios de comunicação traziam uma nova voz à discussão das questões públicas, uma voz que expressava suas convicções, queixas e esperanças, numa linguagem tradicional. Isso, por sua vez, despertava a consciência, entre os educados, de um fosso entre eles e as massas, e dava origem a um problema de comunicação: como podia a elite educada falar às massas em nome delas? Por trás disso havia outro problema, o da identidade: qual era o laço moral entre eles, em virtude do qual podiam afirmar ser uma sociedade e uma comunidade política?

Em grande parte, o problema de identidade expressava-se em termos do relacionamento entre a herança do passado e as necessidades do presente. Deviam os povos árabes trilhar um caminho traçado para eles de fora, ou poderiam encontrar em suas próprias crenças e cultura herdada os valores que lhes dariam uma direção no mundo moderno? Essa questão tornava claro o estreito relacionamento entre o problema de identidade e o de independência. Se os valores pelos quais a sociedade devia viver fossem trazidos de fora, isso não implicaria uma permanente dependência do mundo externo, e mais especificamente da Europa e da América do Norte, e não poderia a dependência cultural trazer consigo a dependência econômica e política também? A questão foi discutida com vigor pelo economista egípcio Galal Amim (n. 1935) em *Mihnat al-iqtisad wa'l-thaqafa fi*

Misr (O estado da economia e da cultura no Egito), um livro que tentava estabelecer as ligações entre a *infitah* e a crise da cultura. Ele afirmava que os egípcios e outros povos árabes haviam perdido a confiança em si mesmos. A *infitah* e na verdade todo o movimento de fatos desde a revolução egípcia de 1952 haviam se apoiado numa base falsa: os falsos valores de uma sociedade de consumo na vida econômica, a dominação de uma elite governante em vez de uma verdadeira lealdade patriótica. Os egípcios importavam qualquer coisa que os ocidentais os convencessem de que deviam precisar, e isso representava uma permanente dependência. Para ser saudável, a vida política e econômica deles devia derivar de seus próprios valores morais, que só podiam eles próprios basear-se na religião.

De uma maneira mais ou menos semelhante, outro escritor egípcio, Hasan Hanafi, escreveu sobre a relação entre a herança e a necessidade de renovação. Os árabes, como outros seres humanos, tinham sido apanhados numa revolução econômica, que não podia prosseguir se não houvesse uma "revolução humana". Isso não implicava o abandono da herança do passado, pela qual os árabes não eram menos responsáveis do que o eram por "povo, terra e riqueza", mas antes devia ser interpretada "de acordo com as necessidades da época", e transformada numa ideologia que desse origem a um movimento político. A cega adesão à tradição e a cega inovação eram ambas incorretas, a primeira porque não tinha respostas para os problemas do presente, a última porque não podia mover as massas, por ser expressa numa linguagem estranha à que elas entendiam. O que se precisava era de uma reforma do pensamento religioso que desse às massas do povo uma nova definição de si mesmas, e um partido revolucionário que criasse uma cultura nacional e com isso mudasse os modos de comportamento coletivo.

Grande parte do pensamento árabe contemporâneo revolvia em torno desse dilema de passado e presente, e alguns escritores fizeram ousadas tentativas de resolvê-lo. A resposta dada pelo filósofo sírio Sadiq Jalal al-'Azm (n. 1934) vinha de uma total rejeição do pensamento religioso. Ele afirmava que esse pensamento era falso em si, e incompatível com o pensamento científico autêntico, em sua visão do que era o conhecimento e em seus métodos de chegar à verdade. Não havia como conciliá-los; era impossível acreditar na verdade literal do Corão, e se se descartassem partes dele, aí a alegação de que era a Palavra de Deus teria de ser rejeitada. O pensamento religioso era não apenas falso, mas também perigoso. Apoiava a ordem existente da sociedade e os que a controlavam, e assim impedia um verdadeiro movimento de liberação social e política.

Poucos outros escritores teriam adotado essa posição, porém mais generalizada foi uma tendência a resolver o corpo de crença religiosa num conjunto de cultura herdada, e assim transformá-lo numa matéria de tratamento crítico. Para o tunisiano Hisham Djaït (n. 1935), a identidade nacional não podia ser definida em termos de cultura religiosa. Na verdade essa cultura devia ser preservada; a visão da vida humana mediada através do Profeta Maomé, o amor e a lealdade que se haviam reunido em torno dele no correr dos séculos deviam ser prezados e protegidos pelo Estado. As instituições e as leis sociais, porém, deviam ser inteiramente separadas da religião e baseadas em princípios "humanísticos"; o cidadão individual devia ter a liberdade de abandonar essa fé herdada, se assim o desejasse.

Somos a favor do laicismo, mas um laicismo que não seja hostil ao Islã, e não extraia sua motivação do sentimento antiislâmico. Em nossa angustiada jornada, preservamos a essência mesma da fé, uma profunda e inerradicável ternura por essa religião que iluminou nossa infância e foi nosso primeiro guia para o Bem e a descoberta do Absoluto [...] Nosso laicismo encontra seus limites no reconhecimento da relação essencial entre o Estado, certos elementos de comportamento moral e social, a estrutura da personalidade coletiva e a fé islâmica, e em sermos a favor da manutenção dessa fé e de sua reforma. Não se deve fazer a reforma em oposição à religião, mas fazê-la ao mesmo tempo pela religião, na religião e independentemente dela.[2]

Para outro escritor do Magreb, Abdullah Laroui, era essencial uma redefinição tanto do passado quanto do presente. O que se precisava era de uma verdadeira compreensão histórica, "tomar posse de nosso passado" por meio de uma compreensão da causalidade, do modo como as coisas se desenvolviam umas a partir das outras. Além disso, era necessário um verdadeiro "historicismo": quer dizer, uma disposição de transcender o passado, tomar o que fosse necessário dele, por meio de uma "crítica radical da cultura, língua e tradição", e usá-lo para criar um novo futuro. Esse processo de entendimento crítico não podia por si só dar uma direção para o futuro. Precisava ser orientado pelo pensamento vivo da época, e em particular pelo marxismo, corretamente compreendido; com seu senso de que a história tinha uma direção e movia-se em estágios para uma meta, ele podia proporcionar as perspectivas pelas quais se poderia incorporar o passado num novo sistema de pensamento e ação.[3]

Na outra ponta do espectro, estavam aqueles que acreditavam que a herança islâmica em si podia oferecer a base para a vida no presente, e que só ela podia fazer isso, porque derivava da Palavra de Deus. Essa foi uma atitude expressa em termos cada vez mais definidos por alguns dos ligados aos Irmãos Muçulmanos no Egito e em outras partes. Na década de 1960, houve uma certa polarização nesses movimentos; alguns dos líderes e membros estavam dispostos a fazer um acordo com os detentores do poder e a aceitar os regimes existentes, pelo menos no presente, na esperança de que isso lhes desse influência na política. Outros, porém, moveram-se no sentido oposto: uma total rejeição de todas as formas de sociedade que não a inteiramente islâmica. Numa obra publicada antes, em 1964, *Ma'alim fi'l-tariq* (Sinalizações na estrada), Sayyid Qutb definira a verdadeira sociedade islâmica em termos radicais. Era aquela que aceitava a soberana autoridade de Deus; quer dizer, que encarava o Corão como fonte de toda orientação da vida humana, porque só ele podia dar origem a um sistema de moralidade e lei correspondente à natureza da realidade. Todas as outras eram sociedades de *jahiliyya* (ignorância da verdade religiosa), quaisquer que fossem seus princípios: comunistas, capitalistas, nacionalistas, baseados em outras religiões, falsas, ou dizendo-se muçulmanas mas não obedecendo à *charia*:

> A liderança do homem ocidental no mundo humano está chegando ao fim, não porque a civilização ocidental esteja em bancarrota material ou tenha perdido sua força econômica ou militar, mas porque a ordem ocidental já cumpriu sua parte, e não mais possui aquele acervo de "valores" que lhe deu sua predominância [...] A revolução científica concluiu seu papel, como concluíram o "nacionalismo" e as comunidades territorialmente limitadas que surgiram em sua época... Chegou a vez do Islã.[4]

A estrada para a criação de uma sociedade realmente muçulmana, declarara Sayyid Qutb, começava com a convicção individual, transformada em imagem viva no coração e encarnada num programa de ação. Os que aceitavam esse programa formariam uma vanguarda de combatentes dedicados, usando todos os meios, inclusive a *jihad*, que só devia ser empreendida quando os combatentes atingissem a pureza interna, mas devia então ser travada, se necessário, não apenas para defesa, mas para destruir todo culto de falsos deuses e remover todos os obstáculos que impediam os homens de aceitar o Islã. A luta devia visar a criar uma sociedade muçulmana universal, em que não houvesse distinções de raça, e que fosse mundial. "A era ocidental acabou": não podia oferecer os valores necessários para sustentar a nova civilização material. Só o Islã oferecia esperança ao mundo.

As implicações desse pensamento, se levado a sério, eram de longo alcance. Levou a parte dos Irmãos Muçulmanos que apoiava Sayyid Qutb à oposição ao regime de 'Abd al-Nasser; o próprio Qutb foi preso, julgado e executado em 1966. Na década seguinte, grupos saídos dos Irmãos seguiram literalmente sua doutrina de que o primeiro estágio para a criação de uma sociedade islâmica era retirar-se da sociedade da *jahiliyya*, viver segundo a *charia*, purificar o coração e formar o núcleo de com-

580

batentes dedicados. Esses grupos estavam preparados para a violência e o martírio; isso foi demonstrado quando membros de um deles assassinaram Sadat em 1981, e quando os Irmãos Muçulmanos na Síria tentaram derrubar o regime de Hafez al-Asad no ano seguinte.

Em algum ponto do meio do espectro, estavam aqueles que continuavam a acreditar que o Islã era mais que uma cultura: era a Palavra de Deus revelada, mas devia ser entendida corretamente, e a moralidade social e a lei dela derivada podiam ser adaptadas para fazer dela a base moral de uma sociedade moderna. Houve muitas formas dessa atitude reformista. Conservadores da escola wahhabita, na Arábia Saudita e em outras partes, acreditavam que o código de lei existente podia ser lenta e cautelosamente modificado para um sistema adequado às necessidades da vida moderna; alguns achavam que só o Corão era sagrado, e podia ser livremente usado como base da nova lei; alguns acreditavam que a verdadeira interpretação do Corão era a dos sufitas, e que uma devoção mística privada era compatível com a organização da sociedade em linhas mais ou menos seculares.

Fizeram-se umas poucas tentativas de mostrar como o novo sistema moral e legal podia ser deduzido do Corão e do Hadith, de uma maneira responsável mas ousada. No Sudão, Sadiq al-Mahdi (n. 1936), bisneto do líder político, afirmava que era necessário um novo tipo de pensamento religioso que extraísse do Corão e do Hadith uma *charia* adaptada às necessidades do mundo moderno. Talvez a tentativa mais cuidadosamente elaborada de declarar os princípios de uma nova jurisprudência tenha vindo de fora do mundo árabe, do estudioso paquistanês Fazlur Rahman (1919-88). Num esforço para oferecer um antídoto ao "pânico espiritual" dos muçulmanos no presente, ele sugeriu um método de exegese corânica que seria, afirmava, fiel ao espírito do Islã mas satisfaria as necessidades da vida moderna. O Corão era "uma resposta divina, através da mente do Profeta, à situação moral e social da Arábia do Profeta". Para aplicar sua doutrina à situação moral e social de uma época diferente, era necessário extrair dessa "resposta divina" o princípio geral

581

nela inerente. Podia-se fazer isso estudando as circunstâncias específicas em que a resposta fora revelada, e à luz de uma compreensão do Corão como uma unidade. Assim que se extraísse o princípio geral, devia-se usá-lo com uma compreensão igualmente clara e meticulosa da situação particular em relação à qual se precisava de orientação. Assim, a interpretação correta do Islã era a histórica, passando com precisão do presente para o passado e tornando a voltar, e isso exigia um novo tipo de educação religiosa.[5]

A ESTABILIDADE DOS REGIMES

Um observador dos países árabes na década de 1980 teria encontrado sociedades em que os laços de cultura, fortes e talvez tornando-se ainda mais fortes, não tinham dado origem a uma unidade política; em que a riqueza crescente, desigualmente distribuída, levara a alguns tipos de crescimento econômico, mas também a um fosso maior entre os que mais lucravam com ela e os que não lucravam nada, nas inchadas cidades e no campo; nas quais algumas mulheres se tornavam mais conscientes de sua posição subordinada nos mundos privado e público; em que as massas urbanas questionavam a justiça da ordem social e a legitimidade de governos das profundezas de sua própria cultura herdada, e a elite educada mostrava uma maior perturbação espiritual.

O observador também notaria, porém, uma outra coisa que, em qualquer circunstância, poderia tê-lo surpreendido: a aparente estabilidade dos regimes políticos. Embora os países árabes fossem muitas vezes julgados politicamente instáveis, na verdade houve pouca mudança na natureza geral dos regimes ou na orientação política desde fins da década de 1960, embora tivesse havido mudanças de pessoal. Na Arábia Saudita, nos estados do golfo Pérsico, na Jordânia, na Tunísia e no Marrocos, não houve mudança substancial por uma geração ou mais. Na Argélia, a mudança de fato ocorrera em 1965; na Líbia, Sudão, Iêmen do Sul e Iraque, o grupo que iria ficar no poder até a década de 1980 tomara o poder em 1969, e na Síria em 1970; também no Egito, a mudança de 'Abd al-Nasser para Sadat em 1970, que poderia a princípio ter parecido uma troca de pessoas dentro de um grupo governante continuado, logo revelou assinalar uma mudança de direção. Só em três países foram os anos 70 uma década de perturbação: no Iêmen do Sul, houve conflitos dentro do partido governante; no Iêmen do Norte, ocorreu uma mudança de regime meio inconclusiva em 1974; e no Líbano, que permaneceu em estado de guerra civil e perturbação de 1975 em diante.

O aparente paradoxo de regimes estáveis e duradouros em sociedades profundamente perturbadas era digno de consideração, embora no fim pudesse revelar não ser um paradoxo. Tomando e adaptando uma idéia de Ibn Khaldun, podia-se sugerir que a estabilidade de um regime político dependia de uma combinação de três fatores. Era estável quando um grupo governante coeso podia ligar seus interesses aos de elementos poderosos na sociedade, e quando essa aliança de interesses se expressasse numa idéia política que tornasse legítimo o poder dos governantes aos olhos da sociedade, ou pelo menos de uma parte significativa dela.

A coesão e a persistência dos regimes podiam ser explicadas em parte de maneiras óbvias. Os governos agora tinham à sua disposição meios de controle e repressão que não tinham no passado: serviços de inteligência e segurança, exércitos, em alguns lugares forças mercenárias recrutadas de fora. Se desejassem, e se os instrumentos de repressão não se quebrassem em suas mãos, podiam esmagar qualquer movimento de revolta, a qualquer custo; o único limite era imposto pelo fato de que esses instrumentos não eram inteiramente passivos e podiam ser virados contra os governantes ou dissolver-se, como aconteceu no Irã diante do generalizado levante popular em 1979-80. Tinham também, sobre toda a sociedade, um controle direto que nenhum governo tivera no passado. Primeiro os reformadores otomanos, depois os governantes coloniais europeus haviam estendido o poder do governo muito além das cidades e os interiores delas dependentes, penetrando nas partes mais remotas do campo, dos vales montanheses e estepes. No passado, a autoridade fora exercida nessas partes mais distantes através da manipulação política de poderes intermediários, senhores nos vales, chefes tribais ou linhagens de santos; agora, era exercida por controle burocrático direto, que estendia a mão do governo a toda aldeia e quase toda casa ou tenda; e aonde o governo chegava, não se preocupava apenas, como no passado, em defender as cidades, estradas e fronteiras e levantar impostos, mas com todas as tarefas que os governos modernos realizam: recrutamento, educação, saúde, serviços públicos e o setor público da economia.

Mas além desses motivos óbvios para a força dos governos havia outros. Os grupos dominantes tinham conseguido criar e manter sua própria 'asabiyya, ou solidariedade, dirigida para a aquisição e a manutenção do poder. Em alguns países — Argélia, Tunísia, Iraque — essa era a solidariedade de um partido. Em outros, era a de um grupo de políticos mantidos juntos por laços estabelecidos no início da vida e fortalecidos por uma experiência comum, como aconteceu com os militares políticos no Egito e na Síria. Ainda em outros, era a de uma família governante e dos intimamente ligados a ela, unidos tanto por laços de sangue quanto por interesses comuns. Esses vários tipos de grupo não eram tão diferentes uns dos outros como poderia parecer. Em todos eles, os laços de interesse eram reforçados pelos de vizinhança, parentesco ou casamento; a tradição da sociedade do Oriente Médio e do Magreb era que outros tipos de relacionamento eram mais fortes se expressos em termos de parentesco.

Além disso, os grupos governantes agora tinham à sua disposição uma máquina governamental maior e mais complexa que no passado. Um elevado número de homens e mulheres estava ligado a ela, ou dela dependia, e portanto se mostrava disposto (pelo menos até certo ponto) a ajudá-la a manter seu poder. Nos primeiros tempos, a estrutura de governo tinha sido simples e limitada. O sultão do Marrocos até fins do século XIX era um monarca itinerante, levantando impostos e mostrando sua autoridade em marchas através de seus domínios, com um exército pessoal e algumas dezenas de secretários. Mesmo no Império Otomano, talvez o governo mais altamente burocrático que o Oriente Médio conhecera, o número de funcionários era relativamente pequeno; no início do século XIX, havia aproximadamente 2 mil funcionários públicos na administração central, mas no fim do século o número crescera para talvez 35 mil. No início da década de 1980, havia quase duas vezes mais funcionários públicos do que empregados na indústria no Egito, e as proporções eram semelhantes em outros países. Esse vasto regimento de funcionários distribuía-se entre várias estruturas diferentes, controlando vários setores da sociedade: o exército, a polícia, os serviços de inteligência, organizações de planejamento, autoridades de irrigação, departamentos de finanças, indústria e agricultura, e os serviços sociais.

Interesses pessoais envolviam-se na manutenção dos regimes; não apenas os dos governantes, mas dos oficiais do exército, altos funcionários, administradores de empresas no setor público, e técnicos de nível superior, sem os quais um governo moderno não podia ir em frente. As políticas da maioria dos regimes favoreciam também outras partes poderosas da sociedade: os que controlavam certos setores privados da economia, indústrias de propriedade privada, comércio de importação e exportação, muitas vezes ligados a corporações multinacionais, que eram de crescente importância no período da *infitah*. A esses podiam acrescentar-se, em menor grau, os trabalhadores qualificados nas indústrias maiores, que em alguns países tinham podido organizar-se eficazmente em sindicatos e podiam negociar por melhores condições de trabalho e salários, embora não pudessem usar seu poder coletivo para exercer influência sobre a política do governo.

Nas últimas duas décadas, surgiu um novo grupo social, daqueles que tinham prosperado com a migração para os países exportadores de petróleo. Dos 3 milhões ou mais de imigrantes que se mudaram do Egito, Jordânia, os dois Iêmens e outras partes para a Líbia, a Arábia Saudita e a região do golfo, a maioria foi sem intenção de estabelecer-se. Seu interesse, portanto, estava na existência de governos estáveis, que lhes permitissem ir facilmente de um lado para outro, trazer para casa o que tinham poupado e investi-lo, na maioria das vezes em terra, construções e bens de consumo duráveis, e continuar em segura posse do que tinham.

Oficiais do exército, funcionários públicos, comerciantes internacionais, industriais e a nova classe de rendeiros, todos portanto, queriam regimes razoavelmente estáveis e capazes de manter a ordem, e em termos suficientemente bons uns com os outros (apesar das disputas políticas) para permitir o livre fluxo de trabalhadores e dinheiro, e que mantivessem uma economia mista com o equilíbrio pendendo em favor do setor privado e permitissem a importação de bens de consumo. No fim da década de 1970, a maioria dos regimes era dessa natureza; o Iêmen do Sul, com sua economia severamente controlada, era uma exceção, e a Argélia uma exceção parcial, embora também lá a ênfase houvesse mudado após a morte de Boumediene.

Havia outros segmentos da sociedade cujos interesses não eram favorecidos na mesma medida pelas políticas do governo, mas que não estavam em posição de exercer pressão efetiva sobre ele. Os grandes proprietários rurais que tinham base na cidade e com acesso ao crédito podiam obter lucro da agricultura, mas os pequenos, os meeiros e os camponeses sem terra estavam numa fraca posição. Formavam uma proporção menor da população que antes, devido à migração para as cidades, embora ainda considerável; produziam uma parte menor do PIB de cada país, e não mais podiam fornecer o alimento necessário às populações urbanas, que dependiam da importação de gêneros; eram esquecidos nos programas de investimento da maioria dos regimes. No todo, estavam em condição de depressão, mas era difícil mobilizar os camponeses para uma ação eficaz.

Nas cidades, havia vastas camadas de trabalhadores fabris não qualificados, os empregados na prestação de serviços, os que trabalhavam no setor "informal" da economia, como vendedores ambulantes ou biscateiros, e os desempregados. A posição deles era fundamentalmente fraca: empenhados na luta diária pela existência, em competição natural uns com os outros, já que a oferta excedia a demanda, divididos em pequenos grupos — a grande família, os do mesmo distrito ou da mesma comunidade étnica ou religiosa — para não se perder na cidade enorme, anônima e hostil. Só podiam explodir numa ação efetiva e unida em circunstâncias especiais: quando o sistema de controle do governo entrava em colapso, ou quando havia uma questão que afetasse suas necessidades imediatas ou lealdades mais profundas, como aconteceu nos motins por causa da fome no Egito em 1977 ou na revolução iraniana de 1979-80.

Um dos sinais da nova posição dominante dos governos nas sociedades árabes foi que estavam dispostos a apropriar-se das idéias que podiam mover mentes e imaginações, e extrair delas uma pretensão de autoridade legítima. A essa altura, qualquer governo árabe que quisesse sobreviver tinha de poder alegar legitimidade em termos de três linguagens políticas — nacionalismo, justiça social e Islã.

A primeira a surgir como linguagem poderosa foi a do nacionalismo. Alguns dos regimes existentes no início da década de 1980 tinham chegado ao poder durante a luta pela independência, ou podiam dizer-se sucessores dos que tinham; esse tipo de apelo à legitimidade foi particularmente forte no Magreb, onde a luta fora de ódio e as lembranças continuavam frescas. Quase todos os regimes também usavam um tipo diferente de linguagem nacionalista, a da unidade árabe; davam-lhe um tipo de aliança formal, e falavam de independência como se fosse um primeiro passo para a união mais estreita, senão a completa unidade; ligada à idéia de unidade, havia a de uma ação concertada em apoio aos palestinos. Nos anos recentes, ocorrera uma ampliação na idéia de nacionalismo; os regimes diziam-se legítimos em termos de desenvolvimento econômico, ou do pleno uso dos recursos nacionais, humanos e naturais, para fins comuns.

A segunda linguagem, a da justiça social, entrou em uso político comum nas décadas de 1950 e 1960, no período da revolução argelina e da disseminação do nasserismo, com sua idéia de um socialismo especificamente árabe, expressa na Carta de 1962. Termos como socialismo e justiça social tendiam a ser usados com um sentido específico; referiam-se a reformas do sistema de posse da terra, extensão dos serviços sociais e educação universal, tanto para moças quanto para rapazes, mas em poucos países houve uma tentativa sistemática de redistribuir a riqueza através da alta taxação das rendas.

A última das linguagens a tornar-se poderosa foi a do Islã — um destino comum entre os que haviam herdado a religião do Islã —, uma crença, enriquecida por memórias históricas, em que o Corão, a Tradição do Profeta e a *charia* podiam oferecer os princípios segundo os quais se organizaria uma vida virtuosa em sociedade. Na década de 1980, porém, a linguagem islâmica tornara-se mais destacada no discurso político do que uma década ou duas antes. Isso deveu-se a uma combinação de dois tipos de fator. Por um lado, houve a vasta e rápida extensão da área de envolvimento político, devido ao crescimento da população e das cidades, e à ampliação dos meios de comunicação. Os migrantes rurais para as cidades trouxeram consigo sua própria cultura política e linguagem. Houve uma urbanização dos migrantes, mas também uma "ruralização" das cidades. Cortados os laços de parentesco e vizinhança que tornavam possível a vida nas aldeias, eles viviam numa sociedade cujos sinais externos lhes eram estranhos; o senso de alienação era contrabalançado pelo de fazer parte de uma comunidade universal do Islã, em que certos valores morais estavam implícitos, e isso proporcionava uma linguagem em cujos termos eles podiam expressar suas queixas e aspirações. Os que desejavam provocá-los à ação tinham de usar a mesma linguagem. O Islã podia oferecer uma linguagem efetiva de oposição: ao poder e à influência ocidentais, e àqueles que podiam ser acusados de subserviência a eles; a governantes encarados como corruptos e ineficazes, instrumentos de interesses privados, ou desprovidos de moralidade; e a uma sociedade que parecia ter perdido a unidade, com os princípios morais, e a direção.

Foram fatores como estes que deram origem a movimentos como os Irmãos Muçulmanos, cujos líderes eram homens articulados e educados, mas que apelavam aos que estavam isolados do poder e prosperidade das novas sociedades; e foi em parte como autodefesa contra eles ou para apelar a um segmento mais amplo de seus países que a maioria dos regimes passou a usar mais a linguagem da religião do que antes. Alguns regimes, é verdade, usavam a linguagem do Islã espontânea e continuamente, em particular o da Arábia Saudita, que fora criada por um movimento em defesa da reafirmação do primado da Vontade de Deus nas sociedades humanas. Outros, porém, pareciam ter sido impelidos a ela. Mesmo os mais secularistas dos grupos governantes, como por exemplo os da Síria, Iraque e Argélia, tinham passado a usá-la mais ou menos convincentemente, de uma forma ou de outra. Podiam evocar temas históricos, dos árabes como portadores do Islã; os governantes do Iraque, colhidos em sua luta contra o Irã, apelaram para a lembrança da batalha de Qadisiyya, quando os árabes derrotaram o último governante sassânida e levaram o Islã ao Irã. Na maioria dos países de população mista, a Constituição estabelecia que o presidente devia ser muçulmano, assim ligando a religião do Islã à autoridade legítima. Nos códigos legais, podia haver referência ao Corão ou à *charia* como base da legislação. A maioria dos governos que tomaram esse caminho tendeu a interpretar a *charia* de uma maneira mais ou menos modernista, a fim de justificar as inovações inevitáveis para sociedades que viviam no mundo moderno; mesmo na Arábia Saudita, invocavam-se os princípios de jurisprudência hanbalitas para justificar as novas leis e regulamentos tornados necessários pela nova ordem econômica. Alguns regimes, porém, recorreram a certas aplicações simbólicas da *charia* ao pé da letra: na Arábia Saudita e no Kuwait, a venda de álcool era proibida; no Sudão, uma determinação da *charia*, de que os ladrões contumazes tivessem as mãos cortadas, foi revivida nos últimos anos do período de governo de Nimeiri. Em alguns países, a estrita observância do jejum de Ramadan, que se espalhava espontaneamente, foi encorajada pelo governo; uma tentativa anterior do governo tunisiano de desestimulá-la, porque interferia com os esforços necessários ao desenvolvimento econômico, enfrentara generalizada oposição.

A FRAGILIDADE DOS REGIMES

Grupos governantes coesos, classes sociais dominantes e idéias poderosas: a combinação desses fatores pode ajudar a explicar por que os regimes foram tão estáveis na década de 1970, mas se examinados de perto todos os três também podem parecer fontes de fraqueza.

Os grupos governantes estavam sujeitos não só às rivalidades pessoais que surgiam inevitavelmente de ambições conflitantes ou discordâncias sobre política, mas também às divisões estruturais que apareciam à medida que a máquina governamental crescia em tamanho e complexidade. Os diferentes ramos do governo tornaram-se centros separados de poder — o partido, o exército, os serviços de inteligência — e membros ambiciosos do grupo dominante podiam tentar controlar um ou outro deles. Esse processo tendeu a ocorrer em todos os sistemas complexos de governo, mas em alguns foi contido dentro de uma estrutura de instituições estáveis e hábitos políticos profundamente enraizados. Quando não contido assim, podia levar à formação de facções políticas, e a uma luta pelo poder político em que o líder de uma facção tentava eliminar seus rivais e preparar o caminho para a sua sucessão à mais alta posição. Essa luta só podia ser mantida dentro dos limites através de um constante exercício das artes de manipulação política pelo chefe do governo.

O elo entre o regime e os grupos sociais dominantes também podia revelar-se frágil. O que se podia observar era um padrão recorrente na história do Oriente Médio. As classes que dominavam a estrutura de saúde e poder social nas cidades queriam paz, ordem e liberdade de atividade econômica, e só apoiariam um regime enquanto ele parecesse dar-lhes o que queriam;

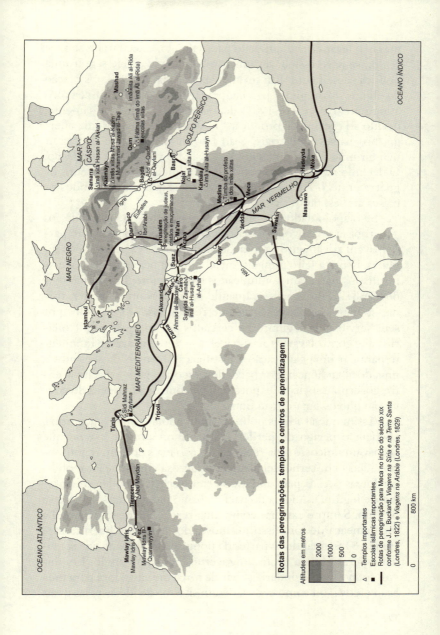

mas não levantariam um dedo para salvá-lo, e aceitariam seu sucessor, se parecesse haver uma probabilidade de ele seguir uma política semelhante. Em meados da década de 1980, a situação de alguns dos regimes parecia precária. Os preços do petróleo atingiram o auge em 1981; depois disso caíram rapidamente, devido ao excesso de produção, ao uso mais cuidadoso de energia nos países industriais, e ao fato de a OPEP não conseguir manter uma frente única nos preços e no volume de produção. O declínio na receita do petróleo, juntamente com os efeitos da guerra entre o Irã e o Iraque, teve conseqüências em todos os países árabes, tanto ricos quanto pobres.

Se o apoio dado por poderosos segmentos da sociedade aos governos era passivo, isso ocorria em parte porque eles não participavam ativamente na tomada de decisões. Na maioria dos regimes, isso era feito num alto nível por um pequeno grupo, e os resultados não eram comunicados amplamente; havia uma tendência de os governantes, quando se instalavam no poder, tornar-se mais cheios de segredos e recolhidos — guardados por seus serviços de segurança e cercados por íntimos e funcionários que controlavam o acesso a eles — e a só aparecer raramente para dar uma explicação e justificação formais de seus atos a uma dócil audiência. Por baixo desse motivo para a distância entre governo e sociedade, porém, havia outro: a fraqueza de convicção que os unia um ao outro.

Assim que as idéias políticas eram adotadas pelos governos, corriam o perigo de perder seu sentido. Viravam *slogans* que acabavam rançosos pela repetição, e não mais podiam reunir outras idéias em torno delas numa poderosa constelação, mobilizar forças sociais para a ação, ou transformar o poder em autoridade legítima. A idéia do nacionalismo parecia ter sofrido esse destino. Sempre existiria como uma reação imediata e natural a uma ameaça de fora; isso foi mostrado durante a guerra entre Iraque e Irã, quando as partes da população iraquiana que se podia esperar fossem hostis ao governo lhe deram apoio. Era duvidoso, porém, se poderia servir de força mobilizadora para uma ação efetiva, ou como centro de um sistema de idéias pelas quais

592

se pudesse organizar a vida em sociedade. O "arabismo", a idéia de uma nação árabe unida, ainda podia ser posta em ação por uma nova crise nas relações entre Israel e seus vizinhos árabes; a quietude dos estados árabes durante a invasão israelense podia ser em parte explicada pelas complexidades da situação libanesa, e não foi necessariamente uma prévia do que aconteceria se Israel estivesse em guerra com outros vizinhos. Em geral, porém, a principal função do arabismo era como uma arma em conflitos entre estados árabes e um pretexto para a interferência de um Estado nos assuntos de outros; o exemplo de 'Abd al-Nasser, apelando por cima dos governos aos povos árabes, não fora esquecido. Por outro lado, o fortalecimento de laços humanos entre os povos árabes, por causa da educação, migração e os meios de comunicação, podia a longo prazo ter um efeito.

Sobre as outras idéias principais, as de justiça social e Islã, podia dizer-se o contrário: não que houvessem perdido seu significado, mas que o tinham demais, e demasiada força como motivos para a ação, para poderem ser canalizadas por muito tempo em favor dos objetivos de qualquer regime. Suas raízes eram demasiado profundas na história para que fossem transformadas em dóceis instrumentos de governo.

Os governos que recorriam a idéias tão profundamente enraizadas e poderosas o faziam por sua própria conta e risco. Eram apanhados nas ambigüidades e nos compromissos de poder, e se usassem linguagens com um apelo tão forte, os adversários também poderiam fazê-lo, a fim de mostrar o fosso entre o que o governo dizia e o que fazia. Podiam usar com força mortal palavras como tirania e hipocrisia, que ressoavam por toda a história islâmica. O assassinato de Sadat em 1981, e um episódio na Arábia Saudita em 1979, quando um grupo de muçulmanos convictos ocupou a Grande Mesquita em Meca, foram sinais da força desses movimentos de oposição, sobretudo quando podiam combinar o apelo de justiça social com o do Islã.

Mesmo o mais estável e mais duradouro dos regimes, então, podia revelar-se frágil. Podia haver mudanças de poder dentro dos grupos governantes, devido a mortes ou revoluções palacianas; em 1985, Nimeiri, governante do Sudão, foi deposto por um golpe militar combinado com generalizada perturbação civil; em 1988, o longo domínio de Burguiba sobre a vida política da Tunísia acabou quando ele foi deposto e substituído por um oficial do exército, Zayn al-'Abidin Ben 'Ali. Esses acontecimentos podiam levar a mudanças na direção da política, como acontecera quando Sadat sucedera 'Abd al-Nasser, mas seria provável que houvesse mudanças mais violentas e radicais?

Em alguns países, havia uma possibilidade de que se restaurassem instituições mais duradouras e formais, que alargavam a extensão da participação na tomada de decisões. Havia um desejo geral disso entre as classes educadas, e até alguns dos próprios regimes podiam decidir que era do seu interesse; sem um certo grau de participação efetiva não podia haver desenvolvimento social e econômico, e a verdadeira estabilidade era impossível sem instituições — quer dizer, convenções conhecidas e aceitas sobre o modo como se devia obter, usar e transmitir o poder.

Se ocorreria essa mudança, dependeria do nível de educação, do tamanho e da força das classes médias, e da confiança do regime. Não era provável que ocorresse na maioria dos países árabes, mas havia sinais de que ocorria em alguns deles. No Kuwait, o Parlamento foi restaurado em 1981 após um intervalo de vários anos, e mostrou ter opiniões e o poder de convencer o governo a levá-lo em conta; mas foi dissolvido em 1986. Na Jordânia, fez-se uma tentativa em 1984 de reviver o Parlamento que estivera suspenso por algum tempo. No Líbano, apesar da guerra civil, a idéia do Parlamento como o lugar em que, no fim, se podiam conciliar as divergências, e do governo constitucional como base de legitimidade, continuava viva.

O país onde parecia mais provável que o poder constitucional fosse restaurado era o Egito, no qual a classe educada era grande e com um nível de compreensão política acima do da maioria dos países árabes. Tinha unidade social e cultural, e uma lembrança sobrevivente do período constitucional, que durara três anos e fora uma época em que, dentro de certos limites, se podiam expressar livremente as opiniões; a lembrança fora revivida em anos recentes pelo contraste com a relativa falta de liberdade política nos períodos de 'Abd al-Nasser e Sadat. Sob o sucessor de Sadat, Hosni Mubarak, teve início uma cautelosa mudança. Realizaram-se eleições para a Assembléia em 1984; o sistema eleitoral foi dividido de modo a assegurar uma grande maioria para o governo, mas a eleição teve lugar numa atmosfera de debate relativamente livre, e alguns membros de um partido de oposição, uma ressurreição do Wafd, foram eleitos. Isso pode ter sido um indício de que o Egito se deslocava para uma posição como a da Turquia ou de alguns países latino-americanos, onde se alternavam períodos de governo parlamentar e ditaduras militares, e a vida constitucional era sempre restaurada e sempre ameaçada.

Se ocorressem mudanças mais radicais, parecia mais provável na década de 1980 que se dessem mais em nome de uma idéia islâmica de justiça de Deus no mundo do que de um ideal puramente secular. Não havia uma idéia do Islã única, mas todo um espectro delas. A palavra "Islã" não tinha um significado único, simples, mas era o que os muçulmanos entendiam dela. Para os aldeões "tradicionais", podia significar tudo que eles pensavam e faziam. Para muçulmanos mais preocupados e cuidadosos, oferecia uma norma pela qual eles deviam tentar moldar suas vidas, e pela qual seus atos seriam julgados, mas havia mais de uma norma. O termo "fundamentalismo", que entrara na moda, trazia uma variedade de sentidos. Podia referir-se à idéia de que os muçulmanos deviam tentar voltar à doutrina e à prática do Profeta e da primeira geração de seus seguidores, ou à idéia de que só o Corão fornecia a norma de vida humana; isso podia ser uma idéia revolucionária, se os muçulmanos dissessem — como parecia fazer o líder líbio Kadhafi — que tinham o direito de interpretar livremente o Corão. A palavra também podia aplicar-se a uma atitude que seria melhor chamada de "conservadora": a atitude daqueles que desejavam aceitar e preservar o que tinham herdado do passado, toda a tradição cumulativa do Islã como se havia de fato desenvolvido, e mudá-la apenas de maneira cautelosa e responsável. Essa era a atitude do regime saudita e seus seguidores, e do regime revolucionário iraniano, embora as tradições cumulativas que eles aceitassem fossem muito diferentes uma da outra.

As circunstâncias dos diferentes países árabes variavam enormemente. Um movimento islâmico num país podia ter um sentido diferente do que poderia ter o mesmo movimento em outro. Por exemplo, os Irmãos Muçulmanos na Síria não tinham o mesmo papel que os do Egito; em grande parte, serviam de veículo para a oposição da população urbana sunita ao domínio do regime identificado com a comunidade alawita. Do mesmo modo, o fato de a revolução iraniana ter assumido uma certa forma não significava que tomaria a mesma forma em outros países. Em parte ao menos, a revolução podia ser explicada em termos de fatores específicos do Irã: certas classes sociais poderosas eram particularmente receptivas a apelos expressos em linguagem religiosa, e havia uma liderança religiosa que pudera agir como ponto de convergência para todos os movimentos de oposição; era relativamente independente do governo, geralmente respeitada por sua religiosidade e saber, e sempre atuara como porta-voz da consciência coletiva.

Essa situação não existia nos países árabes. No Iraque, onde os xiitas formavam a maioria, seus homens de saber não tinham a mesma ligação íntima com as massas urbanas ou a mesma influência sobre o governo que no Irã. Os ulemás sunitas tinham uma posição menos independente. Sob o domínio otomano, tinham se tornado funcionários públicos, perto do governo e comprometidos por suas relações com ele; por tradição e interesses, estavam ligados à alta burguesia das grandes cidades. A liderança dos movimentos islâmicos, portanto, tendia a estar em mãos de leigos, membros convertidos da moderna elite educada. Esses movimentos não tinham a santidade conferida por líderes de religiosidade e saber herdados e reconhecidos; eram partidos políticos competindo uns com os outros. Em geral, não tinham políticas sociais e econômicas claras. Parecia provável que fossem importantes forças de oposição, mas não estavam em posição de poder formar governos.

Um observador dos países árabes, ou de muitos outros países muçulmanos, em meados da década de 1980, poderia chegar à conclusão de que alguma coisa semelhante ao caminho iraniano seria o caminho do futuro, mas essa talvez fosse uma conclusão apressada, mesmo no que se referia ao Irã. Num certo sentido, o governo de homens de religião era uma reafirmação da tradição, mas em outro era contra a tradição. O saber herdado dos ulemás era de que não deviam ligar-se muito estreitamente ao governo do mundo; deviam manter uma distância moral dele, preservando ao mesmo tempo o acesso aos governantes e a influência sobre eles: era perigoso ligar os interesses eternos do Islã ao destino de um governante transitório do mundo. Essa atitude refletia-se numa certa suspeita popular em relação aos homens de religião que assumiam um papel demasiado destacado nos assuntos do mundo; eles eram tão suscetíveis quanto quaisquer outros às corrupções do poder e da riqueza, e talvez não dessem bons governantes.

Também podia acontecer que, num certo estágio de desenvolvimento nacional, o apelo a idéias religiosas — pelo menos a idéias santificadas pela tradição cumulativa — deixasse de ter a mesma força de outro sistema de idéias: uma mistura de moralidade social e lei que fosse basicamente secular, mas tivesse uma relação com os princípios gerais de justiça social implícitos ao Corão.

POSFÁCIO*

A década decorrida após a publicação da primeira edição deste livro pelo falecido Albert Hourani testemunhou muitos eventos dramáticos e significativos: a invasão do Kuwait pelo Iraque em agosto de 1990, seguida pela operação Tempestade no Deserto; uma encarniçada guerra civil na Argélia que talvez tenha custado cem mil vidas; a unificação dos dois Iêmen; a morte de três "grandes veteranos" da política árabe: o rei Hussein da Jordânia, em fevereiro de 1999, o rei Hasan do Marrocos, em julho de 1999, e o presidente Hafez al-Asad da Síria, em junho de 2000, todos sucedidos por seus filhos; a criação da Autoridade Palestina em Gaza e partes da Cisjordânia ocupadas por Israel, conforme os acordos pioneiros de Oslo, assinados pelo primeiro-ministro israelense Yitzhak Rabin e Yasser 'Arafat, presidente da Organização para a Libertação da Palestina, nos jardins da Casa Branca, em Washington, D.C.; o assassinato de Rabin por um extremista judeu e o desmonte desses mesmos acordos em 2002, depois do segundo levante palestino e da reação militar de Israel.

Porém, o mais dramático de todos os eventos recentes, em termos de cobertura da mídia, se não pelo cálculo de perdas e sofrimentos humanos, foram os ataques a Nova York e Washington em 11 de setembro de 2001, que causaram mais de três mil mortes, as baixas mais pesadas sofridas em conseqüência de um ato beligerante em território americano desde o final da Guerra da Secessão. Todos os dezenove suspeitos dos seqüestros suicidas que jogaram três jatos comerciais cheios de passageiros e combustível contra o World Trade Center, em Manhattan, e

---

* Este posfácio foi escrito em 2002. Desde então, a situação política de alguns dos países citados se modificou. (N. E.)

o edifício do Pentágono, perto de Washington, eram árabes, quinze deles da Arábia Saudita. Todos são suspeitos de terem sido treinados pela rede da al-Qaida ("base" ou "fundação") criada e presidida pelo dissidente saudita Osama bin Laden. Seria absurdo afirmar que qualquer desses eventos que ocorreram desde a triste e inesperada morte de Albert Hourani em 1993 poderiam ter sido preditos por ele. Mas desconfio que nenhum deles o teria surpreendido totalmente. Na qualidade de historiador das idéias, bem como dos acontecimentos, seu conhecimento era tão profundo quanto amplo. Ele possuía uma compreensão aguda do legado comum de religião e consciência histórica que mantém os povos árabes unidos e das diferenças ideológicas e forças estruturais que continuam a dividi-los.

No prólogo deste livro e em várias seções do texto, Hourani presta homenagem a Ibn Khaldun (1332-1406), o filósofo árabe da história cuja teoria da renovação cíclica e cujo conceito de *asabiyya* — "um espírito corporativo orientado para a obtenção e manutenção do poder" — ainda proporcionam uma moldura útil para pensar os eventos contemporâneos. Na teoria de Ibn Khaldun, a primeira forma de sociedade humana foi a dos valentes e vigorosos povos das estepes e das montanhas, na qual a autoridade estava baseada nos laços de parentesco e coesão social — *asabiyya*. Um governante com *asabiyya* estava em boas condições de fundar uma dinastia, uma vez que os habitantes urbanos careciam dessa qualidade. Quando o domínio dinástico fosse estável e próspero, a vida na cidade floresceria. Mas na época de Ibn Khaldun, cada dinastia trazia consigo as sementes de seu declínio, pois os governantes degeneravam em tiranos ou eram corrompidos pela vida de luxo. No tempo devido, o poder passaria para um novo grupo de governantes valentes e vigorosos da periferia.

Em sua aplicação mais ampla, a teoria de Khaldun, tal como interpretada por Hourani, ainda pode nos propiciar *insights* significativos, apesar do choque cultural maciço sofrido pelo mundo árabe-muçulmano com a dominação européia, a começar pela conquista francesa da Argélia, na década de 1830 e culminando com o colapso do império otomano, em 1918. Hourani

599

observa que no período pós-colonial, desde o começo da década de 1960, houve pouquíssima mudança na natureza geral da maioria dos regimes árabes ou na direção de suas políticas: na Arábia Saudita, nos países do golfo Pérsico, na Jordânia, na Tunísia e no Marrocos, não houve mudança substancial por mais de uma geração; na Líbia, na Síria e no Iraque, os grupos que estavam no poder por volta de 1970 mantiveram o controle ao longo dos anos 80 e 90.

Esse grau de continuidade política parece paradoxal se levarmos em conta as mudanças extraordinariamente rápidas e o grau de turbulência social sob a superfície — a explosão populacional, o ritmo acelerado da urbanização, a ampliação do transporte motorizado, a transformação do campo, as mudanças demográficas que inclinaram a balança para o lado da juventude e as contínuas irrupções de conflitos armados na região, do Saara Ocidental à Palestina e ao golfo Pérsico. Não obstante, à luz dos acontecimentos turbulentos da década passada, a explicação de Hourani ainda se sustenta:

> Tomando e adaptando uma idéia de Ibn Khaldun, podia-se sugerir que a estabilidade de um regime político dependia de uma combinação de três fatores. Era estável quando um grupo governante coeso podia ligar seus interesses aos de elementos poderosos na sociedade, e quando essa aliança de interesses se expressasse numa idéia política que tornasse legítimo o poder dos governantes aos olhos da sociedade, ou pelo menos de uma parte significativa dela (p. 583).

A coesão dos regimes depende agora de fatores como cultos de personalidade disseminados por meio da mídia visual e da presença ubíqua dos serviços de informação e segurança — instrumentos que não estavam à disposição dos governantes do passado. Além disso, na maioria dos países, o poder do governo estende-se agora às partes mais remotas do interior, onde seu domínio era outrora fraco ou praticamente ignorado. Mas na moderna política árabe, a '*asabiyya* do grupo governante ainda é um fator importante e talvez crucial na aquisição e manutenção do poder.

Um *tour d'horizon* dos Estados árabes no início de 2002 oferece ampla confirmação da tese de Hourani. Saddam Hussein continua no poder no Iraque, apesar do fracasso militar e da humilhação nacional na primeira guerra do Golfo de 1980-88 e na operação Tempestade no Deserto de 1991, quando suas forças foram expulsas do Kuait pela coalizão liderada pelos americanos que incluía forças árabes da Arábia Saudita, do Egito e da Síria, da erosão da soberania de seu país pela imposição de "zonas de interdição aérea" policiadas por forças americanas e britânicas, e do estabelecimento no nordeste do Iraque do governo regional autônomo dos curdos, sob proteção aliada. E apesar das ameaças cada vez mais beligerantes dos Estados Unidos e da Grã-Bretanha de tirá-lo à força do poder, a fim de destruir sua capacidade de fabricar e usar armas de destruição em massa (incluindo armas nucleares, biológicas e químicas), violando as sanções da ONU, há poucos sinais de uma alternativa. A oposição iraquiana está fragmentada e é ineficaz: não há candidato plausível para substituir Saddam, por mais que Washington e Whitehall preferissem que houvesse um.

Conforme uma análise khalduniana, a fonte da resistência de Saddam pode ser explicada pela *'asabiyya* de seu clã al-Bu Nasr, da região de Tikrit, às margens do Tigre, ao norte de Bagdá, que se irradia através de uma ampla rede de famílias, clãs e tribos com origem nessa área. Dessa região das províncias sunitas era recrutada uma parte significativa do corpo de oficiais antes do golpe militar que levou Saddam Hussein e seu antigo chefe Hassan al-Bakri ao poder em 1968. Embora aderindo formalmente ao nacionalismo árabe secular do partido Ba'th, a *'asabiyya* do grupo revelou-se mais duradoura do que sua orientação ideológica. Graças à hábil manipulação das lealdades e rivalidades dos clãs, Saddam montou um formidável sistema de poder baseado não somente na coerção e no medo, mas também no clientelismo.

A distribuição das terras (confiscadas de proprietários do

velho regime, ou de seus oponentes) e os gastos das receitas do petróleo promovidos por Saddam estão no centro dessa teia de relações clientelistas; mas um Estado moderno como o Iraque tem numerosos outros benefícios armazenados, além de petróleo e terras: licenças para montar negócios, empresas de importação-exportação (inclusive de armas), controle do câmbio e até controle sobre as relações trabalhistas. Como observa Charles Tripp, montou-se uma estrutura "movida não apenas, nem mesmo principalmente, pela preocupação geral de melhorar as condições econômicas do país, mas pela preocupação particular de criar redes de cumplicidade e dependência que reforçariam a posição daqueles que estavam no poder".[1]

A 'asabiyya da Guarda Republicana dominada pelos originários de Tikrit, preservada por Saddam durante a operação Tempestade no Deserto, atuou como seu escudo durante os levantes subseqüentes dos curdos, no norte, e dos xiitas nas cidades meridionais de Basra, Amara, Nassíria, Najaf e Karbala, em 1991. Os curdos estavam protegidos pelo poder aéreo aliado, mas os rebeldes xiitas foram abandonados (apesar do encorajamento inicial americano). Em poucas semanas, as divisões da Guarda Republicana recapturaram todas a cidades dos rebeldes, infligindo destruição e mortes em massa. O status de pária e o regime de sanções impostos ao Iraque depois dessa segunda guerra do golfo, longe de solapar o poder de Saddam Hussein, serviram provavelmente para fortalecer sua 'asabiyya: relatos surgidos na imprensa ocidental em 2000 revelaram que o regime estava ganhando cerca de dois bilhões de dólares por ano com o contrabando de petróleo. Após a deserção e subseqüente execução de Hussein Kamil al-Majid, genro de Saddam, o filho mais velho do presidente, Uday Saddan Hussein al-Tikriti, parece ser o principal beneficiário desse lucrativo subproduto das sanções da ONU contra o Iraque.

Sem dúvida, o Iraque é um exemplo extremo, mas se encaixa num padrão de 'asabiyya, mantendo a rede de relações clientelistas que predomina na maior parte do mundo árabe-muçulmano. Em contraste com a 'asabiyya do clã governante do Iraque, a família Al Saud da Arábia Saudita não faz nenhuma tentativa de esconder o fato de ser proprietária do principal recurso natural do país atrás de uma máscara de instituição estatal. Desde a fundação da Arábia Saudita na década de 1920, essa família da tribo Aniza tem sido a dona do país, além de governá-la. O petróleo não é apenas o principal recurso nacional do reino: é sobretudo uma propriedade privada da família. O grosso da receita é pago ao rei antes de ser registrado como renda nacional. A família real decide sobre suas necessidades e as autoridades do governo são obrigadas a agir de acordo com suas determinações. Os seis mil e tantos príncipes e princesas ligados à Al Saud têm direito a estipêndios periódicos, além de seus salários de "trabalho" no governo ou de comissões que possam receber em acordos comerciais. Em 1996, um economista saudita estimou que a família real custava ao país pelo menos quatro bilhões de dólares por ano.

Arranjos semelhantes existem na maioria dos países produtores de petróleo do golfo Pérsico, onde o poder pertence a uma família, ao passo que na Líbia os royalties do petróleo e o apoio de redes de clãs e tribos fiéis sustentam o eclético e imprevisível Muammar Kadhafi há mais de três décadas, desde o golpe militar que o levou ao poder quando era um capitão do exército de 28 anos.

A persistência do patrimonialismo — propriedade privada do Estado e seus recursos — como fato político é certamente reforçada pela patronagem que o controle dos recursos petrolíferos confere aos grupos dominantes, mas ela existe mesmo onde o Estado tem recursos muito mais limitados a seu dispor. Na Síria, o aparato político-militar do partido Ba'th foi tomado por um grupo predominantemente rural de uma comunidade religiosa minoritária, de forma muito parecida com o que aconteceu no Iraque. Porém, em contraste com os Tikritis sunitas do Iraque (originários da minoria árabe sunita, que constitui cerca de 20% da população iraquiana), a *'asabiyya* do grupo dominante na Síria baseia-se na matriz etno-religiosa mais estreita da comunidade alauíta, da região principalmente rural de Lataquia, ao norte do Líbano.

Os alauítas, que perfazem menos de 12% da população síria, são xiitas que possuem uma teologia esotérica própria, inacessível aos de fora: no caso deles, a solidariedade do parentesco é reforçada por uma tradição religiosa fechada. Recrutados para as forças armadas pelos franceses durante as décadas de 1930 e 1940, a expertise militar deles possibilitou-lhes a ascensão na hierarquia do exército. Após o golpe ba'thista de 1963, muitos oficiais suspeitos de deslealdade ao novo governo foram substituídos por alauítas, uma tendência que se acelerou depois que Hafez al-Asad, o comandante alauíta da força aérea, deu um golpe bem-sucedido contra seus colegas ba'thistas em 1970. A partir de então, o poder do Estado esteve firmemente concentrado nas mãos alauítas. Dos oficiais que comandavam a 47ª Brigada Blindada síria, responsável pela repressão da rebelião dos Irmãos Muçulmanos na cidade de Hama, em 1982, ao custo de vinte mil vidas, consta que 70% eram alauítas.

Em 2000, quando Hafez al-Asad morreu, os escrúpulos constitucionais foram rapidamente removidos para garantir uma sucessão suave. Temerosa de que Rifaat al-Asad, o irmão mais moço de Hafez (que vivia no exílio desde que tentara derrubar o irmão, durante uma doença anterior), tentasse tomar o poder, uma Assembléia Popular rapidamente convocada votou por unanimidade para baixar a idade mínima do presidente de 40 para 34, a idade exata de Bashar al-Asad.

Ao mesmo tempo em que o mundo árabe se distancia do período da dominação colonialista direta, as velhas diretrizes da 'asabiyya e do poder dinástico parecem se reafirmar. Como revelou o drama da sucessão de Hafez al-Asad, as diferenças entre governo dinástico aberto e encoberto estão se tornando menos claras. Dezesseis meses antes, a sucessão no Reino Hachemita da Jordânia, após a morte do rei Hussein, em fevereiro de 1999, apresentou semelhanças notáveis com os eventos que se desenrolariam em Damasco. Durante sua ausência para tratamento médico nos Estados Unidos, Hussein transferiu muitas de suas responsabilidades para o irmão, o príncipe herdeiro Hassan, que

604

era regente desde 1965; porém, ao retornar, duas semanas antes de sua morte, ele indicou seu filho mais velho Abdullah para príncipe herdeiro (uma carta que teria enviado ao irmão expressava insatisfação com a direção dos assuntos do reino durante sua ausência, em particular, o envolvimento de Hassan em questões militares). O monarca moribundo também acusou os partidários do irmão de caluniar sua família imediata, provocando especulações sobre uma grave rixa familiar. No caso, a sucessão jordaniana, tal como a síria, se deu com bastante tranqüilidade. O novo rei prometeu reformas fundamentais, inclusive reforçar o império da lei e promover mais avanços no sentido da democracia. Ele designou um novo governo, com um novo primeiro-ministro. Seu tio, príncipe Hassan, foi efetivamente excluído do poder e vários de seus aliados políticos foram substituídos. Rania, a esposa de Abdullah, que é palestina, adotou uma postura de destaque público como rainha da Jordânia. Apesar das tensões provocadas pelo fracasso dos Acordos de Oslo e pela segunda *intifada* palestina, a continuidade e a legitimidade da monarquia hachemita parecem asseguradas.

No Marrocos, a monarquia alauíta, cuja legitimidade, tal como a dos hachemitas, deriva do fato do monarca descender do profeta Maomé, também passou por uma transição suave de pai para filho. Muhammad VI, que sucedeu ao pai em julho de 1999, proclamou-se imediatamente defensor da reforma e da modernização, adotando um estilo populista e chamativo, muito diferente do de seu pai. Durante uma visita de dez dias à região pobre e isolada de Rif, no norte do país, praticamente ignorada por seu pai, prometeu ajudar os pobres e reduzir o desemprego e falou sobre questões delicadas, como justiça social, direitos humanos e igualdade para as mulheres. Em novembro, demitiu o assessor mais próximo de seu pai, o ministro do Interior Driss Basri, medida que foi interpretada como um sinal de seu desejo de reformas.

Em outros países árabes, os mesmos padrões de continuidade eram discerníveis, ainda que com menos clareza. No Egito e na Tunísia, os mesmos "homens fortes" Hosni Mubarak e Zayn al'-Abidin Ben 'Ali continuam no poder desde a primeira edição deste livro. Ambos chegaram ao governo por meios legais, constitucionais: Mubarak porque era vice-presidente quando do assassinato de Anwar Sadat, em outubro de 1981, Ben Ali, depois que sete médicos declararam o idoso e cada vez mais errático Habib Bourguiba, o pai fundador da Tunísia moderna, incapaz para governar, em novembro de 1987. (Bourguiba, mantido em confinamento por Ben Ali por mais de uma década, finalmente morreu em abril de 2000, aos 96 anos.)

A grande e desastrosa exceção a esse quadro de relativa continuidade e estabilidade aconteceu na Argélia, onde o colapso do partido da FLN governante e a posterior intervenção militar levaram a uma encarniçada guerra civil que pode ter custado mais de cem mil vidas, em sua maioria civis. O cancelamento pelo exército do segundo turno das eleições nacionais, depois que a Frente de Salvação Islâmica (FSI) venceu o primeiro turno, em dezembro de 1991, provocou uma guerra civil sangrenta e semelhante, em sua barbárie e falta de consideração pelas vidas dos não-combatentes, à campanha travada pelos franceses contra os nacionalistas argelinos, quase duas gerações antes. No momento em que escrevo (2002), uma certa estabilidade foi restaurada com a presidência de Abdelaziz Bouteflika, um ex-ministro do Exterior, considerado capaz para estabelecer uma ponte entre os líderes islâmicos moderados e os generais do exército que continuam com as rédeas do poder nas mãos. A selvageria e o rancor da guerra na Argélia podem ser consideradas uma exceção que prova a sabedoria do teorema de Hourani-Khaldub: no período anterior ao golpe militar, o governo do presidente Chadli fracassou em três aspectos vitais: a FLN deixou de manter sua coesão devido a rivalidades internas, ao mesmo tempo em que sua corrupção e falta de legitimidade a desacreditavam aos olhos de boa parte da sociedade.

Na vizinha Tunísia e no Egito, a lição do desastre argelino não foi ignorada. Na Tunísia, uma economia relativamente próspera combinada com firmes medidas repressivas manteve acuada a potencial oposição islâmica; por sua vez, a oposição renegou sua ambição original de uma alternativa islâmica ou "fundamentalista" ao concordar, pelo menos em público, em adotar o caminho da democracia, independentemente das conseqüências. No Egito, o ciclo de revoltas islamistas e repressão estatal continua. Mas lá o Estado parece ter dominado a situação. O massacre de setenta pessoas, entre elas sessenta turistas estrangeiros, perpetrado por terroristas islâmicos em Luxor, em novembro de 1997, não só devastou a economia, ao provocar um colapso do turismo, como foi a causa de uma reviravolta em massa contra os islamistas, cuja maioria, reagindo à pressão pública, anunciou um cessar-fogo na guerra contra o governo.

Na Arábia Saudita, o governo dos Al Saud enfrentará um novo desafio à sua coesão quando tiver de escolher um rei para a próxima geração — os netos de Abd al-Aziz. Com a saúde debilitada do rei Fahd, o verdadeiro poder tem sido exercido por seu irmão mais moço, o príncipe herdeiro Abdullah, comandante da Guarda Nacional. Mas os irmãos uterinos de Fahd, filhos de Hassa al-Sudairi, e os filhos deles ocupam posições-chave no governo. Tendo em vista as incertezas do ambiente internacional, o aumento das tensões sociais devido à queda da receita das exportações e o desemprego crescente, com poderosas facções familiares competindo pelos poder, não é nada certo que a 'asa-biyya, que serviu tão bem aos Al Saud no passado, venha a perdurar no futuro. Se e quando Abdullah suceder a seu irmão no trono, um teste crucial para a estabilidade da dinastia será a escolha do príncipe herdeiro, seu sucessor.

Ao reler a história de Hourani depois de uma década, temos uma nova consciência de quão precária se tornou a estabilidade paradoxal que ele descreve na parte final de seu livro. Como ele explica no capítulo 22, em muitos aspectos, o Estado árabe moderno que emergiu da era colonial foi fortalecido pelos processos de modernização introduzidos sob auspício europeu: às atividades de governo tradicionais, como a manutenção da lei e da ordem, a coleta de impostos e a provisão de alguns serviços públicos básicos, foram acrescentadas áreas que estavam antes sob controle estrangeiro, como bancos, infra-estrutura, comunicações e empresas de utilidades públicas. Porém, o aumento do poder estatal não foi acompanhado por um aumento proporcional da *accountability* pública. O Estado moderno pode ser muito mais poderoso do que seu predecessor otomano, mas em aspectos cruciais, ele carece tanto da legitimidade democrática moderna como da autoridade moral de seus antecedentes históricos.

A situação delicada do Estado árabe moderno, e de seu povo, torna-se ainda mais problemática pela ausência de consenso cultural em relação a quais fontes de legitimidade existem ou deveriam existir. Os movimentos islâmicos estão, em geral, unidos em suas demandas por "restauração" da *charia*, a lei divina do islã, que eles consideram ter sido substituída por códigos estrangeiros e modos de governar importados e ilícitos; mas há pouco consenso entre eles quanto ao conteúdo dessa lei, ao modo como deveria ser administrada em condições modernas, ou às formas pelas quais deveria ser institucionalizada.

Ao mesmo tempo, as sociedades árabes modernas, como outras sociedades do mundo, entraram na órbita das mídias eletrônicas. Eventos que anteriormente eram filtrados pelos jornais e meios de comunicação controlados pelo governo agora entram via satélite nas casas das pessoas. As tentativas governamentais de proibir ou limitar a televisão por satélite têm, em larga medida, fracassado. A exposição a influências externas deixou o povo em geral muito mais consciente do mundo lá fora e das deficiências de suas sociedades e sistemas de governo. O conseqüente descontentamento pode se escoar em direções bastante diferentes, no sentido dos opositores islâmicos, ou dos defensores da "sociedade civil" que exigem mais representação e controles democráticos. Porém, é provável que essas correntes venham a se encontrar. Em seu sentido mais amplo, a demanda pela "restauração da *charia*" é simplesmente o desejo de controlar e limitar a arbitrariedade do poder pessoal ou dinástico e substituí-lo pelo império da lei. Como diz Gudrum Kramer, que examinou um grande volume de escritos recentes sobre islã e democracia, as posições ideológicas dos islamistas são mais ambíguas e menos claras do que se desejaria, mas não são anta-gônicas aos valores de igualdade, pluralismo e democracia, como podem sugerir as declarações dos defensores mais enérgicos do islã político radical, tais como Sayyid Qutb ou o líder argelino da FSI, Ali Ben Hadj.[2]

Além da precariedade do governo arbitrário e da ambigüi-dade em relação às fontes da legitimidade do Estado, continua havendo uma sombra de incerteza quanto à legitimidade das fronteiras e jurisdições que separam os países árabes. Como nos lembra Hourani:

> Antes da era moderna, as fronteiras não tinham uma deli-mitação clara e precisa, e seria melhor pensar no poder de uma dinastia não operando de maneira uniforme, dentro de uma área fixa e geralmente reconhecida, mas antes como irradiando-se de vários centros urbanos com uma força que tendia a enfraquecer com a distância e a existência de obs-táculos naturais ou humanos (p. 189).

Apesar do aumento enorme do poderio militar, possibilita-do pelas armas modernas, pelo avanço das comunicações e pelos controles burocráticos, muitas fronteiras ainda são porosas e frá-geis. Embora os Estados árabes possam reconhecer formalmen-te uns aos outros e cooperar entre eles através de organizações como a Liga Árabe e outros organismos regionais, os aspectos comuns da língua e das lealdades afetivas de clã ou família que atravessam fronteiras tornam precárias as fidelidades nacionais. Não surpreende que quando o Iraque invadiu o Kuwait, em agos-to de 1990, as forças armadas deste país não tenham conseguido oferecer resistência: a diferença de poderio militar era avassala-dora. Mais problemático do ponto de vista do sistema existente de Estados foi o fato de que um número significativo de vozes palestinas e iemenitas, tradicionalmente hostis à Arábia Saudita, apoiou ativamente o Iraque.

A reação saudita à dissidência foi expulsar mais de meio mi-lhão de trabalhadores iemenitas e suspender seu subsídio anual de 660 milhões de dólares. Depois que o perigo da invasão iraquiana passou, pelo menos temporariamente, graças à coalizão liderada pelos americanos (da qual participou a maioria dos outros países árabes, pelo menos *pro-forma*) que expulsou os iraquianos e restaurou a soberania do Kuwait, em fevereiro de 1991, os sauditas enfatizaram sua hostilidade contra o Iêmen apoiando um movimento de secessão no sul, com o objetivo de reverter a precária unidade política alcançada pelas duas metades do país em 1990. O movimento levou a uma curta guerra civil em 1994, na qual 85 tanques foram destruídos e mais de quatrocentos soldados mortos. Os iemenitas do norte acusaram os sauditas de apoiar o movimento separatista (com apoio de outros países do golfo), a fim de criar um novo emirado petrolífero na área de Hadhramaut, sob influência da Arábia, com uma saída para o oceano Índico. (A companhia Nimr, de propriedade da família Bin Mahfouz, originalmente de Hadhramaut e ligada aos Al Saud, detém uma das principais concessões petrolíferas na região.) A vitória do norte, no entanto, foi garantida quando os Estados Unidos deixaram claro na ONU que eram a favor da unidade iemenita. Aqui, como no Kuwait, os americanos tomaram a iniciativa para proteger seus interesses e os das economias ocidentais dependentes do petróleo.

Longe de consolidar o sistema existente de Estados, a operação Tempestade no Deserto enfatizou sua fragilidade. Os americanos talvez tenham evitado perseguir as forças iraquianas até Bagdá devido ao medo de seus aliados e parceiros no golfo Pérsico de que tal medida pudesse levar à desintegração do país em três territórios hostis: um Estado xiita no sul, vulnerável ao controle e manipulação pelo Irã; um centro remanescente em torno de Bagdá, sob o comando de Saddam Hussein; e as áreas curdas do norte. No caso, os americanos não apoiaram a revolta xiita prevista que se seguiu à derrota das forças iraquianas e o Iraque sofreu apenas uma desintegração parcial — com um grau de autonomia curda imposto pela zona de interdição aérea imposta pelo poderio aéreo americano e inglês. A mesma consideração aplica-se agora (2002), quando uma nova guerra contra o

Iraque está em gestação. Dessa vez, porém, os perigos políticos são ainda maiores, uma vez que os países árabes em cujo interesse tal ação poderia teoricamente ser contemplada demonstraram ativamente sua hostilidade. Um ataque ao Iraque, considerado hostil ao mundo islâmico como um todo por muitos árabes e muçulmanos, pode levar a um aumento da instabilidade em toda a região.

Para o bem ou para o mal, a experiência árabe está agora inevitavelmente entrelaçada com a do resto do mundo. Por meio da emigração, árabes e muçulmanos conseguiram o que a conquista lhes havia negado: uma substancial presença física e cultural no Ocidente, presença que reflete e talvez possa exacerbar as tensões predominantes entre identidades baseadas em pressupostos "tradicionais" ou herdados relativos a um mundo criado por Deus e a necessidade de sobreviver num ambiente moderno fundado no que um sociólogo chama, com felicidade, de "institucionalização da dúvida".[3]

Os ataques a Nova York e Washington em 11 de setembro de 2001 parecem encarnar o modo como um conflito com origem numa parte estrategicamente sensível do mundo — a península Arábica e o golfo Pérsico — adquiriu uma dimensão global com conseqüências imprevisíveis. Quinze dos supostos perpetradores eram sauditas da região de Assir, na fronteira com o Iêmen, uma das últimas áreas incorporadas ao reino saudita na década de 1920, região na qual os pesquisadores do *Sunday Times* descobriram que "um número desproporcional de famílias" era capaz de traçar suas origens até as tribos iemenitas derrotadas pelos Al Saud.

Uma versão modificada do paradigma de Khaldun quase se aplica aos ataques de 11 de setembro: tribos de uma região montanhosa e distante do centro de poder montam um ataque ao "centro". Exceto que, nessa versão sofisticada do século XXI de Ibn Khaldun, não é Riad, a capital saudita, ou mesmo Jidá, o centro comercial do Hijaz, que são atacadas, mas as torres gêmeas do World Trade Center, em Manhattan, e o Pentágono, os símbolos visíveis do poderio financeiro e militar dos Estados

Unidos, percebidos como suportes da dinastia saudita e da ocupação ilegal da Palestina pelos israelitas. As maldições contra os sauditas e americanos pronunciadas pela al-Qaida e seu líder Osama bin Laden (descendente de uma família da cidade sagrada de Tarim, no vale de Hadhramaut, no Iêmen, que ficou rica construindo palácios para príncipes sauditas) usam uma linguagem semelhante à de proclamações anteriores que ressoam através dos séculos, dos primeiros rebeldes xiitas a Ibn Tumart e o Mahdi sudanês: os dirigentes atuais não estão governando de acordo com o que "Deus mandou" e devem ser substituídos por homens de virtude que irão restaurar a lei divina. Mas as condições e contextos desse desafio são, naturalmente, muitíssimo diferentes do que veio antes. Os líderes do ataque árabe à América não eram membros incultos de tribos das montanhas ou das estepes, gente de devoção simples em conflito com a sofisticação urbana da cidade. Eram agentes altamente treinados e familiarizados com as armas, as comunicações e a engenharia estrutural modernas. Planejaram e tramaram suas ações no coração das cidades ocidentais, usando as instalações de suas instituições educacionais. Sabiam como pilotar o avião de passageiros mais sofisticado do mundo.

É evidente que nada disso poderia ter sido previsto em detalhes: não se pode esperar que um historiador tenha êxito ali onde os serviços de inteligência do Ocidente fracassaram de forma tão espetacular. Mas o leitor atento terá encontrado no relato que Hourani faz da situação delicada dos árabes modernos muitas "sinalizações na estrada" para o 11 de setembro — para tomar emprestado o título do famoso tratado de Sayyid Qutb que inspirou os terroristas. A "vanguarda de combatentes dedicados" proposta por Qutb que iria promover a *jihad* "não apenas para defesa, mas para destruir todo culto de falsos deuses e remover todos os obstáculos que impediam os homens de aceitar o Islã" (p. 580), encontrou sua realização nos movimentos islamistas que brotaram primeiro no Egito e, depois, em todo o mundo muçulmano, após a execução de Qutb em 1966.

A *jihad* contra os russos (após a invasão do Afeganistão em

612

1979), apoiada pela Arábia Saudita, os países do golfo Pérsico e os Estados Unidos, com fundos e armamentos canalizados através da inteligência militar paquistanesa, foi o catalisador que fundiu vários milhares de voluntários do Egito, da Arábia Saudita e do norte da África numa poderosa força de combate que neste momento (2002) ainda resiste à "guerra ao terrorismo" liderada pelos americanos no Afeganistão. Para os seguidores de Qutb, a *jihad* contra a nova *jahiliyya* (ignorância ou paganismo) representada pelo Ocidente faz parte de uma luta pan-islâmica: pelo menos um dos grupos que participa da rede da al-Qaida pretende que a luta leve à restauração de um califado universal.

Embora a *jihad* contra os russos tenha atraído voluntários de todas as partes do mundo muçulmano, o cerne do movimento foi recrutado no mundo árabe e foram os árabes (os assim chamados "afegãos-árabes") que predominaram nessa nova vanguarda estilo Qutb. Depois da retirada soviética do Afeganistão, em 1989, esses *mujahdin* temperados pela batalha voltaram a atenção para outras regiões onde, de acordo com suas análises, os muçulmanos estavam lutando contra as forças da nova *jahiliyya*, representada por governos antimuçulmanos, pró-ocidentais ou seculares. Alguns desses lugares, como a Caxemira, a Bósnia, o sul das Filipinas e a Somália, estavam lingüística e culturalmente distantes dos centros árabes-muçulmanos. Mas em pelo menos três regiões importantes — Egito, Argélia e península Arábica — o retorno dos afegãos-árabes levou a um aumento significativo do nível de violência dirigido contra o governo ou contra aqueles percebidos como seus protetores estrangeiros. A Arábia Saudita e o Iêmen testemunharam sofisticados ataques terroristas contra pessoal militar dos Estados Unidos e o navio de guerra americano *Cole*. No Egito, turistas foram atacados com o objetivo de prejudicar a economia com o estancamento do fluxo de moeda estrangeira. Na Argélia, houve uma escalada no grau de violência depois que o exército interveio para evitar que o principal partido islâmico — a Frente de Salvação Islâmica — ganhasse o segundo turno das eleições para a Assembléia Nacional, marcadas para janeiro de 1992.

613

No momento em que escrevo estas linhas, a "guerra ao terrorismo" declarada pelos Estados Unidos na esteira dos ataques de 11 de setembro desenvolve-se sob a pressão de suas contradições internas. O regime talibã patrocinado pelos sauditas no Afeganistão, que ofereceu proteção à al-Qaida, foi derrubado pela ação militar americana e substituído por um governo interino simpático aos interesses ocidentais. Mas a retórica maniqueísta do presidente George W. Bush, insistindo que o mundo todo, inclusive os árabes-muçulmanos, deveria participar da cruzada contra o terrorismo, foi interpretada pelo governo de coalizão do primeiro-ministro Ariel Sharon como uma luz verde para Israel retomar as cidades palestinas desocupadas pelos Acordos de Oslo, a fim de expulsar, matar ou levar à justiça as facções palestinas responsáveis pela escalada dos atentados suicidas contra civis israelitas. Na crise crescente da Palestina, a opinião árabe voltou-se avassaladoramente contra os Estados Unidos: as atrocidades do 11 de setembro foram esquecidas diante do choque provocado pelas imagens dos tanques de Israel entrando em acampamentos e cidades palestinas, reduzindo-as a escombros e enterrando os corpos de árabes.

No final de março de 2002, antes da entrada dos tanques israelitas em todos os territórios controlados pela Autoridade Nacional Palestina, conforme os Acordos de Oslo, a Liga Árabe havia tomado por unanimidade a decisão historicamente importante de reconhecer e "normalizar" as relações com Israel (inclusive com intercâmbio de diplomatas, comércio e turismo) em troca da devolução aos palestinos dos territórios (com alguns pequenos reajustes) ocupados por Israel na guerra de 1967. Mas após as novas incursões israelitas, as perspectivas de um acordo dentro dessas linhas pareciam mais longínquas do que nunca. O verdadeiro beneficiário dessa nova escalada da crise entre Israel e os árabes foi o Iraque: no novo clima polarizado, nenhum governo árabe poderia se arriscar a cooperar numa campanha contra o "terrorismo" iraquiano liderada pelo principal aliado e suporte de Israel, os Estados Unidos. Uma solução do conflito palestino, que durava mais de meio século,

614

não resolveria em si mesma os problemas de legitimidade e autoritarismo que ainda afligiam os povos árabes e seus governos. Mas ela teria o potencial de transformar uma ferida aberta no coração do mundo árabe-muçulmano e em sua consciência numa formidável fonte de regeneração econômica e social. A oportunidade existia, mas parecia haver pouca perspectiva de que os líderes idosos de Israel e da Palestina, Ariel Sharon e Yasser 'Arafat, envolvidos numa rixa pessoal que durou duas décadas, fossem capazes de aproveitá-la.

Malise Ruthven

O PROFETA E SEUS DESCENDENTES, OS CALIFAS E AS DINASTIAS

A FAMÍLIA DO PROFETA

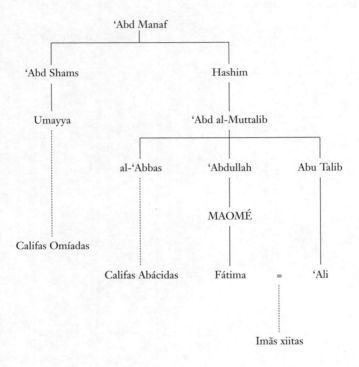

Adaptado de J. L. Bacharach, *A Middle East Studies Handbook* (Seattle, 1984), p. 17.

OS IMÃS XIITAS

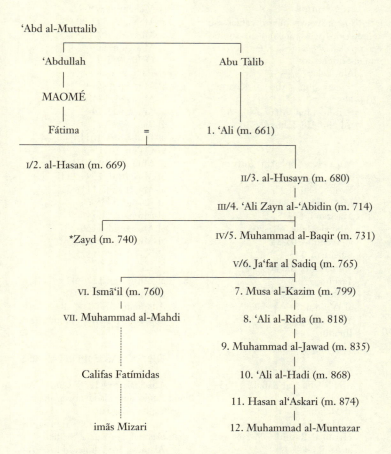

Os algarismos arábicos indicam a linha de sucessão reconhecida pelos xiitas adeptos do Duodécimo.

Os algarismos romanos indicam a linha reconhecida pelos ismaelitas.

* Reconhecido como imã pelos zayditas.

Adaptado de J. L. Bacharach, *A Middle East Studies Handbook* (Seattle, 1984), p. 21.

OS CALIFAS

OS RASHIDUN

Os primeiros quatro califas são conhecidos pelos muçulmanos sunitas como os *Rashidun* (os califas "corretamente orientados")

Abu Bakr, 623-4
'Umar ibn 'Abd al-Khattab, 634-44
'Uthman ibn 'Affan, 644-56
'Ali ibn Abi Talib, 656-61

OS OMÍADAS

Mu'awiya ibn Abi Sufyan I, 661-80

Yazid I, 680-3
Mu'awiya II, 683-4
Marwan I, 684-5
'Abd al-Malik, 685-705
al-Walid I, 705-15
Suleiman, 715-17
'Umar ibn 'Abd al-'Aziz, 717-20
Yazid II, 720-4
Hisham, 724-43
al Walid II, 743-4
Yazid III, 744
Ibrahim, 744
Marwan II, 744-50

OS ABÁCIDAS

Abu'l- 'abbas al-Saffah, 749-54
al-Mansur, 754-75
al-Mahdi, 775-85
al-Hadi, 783-6
Harun al-Rashid, 786-809
al-Amin, 809-13
al-Ma-'mun, 813-33
al-Ma'tasim, 833-42
al-Wathiq, 842-7
al-Mutawakkil, 847-61
al-Muntasir, 861-2
al-Musta'in, 862-6

al-Mu'tazz, 866-9
al-Muhtadi, 869-70
al-Mu'tamid, 870-92
al-Mu'tadid, 892-902
al-Muktafi, 902-8
al-Muqtadir, 908-32
al-Qahir, 932-4
al-Radi, 934-40
al-Muttaqi, 940-4
al-Mustakfi, 944-6
al-Muti', 946-74
al-Ta'i', 974-91
al-Qadir, 991-1031
al-Qa'im, 1031-75
al-Muqtadi, 1075-94
al-Mustazhir, 1094-1118
al-Mustarshid, 1118-35
al-Rashid, 1135-6
al-Muqtafi, 1136-60
al-Mustanjid, 1160-70
al-Mustadi, 1170-80
al-Nasir, 1180-1225
al-Zahir, 1225-6
al-Mustansir, 1226-42
al-Muzta'sim, 1242-58

Adaptado de C. E. Bosworth, *The Islamic dynasties* (Edimburgo, 1967).

DINASTIAS IMPORTANTES

Abácidas, 749-1258. Califas, reivindicando autoridade universal; principal capital, Bagdá.

Aglábidas, 800-909. Tunísia, região oriental da Argélia, Sicília.

Alauítas, 1631-hoje. Marrocos.

Almôadas (al-Muwahhidun), 1130-1269. Magreb, Espanha.

Almorávidas (al-Murabitun), 1056-1147. Magreb, Espanha.

Aiúbidas, 1169-1260. Egito, Síria, parte da Arábia Ocidental.

Buyidas (Buwayhids), 932-1062. Irã, Iraque.

Fatímidas, 909-1171. Magreb, Egito, Síria. Reivindicam ser califas.

Hachemitas do Iraque, 1921-58. Iraque.

Hachemitas da Jordânia, 1923-hoje. Transjordânia, parte da Palestina.

Hafsidas, 1228-1574. Tunísia, região oriental da Argélia.

Idrísidas, 789-926. Marrocos.

Ilkhanidas, 1256-1336. Irã, Iraque.

Maluk al-tawa'if ("reis partidários"), século XI, Espanha.

Mamelucos, 1250-1517. Egito, Síria.

Marínidas, 1196-1464. Marrocos.

Mughals, 1526-1858. Índia.

Muhammad'Ali e sucessores, 1805-1953. Egito.

Nasridas, 1230-1492. Sul da Espanha.

Omíadas, 661-750. Califas reivindicando autoridade universal; capital Damasco.

Omíadas da Espanha, 756-1031. Reivindicavam ser califas.

Otomanos, 1281-1922. Turquia, Síria, Iraque, Egito, Chipre, Tunísia, Argélia, Arábia Ocidental.

Rassidas, séculos IX-XIII, fim do século XVI-1962. Imãs zayditas do Iêmen.

Rasulidas, 1229-1454. Iêmen.

Rustamidas, 779-909. Região ocidental da Argélia.

Sadidas, 1511-1628. Marrocos.

Safáridas, 867-fim do século XV. Região oriental do Irã.

Samanidas, 819-1005. Nordeste do Irã, Ásia Central.

Sauditas, 1746-hoje. Arábia Central, depois Ocidental.

Sefévidas, 1501-1732. Irã.

Seljúquidas, 1038-1194. Irã, Iraque.

Seljúquidas de Rum, 1077-1307. Região central e oriental da Turquia.

Timúridas, 1370-1506. Ásia Central, Irã.

Tulunidas, 868-905. Egito, Síria.

Nota: Algumas das datas são aproximadas, pois nem sempre é fácil saber quando uma dinastia começou e deixou de reinar. Os nomes dos países indicam os principais centros de poder de dinastias; com exceção das modernas, são usadas num sentido geográfico aproximado.

Adaptado de T. Mostyn (ed.), *The Cambridge Encyclopedia of the Middle East and North Africa* (Cambridge, 1988), p. 59.

FAMÍLIAS GOVERNANTES NOS SÉCULOS XIX E XX

OS SULTÕES OTOMANOS
Selim III, 1789-1807
Mustafá IV, 1807-08
Mahmud II, 1808-39
Abdülmecid I, 1839-61
Abdülaziz, 1861-76
Murad V, 1876
Abdülhamid II, 1876-1909
Mehmed V Resad, 1909-18
Mehmed VI Vahideddin, 1918-22
Abdülmecid II, reconhecido como califa mas não sultão, 1922-24

OS REIS DA ARÁBIA SAUDITA
'Abd al-'Aziz, 1926-53
Sa'ud, 1953-64

Faysal, 1964-75
Khalid, 1975-82
Fahd, 1982-

A DINASTIA DE MUHAMMAD
'ALI NO EGITO
Muhammad'Ali, *vali* (governador) do Egito, 1805-48
  Ibrahim, *vali*, 1848
  'Abbas I, *vali*, 1848-54
  Sa'id, *vali*, 1854-63
  Isma'il, quediva, 1863-79
  Tawfiq, quediva, 1879-92
  'Abbas II Hilmi, quediva, 1892-1914
  Husayn Kamil, sultão, 1914-17

Fu'ad I, sultão, depois rei, 1917-36
Faruque, rei, 1936-52
Fu'ad II, rei, 1952-53

OS ALAUÍTAS DO MARROCOS
Suleiman, sultão, 1796-1822
'Abd al-Rahman, sultão, 1822-59
Muhammad, sultão, 1859-73
Hassan I, sultão, 1873-94
'Abd al-'Aziz, sultão, 1894-1908
'Abd al-Hafiz, sultão, 1908-12
Yusuf, sultão, 1912-27
Muhammad V, sultão, depois rei, 1927-61
Hassan II, rei, 1961-1999
Sidi Mohamed, 1999-

OS HACHEMITAS

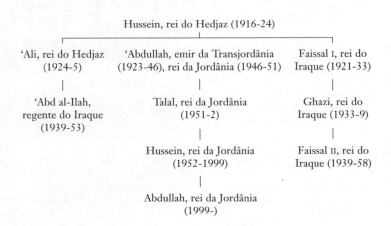

Hussein, rei do Hedjaz (1916-24)

'Ali, rei do Hedjaz (1924-5)
  'Abd al-Ilah, regente do Iraque (1939-53)

'Abdullah, emir da Transjordânia (1923-46), rei da Jordânia (1946-51)
  Talal, rei da Jordânia (1951-2)
  Hussein, rei da Jordânia (1952-1999)
  Abdullah, rei da Jordânia (1999-)

Faissal I, rei do Iraque (1921-33)
  Ghazi, rei do Iraque (1933-9)
  Faissal II, rei do Iraque (1939-58)

NOTAS

As notas foram reduzidas ao mínimo. Na maioria das vezes, referem-se a citações diretas, mas também se fazem referências a outros livros onde as segui de perto. Nos casos em que conheço uma tradução inglesa confiável, citei-a ou usei-a como base para minha tradução. As referências ao Corão são da tradução de A. J. Arberry, *The Koran Interpreted* (Londres, 1955); o primeiro número citado refere-se ao *sura* (capítulo) e o segundo ao *aya* (verso).

PRÓLOGO [pp. 15-9]

1. 'Abd al-Rahman Ibn Khaldun, *Muqaddima* (Cairo, s.d.), p. 33; trad. ingl. F. Rosenthal, *The Muqaddimah* (Londres, 1958), vol. 1, p. 65.
2. Ibid., p. 163; trad. ingl., vol. 1, p. 330.
3. Ibn Khaldun, *al-Ta'rif bi Ibn Khaldun*, ed. M. T. al-Tanjii (Cairo, 1951), p. 246; trad. franc. A. Cheddadi, *Ibn Khaldun: le voyage d'occident et d'orient* (Paris, 1980), p. 148.

1. UM NOVO PODER NUM VELHO MUNDO [pp. 23-42]

1. R. B. Serjeant, "Haram and hawta: the sacred enclave in Arabia", in A. R. Badawi (ed.), *Mélanges Taha Hussein* (Cairo, 1962), pp. 41-58.
2. F. A. al-Bustani e outros (eds.), *al-Majani al-haditha*, vol. 1 (Beirute, 1946), p. 103; trad. ingl. A. J. Arberry, *The Seven Odes* (Londres, 1957), p. 142.
3. Ibid., pp. 112-3; trad. ingl., p. 147.
4. Ibid., p. 88; trad. ingl., p. 118.
5. Sobre essas e outras citações do Profeta, ver A. Guillaume, *The Life of Muhammad* (Londres, 1955), uma tradução de Ibn Ishaq de *Sira* (vida) do Profeta.
6. Corão 96:1-8.

2. A FORMAÇÃO DE UM IMPÉRIO [pp. 43-64]

1. O. Grabar, *The Formation of Islamic Art* (New Haven, 1973), pp. 45-74.

621

2. Muhammad ibn Jarir al-Tabari, *Tarikh*, ed. M. Ibrahim, vol. 7 (Cairo, 1966), pp. 421-31; trad. ingl. J. A. Williams, *The History of al-Tabari 27: The Abbasid Revolution* (Albany, Nova York, 1985), pp. 154-7.

3. Ibid., pp. 614-22; trad. ingl. J. A. Williams, *Al-Tabari, the early Abbasi Empire I: The reign of al-Ja'far al-Mansur* (Cambridge, 1988), p. 145.

4. al-Khatib al Baghdadi, *Tarikh Baghdad*, vol. 1 (Cairo, 1931), pp. 100 ff.; trad. ingl. in J. Lassner, *The Topography of Baghdad in the Early Middle Ages* (Detroit, 1970), pp. 86 ss.

3. A FORMAÇÃO DE UMA SOCIEDADE [pp. 65-90]

1. R. W. Bulliet, *Conversion to Islam in the Medieval Period* (Cambridge, Massachusetts, 1979).

2. Abu al-Tayyib al-Mutanabbi, *Diwan*, ed. A. W. al-'Azzam (Cairo, 1944), pp. 355-6; trad. ingl. A. J. Arberry, *Poems of al-Mutanabbi* (Cambridge, 1967), p. 76.

3. Ibid., pp. 322-55; trad. ingl., pp. 70-4.

4. 'Amr ibn Bahth al-Jahiz, '*al-nubl wa'l-tannabul wa dhamm al-kibr*', in C. Pellat, "Une risala de Gahiz sur le 'snobisme' et l'orgueil", *Arabica*, vol. 14 (1967), pp. 259-83; trad. in C. Pellat, *The Life and Works of Jahiz*, trad. D. Hawke (Londres, 1969), p. 233.

5. Muhammad Abu Rayhan al-Biruni, *Tahqiq ma li'l Hind* (Hyderabad, 1958), p. 5; trad. ingl. E. Sachau, *Alberuni's India* (Londres, 1888), vol. 1, p. 7.

6. Ibid., p. 85; trad. ingl. pp. 111-2.

7. Ibid., p. 76; trad. ingl., p. 100.

8. Biruni, *Kitab al-saydana fi'tibb*, ed. e trad. ingl. H. M. Said (Karachi, 1973), p. 12.

9. U. Haarmann, "Regional sentiment in medieval Islamic Egypt", *Bulletin of the School of Oriental and African Studies*, vol. 43 (1980), pp. 55-66; Haarmann, "Die Sphinx: systematische Volkreligiosität im spätmittelaltischen Ägypten", *Saeculum*, vol. 29 (1978), pp. 367-84.

4. A ARTICULAÇÃO DO ISLÃ [pp. 91-115]

1. P. Crone e M. Hinds, *God's Caliph* (Cambridge, 1986).

2. Corão 8:20.

3. Muhammad ibn Idris al-Shafi'i, *al-Risala*, ed. A. M. Shakir (Cairo, 1940); trad. ingl. M. Khadduri, *Islamic Jurisprudence: Shafi'i's Risala* (Baltimore, 1961).

4. Corão 26:192-5, 13:37.

5. Corão 7:171.

6. Ahmad ibn 'Ahd Allah al-Isbani, *Hilyat al-awliya*, vol. 2 (Cairo, 1933), pp. 132, 140; trad. ingl. J. A. Williams, *Islam* (Nova York, 1961), p. 124.

7. Muhammad ibn 'Ali al Tirmidhi, *Kitab khatm al-awliya*, ed. U. Yahya (Beirute, 1965), pp. 13-32.

8. al-Isbahani, *Hilyat al-awliya*, vol. 10 (Cairo, 1938), p. 79; trad. ingl. M. S. Smith, *An Early Mystic of Islam* (Londres, 1935), p. 243.

9. Ya'qub ibn Ishaq al-Kindi, "Fi'l-falsafa al-ula", in M. A. Abu Rida (ed.), *Rasa'il al-Kindi al-falsafiyya* (Cairo, 1950), p. 103; trad. ingl. R. Waltzer, in *Greek into Arabic* (Oxford, 1962), p. 12.

10. Ahmad ibn al-Qasim ibn Abi Usaybi'a, *'Uyun al-anba fi tabaqat al- atibba* (Beirute, 1979), vol. 1, p. 43; trad. ingl. in F. Rosenthal, *The Classical Heritage in Islam* (Londres, 1975), p. 183.

11. A. I. Sabra, "The Scientific enterprise", in B. Lewis (ed.), *The World of Islam* (Londres, 1976), p. 182.

6. O CAMPO [pp. 139-52]

1. R. M. Adams, *Land behind Baghdad* (Chicago, 1965).

2. M. Brett, "Ibe Khaldun and the arabisation of North Africa", *Maghreb Review*, vol. 4, i (1979), pp. 9-16; e "The Fatimid revolution (861-973) and its aftermath in North Africa", in J. D. Fage (ed.), *Cambridge History of Africa*, vol. 2 (Cambridge, 1978), pp. 631-6.

3. L. Abu Lughod, *Veiled Sentiments* (Berkeley, 1968), p. 147.

7. A VIDA DAS CIDADES [pp. 153-78]

1. Ibn al-Hajj, *al-Madkhal* (Cairo, 1929), vol. 1, pp. 245-6.

2. Corão 40:40; 16:97.

3. R. Le Tourneau, *Fès avant le protectorat* (Casablanca, 1949), pp. 565-6.

4. Muhammad ibn 'Abd Allah ibn Battuta, *Rihla*, ed. T. Harb (Beirute, 1987); trad. ingl. H. A. R. Gibb, *The Travels of Ibn Battuta*, vols. 1-3 (Cambridge, 1958-71).

8. CIDADES E SEUS GOVERNANTES [pp. 179-99]

1. I. M. Lapidus, *Muslim Cities in the Later Middle Ages* (Cambridge, Massachusetts, 1967), pp. 199-206.

2. M. H. Burgoyne com D. S. Richards, *Mamluk Jerusalem* (Londres, 1987), pp. 199-206.

3. 'Abd al-Wahhab ibn Ahmad al-Sha'rani, *Lata'if al-manan wa'l- akhlaq* (Cairo, 1972), p. 63.

4. Corão 4:59.

5. A. K. S. Lambton, *State and Government in Medieval Islam* (Oxford, 1981), p. 45.

6. Muhammad al-Ghazali, *Nasihat-al-muluk* (Teerã, 1972), citado in Lambton, p. 124.

7. Nizam al-Mulk, *The Book of Government or Rules for Kings*, trad. ingl. H. Darke (Londres, 1978), p. 9.

8. Ibid.

9. OS CAMINHOS DO ISLÃ [pp. 200-14]

1. Corão 3:105.

2. Guillaume, *Life of Muhammad*, p. 651.

3. G. E. von Grunebaum, *Muhammadan Festivals* (Nova York, 1951), p. 28.

4. Ibn Battuta, *Rihla*, p. 153; trad. ingl. vol. 1, p. 189.

5. Corão 3:97.

6. Corão 9:125.

7. C. Padwick, *Muslim Devotions* (Londres, 1961), p. 252.

8. Corão 12:101.

10. A CULTURA DOS ULEMÁS [pp. 215-31]

1. Ibn Abi Zayd al-Qayrawani; ed. e trad. francesa L. Bercher, *La Risala*, 3ª ed. (Argel, 1949), pp. 302-3.

2. A. L. Udovitch, *Partnership and Profit in Medieval Islam* (Princeton, 1970).

3. A. Layish e A. Shmueli, "Custom and *shari'a* in the Beduin family according to legal documents from the Judaean desert", *Bulletin of the School of Oriental and African Studies*, vol. 42 (1979), pp. 29-45.

4. Burgoyne, *Mamluk Jerusalem*, pp. 71-2.

5. Ibn Abi Usaybi'a, *'Uyun*, vol. 3, pp. 342-4; trad. ingl. in G. Makdisi, *The Rise of Colleges* (Edimburgo, 1981), pp. 89-91. Este capítulo deve muito ao livro de Makdisi.

6. Ghazali, *al-Munqidh min al-dalal*, ed. J. Saliba e K. 'Ayyad, 3ª ed. (Damasco, 1939), p. 127; trad. ingl. R. J. McCarthy, *Freedom and Fulfilment* (Boston, 1980), p. 91.

7. Ghazali, *Faysal al-tafriqa bayn al-islam wa'l-zandaga*, ed. S. Dunya (Cairo, 1961), p. 202; trad. ingl. McCarthy, p. 167.

8. Ghazali, *Ihya'ulum al-din*, parte 3, livro 2 (Cairo, 1334/1916), vol. 2, p. 52.

9. Ghazali, *Munqidh*, p. 132; trad. ingl. McCarthy, p. 94.

10. Ghazali, *Ihya*, parte 3, livro 1, vol. 2, p. 17; trad. ingl. R. J. McCarthy, p. 380.

11. CAMINHOS DIVERGENTES DE PENSAMENTO [pp. 232-53]

1. al-Husayn ibn 'Abd Allah ibn Sina, *The Life of Ibn Sina*, ed. e trad. ingl. W. E. Gohlman (Albany, Nova York, 1974), pp. 36-9.
2. Corão 24:35-9.
3. Corão 8:85.
4. Muhammad ibn Ahmad Ibn Rushd, *Fasl al-maqal*, ed. G. F. Hourani (Leiden, 1959), p. 7; trad. ingl. G. F. Hourani, *Averroes on the Harmony of Religion and Philosophy* (Londres, 1961), p. 50.
5. Ibid., p. 17; trad. ingl., p. 61.
6. Muhyi al-Din ibn 'Arabi, *Shajarat al-kawn* (Beirute, 1984), p. 45; B. Furuzanfarr, *Ahadith-i-Masnavi* (Teerã, 1955), p. 29. Devo essas referências à gentileza dos drs. J. Baldick e T. Gandjei.
7. O. Yahia, *Histoire et classification de l'oeuvre d'Ibn 'Arabi* (Damasco, 1964), vol. 1, pp. 113-35.
8. Ahmad Ibn Taymiyya, *Majmu'at al-rasa'il al-kubra* (Cairo, 1323/1905), vol. 1, pp. 307-9; trad. francesa in H. Laoust, *Essai sur les doctrines sociales et politiques de Taki-d-Din b. Taimiya* (Cairo, 1939), pp. 256-7.
9. O. Yahia, vol. 1, p. 19.

12. A CULTURA DAS CORTES E DO POVO [pp. 254-74]

1. Ahmed ibn 'Abd Allah ibn Zaydun, *Diwan*, ed. K. al-Bustani (Beirute, 1951), pp. 29-33.
2. Ibid., pp. 48-9; trad. A. J. Arberry, *Arabic Poetry* (Cambridge, 1965), pp. 114-7.
3. Muhammad ibn 'Abd al-Malik ibn Tufayl, *Hayy ibn Yaqdhan*, ed. J. Saliba e K.'Ayyad, 5ª ed. (Damasco, 1940), pp. 191-2; trad. ingl. *Havy ibn Yaqzan* (Nova York, 1972), pp. 164-5.
4. Abu'l-Faraj al-Isbahani, *Kitab al-aghani* (Beirute, 1955), vol. 6, pp. 294-8; trad. ingl. H. G. Farmer, *A History of Arabian Music* (Londres, 1929), pp. 102-3.
5. Ghazali, *Ihya*, parte 3, livro 8, vol. 2, p. 237; trad. ingl. D. B. Macdonald, "Emotional religion in Islam as affected by music and singing", *Journal of the Royal Asiatic Society* (1901), p. 199.
6. Ibid., p. 244; trad. ingl., p. 223.
7. Ibid., p. 249; trad. ingl., p. 229.
8. Ibn Khaldun, p. 28, trad. ingl. vol. 1, pp. 55-6.
9. Ibn Khaldun, pp. 493-4; trad. ingl. vol. 3, p. 150.

13. O IMPÉRIO OTOMANO [pp. 278-306]

1. Ibn Khaldun, p. 183; trad. ingl. vol. 1, p. 372.
2. Ibid., p. 100; trad. ingl. vol. 1, p. 300.
3. Citado in T. W. Arnold, *The Caliphate*, nova ed. (Londres, 1965), p. 203.
4. C. M. Doughty, *Travels in Arabia Deserta*, nova ed. (Londres, 1921), pp. 6-8.

14. SOCIEDADES OTOMANAS [pp. 307-28]

1. Ahmad al-Nasiri al-Salawi, *Kitab al-istiqsa*, vol. 7 (Casablanca, 1956), pp. 82-6; trad. francesa in J. Berque, *Al-Youssi* (Paris, 1958), pp. 91-2.
2. Ibid., vol. 4 (Casablanca, 1955), pp. 163-4; trad. francesa I. Hamet, *Archives Marocaines*, vol. 33 (1934), pp. 570-2.

15. A MUDANÇA NO EQUILÍBRIO DE PODER
NO SÉCULO XVIII [pp. 329-49]

1. Trad. Ingl. in W. L. Wright, *Ottoman Statecraft* (Princeton, 1935), pp. 117-8.
2. Citado in 'Abd al-Rahman al Jabarti, *'Aja'ib al-athar fi'il- tarajim wa'l-akhbar* (Cairo, 1965), vol. 4, p. 214. Devo agradecer ao dr. K. Barbir por chamar minha atenção para essa carta.

16. PODER EUROPEU E GOVERNOS REFORMADORES
(1800-1860) [pp. 350-67]

1. Jabarti, vol. 4, p. 285.
2. Ibid., p. 348.
3. Trad. ingl. H. Inalcik, in J. C. Hurewitz (ed.), *The Middle East and North Africa in World Politics* (New Haven, 1975), vol. 1, pp. 269-71.

17. IMPÉRIOS EUROPEUS E ELITES DOMINANTES (1860-1914)
[pp. 368-92]

1. H. H. Jessup, *Fifty-three Years in Syria*, vol. 2 (Nova York, 1910), pp. 786-7.
2. J. Cambon, citado in C. R. Ageron, *Les algériens musulmans et la France (1871-1919)* (Paris, 1968), p. 478.

18. A CULTURA DO IMPERIALISMO E DA REFORMA [pp. 393-413]

1. J. W. Goethe, "Aus dem Nachlass", *Westöstliche Divan*.
2. R. Kipling, "A Ballad of East and West".
3. Rifa'a Rafi'i al Tahtawi, *Takhlis al-ibriz ila talkhis Bariz*, in M. F. Hijazi (ed.), *Usul alfikr al-'arabi al-hadith 'ind al Tahtawi* (Cairo, 1974), pp. 208 ss.
4. *Khayr al-Din al-Tunisi, Aqwam al-masalik fi ma'rifat ahwal al- mamalik* (Tunísia, 1867-68), p. 5; trad. ingl. L. C. Brown, *The Surest Path* (Cambridge, Massachusetts, 1967), p. 74.
5. Rashid Rida, *Tarikh al-ustadh al-imam al-shaykh Muhammad 'Abduh*, vol. 1 (Cairo, 1931), p. 11.
6. Taha Husayn, *al-Ayyam*, vol. 3, 19ª ed. (Cairo, 1972), pp. 3-4; trad. ingl. K. Cragg, *A Passage to France* (Leiden, 1976), pp. 1-2.

19. O AUGE DO PODER EUROPEU (1914-1939) [pp. 414-36]

1. T. E. Lawrence, *Seven Pillars of Wisdom*, nova ed. (Londres, 1940), p. 56.
2. Ibid., p. 23.
3. J. Berque, *Le Maghreb entre deux guerres* (Paris, 1962), p. 60; trad. ingl. *French North Africa* (Londres, 1967), p. 63.

20. MUDANÇA DE ESTILOS DE VIDA E DE PENSAMENTO (1914-1939) [pp. 437-58]

1. Abu'l-Qasim al-Shabbi, citado in M. M. Badawi, *A Critical Introduction to Modem Arabic Poetry* (Cambridge, 1975), p. 159.
2. Taha Husayn, réplica a *al-Risala*, Tawfiq al-Hakim, 15/6/1933, pp. 8-9; republicado in *Fusul fi'l-adab wa'l-naqd* (Cairo, 1945), pp. 107-9.
3. Ahmad Shawqi, *al-Shawqiyyat*, vol. 1 (Cairo, s.d.), pp. 153-66.
4. 'Anbara Salam al-Khalidi, *Jawla fi'l-dhikrayat bayn Lubnan wa Filastin* (Beirute, 1978).
5. 'Ali 'Abd al-Raziq, *al-Islam wa usul al-hukm*, 2ª ed. (Cairo, 1925), p. 103.
6. Citado in R. Mitchell, *The Society of the Muslim Brothers* (Londres, 1969), p. 30.

21. O FIM DOS IMPÉRIOS (1939-1962) [pp. 462-87]

1. G. Tillion, *Les ennemis complémentaires* (Paris, 1960); trad. ingl. *France and Algeria: complementary enemies* (Nova York, 1961), p. 9.

23. CULTURA NACIONAL
(DÉCADAS DE 1940 E 1950) [pp. 508-23]

1. Abdullah Laroui, *L'histoire du Maghreb: un essai de synthèse* (Paris, 1970), pp. 15, 353-4; trad. ingl. R. Manheim, *The History of the Maghreb: an interpretive essay* (Princeton, 1977), pp. 10, 384-5.

2. Adunis ('Ali Ahmad Sa'id), citado in S. K. Jayyusi, *Trends and Movements in Modern Arabic Poetry* (Leiden, 1977), vol. 2, p. 572.

3. *Badr Shakir al-Sayyab, Anshudat al-matar* (Beirute, 1960), pp. 103-7; trad. ingl. in S. K. Jayyusi (ed.), *Modern Arabic Poetry* (Nova York, 1987), pp. 432-5.

24. O AUGE DO ARABISMO
(DÉCADAS DE 1950 E 1960) [pp. 524-41]

1. Departamento de Informação, Cairo, *Mashru' al-mithaq* (Cairo, 1962), pp. 13 ss.; trad. ingl. S. Hanna e G. H. Gardner (eds.), *Arab Socialism* (Londres, 1969), pp. 344-5.

26. UMA PERTURBAÇÃO DE ESPÍRITOS
(DEPOIS DE 1967) [pp. 565-97]

1. A. Rifaat, *Distant View of a Minaret*, trad. ingl. D. Johnson-Davies (Londres, 1983), p. 109.

2. Hichem Djaït, *La personalité et le devenir arabo-islamiques* (Paris, 1974), p. 140.

3. A. Laroui, *La crise des intellectuels arabes* (Paris, 1974), trad. ingl. *The crisis of the Arab intellectual* (Berkeley, 1976); e *L'idéologie arabe contemporaine*, nova ed. (Paris, 1977).

4. Sayyid Qutb, *Ma'alim fi'l-tariq* (Cairo, 1964), pp. 4-5.

5. F. Rahman, *Islam and Modernity* (Chicago, 1982).

BIBLIOGRAFIA

Esta não é uma bibliografia exaustiva: não inclui todos os livros e artigos que consultei, nem todos aqueles que um leitor interessado em determinado assunto deve conhecer. Procurei apenas dar indicações sobre outras leituras, e oferecê-las para diferentes preferências. A maioria das obras é em inglês, mas há algumas em francês ou árabe, e poucas em alemão, italiano ou turco. Fiz algumas referências às fontes originais em árabe para os leitores que queiram consultá-las.

A lista foi organizada de acordo com as partes e capítulos do livro, e em cada capítulo, *grosso modo*, corresponde aos vários assuntos que aborda. Trata-se de uma bibliografia cumulativa: obras mencionadas em associação a um assunto podem, claro, ser relevantes para outro mencionado posteriormente, mas repeti-las tornaria a lista demasiado longa.

Só dei detalhes que pudessem permitir ao leitor identificar obras num catálogo de biblioteca. Os subtítulos dos livros são mencionados quando indicam o assunto mais completamente que o título. Quando se trata de um livro editado na Grã-Bretanha, forneço em geral o título, lugar e data da publicação da edição britânica: pormenores da edição americana podem, claro, ser diferentes.

BIBLIOGRAFIA GERAL

LIVROS DE REFERÊNCIA

The Encyclopaedia of Islam, 2ª ed. (Leiden, em preparação: 5 vols., publicada 1960-86).

J. D. Pearson e outros (eds.), *Index Islamicus 1906-1955* e suplementos regulares (Cambridge, 1958-).

W. H. Belan, *Index Islamicus 1665-1905* (Millersville, Pensilvânia, 1988).

D. Grimwood-Jones e outros, *An Islamic Bibliography* (Hassocks, Sussex, 1977).

J. Sauvaget e C. Cahen, *Introduction to the History of the Muslim East: a bibliographical guide*, trad. ingl. (Berkeley, 1965).

J. Bacharach, *A Middle East Studies Handbook*, ed. revisada (Cambridge, 1984).

C. E. Bosworth, *The Islamic Dynasties* (Edimburgo, 1967).

G. S. P. Freeman-Greville, *The Muslim and Christian Calendars* (Londres, 1967).

GEOGRAFIA

R. Roolvink, *Historical Atlas of the Muslim Peoples* (Amsterdam, 1957).

F. Robinson, *Atlas of the Islamic World since 1500* (Oxford, 1982).
P. Birot e J. Dresch, *La Méditerrannée et le Moyen-Orient* (Paris, 1956).
J. Despois, *L'Afrique du nord* (Paris, 1964).

PESQUISAS HISTÓRICAS

M. G. S. Hodgson, *The Venture of Islam*, 3 vols. (Chicago, 1974).
I. M. Lapidus, *A History of Muslim Societies* (Cambridge, 1988).
U. Haarmann (ed.), *Geschichte der arabischen Welt* (Munique, 1987).
J. M. Abun-Nasr, *A History of the Maghrib in the Islamic Period* (Cambridge, 1987).

ISLÃ

H. A. R. Gibb, *Islam*, 2ª ed. (Oxford, 1969).
F. Rahman, *Islam*, 2ª ed. (Chicago, 1979).
M. Ruthven, *Islam in the World* (Harmondsworth, Middlesex, 1984).
J. A. Williams (ed.), *Themes of Islamic Civilization* (Berkeley, 1971).

CIVILIZAÇÃO E CULTURA

J. Schacht e C. E. Bosworth (eds.), *The Legacy of Islam*, 2ª ed. (Oxford, 1974).
B. Lewis (ed.), *The World of Islam* (Londres, 1976).
H. A. R. Gibb, *Studies on the Civilization of Islam* (Londres, 1962).
T. Khalidi, *Classical Arab Islam* (Princeton, 1985).
H. A. R. Gibb, *Arabic Literature*, 2ª ed. (Oxford, 1963).
G. Brockelmann, *Geschichte der arabischen Literatur*, 2 vols. e 3 suplementos (Leiden, 1938-49).
F. Sezgin, *Geschichte des arabischen Schrifttums* (Leiden, em preparação: 9 vols. publicados 1967-84).
R. Ettinghausen e O. Grabar, *The Art and Architecture of Islam* (Londres, 1987).
D. Eickelman, *The Middle East: an anthropological approach* (Englewood Cliffs, Nova Jersey, 1981).
A. L. Udovitch (ed.), *The islamic Middle East 700-1900: Studies in economic and social history* (Princeton, 1981).

PUBLICAÇÕES PERIÓDICAS (datas da primeira publicação)

Arabica (Leiden, 1954).
Bulletin of the School of Oriental and African Studies (Londres, 1917).
Der Islam (Berlim, 1910).
International Journal of Middle East Studies (Cambridge, 1970).
Journal of the Economic and Social History of the Orient (Leiden, 1957).
Middle East Journal (Washington, 1947).
Middle Eastern Studies (Londres, 1964).
Oriente Moderno (Roma, 1921).

Révue des Études Islamiques (Paris, 1927).
Studia Islamica (Paris, 1953).

PRÓLOGO

Ibn Khaldun's Mugaddima

Texto: E. Quatremère (ed.), *Les prologomènes d'Ebn Khaldun*, 3 vols. (Paris, 1858); Muqaddimat Ibn Khaldun (Bulaq, 1857; reedições, Cairo e Beirute).

Trad. ingl., F. Rosenthal, *Ibn Khaldun: the Muqaddimah*, 3 vols. (Londres, 1958).

HISTÓRIA DE IBN KHALDUN

Texto: *Kitab al-'ibar wa diwan al-mubtada wa'l-khabar*, 7 vols. (Bulaq, 1867-68); reeditado como *Tarikh al-'allama Ibn Khaldun*, 1 vols. (Beirute, 1956-61).

Trad. parcial franc. M. de Slane, *Histoire des Berbères et des dynasties musulmanes de l'Afrique septentrionale*, 2 vols. (Argel, 1847-51).

AUTOBIOGRAFIA

Texto: M. al-Tanji (ed.), *Al-Ta'rif bi Ibn Khaldun wa rihlatuhu wa sharqan* (Cairo, 1951); trad. franc. A. Cheddadi, *Ibn Khaldun: le voyage d'occident et d'orient* (Paris, 1980).

ESTUDOS

Bibliografia in A. al-Azmeh, *Ibn Khaldun in Modern Schorlaship* (Londres, 1981), pp. 231-318.

A. al Azmeh, *Ibn Khaldun: an essay in reinterpretation* (Londres, 1982).

M. Mahdi, *Ibn Khaldun's Philosophy of History* (Londres, 1957).

M. A. al-Jabiri, *al-'Asabiyya wa'l-dawla* (Casablanca, 1971).

I. A CRIAÇÃO DE UM MUNDO (SÉCULO XVII)

CRÔNICAS

Ahmad ibn Yahya al-Baladhuri, *Ansab al-ashraf*: ed. Jerusalém, vols. 4A, 4B, 5 (Jerusalém, 1936-); ed. A. Duri, vols. 3, 4i (Wiebaden, 1978-).

al-Baladhuri, *Futuh al-buldan*, ed. S. Munajjid, 3 vols. (Cairo, 1956-57); trad. ingl. P. K. Hitti e F. C. Murgotten, *The Origins of the Islamic State*, 2 vols. (Nova York, 1916-24).

'Ali ibn al-Husayn al-Mas'udi, *Muruj al-dhahab*, ed. C. Pellat, 7 vols. (Beirute, 1966-79); trad. franc. C. Barbier e P. de Courtelle, 9 vols. (Paris, 1861-77).

Muhammad ibn Jarir al-Tabari, *Kitab tarikh al-rusal wa'l-muluk*: ed. M. J. de Goe-

631

je e outros, *Annales*, 15 vols. (Leiden, 1879-1901); ed. M. A. Ibrahim, *Tarikh al-Tabari*, 10 vols. (Cairo, 1960-69); trad. ingl. *The History of al-Tabari* (Albany, Nova York, em andamento: 20 vols. publicados 1985-89).

REGISTROS

M. van Berchem e outros, *Matériaux pour un corpus inscriptionum arabicorum*, parte 1 (Egito), parte 2 (Síria), parte 3 (Ásia Menor) (Paris, 1903-54), parte 4i (Arábia) (Cairo, em andamento: 17 vols. publicados 1931-82).

MOEDAS

M. Broome, *Handbook of Islamic Coins* (Londres, 1985).

PESQUISAS

H. Kennedy, *The Prophet and the Age of the Caliphates* (Londres, 1986).

C. Cahen, *L'islam des origines au début de l'empire ottoman* (Paris, 1970).

D. e J. Sourdel, *La civilisation de l'islam classique* (Paris, 1968).

C. A. Julien, *Histoire de l'Afrique du nord*, vol. 2, ed. rev. R. Le Tourneau (Paris, 1956); trad. ingl. *History of North Africa* (Londres, 1970).

E. Lévi-Provençal, *Histoire de l'Espagne musulmane*, ed. rev., 3 vols. (Paris, 1950-53).

W. M. Watt e P. Cachia, *A History of Islamic Spain* (Edimburgo, 1965).

M. Amari, *Storia dei Musulmani di Sicilia*, ed. rev. C. Nallino, 3 vols. (Catania, 1933-39).

1. UM NOVO PODER NUM VELHO MUNDO

O ORIENTE MÉDIO ANTES DO ISLAMISMO

P. Brown, *The World of Late Antiquity* (Londres, 1971).

P. Brown, "The rise and function of the holy man in late antiquity", *Journal of Roman Studies*, vol. 61 (1971), pp. 80-101.

J. Herrin, *The Making of Christendom* (Oxford, 1987).

J. M. Cook, *The Persian Empire* (Londres, 1983).

R. C. Zaehner, *The Dawn and Twilight of Zoroastrianism* (Londres, 1961).

I. Shahid, "Pre-islamic Arabia", in P. M. Holt e outros (eds.), *The Cambridge History of Islam*, vol. 1 (Cambridge, 1970), pp. 3-29.

I. Shahid, *Rome and the Arabs* (Washington, 1984).

I. Shahid, *Byzantium and the Arabs in the Fourth Century* (Washington, 1984).

I. Shahid, *Byzantium and the Arabs in the Fifth Century* (Washington, 1989).

J. Ryckmans, *L'institution monarchique en Arable méridionale avant l'islam* (Louvain, 1951).

G. Ryckmans, "Les religions arabes preislamiques", *Le Muséon*, vol. 26 (1951), pp. 6-61.

H. Pirenne, *Mahomet et Charlemagne* (Paris, 1937); trad. ingl. *Mohammed and Charlemagne* (Londres, 1939).

D. Whitehouse e R. Hodges, *Mohammed, Charlemagne and the Origins of Europe* (Londres, 1983).

POESIA PRÉ-ISLÂMICA

The Mu'allaqat, inúmeras edições; trad. ingl. A. J. Arberry, *The Seven Odes* (Londres, 1957).

R. Blachère, *Histoire de la littérature arabe*, 3 vols. (Paris, 1952-66).

A. F. L. Beeston e outros (eds.), *Arabic literature to the End of the Umayyad Period* (Cambridge, 1983).

M. Zwettler, *The Oral Tradition of Classical Arabic Poetry* (Columbus, Ohio, 1975).

T. Husayn, *Fi'-l adab al-jahili* (Cairo, 1927).

A. A. Sa'id (Adunis), *Diwan al-shi'r al-'arabi*, vols. 1-3 (Beirute, 1964-68).

MAOMÉ

'Abd al-Malik ibn Hisham, *al-Sira al nabawiyya*, 2 vols. (Cairo, 1955); trad. ingl. A. Guillaume, *The Life of Muhammad* (Londres, 1957).

W. M. Watt, *Muhammad at Mecca* (Oxford, 1953).

W. M. Watt, *Muhammad at Medina* (Oxford, 1956).

M. Rodinson, *Mahomet*, 2ª ed. (Paris, 1968); trad. ingl. *Mohammed* (Londres, 1971).

M. Cook, *Muhammad* (Oxford, 1983).

Muhammad ibn 'Umar al-Waqidi, *Kitab al-maghazi*, ed. J. M. B. Jones, 3 vols. (Londres, 1955).

A. Caetani, *Annali dell'Islam*, 10 vols. (Milão, 1905-26).

M. J. Kister, *Studies in Jahiliyya and Early Islam* (Londres, 1980).

P. Crone, *Meccan Trade and the Rise of Islam* (Princeton, 1987).

R. B. Serjeant, "Haram and *hawta*: the sacred enclave in Arabia", in A. R. Badawi (ed.), *Mélanges Taha Hussein* (Cairo, 1962), pp. 41-58.

S. P. Brock, "Syriac views of emergent Islam", in G. H. A. Juynboll (ed.), *Studies on the first Century of Islamic Society* (Carbondale, Illinois, 1982), pp. 9-21.

O CORÃO

Trad. ingl. A. J. Arberry, *The Koran Interpreted*, 2 vols. (Londres, 1961).

Comentários: 'Abd Allah ibn 'Umar al-Baydawi, *Anwar al-tanzil*, 2 vols. (Cairo, AH 1330/1912).

Muhammad ibn Jarir al-Tabari, *Jami'al-bayan 'an ta'wil ay al-Qur'an*, ed. M. M. e A. M. Shakir, vols. 1-16 (Cairo, 1955-69); trad. ingl. J. Cooper, Commentary on the Qur'an, vol. I (Oxford, 1987).

W. M. Watt (ed.), *Bell's Introduction to the Qur'an* (Edimburgo, 1970).

T. Izutsu, *Ethico-religious Concepts in the Qur'an* (Montreal, 1960).
F. Rahman, *Major Themes of the Qur'an* (Mineápolis, 1980).
J. Wansbrough, *Quranic Studies* (Oxford, 1978).
J. Wansbrough, *The Sectarian Milieu* (Oxford, 1978).

2. A FORMAÇÃO DE UM IMPÉRIO

RASCHIDUN E OMÍADAS

J.Wellhausen, *Das arabische Reich und sein Sturz* (Berlim, 1902); trad. ingl. *The Arab Kingdom and Its Fall* (Calcutá, 1927).
F. M. Donner, *The Early Islamic Conquests* (Princeton, 1981).
G. H. A. Juynboll (ed.), *Studies on the First Century of Islamic Society* (Carbondale, Illinois, 1982).
H. Lammens, *Études sur le siècle des Omayyades* (Beirute, 1975).
G. R. Hawting, *The First Dynasty of Islam: the Umayyad Caliphate A. D. 661-750* (Londres, 1986).
O. Crone, *Slaves on Horses* (Cambridge, 1980).
T. Nagel, *Rechteilung und Califat* (Bonn, 1975).

ABÁCIDAS

M. A. Shaban, *The Abbasid Revolution* (Cambridge, 1970).
H. Kennedy, *The Early Abbasid Caliphate* (Londres, 1981).
J. Lassner, *The Shaping of Abbasid Rule* (Princeton, 1980).
D. Sourdel, *Le vizirat 'abbasid de 749 à 936*, 2 vols. (Damasco, 1959-60).

3. A FORMAÇÃO DE UMA SOCIEDADE

O FIM DA UNIDADE POLÍTICA

H. Busse, *Chalif und Grosskönig: die Buyiden in Iraq 945-1055* (Beirute, 1969).
W. Madelung, "The assumption of the title Shahanshah by the Buyids an the 'reign of Daylam'", *Journal of Near Eastern Studies*, vol. 28 (1969), pp. 84-108, 168-83.
G. Hanotaux (ed.), *Histoire de la nation égyptienne*, vol. 4: G. Wiet, *L'Egypte arabe* (Paris, 1937).
M. Canard, *Histoire de la dynastie des Hamdanides* (Paris, 1953).
M. Talbi, *L'émirat aghabide 184-296/800-909* (Paris, 1960).

MUDANÇA ECONÔMICA E SOCIAL

M. Morony, *Iraq after the Muslim Conquest* (Princeton, 1984).

634

H. Djait, *Al-Kufa: naissance de la ville islamique* (Paris, 1986).

J. Lassner, *The Topography of Baghdad in the Early Middle Ages* (Detroit, 1970).

S. al-'Ali, *al-Tanzimat al-ijtima 'iyya wa'l-qtisadiyya fi'l Basra* (Bagdá, 1953).

A. al-Duri, *Tarikh al-'Iraq al-iqtisadi fi'l-qarn al-rabi'* (Bagdá, 1945).

Ya'qub ibn Ibrahim Abu Yusuf, *Kitab al-kharaj* (Cairo, 1933); trad. franc. E. Fagnan, *Le livre de l'impot foncier* (Paris, 1921).

M. A. Cook, "Economic developments", in J. Schacht e C. E. Bosworth (eds.), *The Legacy of Islam*, 2ª ed. (Oxford, 1974), pp. 210-43.

A. M. Watson, *Agricultural Innovation in the Early Islamic World* (Cambridge, 1983).

R. W. Bulliet, *Conversion to Islam in the Medieval Period* (Cambridge, Massachusetts, 1979).

R. W. Bulliet, *The Camel and the Wheel* (Cambridge, Massachusetts, 1975).

EDIFICAÇÕES

O. Grabar, *The Formation of Islamic Art* (New Haven, 1973).

K. A. C. Creswell, *Early Muslim Architecture*, vol. 1, 2ª ed. (Oxford, 1969), vol. 2 (Oxford, 1940).

R. W. Hamilton, *Khirbat al-Mafjar* (Oxford, 1959).

O. Grabar e outros, *City in the Desert: Qasr al-Hayr East*, 2 vols. (Cambridge, Massachusetts, 1978).

GEOGRAFIA

A. Miguel, *La géographie humaine du monde musulman jusq'au milieu du II² siècle*, 2ª ed., 3 vols. (Paris, 1973-80).

'Ali ibn al-Husayn al-Mas'udi, *Kitab al-tanbih wa'l-ashraf*, ed. M. J. de Goeje (Leiden, 1894/Beirute, 1965).

Abu'l Qasim ibn 'Ali ibn Hawqal, *Surat al-ard* (Beirute, 1979).

HISTÓRIA

A. al-Duri, *Bahth fi nash'at 'ilm al-tarikh 'ind al-'arab* (Beirute, 1960); trad. ingl. *The Rise of Historical Writing Among the arabs* (Princeton, 1983).

T. Khalidi, *Islamic Historiography: the histories of Mas'udi* (Albany, N. Y., 1975).

F. Rosenthal, *A History of Muslim Historiography* (Leiden, 1952).

Muhammad abu Rayhan al-Biruni, *Tahqiq ma li'l-Hind* (Hyderabad, 1958); trad. ingl. E. Sachau, *Alberuni's India*, 2 vols. (Londres, 1888).

LITERATURA

J. Pedersen, *The Arabie Book* (Princeton, 1984).

A. Hamori, *On the Art of Medieval Arabic Literature* (Princeton, 1974).

I'Abbas, *Fann al-shi'r* (Beirute, 1959).

J. E. Bencheikh, *Poétique arabe: essai sur les voies d'une création* (Paris, 1975).
Abu Tayyib al-Mutanabbi, *Diwan* (várias eds.); trad. ingl. A. J. Arberry, *The Poems of al-Mutanabbi* (Cambridge, 1967).
T. Husayn, *Ma'al-Mutanabbi* (Cairo, 1962).
R. Blachère, *Un poète arabe du 4ᵉ siècle de l'Hégire: Abou-t-Tayyib al Mutanabbi* (Paris, 1935).
C. Pellat, *Le milieu basrien et la formation de Gahiz* (Paris, 1953).
C. Pellat, *The Life and Works of Jahiz*, trad. ingl. (Londres, 1969).

IDENTIDADE REGIONAL

U. Haarmann, "Régional sentiment in medieval Islamic Egypt", *Bulletin of the School of Oriental and African Studies*, vol. 43 (1980), pp. 55-66.
A. al-Duri, *al-Takwin al-tarikhi li'l-umma al-'arabiyya* (Beirute, 1984); trad. ingl. A. A. Duri, *The Historical Formation of the Arab Nation* (Londres, 1987).

4. A ARTICULAÇÃO DO ISLÃ

CALIFADO E IMANATO

T. W. Arnold, *The Caliphate*, 2ª ed. (Londres, 1965).
W. Madelung, "Imama", *Encyclopaedia of Islam*, 2ª ed., vol. 3, pp. 1163-9.
A. K. S. Lambton, *State and Government in Medieval Islam* (Londres, 1965).
T. Nagel, *Staat und Glaubensgemeinschaft in Islam*, 2 vols. (Zurique, 1981).
P. Crone e M. Hinds, *God's Caliph* (Cambridge, 1986).
J. C. Wilkinson, *The Imamate Tradition of Oman* (Cambridge, 1987).

TEOLOGIA

I. Goldziher, *Vorlesungen über den Islam* (Heidelberg, 1910); trad. A. e R. Hamori, *Introduction to Islamic Theology and Law* (Princeton, 1981).
H. Laoust, *Les schismes dan l'islam* (Paris, 1965).
W. M. Watt, *The Formative period of Islamic Thought* (Edimburgo, 1973).
A. J. Wensinck, *The Muslim Creed* (Cambridge, 1982).
J. Van Ess, *Anfänge Muslimische Theologie* (Wiesbaden, 1977).
M. A. Cook, *Early Muslim Dogma* (Cambridge, 1981).
L. Gardet e M. M. Anawati, *Introduction à la théologie musulmane*, 2ª ed. (Paris, 1970).
W. Madelung, *Religious Schools and Sects in medieval Islam* (Londres, 1985).
R. J. McCarthy, *The Teology of Al-Ash'ari* (Beirute, 1953).
G. Makdisi, "Ash'ari and the Ash'arites in Islamic religious thought", *Studia Islamica*, vol. 17 (1962), pp. 37-80; vol. 18 (1963), pp. 19-39.

XIISMO E ISMAELISMO

M. Momen, *An Introduction to Shi'i Islam* (New Haven, 1985).

S. M. Stern, *Studies in Early Isma'ilism* (Leiden, 1983).

W. Madelung, *Der Imam al-Qasim ibn Ibrahim und die Glaubenslehre der Zaiditen* (Berlim, 1971).

W. Madelung, "Isma'iliyya", *Encyclopaedia of Islam*, vol. 4, pp. 198-206.

HADITH

Muhammad ibn Isma'il al-Bukhari, *al-Jami'al-sahih*, 8 vols. (Bulaq, AH 1296/1879), 3 vols. (Cairo, AH 1348/1930).

I. Goldziber, *Muhammedanische Studien*, vol. 2 (Halle, 1890); trad. ed. S. M. Stern, *Muslim Studies*, vol. 2 (Londres, 1971).

G. H. A. Juynboll, *Muslim Tradition* (Cambridge, 1983).

W. A. Graham, *Divine Word and Prophetic Word in Early Islam* (The Hague, 1977).

JURISPRUDÊNCIA E LEI

J. Schacht, *The Origins of Muhammadan Jurisprudence* (Oxford, 1950).

J. Schacht, *An Introduction to Islamic Law* (Oxford, 1964).

P. Crone, *Roman, Provincial and Islamic Law* (Cambridge, 1987).

N. J. Coulson, *A History of Islamic Law* (Edimburgo, 1964).

Muhammad ibn Idris al-Shafi'i, *al-Risala*, ed. A. M. Shakir (Cairo, AH 1357/1938); trad. ingl. M. Khadaduri, *Islamic Jurisprudence* (Baltimore, 1961).

E. Tyan, *Histoire de l'organisation judiciaire en pays d'islam*, 2 vols. (Paris, 1938-43).

SUFISMO

M. Molé, *Les mystiques musulmans* (Paris, 1965).

J. Baldick, *Mystical Islam* (Londres, 1989).

A. M. Schimmel, *Mystical Dimensions of Islam* (Chapel Hill, Carolina do Norte, 1975).

R. A. Nicholson, *The Mystics of Islam* (Londres, 1914).

R. A. Nicholson, *Studies in Islamic Mysticism* (Cambridge, 1921).

M. Smith, *Readings from the Mystics of Islam* (Londres, 1950).

L. Gardet e G. C. Anawati, *Mystique musulmane* (Paris, 1961).

Harith ibn Asad al-Muhasibi, *Kitab al-nufus* (Beirute, 1984).

J. Van Ess, *Die Gedankenwelt des Harit al-Muhasibi* (Bonn, 1961).

Muhammad ibn 'Ali al-Tirmidhi, *Kitab Khatam al-awliya*, ed. U. Yahya (Beirute, 1965).

Ahmad ibn 'Abd Allah al-Isbahani, *Hilyat al-awliya*, 10 vols. (Cairo, 1932-38).

L. Massignon, *Essai sur les origines du lexique technique de la mystique musulmane* (Paris, 1922).

L. Massignon, *La passion de Husayn ibn Mansour Hallaj, martyr mystique de l'islam*, 2ª ed., 4 vols. (Paris 1975); trad. ingl. H. Mason, *The Passion of al-Hallaj, Mystic and Martyr of Islam*, 4 vols. (Princeton, 1982).

FILOSOFIA

F. Rosenthal, *Das Fortleben der Antike in Islam* (Zurique, 1965); trad. ingl. *The Classical Heritage in Islam* (Londres, 1975).

R. Walzer, *Greek into Arabie* (Oxford, 1962).

M. Fakhry, *A History of Islamic Philophy*, 2ª ed. (Londres, 1983).

G. F. Hourani, *Reason and Tradition in Islamic Ethics* (Cambridge, 1985).

II. SOCIEDADES MUÇULMANAS ÁRABES (SÉCULOS XI-XV)

CRÔNICAS

'Izz al-Din 'Ali ibn al-Athir, *al-Kamil fi'l-tarikh*, 12 vols. (Cairo, 1884-85).

Ahmad ibn'Ali al-Maqrizi, *Kitab al-suluk li ma'rifat duwal al-muluk*, 8 partes (Cairo, 1934-72).

Muhammad Lissan al-Din al-Khatib, *Kitab a'mal al-'alam*: vol. 3, *Tarikh al-Maghrib al-'arabi fi'l-asr al-wasit* (Casablanca, 1964).

GEÓGRAFOS E VIAJANTES

Muhammad ibn 'Abd Allah Ibn Battuta, *Tuhfat al-nuzzar fi ghara'ib al- amsar wa 'aja'ib al-safar*, ed. T. Harb, *Rihlat Ibn Battuta* (Beirute, 1987); trad. ingl. H. A. R. Gibb, *The Travels of Ibn Battuta*, 3 vols. (Cambridge, 1958-71).

Yaqut ibn 'Abd Allah al-Hamawi, *Mu'jam al-buldan*, 10 vols. (Cairo, 1906-07).

Leo Africanus, trad. franc. A. Epaulard, *Jean Leon, l'African, Description de l'Afrique*, 2 vols. (Paris, 1956); trad. ingl. J. Pory, *The History and Description of Africa*, 3 vols. (Londres, 1896).

DOCUMENTOS

S. M. Stern (ed.), *Fatimid Decrees* (Londres, 1964).

S. M. Stern (ed.), *Documents from Islamic Chanceries* (Oxford, 1965).

D. Little, *A Catalogue of the Islamic Documents from al-Haram al-Sarif in Jerusalem* (Beirute, 1984).

PESQUISA

G. E. Van Grunebaum, *Medieval Islam* (Chicago, 1953).

6. O CAMPO

PRODUÇÃO AGRÍCOLA E IRRIGAÇÃO

R. M. Adams, *Land behind Baghdad* (Chicago, 1965).

J. C. Wilkinson, *Water and Tribal Settlement in South-East Arabia* (Oxford, 1977).

J. Weulersse, *Paysans de Syrie et du proche-orient* (Paris, 1946).

H. M. Rabie, *The Financial System of Egypt A. H. 564-741/1169-1341* (Londres, 1972).

T. F. Glick, *Irrigation and Society in Medieval Valencia* (Cambridge, 1970).

M. Mundy, "The Family, Inheritance and Islam", in A. al-Azmeh (ed.), *Islamic Law: Social and Historical Contexts* (Londres, 1988).

TRIBOS E AUTORIDADES

R. Montagne, *La civilisation du déserte* (Paris, 1947).

C. Cahen, "Nomades et sédentaires dans le monde musulman du moyen âge", in Cahen, *Les peuples musulmans dans l'histoire médievale* (Damasco, 1947), pp. 423-37.

P. Dresch, *Tribes, Government and History in Yemen* (Oxford, 1989).

J. Berque, *Structures sociales du Haut Atlas*, 2ª ed. (Paris, 1978).

E. E. Evans-Pritchard, *The Sanusi of Cyrenaica* (Oxford, 1949).

A. Musil, *The Manners and Customs of the Rwala Bedouins* (Nova York, 1928).

W. Lancaster, *The Rwala Bedouin Today* (Cambridge, 1981).

J. Pitt-Rivers (ed.), *Mediterranean Countrymen* (Paris, 1963).

J. G. Peristiany (ed.), *Honour and Shame* (Londres, 1965).

L. Abu Lughod, *Veiled Sentiments* (Berkeley, 1986).

7. A VIDA DAS CIDADES

CIDADES EM GERAL

A. H. Hourani e S. M. Stern (eds.), *The Islamic City* (Oxford, 1970).

I. M. Lapidus, *Muslim Cities in the Later Middle Ages* (Cambridge, Massachusetts, 1967).

O TAMANHO DAS CIDADES

A. Raymond, "La population du Caire de Maqrizi à la description de l'Egypte", *Bulletin d'Études Orientales*, vol. 28 (1975), pp. 201-15.

J. C. Russell, *Medieval Regions and their Cities* (Bloomington, Indiana, 1972).

M. Dols, *The Black Death in the Middle East* (Princeton, 1977).

CRESCIMENTO E FORMATO DAS CIDADES

Cairo J. Abu Lughod, *Cairo: 1001 years of the City Victorious* (Princeton, 1971).

J. M. Rogers, 'al-Kahira', *Encyclopaedia of Islam*, 2ª ed., vol. IV, pp. 424-41.

Damasco J. Sauvaget, "Esquisse d'une histoire de la ville de Damas", *Revue des Études Islamiques*, vol. 8 (1934), pp. 421-80.

Aleppo J. Sauvaget, *Alep* (Paris, 1941).

H. Gaube e E. Wirth, *Aleppo: historische und geographische Beitrage* (Wiebaden, 1984).

Jerusalém M. Burgoyne e D. S. Richards, *Mamluk Jerusalem: an architectural study* (Londres, 1987).

Bagdá G. Makdisi, "The Topography of eleventh century Baghdad", *Arabica*, vol. 6 (1959), pp. 178-97, 281-309.

Qus J. C. Garcin, *Un centre musulman de la Haute-Egypte médiéval: Qus* (Cairo, 1976).

San'a R. B. Serjeant e R. Lewcock (eds.), *San'a, an Arabian Islamic City* (Londres, 1983).

Fez R. Le Tourneau, *Fez in the Age of the Marinids* (Norman, Oklahoma, 1961).

R. Le Tourneau, *Fès avant le protectorat* (Casablanca, 1949).

A VIDA DE UMA GRANDE CIDADE: CAIRO

Ahmad ibn 'Ali al-Maqrizi, *al-Mawa'iz wa'l-i'tibar fi dhikr al-khitat wa'l-akhbar*, ed. G. Wiet, 5 vols. (Cairo, 1911); index: A. A. Haridi, *Index analytique des ouvrages d'Ibn Duqmaq et de Maqrizi sur le Caire*, 3 vols. (Cairo, 1983-84).

S. D. Goitein, *A Mediterranean Society*, 5 vols. (Berkeley, 1967-88).

E. W. Lane, *The Manners and Customs of the Modern Egyptians* (Londres, 1836 e reedições).

COMÉRCIO E MERCADOS

G. Wiet e A. Raymond, *Les marches du Caire* (Cairo, 1979).

E. Wirth, "Zum probleme des bazars", *Der Islam*, vol. 51 (1974), pp. 203-60; vol. 52 (1975), pp. 6-46.

S. Y. Habib, *Handelsgeschichte Ägyptens in Spätmittelalten 1171-1517* (Wiesbaden, 1965).

R. Lopez, H. Miskimin e A. L. Udovitch, "England to Egypt: long-term trends and long-distance trade", in M. A. Cook (ed.), *Studies in the Economic History of the Middle East* (Londres, 1970), pp. 93-128.

A. L. Udovitch, *Partnership and Profit in Medieval Islam* (Princeton, 1970).

M. Rodinson, *Islam et capitalisme* (Paris, 1966); trad. ingl. *Islam and Capitalism* (Londres, 1974).

ELEMENTOS DA POPULAÇÃO

B. Musallam, *Sex and Society in Islam* (Cambridge, 1983).

B. Lewis, *The Jews of Islam* (Londres, 1984).

R. Brunschvig, "Abd", *Encyclopaedia of Islam*, 2ª ed., vol. 1, pp. 24-40.

G. Rotter, *Die Stellung des Negers in der islamich-arabischer Gesellschaft bis zum 16ten Jahrhundert* (Bonn, 1967).

A VIDA NAS CASAS

J. G. Garcin e outros, *Palais et maisons du Caire*: *L'époque mamelouk* (*13ᵉ-16ᵉ siècle*) (Paris, 1982).

D. Waines, "Cuisine", in T. Mostyn e A. Hourani (eds.), *The Cambridge Encyclopaedia of the Middle East and North Africa* (Cambridge, 1988), pp. 240-3.

8. CIDADES E SEUS GOVERNANTES

EXÉRCITOS

V. J. Parry e M. E. Yapp (eds.), *War, Technology and Society in the Middle East* (Londres, 1975).

D. Ayalon, *Gunpowder and Firearms in the Mamluk Kingdom* (Londres, 1956).

D. Ayalon, *The Mamluk Military Society* (Londres, 1979).

LEALDADES

R. Mottahedh, *Loyalty and Leadership in an Early Islamic Society* (Princeton, 1980).

C. Cahen, "Mouvements populaires et autonomisme urbain dans L'Asie 'musulmane du moyen âge", *Arabica*: vol. 5 (1958), pp. 225-50, vol. 6 (1959), pp. 25-56, 233-65.

ADMINISTRAÇÃO

C. F. Petry, *The Civilian Élite of Cairo in the Later Middle Ages* (Princeton, 1981).

J. P. Nielsen, *Secular Justice in an Islamic State*: *mazalim under the Bahri Mamlukes* (Leiden, 1985).

R. Brunschvig, "Urbanisme médieval et droit musulman", *Revue des Études Islamiques* (1947), pp. 127-55.

B. Johansen, "*Amwal zahira wa amwal batina*: town and countryside as reflected in the tax-system of the Hanafite School", in W. al-Qadi (ed.), *Studia Arabica and Islamica* (Beirute, 1981), pp. 247-63.

B. Johansen, "The all-embracing town and its mosques", *Revue de l'Occident Musulman et de la Méditerranée*, vol. 32 (1981), pp. 139-61.

A. Raymond, "Espaces publics et espaces privés dans les villes arabes traditionelles", *Maghreb Mashrek*, nº 123 (1989), pp. 194-201.

CONTROLE DA TERRA

C. Cahen, "L'évolution de l'iqta du 9ᵉ au 13ᵉ siècle", in Cahen, *Les Peuples musulmans dans l'histoire médievale* (Damasco, 1977), pp. 231-69.

A. K. S. Lambton, "The evolution of the iqta' in medieval Iran", *Iran*, vol. 5 (1967), pp. 41-50.

TEORIA POLÍTICA

'Ali ibn Muhammad, *al-Mawardi, al-Ahkam al-sultaniyya* (Cairo, AH 1298/1881); trad. franc. E. Fagnan, *Les statuts gouvernementaux*, reed. (Paris, 1982).

Husayn ibn 'Ali, Nizam al-Mulk, *Siyaset-name*; trad. ingl. H. Darke, *The Book of Government, or Rules for Kings*, 2ª ed. (Londres, 1978).

Ahmad Ibn Taimiyya, *al-Siyasa al-shar'iyya fi islah al-ra'y wa'iyya* (Bagdá, s.d); trad. franc. H. Laoust, *Le traité de droit public d'Ibn Taimiya* (Beirute, 1948).

Muhammad al-Farabi, *Ara ahl al-madina al-fadila*; texto e trad. ingl. R. Walzer, *Al-Farabi on the Perfect State* (Oxford, 1985).

9. OS CAMINHOS DO ISLÃ

PILARES DO ISLÃ

G. E. von Grunebaum, *Muhammadan Festivals* (Nova York, 1951).

M. Gaudefroy-Demombynes, *Le pélerinage à la Mekke* (Paris, 1923).

J. Jomier, *Le mahmal et la caravane égyptienne des pélerins de la Mecque 13ͤ-20ͤ siècle* (Cairo, 1953).

'Ali ibn Abi Bakr al-Harawi, *Kitab al-isharat ila ma'rifat al-ziyarat* (Damasco, 1957); trad. franc. J. Sourdel-Thomine, *Guides des lieux de pélerinage* (Damasco, 1957).

R. Peters, *Islam and Colonialisme: the doctrine of jihad in modern history* (The Hague, 1979), pp. 9-37.

SANTOS E SUFITAS

J. S. Trimingham, *The Sufi Orders in Islam* (Oxford, 1971).

C. Padwick, *Muslim Devotions* (Londres, 1961).

J. A. Williams (ed.), *Themes of Islamic Civilization* (Berkeley, 1971), "The friends of God", pp. 307-70.

L. Goldziher, *Muhhammedanische Studien*, vol. 2 (Halle, 1890), pp. 277-378; trad. ingl. S. M. Stern, *Muslim Studies*, vol. 2 (Londres, 1971), "Veneration of saints in Islam", pp. 255-341.

T. Canaan, *Mohammadan Saints and Sanctuaries in Palestine* (Londres, 1927).

J. S. Macpherson, *The Mawlids of Egypt* (Cairo, 1941).

E. A. Westermarck, *Pagan Survivals in Mohammedan Civilization* (Londres, 1933).

MAHDISMO

W. Madelung, 'al-Mahdi', *Encyclopaedia of Islam*, 2ª ed., vol. 5, pp. 1230-8.

I. Goldziher (ed.), *Le livre de Mohamed ibn Tumart, mahdi des Almohades* (Argel, 1903).

10. A CULTURA DOS ULEMÁS

CÓDIGOS DE LEI

L. Milliot, *Introduction à l'étude du droit musulman* (Paris, 1953).

'Abd Allah ibn Abi Zayd al-Qayrawani, *Risala*; texto e trad. franc. L. Bercher, *La Risala ou Epitre sur les éléments du dogme et de la loi de l'Islam selon le rite malekite* (Argel, 1949).

'Abd Allah ibn Ahmad ibn Qudama, *Kitab al-'umda fi ahkam al-fiqh* (Cairo, 1933); trad. franc. H. Laoust, *Le précis de droit d'Ibn Qudama* (Beirute, 1950).

J. Berque, "Amal", *Encyclopaedia of Islam*, 2ª ed., vol. 1, pp. 427-8.

A. Layish e A. Shmueli, "Custom and *shari'a* in the Beduin family according to legal documents from the Judaen desert", *Bulletin of the School of Oriental and African Studies*, vol. 42 (1979), pp. 29-45.

MADRASAS

G. Makdisi, *The Rise of Colleges: Institutions of Learning in Islam and the West* (Edimburgo, 1981).

J. Berque, "Ville et université: aperçu sur l'histoire de l'école de Fès", *Revue Historique du Droit Français et Étranger*, vol. 27 (1949), pp. 64-117.

DICIONÁRIOS BIOGRÁFICOS

H. A. R. Gibb, "Islamic biographical literature", in B. Lewis e P. M. Holt (eds.), *Historians of the Middle East* (Londres, 1962), pp. 54-8.

Ahmad ibn Muhammad Ibn Khallikan, *Wafayat al-a 'yan wa anba al-zaman*, ed. I'Abbas, 8 vols. (Beirute, 1968-72).

AL-GHAZALI

W. M. Watt, *Muslim Intellectual* (Edimburgo, 1963).

Muhammad al-Ghazali, *Ihya 'ulum al-din*, 4 vols. (Cairo, 1916).

G. H. Bousquet, *Ihya ouloum ed-din ou vivification des sciences de la foi: analyse et index* (Paris, 1955).

Muhammad al-Ghazali, *al-Munqidh min al-dalal*, ed. J. Saliba e K. 'Ayyad (Damasco, 1939); trad. ingl. R. J. McCarthy, *Freedom and Fulfilment* (Boston, 1980).

F. Jabr, *La notion de la ma'rifa chez Ghazali* (Beirute, 1958).

11. CAMINHOS DIVERGENTES DE PENSAMENTO

FILOSOFIA

L. Gardet, *La pensée religieuse d'Avicenne* (Paris, 1955).

W. E. Gohlman (ed. e trad.), *The Life of Ibn Sina* (Albany, Nova York, 1974).

al-Husayn ibn 'Abd Allah ibn Sina, *Kitab al-isharat wa'l-tanbihat*, ed. S. Dunya, 4 vols. (Cairo, 1957-60); trad. franc. A. M. Goichon, *Livre des directives et remarques* (Paris, 1951).

A. M. Goichon, *Lexique de la langue philosophique d'Ibn Sina* (Paris, 1938).

Muhammad al-Ghazali, *Tahaful al-falasifa*, ed. S. Dunya, 3ª ed. (Cairo, 1964).

Muhammad ibn Ahmad ibn Rushd, *Tahafut al-tahafut*, ed. S. Dunya (Cairo, 1964); trad. ingl. S. van den Bergh (Londres, 1954).

Muhammad ibn Ahmad ibn Rushd, *Fasl al-maqal*, ed. G. F. Hourani (Leiden, 1959); trad. ingl. G. F. Hourani, *Averroes on the Harmony of Religion and Philosophy* (Londres, 1961).

IBN 'ARABI

Muhyi al-Din ibn 'Arabi, *Fusus al-hikam*, ed. A. 'Afifi (Cairo, 1946); trad. ingl. R. J. W. Austin, *The Bezels of Wisdom* (Londres, 1980).

A. E. Afifi, *The Mystical Philosophy of Muhyid Din Ibnul Arabi* (Cambridge, 1939).

O. Yahia, *Histoire et classification de l'oeuvre d'Ibn 'Arabi*, 2 vols. (Damasco, 1964).

T. Izutsu, *Sufism and Taoism: a comparative study of key philosophical conceipts*, ed. revisada (Berkeley, 1984).

IBN TAYMIYYA

H. Laoust, *Essai sur les doctrines sociales et politique de Taki-d-Din Ahmad b. Taimiya* (Cairo, 1939).

PENSAMENTO XIITA

H. Modarressi Tabataba'i, *An Introduction to Shi'i Law* (Londres, 1984).

D. M. Donaldson, *The Shi'ite Religion* (Londres, 1933).

E. Kohlberg, "From Imamiyya to Ithna "ashariyya", *Bulletin of the School of Oriental and African Studies*, vol. 39 (1976), pp. 521-34.

DRUSOS

M. G. S. Hodgson, "Duruz", *Encyclopaedia of Islam*, 2ª ed, vol. 2, pp. 631-4.

D. Bryer, "The origins of the Druze religion", *Der Islam*: vol. 52 (1975), pp. 47-84, 239-62.

N. M. Abu Izzeddin, *The Druzes* (Leiden, 1984).

644

CRISTÃOS E JUDEUS

A. S. Atiya, *A History of Eastern Christianity* (Londres, 1968).
G. Graf, *Geschichte der christliche arabischen Literatur*, 5 vols. (Vaticano, 1944-53).
N. Stillman (ed.), *The Jews of Arab Lands* (Filadélfia, 1979).

CULTOS PARTILHADOS

F. W. Hasluck, *Christianity and Islam under the Sultans*, 2 vols. (Oxford, 1929).
N. Slousch, *Travels in North Africa* (Filadélfia, 1927).

12. A CULTURA DAS CORTES E DO POVO

SOCIEDADE E CULTURA ANDALUZAS

E. Lévi-Provençal, *La civilisation arabe en Espagne* (Cairo, 1938).
T. F. Glick, *Islamic and Christian Spain in the Early Middle Ages* (Princeton, 1979).
R. I. Burns, *Islam under the Crusades: colonial survival in the thirteenth-century kingdom of Valencia* (Princeton, 1973).

ARTE E ARQUITETURA

K. A. C. Creswell, *The Muslim Architecture of Egypt*, 2 vols. (Oxford, 1952-59).
G. Marçais, *L'architecture musulmane de l'occident* (Paris, 1954).
O. Grabar, *The Alhambra* (Londres, 1975).
R. Ettinghausen, *Arab Painting* (Lausanne, 1962).
O. Grabar, *The Illustrations of the Maqamat* (Chicago, 1984).
A. Lane, *Early Islamic Pottery* (Londres, 1947).
A. Lane, *Later Islamic Pottery*, 2ª ed. (Londres, 1971).
J. W. Allan, *Islamic Metalwork: the Nudah es-Said collection* (Londres, 1982).
J. Lehrman, *Earthly Paradise: garden and courtyard in Islam* (Londres, 1980).
J. Dickie, "The Hispano-Arab garden", *Bulletin of the School of Oriental and African Studies*, vol. 31 (1958), pp. 237-48.

LITERATURA

I. 'Abbas, *Tarikh al-adab al-andalusi*, 2ª ed., 2 vols. (Beirute, 1969-71).
S. M. Stern, *Hispano-Arabic Strophic Poetry* (Oxford, 1974).
Ahmad ibn 'Abd Allah ibn Zaydun, *Diwan*, ed. K. al-Bustani (Beirute, 1951).
Abu Bakr ibn al-Tufayl, *Hayy ibn Yaqdhan*, ed. J. Saliba e K. 'Ayyad, 5ª ed. (Damasco, 1940); trad. ingl. L. E. Goodman, *Hayy ibn Yaqzan* (Nova York, 1972).
D. Goldstein (ed.), *The Jewish Poets of Spain 900-1250* (Harmondsworth, Middlesex, 1971).
M. M. Badawi, "Medieval Arabic drama: Ibn Daniyal", *Journal of Arabic Literature*, vol. 13 (1982), pp. 83-107.

Y. Eche, *Les bibliothèques arabes* (Damasco, 1962).

LITERATURA E ROMANCE POPULAR

P. J. Cachia, *Narrative Ballads of Modern Egypt* (Oxford, 1988).

H. T. Norris, *The Adventures of Antar* (Warminster, Wiltshire, 1988).

H. T. Norris, *Saharan Myth and Saga* (Oxford, 1972).

A. Miquel e P. Kemp, *Majnun et Layla: l'amour fou* (Paris, 1984).

M. Mahdi, *Kitab alf layla wa layla* (Leiden, 1984).

D. B. Macdonald, "The earlier history of the Nights Arabian", *Journal of the Royal Asiatic Society* (1924), pp. 353-97.

P. Heath, "Romance as genre in *The Thousand and One Nights*", *Journal of Arabic Literature*: vol. 18 (1987), pp. 1-21; vol. 19 (1988), pp. 1-26.

MÚSICA

H. G. Farmer, *A History of Arabian Music* (Londres, 1929).

Abu'l-Faraj al-Isbahani, *Kitab al-aghani*, 30 vols. (Cairo, 1969-79).

Muhammad al-Ghazali, *Ihya 'ulum al-din* (Cairo, 1916), vol. 2, pp. 236-69; trad. ingl. D. B. Macdonald, "Emotional religion in Islam as affected by music and singing", *Journal of the Royal Asiatic Society* (1901), pp. 198-252, 705-48; (1902), pp. 1-28.

O. Wright, "Music", in J. Schacht e C. E. Bosworth (eds.), *The Legacy of Islam* (Oxford, 1974), pp. 489-505.

O. Wright e outros, "Arabic music", in S. Sadie (ed.), *The New Grove Dictionary of Music and Musicians* (Londres, 1980), vol. 1, pp. 514-39.

E. Neubauer, "Islamic religious music", in *The New Grove Dictionary of Music and Musicians*, vol. 9, pp. 342-9.

O. Wright, *The Modal System of Arab and Persian Music A. D. 1250-1300* (Oxford, 1978).

CIÊNCIA E MEDICINA

A. I. Sabra, "The scientific enterprise", in B. Lewis (ed.), *The World of Islam* (Londres, 1976), pp. 181-200.

A. I. Sabra, "The exact sciences", in J. R. Hayes (ed.), *The Genius of Arab Civilization* (Londres, 1976).

J. Vernet, "Mathematics, astronomy, optics", in J. Schacht e C. E. Bosworth (eds.), *The Legacy of Islam* (Oxford, 1974), pp. 461-89.

M. Ullmann, *Islamic Medicine* (Edimburgo, 1978).

M. Ullmann, *Die Medizin in Islam* (Leiden, 1970).

P. Johnstone, "Tradition in Arabic Medicine", *Palestine Exploration Quartely*, vol. 107 (1975), pp. 23-37.

OCULTISMO

L. Thorndike, *A History of Magic and Experimental Science*, vol. 1, partes 1 e 2 (Nova York, 1934).

M. Ullmann, *Die Natur und Geheimwissenschaften in Islam* (Leiden, 1972).

G. E. von Grunebaum e R. Caillois (eds.), *The Dream and Human Societies* (Berkeley, 1966).

III. A ERA OTOMANA (SÉCULOS XVI-XVIII)

HISTÓRIA GERAL

P. Kinross, *The Ottoman Centuries: the rise and fall of the Turkish empire* (Londres, 1977).

S. J. e E. Shaw, *A History of the Ottoman Empire and Turkey*, 1 vols. (Cambridge, 1976-77).

R. Mantran (ed.), *Histoire de l'empire ottoman* (Paris, 1989).

I. H. Uzunçarsili, *Osmanli Taribi*, vols. 1-4, nova ed. (Ancara, 1982-83).

E. Z. Karal, *Osmanh Tarihi*, vols. 6-8, nova ed. (Ancara, 1983).

A. K. Rafiq, *Bilad al-Sham wa Misr 1516-1798*, 2ª ed. (Damasco, 1968).

13. O IMPÉRIO OTOMANO

A ASCENSÃO DO PODER OTOMANO

P. Wittek, *The Rise of Ottoman power* (Londres, 1971).

R. P. Lindner, *Nomads and Ottoman in Medieval Anatolia* (Bloomington, Indiana, 1983).

A. Hess, *The Forgotten Frontier: a history of the sixteenth century Ibero-African frontier* (Chicago, 1978).

A. Hess, "The evolution of the Ottoman seaborne empire in the age of the oceanic discoveries, 1453-1525", *American Historical Review*, vol. 75 (1970), pp. 1892-919.

R. H. Savory, *Iran under the Safavids* (Londres, 1980),

F. Braudel, *La Méditerranée et le monde méditerranéen à l'époque de Philippe II*, 2ª ed., 2 vols. (Paris, 1966); trad. ingl. *The Mediterranean and the Mediterranean World in the Age of Philip II*, 2 vols. (Londres, 1972-73).

A ESTRUTURA DE GOVERNO

H. Inalcik, *The Ottoman Empire: the classical age, 1300-1600* (Londres, 1973).

H. Inalcik, *The Ottoman Empire: conquest, organization and economy* (Londres, 1976).

A. D. Alderson, *The Structure of the Ottoman Dynasty* (Oxford, 1956).

I. H. Uzunçarsili, *Osmanli Devletinin Teskilâtinden Kapukulu Ocaklari*, 2 vols. (Ancara, 1943-44).

I. H. Uzunçarsili, *Osmanli Devletinin Saray Teskilâti* (Ancara, 1945).

N. Itzkowitz, *Ottoman Empire and Islamic Tradition* (Nova York, 1972).

C. Fleischer, *Bureaucrat and Intellectual in the Ottoman Empire* (Princeton, 1986).

M. Kunt, *The Sultan's Servants: the transformation of Ottoman provincial government, 1550-1650* (Nova York, 1983).

O. G. de Busbecq, *The Turkish Letters of Ogier Ghiselle de Busbecq*, trad. ingl. (Oxford, 1927).

P. Rycaut, *The History of the Present State of the Ottoman Empire*, 4ª ed. (Londres, 1675).

EXEMPLOS DE DOCUMENTOS OTOMANOS

Ö. L. Barkan, *Kanunlar* (Istambul, 1943).

R. Mantran e J. Sauvaget, *Règlements fiscaux ottomans: les provinces syriennes* (Beirute, 1951).

R. Mantran, "Règlements fiscaux: la province de Bassora", *Journal of the Economic and Social History of the Orient*, vol. 10 (1967), pp. 224-77.

U. Heyd, *Documents on Palestine 1552-1615* (Oxford, 1960).

R. Mantran, *Inventaire des documents d'archive turcs du Dar-el-Bey (Tunis)* (Paris, 1961).

A. Temimi, *Sommaire des registres arabes et turcs d'Alger* (Túnis, 1979).

ORGANIZAÇÃO RELIGIOSA E JUDICIAL

I. H. Uzunçarsili, *Osmanli Devletinin Ilmiye Teskilâti* (Ancara, 1965).

U. Heyd, *Studies in Old Ottoman Criminal Law* (Oxford, 1973).

U. Heyd, "Some aspects of the Ottoman fetva", *Bulletin of the School of Oriental and African Studies*, vol. 32 (1969), pp. 35-56.

R. C. Repp, *The Mufti of Istambul* (Londres, 1986).

R. C. Repp, "Some observations on the development of the Ottoman learned hierarchy", in N. Keddie (ed.), *Scholars, Saints and Sufis* (Berkeley, 1972), pp. 17-32.

O GOVERNO MAS PROVÍNCIAS ÁRABES

A. Raymond, "Les provinces arabes 16e-18e siècle", in R. Mantran (ed.), *Histoire de l'empire ottoman* (Paris, 1989), pp. 341-420.

P. M. Holt, *Egypt and the Fertile Crescent 1516-1922* (Londres, 1962).

P. M. Holt, *Studies in the History of the Near East* (Londres, 1973).

S. H. Longrigg, *Four Centuries of Modern Iraq* (Oxford, 1925).

A. M. Al-'Azzawi, *Tarikh al-'Iraq bayn ihtilalayn*, 5 vols. (Bagdá, 1935-56).

A. Abu-Husayn, *Provincial Leadership in Syria 1575-1650* (Beirute, 1985).

K. S. Salibi, *The Modern History of Lebanon* (Londres, 1965).

A. Cohen e B. Lewis, *Population and Revenue in the Towns of Palestine in the Sixteenth Century* (Princeton, 1978).

W. D. Hütteroth e K. Abdelfattah, *Historical Geography of Palestine, Transjordan and Southern Syria in the Late 16th Century* (Erlangen, 1972).

14. SOCIEDADES OTOMANAS

POPULAÇÃO

Ö. L. Barkan, "Essai sur les données statistiques des registres de recensement dans l'empire ottoman aux 15ᵉ et 16ᵉ siècles", *Journal of the Economic and Social History of the Orient*, vol. 1 (1958), pp. 9-36.

M. A. Cook, *Population Pressure in Rural Anatolia 1450-1600* (Londres, 1972).

D. Panzac, *La peste dans l'empire ottoman* (Louvain, 1985).

COMÉRCIO

S. Faroghi, *Towns and Townsmen of Ottoman Anatolia: trade, crafts and food-production in an urban setting 1520-1620* (Cambridge, 1984).

S. Faroghi, *Peasants, Dervishes and Traders in the Ottoman Empire* (Londres, 1986).

R. Mantran, "L'empire ottoman et le commerce asiatique aux 16ᵉ et 17ᵉ siècles", in D. S. Richards (ed.), *Islam and the Trade of Asia* (Oxford, 1970), pp. 169-79.

ISTAMBUL

H. Inalcik, "Istanbul", *Encyclopaedia of Islam*, 2ª ed., vol. 4, pp. 224-48.

R. Mantran, *Istambul dans la seconde moitié du 17ᵉ siècle* (Paris, 1962).

L. Güçer, "Le commerce intérieur des céréales dans l'empire ottoman pendant la seconde moitié du 16ᵉ siècle", *Revue de la Faculté des Sciences Economiques de l'Université d'Instanbul*, vol. 2 (1949-50), pp. 163-88.

L. Güçer, "L'approvisionnement d'Istanbul en céréales vers le milieu du 18ᵉ siècle", ibid, pp. 153-62.

CIDADES ÁRABES

A. Raymond, *The Great Arab Cities in the 16th-18th centuries* (Nova York, 1984).

A. Raymond, *Les grandes villes arabes à l'époque ottomane* (Paris, 1985).

A. Tamimi (ed.), *al-Hayat al iqtisadi li'l-wilayat al- 'arabiyya wa masadiruha fi'l-ahd al-'uthmani*, 3 vols.: vols, 1 e 2 árabe, vol. 3 francês e inglês (Zaghouan, Tunísia, 1986).

A. Abdel-Nour, *Introduction à l'histoire urbaine de la Syrie ottomane* (Beirute, 1982).

EDIFICAÇÕES

G. Goodwin, *A History of Ottoman Architecture* (Londres, 1971).

J. Revault, *Palais et demeures de Túnis, 16ᵉ et 17ᵉ siècles* (Paris, 1967).

R. Maury e outros, *Palais et maisons du Caire: époque ottomane, 16ᵉ-18ᵉ siècles* (Paris, 1967).

RELIGIÃO E LITERATURA

N. Keddie (ed.), *Scholars, Saints and Sufis* (Berkeley, 1972).

L. W. Thomas, *A Study of Naima* (Nova York, 1972).

A. Abdesselam, *Les historiens tunisiens des 17ᵉ, 18ᵉ et 19ᵉ siècles* (Paris, 1973).

J. Berque, *L'intérieur de Maghreb 15ᵉ-19ᵉ siècles* (Paris, 1978).

J. Berque, *Ulémas, fondateurs, insurgés du Maghreb* (Paris, 1982).

B. Braude e B. Lewis (eds.), *Christians and Jews in the Ottoman Empire*, 2 vols. (Nova York, 1982).

S. Runciman, *The Great Church in Captivity* (Cambridge, 1968).

G. Scholem, *Sabbatai Sevi: The Mystical Messiah, 1626-1676* (Londres, 1973).

SUDÃO

P. M. Holt e M. W. Daly, *A History of the Sudan*, 4ª ed. (Londres, 1988).

MARROCOS

Ahmad al-Nasiri al-Salawi, *Kitab al-istiqsa li akhbar duwal al-maghrib al-aqsa*, 9 vols. (Casablanca, 1954-56); trad. franc. "Histoire des dynasties du Maroc", *Archives Marocaines*, vols. 9 (1906), 10 (1907), 30 (1923), 31 (1925), 32 (1927), 33 (1934).

H. de Castries, *Les sources inédites de l'histoire du Maroc de 1530 à 1845*, 26 vols. (Paris, 1905-60).

E. Lévi-Provençal, *Les historiens des chorfa* (Paris, 1922).

J. Berque, *Al-Yousi: problèmes de la culture marocaine au 17ᵉ siècle* (Paris, 1958).

15. A MUDANÇA DO EQUILÍBRIO DE PODER NO SÉCULO XVIII

INTRODUÇÃO GERAL

T. Naff e R. Owen (eds.), *The islamic World in the 18th Century* (Carbondale, Illinois, 1977).

O GOVERNO CENTRAL

I. Moradgea d'Ohsson, *Tableau générale de l'empire ottoman*, 7 vols. (Paris, 1788-1924).

650

H. A. R. Gibb e H. Bowen, *Islamic Society and the West*, vol. 1, parte I (Londres, 1950).

N. Itzkowitz "Eighteenth Century Ottoman realities", *Studia Islamica*, vol. 16 (1961).

R. A. Abou-el-Haj, *The 1703 Rebellion and the Structure of Ottoman Politics* (Istambul, 1984).

M. Aktepe, *Patrona Isyani 1730* (Istambul, 1958).

AS PROVÍNCIAS ÁRABES

P. Kemp, *Territoires d'Islam: le monde vu de Moussoul au 18e siècle* (Paris, 1982).

H. L. Bodman, *Political Factors in Aleppo 1760-1826* (Chapel Hill, Carolina do Norte, 1963).

A. Russell, *The Natural History of Aleppo*, 2ª ed., 2 vols. (Londres, 1794).

J. L. Burckhardt, *Travels in Syria and the Holy Land* (Londres, 1822).

A. K. Rafeq, *The Province of Damascus 1723-1783* (Beirute, 1966).

K. K. Barbir, *Ottoman Rule in Damascus 1708-1758* (Princeton, 1980).

K. K. Barbir, "From pasha to efendi: the assimilation of Ottomans into Damascene society 1516-1783", *International Journal of Turkish Studies*, vol. 1 (1979-80), pp. 63-83.

A. Cohen, *Palestine in the Eighteenth Century* (Jerusalém, 1973).

A. al-Budayri al-Hallaq, *Hawadith Dimashq al-yawmiyya* (Cairo, 1959).

A. Raymond, *Artisans et commerçants au Caire au 18e siècle*, 2 vols. (Damasco, 1973-74).

A. Raymond, "Problèmes urbains et urbanisme au Caire aux 17e et 18e siècles", in A. Raymond e outros, *Actes du colloque internationale sur l'histoire du Caire* (Cairo, 1973), pp. 353-72.

A. Raymond, "Essai de géographie des quartiers de résidence aristocratique au Caire au 18e siècle", *Journal of the Economic and Social History of the Orient*, vol. 6 (1963), pp. 58-103.

Description de l'Egypte, 9 vols, texto, 14 vols, ilustrações (Paris, 1809-28).

C. F. Volney, *Voyages en Syrie et en Egypte*, 2 vols. (Paris, 1787); trad. ingl. *Travels through Syria and Egypt*, 2. vols. (Dublin, 1793).

'Abd al-Rahman al-Jabarti, *'Aja'ib al-athar fi'l-tarajim wa'l-akhbar*, 4 vols. (Bulaq, 1879-80).

ARÁBIA

C. Niebuhr, *Reisebeschreibung nach Arabien*, 3 vols. (Copenhague, 1774-78); trad. ingl. *Travels through Arabia*, 2 vols. (Edimburgo, 1792).

MAGREB

L. Valensi, *Le Maghreb avant la prise d'Alger 1790-1830* (Paris, 1969); trad. ingl. *On the Eve of Colonialism* (Nova York, 1977).

M. H. Chérif, *Pouvoir et société dans la Túnisie de Husain bin 'Ali*, 2 vols. (Túnis, 1984-86).

Muhammad ibn Tayyib al-Qadiri, ed. N. Cigar, *Nashr al-mathani* (Londres, 1981).

MUDANÇA ECONÔMICA

A. Raymond, "L'impact de la pénétration européene sur l'économie de l'Egypte au 18ᵉ siècle", *Annales Islamologiques* 18 (1982), pp. 217-35.

R. Paris, *Histoire du commerce de Marseille*, vol. 5: *Le Levant* (Paris, 1957).

R. Davis, *Aleppo and Devonshire Square* (Londres, 1967).

M. von Oppenheim, *Die Beduinen*, 4 vols. (Leipzig/Wiesbaden, 1939-67).

A. A. 'Abd al-Rahim, *al-Rif al-misri fi'l-qarn al-thamin 'ashar* (Cairo, 1974).

K. M. Cuno, "The Origins of private ownership of land in Egypt: a reappraisal", *International Journal of Middle East Studies*, vol. 12 (1980), pp. 245-75.

L. Valensi, *Fellahs tunisiens: l'économie rural et la vie des campagnes aux 18ᵉ et 19ᵉ siècles* (Paris, 1977); trad. ingl. *Tunisien Peasants in the 18th and 19th Centuries* (Cambridge, 1985).

ARQUITETURA E ARTE

J. Revault, *Palais et demeures de Tunis: 18ᵉ et 19ᵉ siècles* (Paris, 1971).

J. Carswell e C. J. F. Dowsett, *Kütahya Tiles and Pottery from the Armenian Cathedral of St. James, Jerusalem*, 2 vols. (Oxford, 1972).

J. Carswell, "From the tulip to the rose", in T. Naff e R. Owen (eds.), *Studies in Eighteenth Century Islamic History* (Carbondale, Illinois, 1977), pp. 325-55.

RELIGIÃO E LITERATURA

H. A. R. Gibb e H. Bowen, *Islamic Society and the West*, vol. 1, parte II (Londres, 1957).

J. Heyworth-Dunne, *Introduction to the History of Education in Modern Egypt* (Londres, 1939).

A. Hourani, "Aspects of Islamic culture: introduction", in T. Naff e R. Owen (eds.), *Studies in Eighteenth Century Islamic History* (Carbondale, Illinois, 1977), pp. 253-76.

N. Levtizion e J. O. Voll (eds.), *Eighteenth Century Revival and Reform in Islam* (Siracusa, Nova York, 1987).

J. O. Voll, *Islam: continuity and change in the modern world* (Londres, 1982).

Muhammad Khalil al-Muradi, *Silk al-durar fi a 'yan al-qarn al-thani 'ashar*, 4 vols. (Bulaq, 1983).

M. H. Chérif, "Hommes de religion et de pouvoir dans la Tunisie de l'époque moderne", *Annales ESC*, vol. 35 (1980), pp. 580-97.

WAHHABISMO

H. St. J. Philby, *Saudi Arabia* (Londres, 1955).

H. Laoust, *Essai sur les doctrines sociales et politiques de Taki-d-Din b. Taimiya* (Cairo, 1939), pp. 506-40.

IV. A ERA DOS IMPÉRIOS EUROPEUS (1800-1939)

A "QUESTÃO ORIENTAL"

M. S. Anderson, *The Eastern Question 1774-1923* (Londres, 1966).

J. C. Hurewitz (ed.), *The Middle East and North Africa in World Politics*, 2 vols. (New Haven, 1975).

L. C. Brown, *International Politics and the Middle East* (Londres, 1984).

LEVANTAMENTOS GERAIS

M. E. Yapp, *The Making of the Modern Middle East 1798-1923* (Londres, 1987).

B. Lewis, *The Emergence of Modern Turkey* (Londres, 1961).

W. R. Polk e R. L. Chambers (eds.), *Beginnings of Modernization in the Middle East* (Chicago, 1968).

Groupes de Recherches et d'Études sur le Proche-Orient, *L'Egypte au 19ᵉ siècle* (Paris, 1982).

MUDANÇA ECONÔMICA E SOCIAL

C. Issawi, *An Economic History of the Middle East and North Africa* (Nova York, 1982).

C. Issawi (ed.), *The Economic History of the Middle East 1800-1914* (Chicago, 1966).

C. Issawi, (ed.), *The Fertile Crescent 1800-1914* (Nova York, 1988).

R. Owen, *The Middle East in the World Economy 1800-1914* (Londres, 1981).

S. Pamuk, *The Ottoman Empire and World Capitalism 1820-1913* (Cambridge, 1987).

G. Baer, *Studies in the Social History of Modern Egypt* (Chicago, 1969).

A. Barakat, *Tatawwur al-milkiyya al-zira'iyya fi Misr wa atharuha 'ala al-harakat al-siyasiyya 1813-1914* (Cairo, 1977).

MUDANÇA INTELECTUAL

N. Berkes, *The Development of Secularism in Turkey* (Montreal, 1964).

A. Hourani, *Arabic Thought in the Liberal Age*, ed. rev. (Cambridge, 1983).

653

16. PODER EUROPEU E GOVERNOS REFORMADORES
(1800-1860)

A EXPANSÃO EUROPÉIA

F. Charles-Roux, *Bonaparte Governor d'Egypte* (Paris, 1936); trad. ingl. *Bonaparte Gouverneur of Egypt* (Londres, 1937).

H. L. Hoskins, *British Routes to India* (Nova York, 1928).

J. B. Kelly, *Britain and the Persian Gulf 1795-1880* (Oxford, 1968).

C. A. Julien, *Histoire de l'Algérie contemporaine*, vol. 1: 1827-71 (Paris, 1964).

R. Danziger, *Abd al-Qadir and the Algerians* (Nova York, 1977).

O TANZIMAT E MOVIMENTOS LOCAIS

Ministério de Educação da Turquia, *Tanzimat* (Istambul, 1940).

Cevdet Pasa, *Tezâkir*, 4 vols. (Ancara, 1953-67).

C. V. Findley, *Bureaucratic Reform in the Ottoman Empire* (Princeton, 1980).

U. Heyd, "The Ottoman 'ulama and westernization in the time of Selim III and Mahmud II", in Heyd (ed.), *Studies in Islamic History and Civilization* (Jerusalém, 1960), pp. 63-96.

R. Clogg (ed.), *The Movement for Greek Independence 1770-1821* (Londres, 1976).

L. S. Stavrianos, *The Balkans since 1453* (Nova York, 1958).

M. Maoz, *Ottoman Reform in Syria and Palestine 1840-1861* (Oxford, 1968).

A. Hourani, "Ottoman reform and the politics of notables", in Hourani, *The Emergence of the Modern Middle East* (Londres, 1981), pp. 36-66.

EGITO

A. Lufti al-Sayyid Marsot, *Egypt in the Reign of Muhammad 'Ali* (Cambridge, 1984).

E. R. Toledano, *State and Society in Mid-Nineteenth-Century Egypt* (Cambridge, 1990).

A. R. al-Rafi'i, *Tarikh al-haraka al-qawmiyya wa tatawwur nizam al-hukm fi Misr*, 14 vols. (Cairo, 1929-51).

TUNÍSIA

L. C. Brown, *The Tunisia of Ahmad Bey 1837-1855* (Princeton, 1974).

MARROCOS

J. L. Miège, *Le Maroc et l'Europe*, 4 vols. (Paris, 1961-63).

J. L. Miège (ed.), *Documents d'histoire économique et sociale marocaine au 19ᵉ siècle* (Paris, 1969).

17. IMPÉRIOS EUROPEUS E ELITES DOMINANTES (1860-1914)

A "QUESTÃO ORIENTAL"

W. L. Langer, *The Diplomacy of Imperialism 1890-1902*, 2ª ed. (Nova York, 1951).
E. M. Earle, *Turkey, the Great Powers and the Baghdad Railway* (Nova York, 1966).

O GOVERNO OTOMANO E AS PROVÍNCIAS

R. H. Davison, *Reform in the Ottoman Empire 1856-1876* (Princeton, 1963).
R. Devereux, *The First Ottoman Constitutional Period* (Baltimore, 1963).
R. Abu Manneh, "Sultan Abdulhamid II e Shaikh Abdulhuda al-Sayyadi", *Middle Eastern Studies 15* (1979), pp. 131-53.
C. Findley, *Ottoman Civil Officialdom* (Princeton, 1989).
E. E. Ramsaur, *The Young Turks: prelude to the revolution of 1908* (Princeton, 1957).
F. Ahmed, *The Young Turks: the Committe of Union and Progress in Turkish politics 1908-1914* (Oxford, 1969).
W. Ochsenwald, *Religion, Society and the State in Arabia: the Hejaz under Ottoman control 1840-1908* (Columbus, Ohio, 1984).
L. Nalbandian, *The Armenian Revolutionary Movement* (Berkeley, 1963).

PRIMÓRDIOS DA IMIGRAÇÃO SIONISTA

W. Z. Laqueur, *A History of Zionism* (Londres, 1972). N. Mandei, *The Arabs and Zionism before World War I* (Berkeley, 1976).

EGITO

R. Hunter, *Egypt under the Khedives 1805-1879* (Pittsburgh, 1984).
Nubar Pasha, *Mémoires* (Beirute, 1983).
D. Landes, *Bankers and Pashas* (Londres, 1958).
J. Marlowe, *The Making of the Suez Canal* (Londres, 1964).
A. Schölch, *Ägypten den Ägyptern!* (Zurique, 1972); trad. ingl. *Egypt for the Egyptians!: the socio-political crisis in Egypt 1878-1882* (Londres, 1981).
Lord Cromer, *Modern Egypt*, 2 vols. (Londres, 1908).
J. Berque, *L'Egypt, impérialisme et révolution* (Paris, 1963); trad. ingl. *Egypt, Imperialism and Revolution* (Londres, 1972).
T. Mitchell, *Colonising Egypt* (Cambridge, 1988).

SUDÃO

P. M. Holt, *The Mahdist State in the Sudam 1881-1898* (Oxford, 1958).
M. W. Daly, *Empire on the Nile: the Anglo-Egyptian Sudan 1898-1934* (Cambridge, 1986).
Abu Bakr (Babikr) Badri, *Tarikh hayati*, 3 vols. (Omdurman, 1959-61); trad. ingl. *The Memoirs of Babikr Badri*: vol. 1 (Londres, 1969), vol. 2 (Londres, 1980).

FRANÇA E MAGREB

J. Ganiage, *Les Origines du protectorat français en Tunisie 1861-1881* (Túnis, 1968).
C. R. Ageron, *Histoire de l'Algérie contemporaine*, vol. 2: *1871-1954* (Paris, 1979).
C. R. Ageron, *Les algériens musulmans et la France 1871-1919* (Paris, 1968).
E. Burke, *Prelude to Protectorate in Morocco* (Chicago, 1976).
D. Rivet, *Lyautey et l'institution du protectorat français au Maroc 1912-1925*, 3 vols. (Paris, 1988).

MUDANÇA POPULACIONAL E ECONÔMICA

A. Jwaideh, "Midhat Pasha and the land system of lower Iraq", in Hourani (ed.), *St. Anthony Papers: Middle Eastern Affairs 3* (Londres, 1963), pp. 106-36.
N. N. Lewis, *Nomads and Settlers in Syria and Jordan 1800-1980* (Cambridge, 1987).
R. Aboujaber, *Pioneers over Jordan* (Londres, 1989).
A. Schölch, *Palestina im Umbruch 1856-1882* (Stuttgart, 1986).
B. Labaki, *Introduction à l'histoire économique du Liban: soie et commerce extérieur... 1840-1914* (Beirute, 1984).
D. Chevalier, *La société du Mont Liban à l'époque de la révolution industrielle en Europe* (Paris, 1971).
E. J. R. Owen, *Cotton and the Egyptian Economy 1820-1914* (Londres, 1962).
G. Baer, *Introduction to the History of Landownership in Modern Egypt 1800-1950* (Londres, 1962).
J. Poncet, *La colonisation et l'agriculture européenne en Tunisie depuis 1881* (Paris, 1962).
X. Yacono, *La colonisation des plaines du Chelif*, 2 vols. (Argel, 1955-6).
X. Yacono, "Peut-on évaluer la population de l'Algérie vers 1830?", *Revue Africaine*, vol. 98 (1954), pp. 277-307.
J. Ruedy, *Land Policy in Colonial Algeria* (Berkeley, 1967).

MUDANÇA SOCIAL

D. Quaetaert, *Social Disintegration and Popular Resistance in the Ottoman Empire 1881-1908* (Nova York, 1983).
L. T. Fawaz, *Merchants and Migrants in Nineteenth Century Beirut* (Cambridge, Massachusetts, 1983).
L. Schatkowski Schilcher, *Families in Politics: Damascus factions and estates of the 18th and 19th centuries* (Stuttgart, 1985).
R. Tresse, "L'évolution du coutume syrien depuis un siècle", in Centre d'Études de Politique Étrangère, *Entretiens sur l'évolution des pays de civilasation arabe*, vol. 2 (Paris, 1938), pp. 87-96.
A. Mubarak, *al-Khitat al-tawfiqiyya*, 4 vols. (Cairo, 1887-89).
J. P. Thieck, "Le Caire d'après les *Khitat* de 'Ali pacha Mubarak", in Groupe de Recherche et d'Études sur le Proche-Orient, *L'Egypt au 19ᵉ siècle* (Paris, 1982), pp. 101-16.

A. Berque, "Fragments d'histoire sociale", in Berque, *Écrits sur l'Algérie* (Aix-en-Provence, 1986), pp. 25-124.

K. Brown, *People of Salé: tradition and change in a Moroccan city 1830-1930* (Manchester, 1976).

18. A CULTURA DO IMPERIALISMO E DA REFORMA

ORIENTALISMO

M. Rodinson, *La fascination de l'Islam* (Paris, 1980); trad. ingl. *The Mystique of Islam* (Londres, 1989).

E. Said, *Orientalism* (Londres, 1978).

A. Hourani, *Europe and the Middle East* (Londres, 1980).

N. Daniel, *Europe, Islam and Empire* (Edimburgo, 1966).

EDUCAÇÃO

A. I. 'Abd al-Karim, *Tarikh al-ta'lim fi Misr*, 3 vols. (Cairo, 1945).

A. L. Tibawi, *British Interests in Palestine 1800-1901* (Oxford, 1961).

A. L. Tibawi, *American Interests in Syria 1800-1901* (Oxford, 1966).

A. L. Tibawi, *Islamic Education: its traditions and modernization into the Arab national systems* (Londres, 1972).

D. Hopwood, *The Russian Presence in Syria and Palestine 1843-1914* (Oxford, 1969).

H. Charles, *Jésuites missionaires dans la Syrie et le Proche-Orient* (Paris, 1929).

A. Chouraqui, *L'Alliance Israélite Universelle et la renaissance juive contemporaine 1860-1960* (Paris, 1965).

JORNALISMO

P. de Tarazi, *Tarikh al-sahafa al-arabiyya*, 4 vols. in 3 (Beirute, 1913-33).

L'Abduh, *Tarikh al-tiba'a wa'l-sahafa fi Misr* (Cairo, 1949).

N. Farag, "The Lewis affair and the fortunes of al-*Muqtataf*", *Middle Eastern Studies*, vol. 8 (1972), pp. 74-83.

LITERATURA

M. M. Badawi, *A Critical Introduction to Modern Arabic Poetry* (Cambridge, 1975).

S. K. Jayyusi, *Trends and Movements in Modern Arabic Poetry*, 2 vols. (Leiden, 1977).

S. K. Jayyusi (ed.), *Modern Arabic Poetry: an anthology* (Nova York, 1987).

A. Shawqi, *al-Shawqiyyat*, 4 vols. (Cairo, 1961).

I. Shahid, *al-'Awda ila Shawqi* (Beirute, 1986).

A. Boudot-Lamotte, *Ahmad Sawqi, l'homme et l'oeuvre* (Damasco, 1977).

M. M. Badawi, *Early Arabie Drama* (Cambridge, 1988)

M. M. Badawi, *Modern Arabic Drama in Egypt* (Cambridge, 1987).

REFORMA ISLÂMICA

C. C. Adams, *Islam and Modernism in Egypt* (Londres, 1933).

N. Keddie, *Sayyid Jamal al-Din 'al-Afghani'* (Berkeley, 1972).

N. Keddie, *An Islamic Response to Imperialism* (Berkeley, 1968).

M. 'Abduh, *Risalat al-tawhid* (Cairo, inúmeras edições); trad. ingl. *The Theology of Unity* (Londres, 1966).

M. R. Rida, *Tarikh al-ustadh al-imam al-shaykh Muhammad 'Abduh*, 3 vols. (Cairo, 1906-31).

J. Jomier, *Le commentaire coranique du Manar* (Paris, 1954).

A. H. Green, *The Tunisian Ulama 1873-1915* (Leiden, 1978).

F. de Jong, *Turuq and Turuq-linked Institutions in Nineteenth Century Egypt* (Leiden, 1978).

B. Abu Manneh, "The Naqshbandiyya-Mujaddidiyya in the Ottoman lands in the early 19th century", *Die Welt des Islams*, vol. 22 (1982), pp. 1-36.

O. Depont e X. Coppolani, *Les confrèries religieuses musulmanes* (Argel, 1897).

C. S. Hurgronje, "Les confrèries, la Mecque et le pan-islamisme", in Hurgronje, *Verspreide Geschriften*, vol. 3 (Bonn, 1923), pp. 189-206.

C. S. Hurgronje, *Mekka in the Later Part of the 19th Century*, trad. ingl. (Leiden, 1931).

J. M. Abun-Nasr, *The Tijaniyya: a Sufi order in the modern world* (Cambridge, 1965).

NACIONALISMO

S. Mardin, *The Genesis of Young Ottoman Thought* (Princeton, 1964).

S. Mardin, *Jön Türklerin siyasî Fikirleri 1895-1908* (Ancara, 1964).

Z. Gökalp, *Turkish Nationalism and Western Civilization*, ed. e trad. N. Berkes (Londres, 1959).

W. L. Cleveland, *The Making of an Arab Nationalist: Ottomanism and Arabism in the life and thought of Sati'al-Husri* (Princeton, 1971).

W. L. Cleveland, *Islam against the West: Shakib Arslan and the campaign for Islamic nationalism* (Londres, 1985).

S. al-Husri, *Al-Bilad al-'arabiyya wa'l-dawla al'-uthmaniyya* (Beirute, 1960).

G. Antonius, *The Arab Awakening* (Londres, 1913).

S. Haim (ed.), *Arab Nationalism: an anthology* (Berkeley, 1962).

C. E. Dawn, *From Ottomanism to Arabism* (Urbana, Illinois, 1973).

Z. N. Zeine, *The Emergence of Arab Nationalism* (Beirute, 1966).

P. S. Khoury, *Urban Notables and Arab Nationalism: the politics of Damascus 1860-1920* (Cambridge, 1983).

J. M. Ahmed, *The Intellectual Origins of Egyptian Nationalism* (Londres, 1960).

I. Gershoni e J. P. Jankowski, *Egypt, Islam and the Arabs: the search for Egyptian nationhood 1900-1930* (Nova York, 1986).

L. C. Brown, "Stages in the process of change", in C. A. Micaud (ed.), *Tunisia: the politics of modernization* (Londres, 1964), pp. 3-66.

A. Laroui, *Les origines sociales et culturelles du nationalisme marocaine 1830-1912* (Paris, 1977).

19. O AUGE DO PODER EUROPEU (1914-1939)

A PRIMEIRA GUERRA MUNDIAL E O ESTABELECIMENTO DA PAZ

E. Monroe, *Britain's Moment in the Middle East 1914-1956* (Londres, 1963).

B. C. Bush, *Mudros to Lausanne: Britain's frontier in Asia 1918-1923* (Albany, Nova York, 1976).

T. E. Lawrence, *Seven Pillars of Wisdom* (Londres, 1935).

E. Kedourie, *England and the Middle East: the destruction of the Ottoman Empire 1914-1921*, 2ª ed. (Londres, 1987).

M. Vereté, "The Balfour Declaration and its makers", *Middle Eastern Studies*, vol. 6 (1970), pp. 48-76.

A. J. Toynbee, *Survey of International Affairs 1925*, vol. 1: *The Islamic World after the Peace Conference* (Londres, 1927).

C. M. Andrew e A. S. Kanya-Forstner, *France Overseas: the Great War and the climax of French imperial expansion* (Londres, 1981).

P. Kinross, *Atatürk: the rebirth of a nation* (Londres, 1964).

A. Kazancigil e E. Özbudun (eds.), *Atatürk, Founder of a Modern State* (Londres, 1981).

MANDATOS E INTERESSES OCIDENTAIS

E. Monroe, *The Mediterranean in Politics* (Londres, 1938).

S. H. Longrigg, *Iraq 1900-1950* (Londres, 1953).

P. Sluglett, *Britain in Iraq 1914-1932* (Londres, 1976).

M. Khadduri, *Independent Iraq 1932-1958*, 2ª ed. (Londres, 1960).

P. S. Khoury, *Syria and the French Mandate* (Londres, 1987).

M. C. Wilson, *King Abdullah, Britain and the Making of Jordan* (Cambridge, 1987).

L. Hirszowicz, *The Third Reich and the Arab East* (Londres, 1966).

O PROBLEMA DA PALESTINA

W. Z. Laqueur (ed.), *Am Israel-Arab Reader* (Londres, 1969).

J. C. Hurewitz, *The Struggle for Palestine* (Nova York, 1950).

Comissão Real Palestina, *Report*, Cmd 5479 (Londres, 1937).

W. Khalidi, *From Haven to Conquest* (Beirute, 1971).

F. R. Nicosia, *The Third Reich and the Palestine Question* (Londres, 1985).

K. Stein, *The Land Question in Palestine 1917-1936* (Chapel Hill, Carolina do Norte, 1984).

Y. M. Porath, *The Emergence of the Palestinian National Movement 1918-1929* (Londres, 1974).

Y. M. Porath, *The Palestinian Arab Movement 1929-1939* (Londres, 1977).

EGITO

A. Lufti al-Sayyid-Marsot, *Egypt's Liberal Experiment 1922-1936* (Berkeley, 1977).

M. Anis, *Dirasat fi thawrat sanat 1919* (Cairo, 1963).

M. H. Haykal, *Mudhakkirat fi'l-siyasa al-misriyya*, 3 vols. (Cairo, 1951-78).

M. Deeb, *Party Politics in Egypt: the Wafd and its rivals 1919-1939* (Londres, 1979).

MAGREB

J. Berque, *Le Maghreb entre deux guerres* (Paris, 1962); trad. ingl. *French North Africa: the Maghrib between two world wars* (Londres, 1962).

R. Le Tourneau, *Évolution politique de l'Afrique du nord musulmane 1920-1961* (Paris, 1962).

A. al-Fasi, *al-Harakat al-istiqlaliyya fi'l maghrib al-'arabi* (Cairo, 1948).

MUDANÇA ECONÔMICA E SOCIAL

H. Batatu, *The Old Social Classes and the Revolutionary Movements of Iraq* (Princeton, 1978).

C. Issawi, *Egypt, an Economic and Social Analysis* (Londres, 1947).

R. L. Tignor, *State, Private Enterpriese and Economic Change in Egypt 1918-1952* (Princeton, 1984).

A. Dasqi, *Kibar mallak al-aradi al-zira 'iryya wa dawruhum fi'l- mujtama'al-misri* (Cairo, 1975).

S. B. Himadeh (ed.), *The Economic Organization of Syria* (Beirute, 1936).

S. B. Himadeh (ed.), *al-Nizam al-iqtisadi fi'l-'Iraq* (Beirute, 1938).

E. Davis, *Challenging Colonialism: Bank Misr and Egyptian Industrialization 1920-1941* (Princeton, 1983).

J. Beinin e Z. Lockman, *Workers on the Nile: nationalism, communism, Islam and the Egyptian working class 1882-1954* (Londres, 1988).

R. Montagne, *Naissance du proletariat marocain* (Paris, 1951).

20. MUDANÇA DE ESTILOS DE VIDA E PENSAMENTO (1914-1939)

VIDA URBANA

M. Wahba, "Cairo memories", *Encounter*, vol. 62 v (maio 1984), pp. 74-9.

A. Adam, *Casablanca*, 2 vols. (Paris, 1968).

J. Abu Lughod, *Rabat: urban apartheid in Morocco* (Princeton, 1980).

660

R. D. Matthews e M. Akrawi, *Education in Arab Countries of the Near East* (Washington, 1950).

R. F. Woodsmall, *Muslim Women Enter a New World* (Londres, 1936).

S. Graham-Brown, *Images of Women. [...] 1860-1950* (Londres, 1988).

LITERATURA E ARTE

P. Cachia, *Taha Husain* (Londres, 1956).

T. Husayn, *al-Ayyam*, 3 vols. (Cairo, 1929-73); trad. ingl., vol. 1: *An Egyptian Childhood* (Londres, 1932); vol. 2: *The Stream of Days* (Londres, 1948); vol. 3: *A Passage to France* (Londres, 1976).

T. Husayn, *Mustaqbil al-thaqafa fi Misr*, 2 vols. (Cairo, 1938).

A. Shabbi, *Diwan* (Beirute, 1971).

G. Sadoul (ed.), *The Cinema in the Arab Countries* (Beirute, 1966).

J. Racy, "Arabic music and the effects of commercial recording", *The World of Music*, vol. 20 (1978), pp. 47-55.

J. Racy, "Music", in T. Mostyn e A. Hourani (eds.), *The Cambridge Encyclopedia of the Middle East and North Africa* (Cambridge, 1988), pp. 244-50.

J. Dickie, "Modern Islamic Architecture in Alexandria", *Islamic Quartely*, vol. 13 (1969), pp. 183-91.

MOVIMENTOS ISLÂMICOS

H. A. R. Gibb, *Modern Trends in Islam* (Chicago, 1947).

C. Geertz, *Islam Observed* (New Haven, 1968).

R. P. Mitchell, *The Society of the Muslim Brothers* (Londres, 1969).

A. 'Abd al-Raziq, *al-Islam wa usul al-hukm* (Cairo, 1925); trad. franc. "L'islam et les bases du pouvoir", *Revue des Études Islamiques*: vol. 7 (1933), pp. 353-91; vol. 8 (1934), pp. 163-222.

A. Merad, *Le réformisme musulman en Algérie de 1925 à 1940* (Paris, 1967).

W. Bennabi, *Mémoires d'un témoin du siècle* (Argel, s.d.).

E. Gellner, "The unknown Apollo of Biskra: the social base of Algerian puritanisme", in Gellner, *Muslim Society* (Cambridge, 1981), pp. 149-73.

K. Brown, "The Impact of the *Dahir Berbère* in Salé", in E. Gellner e C. Micaud (eds.), *Arabs and Berbers* (Paris, 1967), pp. 201-15.

V. A ERA DAS NAÇÕES-ESTADO (DEPOIS DE 1939)

LIVROS DE REFERÊNCIA

Europa Publications, *The Middle East and North Africa* (Londres, anual 1948-).

Centre de Recherches et d'Études sur les Sociétés Méditerranéennes, *Annuaire de l'Afrique du Nord* (Paris, anual 1962-).

T. Mostyn e A. Hourani (eds.), *The Cambridge Encyclopedia of the Middle East and North Africa* (Cambridge, 1988).

P. Mansfield, *The Middle East: a political and economic survey*, 4ª ed. (Londres, 1973).

W. Knapp, *North-west Africa: a political and economic survey*, 3ª ed. (Oxford, 1977).

ESTATÍSTICAS

Nações Unidas, Departamento de Assuntos Econômicos, *World Economic Survey* (Nova York, anual).

Nações Unidas, Statistical Office, *Statistical Year-book* (Nova York, anual).

Nações Unidas, Food and Agriculture Organization, *Production Year-book* (Roma, anual).

United Nations Educational, Social and Cultural Organization (UNESCO). *Statistical Year-book* (Paris, anual).

PAÍSES E REGIÕES

P. Sluglett e M. Farouk-Sluglett, *Iraq since 1958* (Londres, 1987).

P. Marr, *The Modern History of Iraq* (Londres, 1982).

A. J. Cottrell e outros, *The Persian Gulf States* (Baltimore, 1980).

R. S. Zahlan, *The Making of the Modern Gulf States* (Londres, 1989).

F. Heard-Bey, *From Trucial States to United Arab Emirates* (Londres, 1982).

A. Raymond (ed.), *La Syrie d'aujourd'hui* (Paris, 1980).

D. Hopwood, *Syria, 1945-1986: politics and society* (Londres, 1988).

P. Gubser, *Jordan* (Londres, 1983).

H. Cobban, *The Making of Modern Lebanon* (Londres, 1985).

N. Lucas, *The Modern History of Israel* (Londres, 1974).

Groupe de Recherches et d'Études sur le Proche-Orient, *L'Egypte d'aujourd'hui* (Paris, 1977).

D. Hopwood, *Egypt: politics and society 1945-1984*, 2ª ed. (Londres, 1986).

Centre de Recherches et d'Études sur les Sociétés Méditerranéennes, *Introduction à l'Afrique du nord contemporaine* (Paris, 1975).

M. K. e J. Deeb, *Lybia since the Revolution* (Nova York, 1982).

J. C. Vatin, *L'Algérie politique: histoire et société*, 2ª ed. (Paris, 1983).

21 . O FIM DOS IMPÉRIOS (1939-1962)

A SEGUNDA GUERRA MUNDIAL

I. S. O. Playfair e outros, *History of the Second World War: the Mediterranean and the Middle East*, 6 vols. (Londres, 1954-73).

C. de Gaulle, *Mémoires de guerre*, 3 vols. (Paris, 1954-59); trad. ingl., 3 vols. (Londres, 1955-60).

E. L. Spears, *Fulfilment of a Mission: the Spears Mission in Syria and Lebanon 1941-1944* (Londres, 1977).

H. Macmillan, *War Diaries: politics and war in the Mediterranean 1943-1945* (Londres, 1984).

Y. Porath, *In Search of Arab Unity 1930-1945* (Londres, 1986).

A. M. H. Gomaa, *The Foundation of the League of Arab States* (Londres, 1977).

GRÃ-BRETANHA E ORIENTE MÉDIO

W. R. Louis, *The British Empire in the Middle East 1935-1951* (Oxford, 1984).

W. R. Louis e J. A. Bill (eds.), *Musaddiq, Iranian Nationalism and Oil* (Londres, 1988).

W. R. Louis e R. Owen (eds.), *Suez 1956: the crisis and its consequences* (Oxford, 1989).

O PROBLEMA DA PALESTINA

W. R. Louis e R. W. Stookey (eds.), *The End of the Palestine Mandate* (Londres, 1986).

M. J. Cohen, *Palestine and the Great Powers* (Princeton, 1982).

B. Morris, *The Birth of Palestine Refugee Problem 1947-1949* (Cambridge, 1987).

A. Shlaim, *Collusion across the Jordan: King Abdullah, the Zionist movement and the partition of Palestine* (Oxford, 1988).

M. 'Alami, *'Ibrat Filastin* (Beirute, 1949); trad. ingl. "The lesson of Palestine", *Middle East Journal*, vol. 3 (1949), pp. 373-405.

FRANÇA E MAGREB

C. A. Julien, *L'Afrique du nord en marche*, 3ª ed. (Paris, 1972).

M. Bourguiba, *La Tunisie et la France* (Paris, 1954).

A. Nouschi, *La naissance du nationalisme algérien* (Paris, 1962).

M. Lacheraf, *L'Algérie, nation et société* (Paris, 1965).

A. Horne, *A Savage War of Peace: Algeria 1954-1962* (Londres, 1977).

J. Daniel, *De Gaulle et l'Algérie* (Paris, 1986).

22. SOCIEDADES EM TRANSFORMAÇÃO (DÉCADAS DE 1940 E 1950)

CRESCIMENTO ECONÔMICO

Y. Sayigh, *The Arab Economy: past performance and future prospects* (Oxford, 1982).

D. Warriner, *Land Reform and Development in the Middle East* (Londres, 1957).

Lord Salter, *The Development of Iraq* (Londres, 1955).

C. Issawi, *Egypt at Mid-century* (Londres, 1954).

C. Issawi, *Egypt in Revolution* (Londres, 1963).

R. Mabro, *The Egyptian Economy 1952-1972* (Oxford, 1974).

A. Gaitskell, *Gezira: a study of development in the Sudan* (Londres, 1959).

S. Amin, *L'économie du Magreb*, 2 vols. (Paris, 1966).

G. Leduc (ed.), *Industrialisation de l'Afrique du nord* (Paris, 1952).

W. D. Swearingen, *Moroccan Mirages: agricultural dreams and deceptions 1912-1986* (Londres, 1986).

URBANIZAÇÃO

L. C. Brown (ed.), *From Madina to Metropolis* (Princeton, 1973).

P. Marthelot, "Le Cairo, nouvelle métropole", *Annales Islamologiques*, vol. 8 (1969), pp. 189-221.

A. Raymond, "Le Caire", in Centre de Recherches et d'Études sur le Proche-Orient, *L'Egypte d'aujourd'hui* (Paris, 1977), pp. 213-41.

ARQUITETURA

H. Fathy, *Architecture for the Poor: an experiment in rural Egypt* (Chicago, 1973).

S. S. Damluji, "Islamic architecture in the modern world", in T. Mostyn e A. Hourani (eds.), *The Cambridge Encyclopedia of the Middle East and North Africa* (Cambridge, 1988), pp. 232-6.

23. CULTURA NACIONAL (DÉCADAS DE 1940 e 1950)

EDUCAÇÃO

J. S. Szyliowicz, *Education and Modernization in the Middle East* (Ithaca, Nova York, 1973).

B. G. Massialas e S. A. Jarrar, *Education in the Arab World* (Nova York, 1983).

J. Waardenburg, *Les universités dans le monde arabe actuel*, 2 vols. (Paris, 1966).

A. B. Zahlan, *Science and Science Policy in the Arab World* (Londres, 1980).

HISTORIOGRAFIA

A. Laroui, *L'histoire du Maghreb: un essai de synthèse* (Paris, 1970); trad. ingl. *The History of the Maghrib* (Princeton, 1977).

C. Zurayq, *Nahnu wa'l-tarikh* (Beirute, 1959).

LITERATURA

J. Stetkevych, "Classical Arabic on stage", in R. C. Ostle (ed.), *Studies in Modern Arabic Literature* (Warminster, Wiltshire, 1975), pp. 152-66.

Adunis, (A. A. Sa'id), *al-athar al-kamila*, 2 vols. (Beirute, 1971).

B. S. al-Sayyab, *Diwan*, 2 vols. (Beirute, 1971-74).

D. Johnson-Davies (ed. e trad.), *Arabic Short Stories* (Londres, 1983).

N. Mahfuz, *Zuqaq al-midaqq* (Cairo, 1947); trad. ingl. *Midaq Alley* (Londres, 1974).

N. Mahfuz, *Bayn al-qasrayn, Qasr al-shawq, al-Sukkariyya* (The "Cairo Trilogy"; Cairo, 1956-57); trad. ingl. do vol. 1, *Palace Walk* (Londres, 1990).

A. al-Sharqawi, *al-Ard* (Cairo, 1954).

L. Ba'labakki, *Ana ahya* (Beirute, 1963).

J. Dejeux, *Littérature maghrebine de langue française*, 3ª ed. (Sherbrooke, Quebec, 1980).

J. Dejeux e A. Memmi, *Anthologie des écrivains maghrebins d'expression française*, 2ª ed. (Paris, 1965).

K. Yacine, *Nedjima* (Paris, 1956).

M. Feraoun, *Le fils du pauvre* (Paris, 1954).

A. Djebar, *Les alouettes naïves* (Paris, 1967).

MOVIMENTOS ISLÂMICOS

K. M. Khalid, *Min huna nabda* (Cairo, 1950); trad. ingl. *From Here We Start* (Washington, 1953).

T. Husayn, *al-Fitna al-kubra*, 2 vols. (Cairo, 1947-56).

O. Carré e G. Michaud, *Les frères musulmans: Egypt et Syrie 1920-1982* (Paris, 1983).

O. Carré, *Mystique et politique: lecture révolutionnaire du Coran para Sayyid Qutb* (Paris, 1984).

S. Qutb, *Al-'Adala al-iijtima'iyya fi'l-islam*, 4ª ed. (Cairo, 1954); trad. ingl. S. Kotb, *Social Justice in Islam* (Nova York, 1970).

M. Gilsenan, *Saint and Sufi in Modern Egypt* (Oxford, 1973).

24. O AUGE DO ARABISMO (DÉCADAS DE 1950 E 1960)

'ABD AL-NASSER E O NASSERISMO

P. Mansfield, *Nasser* (Londres, 1969).

R. Strephens, *Nasser* (Londres, 1971).

H. Heikal, *The Sphinx and the Comissar: the rise and fall of Soviet influence in the Middle East* (Londres, 1978).

H. Heikal, *Cutting the Lion's Tail: Suez through Egyptian eyes* (Londres, 1986).

M. Kerr, *The Arab Cold War 1958-1970*, 3ª ed. (Londres, 1971).

E. O'Ballance, *The War in the Yemen* (Londres, 1971).

E. O'Ballance, *The Third Arab-Israeli War* (Londres, 1972).

IDÉIAS POLÍTICAS

J. 'Abd al-Nasser, *Falsafat al-thawra* (Cairo, 1955); trad. ingl. *The Philosophy of the Revolution* (Cairo, 1955).

Departamento de Informação do Egito, *Mashru' al-Mithaq al-watani* (Cairo, 1962).

S. A. Hanna e G. H. Gardner (eds.), *Arab Socialism: a documentary survey* (Londres, 1969).

S. Botman, *The Rise of Egyptian Communism* (Siracusa, Nova York, 1988).

J. F. Devlin, *The Ba'th Party* (Stanford, Califórnia, 1966).

M. 'Aflaq, *Fi sabil al-ba'th* (Damasco, 1959).

M. 'Aflaq, *Ma'rakat al-masir al-washid* (Beirute, 1958).

M. A. al-'Alim e A. Anis, *Fi'l-thaqafa al-misriyya* (Beirute, 1955).

L. 'Awad, *Thaqafatuna fi muftaraq al-turuq* (Beirute, 1974).

A. Laroui, *La crise des intellectuels arabes* (Paris, 1974); trad. ingl. *The Crisis of the Arab Intellectual* (Berkeley, 1974).

A. Laroui, *L'idéologie arabe contemporaine*, ed. rev. (Paris, 1977).

25. UNIÃO E DESUNIÃO ÁRABES (DEPOIS DE 1967)

GUERRA E PAZ COM ISRAEL

E. O'Ballance, *No Victor, No Vanquished: the Yom Kippur war* (Londres, 1968).

W. B. Quandt, *Decade of Decision: American policy towards the Arab-Israeli conflict 1967-1976* (Berkeley, 1977).

W. B. Quandt, *Camp David: peacemaking and politics* (Washington, 1986).

H. Kissinger, *Years of Upheaval* (Londres, 1982).

J. Carter, *The Blood of Abraham* (Boston, 1985).

M. Riyad, *Mudhakkirat 1948-1975* (Beirute, 1985); trad. ingl. M. Riad, *The Struggle for Peace in the Middle East* (Londres, 1981).

H. Heikal, *The Road to Ramadan* (Londres, 1975).

P. Seale, *Asad of Syria: the struggle for the Middle East* (Londres, 1988).

A INFITAH

J. Waterbury, *The Egypt of Nasser and Sadat* (Princeton, 1983).

R. Hinnebusch, *Egyptian Politics under Sadat* (Cambridge, 1985).

H. Heikal, *Kharif al-ghadab*, 2ª ed. (Beirute, 1983); trad. ingl. *Autumm of Fury* (Londres, 1983).

Y. Sayigh, *The Economies of the Arab World*, 2 vols. (Londres, 1975).

J. S. Birks e C. Sinclair, *Arab Manpower: the crisis of development* (Londres, 1980).

M. Bennoune, *The Making of Contemporary Algeria* (Cambridge, 1988).

OS PALESTINOS SOB OCUPAÇÃO

H. Cobban, *The Palestinian Liberation Organization* (Cambridge, 1984).

M. Benvenisti e outros, *The West Bank Handbook* (Jerusalém, 1986).

D. MacDowell, *Palestine and Israel* (Londres, 1989).

GUERRA CIVIL LIBANESA

K. Salibi, *Cross-roads to Civil War* (Londres, 1976).
K. Salibi, *A House of Many Mansions* (Londres, 1988).
E. Picard, *Liban: état de discorde* (Paris, 1988).
Z. Schiff e E. Ya'ari, *Israel's Lebanon War* (Londres, 1985).
R. Khalidi, *Under Siege: P.L.O. decision-making during the 1982 war* (Nova York, 1986).

GUERRA ENTRE IRÃ E IRAQUE

S. Chubin e C. Tripp, *Iran and Iraq at War* (Londres, 1988).

26. UMA PERTURBAÇÃO DE ESPÍRITOS (DEPOIS DE 1967)

DIVISÕES SOCIAIS

S. Ibrahim, *The New Arab Social Order: a study of the social impact of oil wealth* (Londres, 1982).
R. Owen, *Migrant Workers in the Gulf* (Londres, 1985).
D. MacDowell, *The Kurds* (Londres, 1985).

HOMENS E MULHERES

E. Fernea (ed.), *Women and the Family in the Middle East* (Austin, Texas, 1985).
L. Beck e N. Keddie (eds.), *Women in the Muslim World* (Cambridge, Massachusetts, 1978).
N. Hijab, *Womanpower: the Arab debate on women at work* (Cambridge, 1988).
E. Mernissi, *Beyond the Veil: male-female dynamics in a modern Muslim society*, ed. rev. (Londres, 1985).
N. Abu Zahra, "Baraka, material power, honour and women in Tunisia", *Revue d'Histoire Maghrébine*, nº 10-11 (1978), pp. 5-24.

O MOVIMENTO DE IDÉIAS

G. A. Amin, *Mihnat al-iqtisad wa'l-thaqafa fi Misr* (Cairo, 1982).
H. Hanafi, *al-Turath wa'l-tajdid* (Cairo, 1982).
S. J. al-'Azm, *Naqd al-fikr al-dini* (Beirute, 1969).
H. Djaït, *La personalité et le devoir arabo-islamique* (Paris, 1974).
M. A. al-Jabiri, *al-Khitabi al-'arabi al-mu'asir* (Casablanca, 1982).
M. A. al-Jabiri, *Takwin ai-'aql ai-'arabi*, 2ª ed. (Beirute, 1985).
F. Ajami, *The Arab Predicament* (Cambridge, 1981).

A REAFIRMAÇÃO DO ISLÃ

H. Enayat, *Modern Islamic Political Thought* (Londres, 1982).

R. Mottahedeh, *The Mantle of the Prophet* (Londres, 1985).

F. Rahman, *Islam and Modernity* (Chicago, 1982).

J. Piscatori (ed.), *Islam in the Political Process* (Cambridge, 1981).

J. Piscatori, *Islam in a World of Nation-States* (Cambridge, 1986).

J. R. Cole e N. Keddie (eds.), *Shi'ism and Social Protest* (New Haven, 1986).

G. Kepel, *Le prophète et Pharaon* (Paris, 1984); trad. ingl. *The prophet and Pharaoh* (Londres, 1985).

M. Gilsenan, *Recognizing Islam* (Londres, 1982).

S. 'Uways, *Rasa'il ila'l-imam al-Shafi'i* (Cairo, 1978).

S. Qutb, *Ma'alim fi'l-tariq* (Cairo, 1964).

MAPAS

1 Área abrangida por este livro, com os nomes e acidentes geográficos mais citados, p. 30.

2 A expansão do Império islâmico, p. 47.

3 O Califado Abácida no início do século IX, p. 60.

4 O Oriente Médio e o Magreb em fins do século XI, p. 125.

5 O Oriente Médio e o Magreb em fins do século XV, p. 206.

6 Muçulmanos na Espanha, p. 250.

   (i) Califado Omíada.

   (ii) Reconquista Cristã.

7 O Império Otomano no final do século XVII, p. 285.

8 A expansão dos impérios europeus até 1914, p. 401.

9 Acordos do pós-guerra, 1918-1923, p. 425.

   (i) acordo Sykes-Picot, 1916.

   (ii) os Mandatos.

10 A partilha da Palestina, p. 471.

   (i) o plano de partilha da Comissão Real, 1937.

   (ii) as linhas do armistício de 1949 e a ocupação israelense, 1967.

11 O Oriente Médio e o Magreb em 1988, p. 519.

12 Rotas das peregrinações, templos e centros de aprendizagem, p. 591.

669

ÍNDICE REMISSIVO

As remissões em *grifo* indicam onde os termos são definidos

"A Voz dos Árabes", 513

abácidas (dinastia dos), 22, 58-9, 61-3, 68-9, 120-1, 159, 173, 179, 194, 218, 222, 226, 252; burocracia, 58, 61, 181; cidades e palácios, 58-9, 86-7, 169-71, 178; comércio, 70-2; criação dos, 57-8; declínio dos, 122, 126, 196, ˈ255, 283; dinastias locais, 65-7; e o Islã, 101; escravos, 162; interesse na cultura grega, 111-3; judeus e os, 165; literatura, 80-2; medicina, 270; moeda, 75; música, 265; poesia, 258; sistema de irrigação, 145

'Abbas I, vice-rei do Egito, 363

'Abbas, 56-7, 64

'Abd al-Aziz, rei da Arábia Saudita, 370, 419, 458, 478, 498, 535

'Abd al-Jabbar, 226

'Abd al-Latif, 223

'Abd al-Malik, califa, 51

'Abd al-Nasser, Gamai, 460, 474, 479-82, 513, 521, 529-32, 536-9, 542-4, 551, 555, 557, 580, 583, 593-5

'Abd al-Qadir (Argélia), 356, 411, 417

Abd al-Qadir al-Jilani, 209

'Abd al-Rahman III, califa, 71

'Abd al-Rahman, sultão de Marrocos, 362

'Abd al-Raziq, 'Ali, 454

'Abduh, Muhammad, 405-6, 410, 454-5

Abdülhamid II, sultão, 370, 379, 406, 413

Abdullah, príncipe herdeiro da Arábia Saudita, 607

'Abdullah, rei da Jordânia, 418, 475, 605

ablaq, 256

Abraão, 38-9, 51, 87, 204, 300

Abu Bakr, 43, 48, 209

Abu Dhabi, 355, 533-4, 548, 552

Abu Hanifa, 101, 103

Abu Midyan, 213

Abu Muslim, 56, 58

Abu Shadi, Zaki, 446

Abu Talib, 36

Abu'l 'Abbas, califa, 57-8

Ácaba, golfo de, 539

Acordos de Oslo, 598, 605, 614

Acre, 389

adab, 82-3

Adão, 238

Áden, 355, 390, 419, 498, 532-3

adhan, 201

Administração da Dívida Pública, 371

Adunis (Ahmad Sa'id), 517-8

aéreo, transporte, 553

Afeganistão, 549

al-Afghani, Jamal al-Din, 405

'Aflaq, Michel, 528

África do Norte *ver* Magreb

África: comércio, 73, 121, 130; disseminação do Islã dentro da, 123; escravos, 163; peregrinação a Meca, 203, 295; *ver também* Magreb

671

Agar, 204
aglabidas (dinastia dos), 65
agricultura, 22, 26, 70, 130, 132, 134, 144, 146, 190, 307-8, 357, 378, 385-6, 408, 422, 426, 428-9, 464, 483, 492, 496-7, 507, 550, 568-9, 585-6; declínio da, 28, 145
Ahmad Bei, 361
Ahmad, Muhammad (mahdi no Sudão), 374, 411
al-Ahram, 399, 513
'A'isha, 43, 46
aiúbidas (dinastia dos), 121-2, 137, 164, 173, 180-2, 187, 191, 237, 248, 251, 256, 283
ajuda estrangeira, 492-3, 552
akhbaritas, 319, 338
Akhtal, 79
'Alami, família, 318, 326
Albânia, 421
aldeias, 147-52
Alemanha: comércio com o Império Otomano, 351, 377; e Israel, 539; estudo da cultura árabe, 394; imigrantes norte-africanos, 489; nazistas, 436; Segunda Guerra Mundial, 462-3
Alepo, 52, 81, 131, 154-5, 171, 237, 243, 256, 300-1, 305, 307, 311-4, 316, 318, 321, 324, 331, 335
Alexandre, o Grande, 26, 262
Alexandria, 15, 17, 23, 28, 111, 156, 172, 350, 354, 361, 374, 387, 389, 391, 398, 421, 463, 465, 502
Alhambra, Granada, 257
'Ali ibn Abi Talib, califa, 48, 57, 66, 93, 160
'alim, 92, 182
al-'Alim, Mahmud Amin, 525
al-'Allama al-Hilli, 245
Alliance Israélite, 397

almôadas (dinastia dos), 122, 146, 165, 216, 226, 251, 255, 257, 263, 282
Império Almôada, 214, 283
almorávidas (dinastia dos), 122, 226, 255, 257, 282
alquimia, 112, 273
Alto Atlas, cordilheira, 134, 142, 428
Amã, 490, 503-4
'amal, 220
Amal, 560, 562
Amalfi, 73, 156
América Latina, 437
Americana, Universidade, de Beirute, 398, 430, 443, 514
Americana, Universidade, do Cairo, 511
al-'Amili, Muhammad ibn Makki, 245
al-'Amili, Zayn al-Din, 319
al-Amim, 62
amin al-umana, 185
Amim, Galai, 576
amir al-hadj, 297
'amm, 236
Anatólia, 53, 123-4, 140; agricultura, 333; comércio, 73; estradas de ferro, 369; geografia, 131; invasão mongólica, 127; levantes celali, 309; no Império Otomano, 276, 284, 286, 294, 300, 308-9; ordens religiosas, 209; peregrinações a Meca, 203; propriedade da terra, 379
Ancara, 415
Andalus, 121; agricultura, 74; berberes, 145; cidades, 144, 154, 282; comércio, 73; conquista árabe, 49, 69-71; conversão ao Islã, 76-7; cultura, 251, 254-5, 257-9, 261-6; dinastia Almôada, 122; dinastia Almorávida, 122; escravos, 162; geografia, 135-6, 140; Igreja Católica Romana, 77, 137; lín-

guas, 138, 261; mesquitas, 52; reconquista cristã, 122-3, 252, 255, 320, 323, 325

Anglo-Egípcio, Tratado (1936), 434

Anglo-Iraquiano, Tratado (1930), 419, 433, 475

anglo-otomano, acordo (1838), 362

Anis, 'Abd al-'Azim, 525

al-Antaki, Ahmed ibn 'Asim, 109

'Antar ibn Shaddad, 262

Antilhas, 344

Antióquia, 23, 28, 321

"Apolo", grupo, 446

Aprendizado, transmissão de, 221-6

'aql, 246

aquedutos, 87

árabe, 22, 128; caligrafia, 88-9; disseminação do, 51, 53, 69, 77-80, 126, 128; e o Corão, 79, 82; importância para o Islã, 103; inscrições, 31; literatura do século XIX, 398-400; no Andalus, 261; no Império Otomano, 317; no Irã, 128; no século XX, 446, 448, 450, 510-1, 553; os cristãos e o, 252; os judeus e o, 138, 251; peças, 516; poesia, 31, 208, 258, 261; traduções do grego, 112-3

Árabe, Revolta (1916), 416, 480

árabe, socialismo, 530-1

Arábia: camelos, 141; cidades, 154, 389; clima, 139-40; conquista otomana, 286; dinastia de Ibn Rashid, 370; dinastia dos aiúbidas, 121; geografia, 129-30, 142; hospedarias, 174; ibaditas, 137; no Império Otomano, 124; nômades, 27; nomes tribais, 150; peregrinação a Meca, 203, 297; sob o governo mameluco, 123; wahhabismo, 340, 362; ver também Arábia Saudita

Arábia Saudita: abastecimento de água, 571; agricultura, 569; ajuda externa, 552; cidades, 569; Conselho de Cooperação do Golfo, 550; crescimento econômico, 567; criação da, 243, 340, 370, 419, 458, 603; e a guerra civil do Iêmen, 537; e a revolução iraniana, 567; e o fundamentalismo islâmico, 596; educação, 509, 552; embargo do petróleo, 545; estabilidade, 582; indústria, 568; influência americana, 473, 478; Liga dos Estados Árabes, 465; o poder do Estado, 498; ocupação da Grande Mesquita, 593; padrões de vida, 570-1; petróleo, 422, 494, 499, 535, 548, 603; segregação de mulheres, 573; televisão, 553; trabalhadores migrantes, 536, 554, 585; uso da linguagem do Islã, 589; wahhabismo, 581; ver também Arábia

Arábica, península, 611

Arábico, mar, 129

'Arafa, monte, 204-5

'Arafat, Yasser, 556, 598, 615

aramaico, 26, 78, 138

Argel, 306, 324; "Mesquita Nova", 316; captura de Orã, 342; comunidade judia, 313; no Império Otomano, 286, 303-5, 311, 325, 332; população, 311, 384, 391, 424, 442, 483; prédios, 335; ver também Magreb

Argel, Universidade de, 397, 429

Argélia: agricultura, 333, 439; arquitetura, 257; cidades, 390-1, 441, 502, 570; clima, 139; comércio, 344, 377-8; crescimento econômico, 567; crise do Saara Ocidental, 558; dinastia dos almôadas, 122; escolas, 397, 409, 429; estabilidade, 582, 584, 586; Fren-

673

te de Salvação Islâmica, 606; geografia, 134, 140; guerra civil, 598, 606; guerra da independência, 460, 478, 483-7, 606; independência, 526, 532, 535; indústria, 568; irrigação, 490; literatura, 518; nacionalismo, 408, 432, 456; ocupação francesa, 348, 355, 357, 376, 382-3, 386, 417, 423, 427, 434, 599; petróleo, 494, 535; população, 383, 386, 388, 489; problema dos berberes, 565-6; propriedade da terra, 382-3, 427; reformismo islâmico, 455; rustamidas, 66; santuários, 213; Segunda Guerra Mundial, 463; sublevações, 411, 477; sufismo, 412; Tijaniyya, 339; uso da língua do Islã, 589

Aristóteles, 112, 114, 232-3

Armênia, Igreja, 25, 321

armênios, 287, 293, 313, 365, 437, 441

arqueologia, 394

arquitetura, 50-3, 86-8, 174-6, 255-8, 316-7, 335, 392, 445

artes, 88-9, 258, 394, 445

artesãos, 158, 185

'asabiyya, *17*, 150, 152, 279, 291, 584, 599-604, 607

asharismo, 226

'ashura, *247*

'Asir, 129

Ásia: comércio, 155; escravos, 162; *madhhabs*, 216; trabalhadores migrantes, 571

asker, *291-2*, 298

al-Assad, Bashar, 604

al-Assad, Hafez, 543, 581, 598, 604

al-Assad, Rifaat, 604

"Assassinos", 137

Assemani, Joseph, 338

Associação de Ulemás Argelinos, 455

Assuan, barragem de, 377, 481, 491, 532

astrologia, 112, 272

astronomia, 112, 114, 270, 336

Atatürk, 419-20

Atenas, 24

Atlântico, oceano, 120, 134-6, 139, 200, 323-4

Atlas telúrico, montanhas do, 134

Atlas, montanhas, 122, 128, 139, 142, 145, 255, 323, 326, 565

Aures, montanhas, 134

Áustria, 341, 373, 414

autoridade: governantes, 193-9; imãs, 215-21

Averróis (Ibn Ruchd), 235-7, 255

Avicena (Ibn Sina), 232-4, 236, 242, 245, 265, 271

'ayyarun, *171*

Azhar, mesquita e escola, Cairo, 172, 178, 314, 318, 336, 410, 454, 511, 520, 530

al-Aziz, Abd, 607

'Azm, palácio, Damasco, 335

al-'Azm, Sadiq Jalal, 577

Ba'albaki, Layla, 515

Babilônia, 132, 172, 251

al-Badawi, Ahmad, 213

badi', *80*

Bagdá, 79, 120-1, 132, 173, 179, 226, 282; arquitetura, 317; bibliotecas, 268; comércio, 73; comunidade judaica, 365; dicionários biográficos, 225; dinastia Seljúquida, 199, 221; governantes, 194; invasões mongólicas, 122, 127, 196, 311; literatura, 263, 516; *madhhabs*, 215; no Império Otomano, 286, 300-1, 311, 331; pobreza, 505; população, 155, 442, 490, 570; santuários, 213; sob califas abácidas,

674

58-9, 61-2; zona rural circunvizinha, 145
Bagdá, Pacto de, 475, 480-1
Bagdá, Universidade de, 510
Bahrain, 319, 322, 370, 422, 534, 567
al-Bakri, Hassan, 601
bakriyya, 412
al-Baladhuri, Ahmed ibn Yahya, 84
Bálcãs, 276, 288, 300, 331, 333, 351, 414
Balfour, Declaração (1917), 418
Balkh, 54
bancos, 378, 496
al-Banna, Hasan, 456, 521
Banque Misr, 429
Banu Hilal, 146, 151, 190, 262-3
Banu Kalb, 54
baqa, *239*
Bashir II, emir do Líbano, 335
Basra, 45, 48, 55, 59, 72-3, 79, 83, 100, 132, 154-5, 301, 389, 602
Basri, Driss, 605
Ba'th, Partido, 528-9, 534, 539, 543-4, 550, 601, 603
bay'a, *186*, 196
Baybars, 262
Bayram, 315
Bayram, Muhammad, 337
beduínos, 27, 80, 207, 297, 353, 416, 438-9
Begin, Menahem, 547, 556
bei, 304
Beirute, 371, 387, 389, 397-9, 430, 441, 443-4, 451, 454, 466, 496, 504, 514, 516, 532, 538, 559-62
Bélgica, 351
Ben 'Ali, Zayn al-'Abidin, 594, 605
Ben Badis, Muhammad, 455
Ben Bella, Ahmad, 535
Ben Gurion, David, 472
Bengala, 343, 345, 393
berberes, 17, 441; assimilação nas tribos árabes, 147; dialetos, 138;

kharijismo, 66; migração, 70; movimento nacionalista na Argélia, 518, 565-6; na Espanha, 69-70; nomes tribais, 151
Berlim, Tratado de (1878), 368
bibliotecas, 267-8
bidonvilles, 441
al-Bihbihani, Muhammad Baqir, 338
bila-kayf, *98*
bilingüismo, 398, 444, 511
bimaristans, *271*
Bin Laden, Osama, 599, 612
Bin Mahfouz, família, 610
biografias, 34, 84, 104, 224-5, 269, 317, 326, 337
al-Biruni, Muhammad Abu Rayhan, 85, 90
al-Bistami, Abu Yazid, 110, 210
Bizantino, Império, 22, 25, 29, 33, 44, 73, 77, 124, 156, 284, 286, 294
Bizerta, 421
Boa Esperança, cabo da, 156, 307, 343
Boumediene, Hawari, 535, 568, 586
Bourguiba, Habib, 606
Bouteflika, Abdelaziz, 606
bubônica, peste, 280
al-Bukhari, Muhammad ibn Isma'il, 94, 106
Bulgária, 371
Burguiba, Habib, 433, 476-7, 535, 543, 594
burocracia, 24, 61, 181, 282, 288, 298, 310, 324, 360, 369, 501
Bush, George W., 614
Bustani, Butrus, 399, 402
buyidas (dinastia dos), 191, 194

Caaba, Meca, 35, 87, 204-5, 212, 237, 297
Cabala, 320
cádi, 63, 83, 86, 101, 159-61, 166-8,

675

170, 178, 183, 185, 220-1, 278, 298, 303, 310, 313-4, 325, 409

Cadija, 35-6, 39

cádis, 100, 159-60, 182-83, 218, 220, 223, 297-9, 311, 318

Cairo, 17, 45, 72, 120-1; bibliotecas, 268; carros, 503; cerimônias, 187; "Cidade dos Mortos", 504; Cidade Jardim, 445; Cidadela, 173; comércio, 133, 156, 158, 307, 314; comunidade judia, 252; construções, 256, 392; desagregação, 502; edição de livros, 514; escolas, 396-7; fundação do, 68, 179; habitação, 174; jornais e periódicos, 399, 444, 514; literatura, 263; mesquita de Ibn Tulun, 312; mesquita de Suleimã Paxá, 316; mesquita do sultão Hasan, 222, 256; mesquita e escola de Azhar, 172, 178, 314, 318, 336, 410, 511, 530; no Império Otomano, 302, 311-2, 336; novo Cairo, 390; ofícios, 258; Ópera, 373, 392; peregrinação a Meca, 203-4, 295; peste, 283; planta, 172; pobreza, 504-5; população, 155, 311, 387, 440-2, 490, 570; reformas, 360; Segunda Guerra Mundial, 464; Shubra, 504; sistema de esgoto, 571; túmulo de Sayyida Zaynab, 522

Cairo, Universidade do, 514

calendário, 14, 84, 89, 202

califas: a abolição do Califado otomano, 454; autoridade política, 194-6; autoridade religiosa, 43-4; sucessão, 48, 92; sunismo e, 93; xiismo e, 93; ver também califas e dinastias individuais

caligrafia, 88, 268

Cambridge, Universidade de, 393

camelos, 27, 44, 73, 129, 131, 135, 141-5, 150, 154, 177, 296, 306, 333, 386, 438

Camp David, Acordo de (1978), 547

capitulações, 341, 362, 434, 451

Carlowitz, Tratado de (1699), 295

carmácios, 67

carmelitas, 321

Carta Nacional (Egito), 530

Cartago, 135

Carter, Jimmy, 546

Cartum, 390, 567

Cartum, conferência de (1967), 541

Cartum, Universidade de, 510

Casablanca, 390, 421, 424, 429, 441-2, 476, 490, 503

casamento, 38, 54, 99, 159, 161, 163, 167-9, 171, 217, 219-20, 229, 246, 266, 290-1, 312, 443, 453, 573, 584

casas, 50, 56, 76, 88-9, 147, 153, 167, 170-1, 173-6, 185, 205, 249, 258, 266, 289, 302, 312-3, 315, 331, 335-6, 392, 441, 470, 479, 503, 554

Cáspio, mar, 65, 67

Catalunha, 136

Católica, Igreja, 77, 137; missões católicas, 320, 397-8, 511; teologia católica, 338

Cáucaso, 122, 162, 178, 276, 290, 302, 331, 355, 386, 413, 463

celali, 309

cemaat, *292-3*

cerâmicas, 258

cerimônias, 186, 202

Ceuta, 374

Chadli, presidente de Argélia, 606

charia, *99*, 103, 110, 159, 161-2, 165, 167-9, 185, 189, 192, 195-7, 210, 215-6, 218-21, 228, 231, 242-3, 279, 283, 297-9, 339-40, 356, 359, 406, 409, 411, 453, 455-8, 511, 574, 580-1, 588-9, 608

Chatila, campo de refugiados, 561

Chifre da África, 533

Chifre Dourado, 309

China, 72-4, 80, 155, 157, 178, 252, 525

Chipre, 295

chuvas, 32, 129, 131, 133-4, 139-42, 187, 202, 280, 492

cidades, 153-5; casas, 174-6; comércio e crescimento das, 72-3, 131, 135; comunidades não muçulmanas, 163-6; controle da zona rural, 188-93; crescimento populacional, 352-3, 386, 569; dinastias, 179-83; escravos, 162-3; feiras, 153-4; forma das, 169-74; governo, 183-8; leis, 158-61; ligações entre, 177-8; mulheres nas, 166-9; no século XX, 440-6, 453, 502-7; otomanos, 308-9, 311-3; população, 155-8; reconstrução das, 390-1

ciências, 112-3, 270-2, 342

cinema, 460, 512, 516, 553

circassianos, 180, 304, 386

Cirenaica, 135, 139, 411, 424, 456, 468

clima, 139-41

códigos: de conduta, 217-9; lei, 299

Colégio da Congregação para a Propagação da Fé, 321

Colégio Grego (Roma), 321

Collège Moulay Idris, 454

colons, *357-8*, 381-4, 388, 397, 408, 423, 428

comemorações, 205, 213, 247

comércio: história antiga, 71-4, 131, 135, 143, 145, 153-7, 161, 177; no Império Otomano, 307-10, 312, 341-4, 351, 362, 364, 377-8; no século XX, 428-9

comida, 176-7

Comitê de União e Progresso, 371

Comitê dos Operários e Estudantes, Egito, 527

Companheiros do Profeta, 46, 93, 216, 242, 247

Companhia das Índias Orientais, 343

comunismo, 524-5, 527-8

"Concerto da Europa", 363, 466

Concílio da Calcedônia, (451), 24

consangüíneos, grupos, 149-50

Conselho de Cooperação do Golfo, 550

Conselho Nacional Palestino, 564

Constantinopla, 23, 73, 124, 286, 294, 298, 309, 321; *ver também* Istambul

construções *ver* arquitetura

controle de natalidade, 437, 505

Copérnico, 342

Copta, Igreja, 25-6, 137, 166, 321

coptas, 25, 78, 138, 164, 182, 252-3, 313, 377

coraixitas, tribo dos, 34, 36-8, 46, 93, 195

Corão: califas e abácidas e o, 63; e a autoridade do califado, 195; e o fundamentalismo islâmico, 595; ensino, 222, 227; filosofia e, 234-6; interpretação do, 95-8; língua, 79, 82; misticismo, 107; origens do, 34, 38, 40-1; reconciliação com a filosofia grega, 114; reformismo islâmico, 581-2; relação com Deus, 95; sobre a igualdade de homens e mulheres, 167; sobre o *hadj*, 205; suna do Profeta, 101-2; traduções européias, 393; xiismo e, 244-5

Córdoba, 52, 69-70, 76, 86, 120, 122, 136, 154-5, 173, 179, 254, 256-7, 259-60, 265, 282

Coréia, 571

crédito, 75, 157, 365, 381-2, 423,

439, 484, 492, 496-7, 501, 570, 586

Crescente Fértil, 29, 44, 130, 138, 333, 386

crescimento econômico, 71-5, 490-5, 567-71

Creta, 295, 341, 369

Criméia, 124, 343, 345; guerra da, 363

cristianismo: comunidades nas cidades, 163-5, 171, 184; conversões para o Islã, 52-3, 164; e reformas do século XIX, 404; em países árabes, 77, 163-4; influência sobre o Islã, 41, 51; monasticismo, 108; no Andalus, 70; no Iêmen, 27; no Império Otomano, 292, 312, 320, 362; no Império Romano, 24-5; no Líbano, 450, 558-9; reconquista da Espanha, 282, 284, 320, 323, 325; relações com o Islã, 252-3

cruzados, 121, 123, 138, 323, 448

Ctesifonte, 26, 132

Curasão, 45, 49, 53, 56, 58, 62, 65, 80, 144, 228, 246, 282

Curdistão, 131

curdos, 131, 138, 180, 386, 565, 602

Damasco, 131, 154, 237, 240-1, 282, 314; campos de refugiados, 504; construções, 186, 335; dicionários biográficos, 225; estrada de ferro, 369; jardins de mercado, 158; massacre de cristãos, 366; mesquitas, 52, 88; nacionalismo, 407; no Império Otomano, 300, 311, 317, 331, 335; nova Damasco, 390; peregrinação a Meca, 203, 295-7, 300, 316, 333; população, 155, 311; retirada francesa de, 466; sitiada por Tamerlão, 18; sob os califas omíadas, 22, 51, 79; Takiyya, 311, 316; túmulo de Ibn 'Arabi, 237, 240, 318, 522; universidade, 430; *waqfs*, 256

Damiana, santa, 253

Damieta, 156, 313, 389

dança, 88, 266; ritual, 211

Danúbio, bacia do rio, 294-5, 341

Dardanelos, estreito de, 284

Darfur, 142, 334

Darwin, Charles, 395

Davi, rei de Israel, 165

Dawud (irmão de Abu'l Abbas), 57

Dayr Za'faran, 252

De Gaulle, Charles, 463, 486

Delacroix, Eugène, 395

Déli, 124

Destur, Partido, 433

desvirme, 288

Deus, 35, 51, 95-8, 107-11, 113-4, 197-8, 207-8, 211-2, 233-5, 237-9, 241-2

dey, *303-5*, 332-3, 342, 356

dhikr, *109*, 210-1, 243, 266

dhimma, *166*

Dhufar, 534

dicionários biográficos, 224-5, 337

dinastias: ascensão e queda, 278-84; formação de, 179-83; *ver também* dinastias individuais

dinheiro, 74

Dir'iyya, 340

divan, *288*, 297-9, 320

divórcio, 159, 219-20, 453, 505

diwan, *32*, 61, 79

diwan al-insha, 181

Djaït, Hisham, 578

djelalba, *503*

Djibuti, 551

Dodecaneso, arquipélago, 421

doenças, 16, 155, 280, 283, 308, 342, 353, 387, 438, 505

dominicanos, 321

Domo da Rocha, Jerusalém, 51, 87, 89, 317

Doughty, C. M., 296
drusos, 137, 248-9, 366, 528, 559-62
du'a, *201*
Dubai, 355, 534, 548
dunum, *497*
Duqakin-zade Mehmet Paxá, Alepo, 311
Duri, 'Abd al-'Aziz, 514
Dyala, rio, 145

Ebro, rio, 136
educação: aprendizado religioso, 221-31; escolas legais (de direito), 215-6; *madrasa*, 221-2; mulheres, 451, 572; na Argélia, 384; no século XIX, 396-9, 410; no século XX, 429-31, 454, 508-12, 552; otomana, 311, 317, 336; universidades, 508, 510, 552
Egito: Acordo de Camp David, 547; agricultura, 439-40, 491, 569; arquitetura, 174-6, 256; bases militares britânicas, 421; Canal de Suez, 481; cerâmicas, 258; cerimônias, 187; cidades, 154, 172, 282, 390, 440, 490, 570; clima, 140; comércio, 72-3, 156, 353, 493; comércio de algodão, 353-4, 373, 377, 385, 387, 422, 429, 495; comunismo, 525, 527-8; conquista árabe, 45; conversão ao Islã, 76; coptas, 138, 164, 313; crescimento econômico, 567; crise do Suez, 478-83; cristãos no, 252; democracia, 430, 594; dinastia dos aiúbidas, 121-2, 180; dinastia dos fatímidas, 68, 121; dinastia dos tulunidas, 65; e a guerra civil do Iêmen, 536-7, 542; edição de livros, 514; educação, 397, 409-10, 430, 454, 508-9, 512, 552; emigração, 554; estabilidade, 583-4; feminismo,

451-2; geografia, 133-4, 140; governo, 190; guerra de 1967, 460, 537, 540-2; guerrra de 1973, 545-6; historiografia, 269; impostos, 191; independência, 433; indústria cinematográfica, 444, 512; indústrias, 365, 378, 429, 493; *infitah*, 550; Irmãos Muçulmanos, 457-8, 520-1, 527, 596; irrigação, 490; jornais, 444, 514; judeus, 138, 473; Liga dos Estados Árabes, 465; literatura, 447-9, 514-5; *madhhabs*, 215; *madrasas*, 222; motins da fome, 587; nacionalismo, 407-8, 432, 449, 456; nacionalização, 500; nasserismo, 530, 532; no Império Otomano, 286, 300, 302, 332, 580; ocupação britânica, 374-5, 408, 417; ocupação francesa, 350-1; ordens religiosas, 209; padrões de vida, 505; peregrinação a Meca, 203, 295, 297, 300; petróleo, 422, 494; população, 353, 386, 388, 437, 488-90, 505; Primeira Guerra Mundial, 414-5; propriedade da terra, 380, 428, 496; rádio, 513; reforma agrária, 500; reforma social, 530, 532; reformas, 360-1, 363-4, 372; República Árabe Unida, 482, 529; resistência à influência européia, 411; retirada britânica do, 473, 475; santuários, 213; Segunda Guerra Mundial, 462-5; sindicatos, 506; sob o governo mameluco, 122, 124, 180, 283; televisão, 553; ulemás, 314; vida intelectual, 111
Eliot, T. S., 518
emir, 195, 335
epidemias *ver* doenças
Erg, 141

679

escravos, 36, 58, 62-3, 70, 122, 143, 156, 162-3, 173, 202, 281, 290-1, 305, 307, 310, 323-5, 327, 330-2, 392, 449, 566

escrita, 31-2, 82, 88-9, 91, 104

Esfinge, 90, 449

eslavos, 156, 162, 254

Espanha: crise do Saara Ocidental, 557; e Marrocos, 323, 374-5; e o Império Otomano, 286, 294-5, 304; população, 308; reconquista cristã, 122-3, 252, 255, 320, 325; *ver também* Andalus

"Espelhos dos Príncipes", 199

espíritos, 26, 28, 212, 253, 262, 273

Estados Truciais, 355, 370

Estados Unidos da América: Acordo de Camp David, 547; ajuda externa, 493; ataques a Nova York e Washington, 599, 611-2, 614; crise do Suez, 481; e a criação de Israel, 470, 472; e a guerra civil libanesa, 560-2; e a guerra de 1967, 539-40, 542; e a guerra de 1973, 545-6; e a Palestina, 469; e o neutralismo árabe, 480; edifício do Pentágono, 598, 611; Guerra da Secessão, 598; imigração, 437; influência na Arábia Saudita, 473, 478; influência no Oriente Médio, 478, 480, 546-51; leis, 453; missões, 398; Pacto de Bagdá, 475; posição pós-guerra, 467; Segunda Guerra Mundial, 463; World Trade Center, 598, 611

Etiópia, 26-8, 133-4, 140, 156, 334, 421, 462

Étoile Nord-Africaine, 456

Eufrates, rio, 25-6, 29, 31, 48, 58-9, 131-2, 140-2, 301, 385, 438-9, 491-2, 497, 557, 569

Eugênia, imperatriz da França, 373

eunucos, 59, 163, 173

Europa: cidades, 156; comércio, 156-7, 164; curiosidade sobre o mundo árabe, 393-6; desafio à disseminação do Islã, 123; e o Império Otomano, 276-7, 286, 299, 307, 340-5, 354-8, 360-4, 368-71, 376-8; e o nacionalismo árabe, 450; imigrantes no Magreb, 423-4; impérios, 354-8; influência no mundo árabe, 329, 348-54; poesia, 518; população, 352

exércitos, 22, 28, 49, 54, 71, 74, 86, 127, 136, 144, 162, 281, 284, 300-1, 322, 331-2, 340, 342, 350-2, 364, 366, 391, 462-4, 476, 493, 498, 538, 544, 583

"Exilarca", 165

eyalet, 289

Fahd, rei da Arábia Saudita, 607

Falangista, Partido, 559

famílias, 147-52

famílias gregas em Istambul, 313

fana, 239

al-Farabi, 115, 197, 232

Farazdaq, 79

al-Farid, 'Umar ibn, 261

Faruq, rei do Egito, 465, 474

al-Fasi, 'Allal, 456

Fasi, família, 326-7

Fatah, 538, 542, 559

Fathi, Hasan, 504

Fátima, filha do Profeta, 48, 56, 67-8, 94, 160, 172, 244-5

fatímidas (dinastia dos), 68-9, 94, 115, 121, 127, 146, 164-5, 172, 179, 187, 213, 247-8, 268

fatwa, 218, 240

Faysal, rei da Arábia Saudita, 535, 543

Faysal I, rei do Iraque, 418, 433

Faysal II, rei do Iraque, 482

fazendas fiscais, 290, 310, 315, 364

680

Fazzan, 468
feddan, 381
feminismo, 452
Feraoun, Mouloud, 518
Festa do Sacrifício, 205
festividade, 213
Fez, 69, 135, 154, 157, 171-2, 174, 177-9, 213, 237, 256-7, 323-7, 334, 365, 390, 411, 429, 432, 441, 454, 511, 522
Filalis, xarifes, 325
Filipinas, 571
filmes, 429, 444-6, 512, 553
filosofia, 112, 114-5, 232-43, 270
Finlândia, 75
fiqh, 103, 216, 218, 221-2, 225-7, 232, 317, 326, 336
Firdawsi, 126
fityan, 171
Florença, 155
França: 308, 333; comércio, 156, 341, 344; crise do Suez, 481; e a Argélia, 348, 355-8, 376, 383-6, 408, 417, 423, 427, 599; e a Síria e o Líbano, 418; e a Tunísia, 372, 374, 376, 381-2, 408; e o Marrocos, 375-6, 417, 423, 428; e o movimento de independência no Magreb, 476-8; escolas missionárias, 397; guerra da independência argelina, 460, 483-7; imigrantes norte-africanos, 489; ocupação do Egito, 350-1; retirada do Oriente Médio, 460, 467; Segunda Guerra Mundial, 462-3; supremacia da, 414-31; tentativas de acordo político, 432-5
França Livre, 466
francês, 398, 444, 510, 518
Francesa, Revolução, 350-2, 355
franciscanos, 320
Franco-Prussiana, Guerra (1870-1), 382

Frente de Salvação Islâmica, 613
Frente Popular (França): e Argélia, 434; e Síria, 435
Fromentin, Eugène, 373
Front de Libération Nationale (FLN), 484, 526
fundamentalismo, 595
Fundo Árabe de Desenvolvimento Econômico e Social, 552
Fundo Monetário Internacional, 551
Fundo Nacional Judeu, 426
funduqs, 174
Funj, sultanato, 322, 334
Fustat, 45-6, 68, 154, 172, 258, 282

Gabriel, anjo, 204
Galeno, 271
gassânidas, 29, 45
Gautier, Théophile, 373
al-Gaylani, Rashid 'Ali, 462
Gaza, 471, 540, 547, 563
Gazira Sporting Club, Cairo, 502
Gemayel, Amin, 561
Gemayel, Bechair, 561
Gênova, 123, 156
georgianos, 304
ghayba, 94
ghazal, 79
al-Ghazali, Abu Hamid Muhammad, 195, 197, 227-8, 230-1, 234-6, 266, 337
Ghuta, 158
Gibbon, Edward, 393
Giralda, Sevilha, 257
Giza, 490
al-Glawi, Thami, 428
Goethe, Johann Wolfgang von, 394, 396
Golan, Colinas de, 540, 544, 556
Gordon College, 397
governantes: autoridade política, 193-9; controle do campo, 188-92; formação de dinastias, 179-83;

fragilidade dos regimes do século XX, 590, 597; governo de cidades, 183-8; limites do poder político, 278-84; otomanos, 287, 290-3, 330-2, 411-2; poesia, 258-9; tribais, 150-2

governo trabalhista (Inglaterra), 467, 506

Grã-Bretanha: comércio, 156, 341; corsários argelinos, 305; crise do Suez, 460, 480-2; e a criação de Israel, 470, 472; e a Palestina, 469-72; e Omã, 534; e os Estados do golfo Pérsico, 355, 370; fim do governo em países árabes, 460; império, 342; Iraque, cancela acordo com, 527; ocupação do Egito, 373-4, 376, 408, 417; Pacto de Bagdá, 475; população, 352; posição do pós-guerra, 467-8; Primeira Guerra Mundial, 414; retirada de Áden e do golfo Pérsico, 533; retirada do Egito, 473-5; Segunda Guerra Mundial, 462-5; supremacia, 414-31; tentativas de acordo político, 432-6

Granada, 16, 123, 154, 255, 257

Grande Fenda, 130

Grécia: astrologia, 273; cultura, 17, 23-4, 26, 98, 111-5, 252, 395; filosofia, 232-3; língua, 252; literatura, 270; nacionalismo, 355; posição do pós-guerra, 467; Segunda Guerra Mundial, 462

Guerra Civil Americana, 372

Guerra Fria, 467, 478, 480

gueto, 171

Gülhane, decreto de, 360, 362

Habsburgo, Império dos, 341, 394

hachemitas (dinastia dos), 482

Hadith, 15, 88, 93, 102-4, 215-7, 219, 222, 226-7, 239, 241-2, 244, 272, 319, 336-7, 339-40, 455, 521, 581

hadiths, 84, 100-1, 104-6, 224, 246

hadj, 99, 202-3, 205, 213

Hadj, Ali Ben, 609

hadra, 211

Hadramaut, Wadi, 129

hafsidas (dinastia dos), 122, 124, 146, 173, 180-3, 185, 196, 214, 222, 283

Haifa, 422, 426, 503

hajib, 181

al-Hajj, Messali, 456

Hajjaj, 50

al-Hakim, califa, 165, 248

al-Hakim, Tawfik, 516

hal, 208

Halevi, Judah, 261

al-Hallaj, 110

Hamad, deserto de, 130-1

al-Hamadhani, 83

Hamdanidas (dinastia dos), 67, 81

hammam, 170, 175

Hamza ibn 'Ali, 248

Hanafi, Hasan, 577

hanafitas, 103, 216, 226, 298, 318, 337

hanbalitas, 103, 216, 226, 241, 243, 589

Haqqi, Yahya, 447

hara, 292

haram, 28, 37, 39, 43, 51, 108, 204

harém, 166-7, 180, 287, 291, 392, 395

al-Hariri, 83, 258

Harun al-Rashid, califa, 58, 263

al-Hasa, 129, 319, 322

Hasan, imã, 48

Hasan, rei do Marrocos, 375, 543, 598

al-Hasan al-Basri, 108

Hassan, príncipe herdeiro da Jordânia, 604-5

Hawara, 181, 190

Hawran, 312

Haykal, Hasanayn, 513

Haykal, Husayn, 402

Hebraica, Universidade, Jerusalém, 430

hebraico, 26, 78, 138, 251, 261, 430

Hebron, 18, 87, 295, 300

Hedjaz, 29, 57, 70, 96, 107, 129, 216, 295, 300, 303, 331, 340, 389, 419

estrada de ferro, 369, 413

Hegel, Georg Wilhelm Friedrich, 395

hégira, 13, 37, 43, 55, 84, 189

Heráclio I, imperador, 28

herança, 161, 167, 169, 220, 246, 440, 574

al-Hilal, 399

Hindiyya, represa de, 385

hindu, pensamento religioso, 85

Hira, 29, 31

história escrita, 83-5, 268-70, 337

hiyal, 220

hizb, 210

Holanda, 342, 545

honra, 48, 81, 144, 147-8, 154, 165, 178, 373

hubus, 161

hujja, 244

Hungria, 295

husainidas (dinastia dos), 304

Husayn, imã, 55, 172, 247; túmulo do, 246

Husayn, Taha, 447, 520

Husayn, xarife, 416, 418-9, 438

al-Husayni, Amim, 436

Hussein, rei da Jordânia, 543, 563, 598, 604

'*ibadat*, 217

ibaditas, 66, 93-4, 103, 137, 189, 194, 306, 322, 334

Ibn 'Abd al-Wahhab, Muhammad, 340

Ibn 'Arabi, Muhyi al-Din, 236-41, 243, 255, 318, 336, 522

Ibn Abi Usaybi'a, 113

Ibn Abi Zayd al-Qayrawani, 217

Ibn al-Athir, 'Izz al-Din 'Ali, 269

Ibn Battuta, Muhammad ibn 'Abdallah, 178, 205, 270

Ibn Daniyal, Muhammad, 261

Ibn Hanbal, Ahmad, 64, 97-8, 103, 226, 240, 242, 340

Ibn al-Hajj, 166

Ibn Ishaq, Hunayn, 112

Ibn Iyas, Muhammad ibn Ahmad, 187, 269

Ibn Khaldun, 'Abd al-Rahman, 15-8, 23, 146, 269, 272-4, 279, 329, 583, 599-600, 611

Ibn Khaliikan, Ahmad ibn Muhammad, 225

Ibn al-Khatib, 271

Ibn Maymun, Musa (Maimônides), 251

Ibn al-Muqaffa', 82

Ibn Nusayr, Muhammad, 248

Ibn Qutayba, 'Adbullah ibn Muslim, 80-1

Ibn Rashid, dinastia de, 370

Ibn Rushd, Muhammad ibn Ahmad *ver* Averróis

Ibn Sa'ud, Muhammad, 340

Ibn Sina, al-Husayn ibn 'Abdullah *ver* Avicena

Ibn Taymiyya, Taqi al-Din Ahmad, 196, 240-3

Ibn Tufayl, Muhammad ibn 'Abd al-Malik, 263

Ibn Tulun, mesquita (Cairo), 312

Ibn Tumart, 214, 216, 226, 255, 612

Ibn Zaydun, Ahmad ibn 'Abd Allah, 259

Ibrahim, Hafiz, 402

Ibsen, Henrik, 373

'*id al-adha*, 205

683

'id al-fitr, 203
Idris, 69
Idris, rei da Líbia, 468
idrisidas (dinastia dos), 69
Iêmen, 184, 322; comércio de café, 307, 344; comunidade judia, 77, 138, 472; comunidades fatímidas, 68; dinastia dos zaiditas, 67; educação, 509; emigração, 554; geografia, 129; governantes, 189; guerra civil, 536-7, 542, 544, 610; história antiga, 27; independência, 419; ismaelitas, 248; Liga dos Estados Árabes, 465; movimento separatista, 610; no Império Otomano, 303, 370; no século XVIII, 332; peregrinação a Meca, 295; poder do governante, 498; posição pós-guerra, 478; seitas, 137; sob os sassânidas, 28; unificação, 598; xiismo, 137; *ver também* Iêmen do Norte e Iêmen do Sul,
Iêmen, República Árabe do, 537
Iêmen do Norte, 537, 544, 583; *ver também* Iêmen
Iêmen do Sul, 537, 544, 556-7, 583, 586, 682; *ver também* Iêmen
Ifriqiya, 49
Igreja Ortodoxa Oriental, 25, 137, 398
Igreja Ortodoxa Síria, 25, 138, 321
ihram, 204
ijaza, 223-5, 267
ijma', 101-2, 216
ijtihad, 102-3, 216, 218, 223, 242, 245, 319, 339, 457
'ilm al-kalam, 226
'ilm, 92
ilmiye, 297-8
Imperial Sociedade Ortodoxa Russa da Palestina, 398

impostos, 61, 74, 184, 190, 192, 288, 290, 499
Imru'l-Qays, 32
Índia, 421, 480; cidades, 154; comércio, 72, 130, 157; comunidades ismaelitas, 68; dinastia dos mughals, 124, 287, 307, 413; europeus na, 343; invasores árabes, 49; *madhhabs,* 216; muçulmanos na, 123, 339; religião, 85; retirada britânica, 467, 470
Índico, oceano, 128, 130, 307, 610; comércio, 22, 26, 72, 121, 132, 156, 164, 311, 314, 322, 334, 344; retirada britânica do, 533
Indochina, 421, 464, 466, 477, 484
indústria, 157, 351, 377-8, 422, 429, 492-5, 499-500, 568, 585
infitah, 550, 554, 577, 585
inglês, 398, 444, 512
Ingres, Jean Auguste Dominique, 395
al-insa al-kamil, 238
inscrições, 31
intelligentsia, ascensão da, 396-9
intifada, 563
intisap, 290
investimentos no Império Otomano, 371, 378
iqta, 191-2
Irã: cidades, 154; comércio, 73; conversão ao Islã, 76; dinastia dos abácidas, 57; dinastia dos omíadas, 53-4; dinastia dos safaridas, 65; dinastia dos safávidas, 124, 127, 307; e a revolta curda, 565; elevação dos preços do petróleo, 545; guerra com o Iraque, 562-3, 592; invasões mongólicas, 122, 127; ismaelitas, 67, 248; língua, 78, 126; literatura, 126; *madhhabs,* 216; *madrasas,* 222; nacionalização de empresas petrolíferas, 473; Pacto de Bagdá,

475; peregrinação a Meca, 203; petróleo, 420, 422, 494; revolução iraniana, 461, 549, 562, 567, 587, 596; sassânidas, 26; Segunda Guerra Mundial, 463; seitas, 137

Iraque: agricultura, 385, 439, 490-1; aprendizado judaico, 251; califas abácidas, 57-8, 65; casamento, 573; cidades, 154-6, 282, 491; clima, 139; comunidade judia, 77, 472, 496; comunismo, 527; conquista árabe, 456; construções, 175; conversão ao Islã, 76; Crescente Fértil, 29; crescimento econômico, 567; cristãos no, 137, 252; desunião árabe, 557; dinastia dos omíadas, 50, 53; e a revolução iraniana, 567; educação, 221, 430, 508, 511, 552; escravos, 163; estabilidade, 583-4; geografia, 132, 141; Guarda Republicana, 602; guerra com o Irã, 562-3, 589, 592; guerra do Golfo (1980-88), 601; independência, 432-4; *infitah*, 550; invasão ao Kuwait, 598, 609-10; invasões mongólicas, 122, 283; irrigação, 490-1; Liga dos Estados Árabes, 465; línguas, 77, 138; *madhhabs*, 216; mandato britânico, 418, 433; nacionalismo, 431; nestorianos, 26; neutralismo árabe, 480; no Império Otomano, 286, 294, 301; ordens religiosas, 209; Pacto de Bagdá, 474-5; padrões de vida, 505; papel das mulheres, 572; Partido Ba'th, 529, 534, 544; peregrinação a Meca, 178, 203, 295; petróleo, 420-2, 494, 499, 535, 548; poesia, 516; população, 387, 488; Primeira Guerra Mundial,

414; propriedade da terra, 385, 428, 497; reforma agrária, 501; revolta curda, 565; rotas comerciais, 130; sanções da ONU, 601-2; sassânidas, 25; Segunda Guerra Mundial, 462; televisão, 553; Tempestade no Deserto, operação, 598, 601-2, 610; torna-se república, 482; túmulos de imãs, 246; união com a Jordânia, 482; uso da linguagem do Islã, 589; vida intelectual, 111; xiismo, 137, 245, 249, 596; "zonas de interdição aérea", 601

Irmãos Muçulmanos, 456-8, 520, 527, 531, 567, 579-81, 589, 596

irrigação, 74, 87, 131-2, 134, 149, 385, 439, 491-2

Isaac, 51

ishraq, 236

Iskandar (Alexandre, o Grande), 262

Islã: aprendizado religioso, 221-5; articulação do, 91-115, 122-3; atitudes européias para com, 394-6; *charia*, 103; continuidade da tradição islâmica, 409-13; desenvolvimento do xiismo, 244-9; disseminação do, 52-4, 66, 76, 136-7, 164; e a língua árabe, 77-9, 82, 103; e o nacionalismo árabe, 407; e o nacionalismo popular, 524, 530; ensinamento de Sayyid Qutb, 579-80; filósofos e o, 232-43; fundamentalismo, 589, 595-7; influências judaicas, 249, 251-2; mesquitas, 51, 86; "modernistas islâmicos", 404-6, 408, 410; na Espanha, 69-70; no Império Otomano, 293-9, 338-40; no século XX, 452-8, 510-1, 518, 520-3; ordens, 209-10; origens do, 22, 33-42; Pilares do Islã, 99, 200-5, 207; poder e justiça de Deus, 95-8; reconciliação com a filosofia grega, 114-5; reformas do século XIX, 404-6; reformismo, 450, 454-7, 579-82; relações com o cristianismo, 252-3; revolução iraniana, 461, 567; santos, 211-214; wahhabismo, 339-40

Islândia, 305

Isma'il Paxá, quediva, 373, 503

Isma'il, 67

Isma'il, sultão do Marrocos, 327

Ismael, 204

ismaelitas, 67-8, 94, 115, 137, 247, 249, 268

isnad, 85, 106

Israel: Acordo de Camp David, 547; criação de, 460, 468-71; crise do Suez, 481; e a guerra civil libanesa, 559-62; guerra de 1967, 460, 536-41; guerra de 1973, 544; imigração judia, 489, 502; *intifada*, 563; invasão do Líbano, 561, 593; população, 472, 539; territórios ocupados, 547, 556; *ver também* Palestina

Istambul: comunidade grega, 313; comunidade judia, 320; escolas, 317, 396; fim do Império Otomano, 415; jornais, 399; *mufti*, 298; Palácio Topkapi, 291, 309; peregrinação a Meca, 295; população, 308; rebeliões, 315; sob os otomanos, 276, 286, 309-10; ulemás, 314; *ver também* Constantinopla

istihsan, 216

Istiqlal (Partido da Independência), 476-7, 526

istislah, 216

Itália, 136, 282, 320, 372; comércio, 72, 157, 341; ocupação da Líbia, 376, 411, 417, 421, 424, 456; população, 308; Segunda Guerra Mundial, 462-3

Ithna 'ashariyya, 94

Iugoslávia, 354, 462, 480

iwan, 175, 222

Izmir, 280, 320

Iznik, cerâmicas, 316

Jabal 'Alam, 326

Jabal Akhdar (Líbia), 134

Jabal Akhdar (Omã), 322

Jabal Qasiyun, 390

al-Jabarti, 'Abd al-Rahman, 315, 337, 350-1

"jacobitas", 25

Jafa, 385, 442, 503

Ja'far al-Sadiq (imã), 63, 67, 247

jahiliyya, 579-80, 613

al-Jahiz, 'Amr ibn Bahth, 82

jami', 201

janízaros, 288, 291, 302-6, 315, 331

Japão, 463, 551

Jarba, 156, 378

jardins, 59, 87, 170, 256-7, 390, 392

Jarir, 79

jaysh, 191, 323, 325

Jazira, 29, 59, 131, 438, 497, 499

al-Jazuli, Muhammad ibn Sulayman, 209, 327

Jedá, 303, 322, 332, 389

jejum, 89, 99, 101, 202-3, 207, 217, 229-30, 339, 453, 456, 589

Jerusalém: construções, 256; divisão de, 471; Domo da Rocha, 51, 87, 89, 317; escolas, 430; guerra de 1967, 540; Israel anexa, 556; judeus e, 380, 426; *madrasa* de Tankiziyya, 222; mesquitas, 51-2; monte das Oliveiras, 318; no Império Otomano, 295, 300; população, 502; significado religioso, 253; tomada pelos sassânidas, 28; *waqfs*, 186

jesuítas, 321, 397, 430
jihad, 99, 108, 205, 207, 217, 246, 341, 356, 612-3
al-Jili, 'Abd al-Karim, 238
jinns, 273-4, 294
jizya, 62, 163, 289, 293, 336
Jones, sir William, 393
Jordânia: agricultura, 491; cidades, 569; estabilidade, 582; guerra de 1967, 460, 540; guerrilhas palestinas, 543; independência, 475-6; indústria, 493; nacionalização, 500; Parlamento, 594; Partido Ba'th, 529; petróleo, 499; refugiados palestinos, 489; trabalhadores migrantes, 555; união com o Iraque, 482
Jordão, rio, 538
Jorge, são, 253
jornais, 352, 398-9, 444, 446, 507, 512-4, 553
"Jovens Argelinos", 408
"Jovens Tunisianos", 408
"Jovens Turcos", 371, 407
judeus e judaísmo: comunidades das cidades, 163-6, 171, 185; conversão ao Islã, 164; Ctesifonte, 26; Declaração Balfour, 418; e as origens do Islã, 38, 41; escolas, 397; expulsão do Andalus, 320; línguas, 78; mercadores, 73, 75, 156, 164, 305, 313, 377; metalúrgicos, 150; migração para Israel, 489, 502; na Espanha, 70; na Palestina, 380; no Império Otomano, 292, 313, 320; países árabes, 76, 138; pátria nacional na Palestina, 420, 422, 424, 427, 435-6, 468-9; poesia, 261; teologia, 249, 251
juízes, 83, 159-60, 165-6, 169, 216-9, 278, 297, 319, 409, 453
Jumel, Louis, 353

Junayd, Abu'l-Qasim ibn Muhammad, 109-10, 210
Jundishapur, 111

Kabylia, 306, 489, 518, 565-6
al-Kadhafi, Muammar, 543, 557, 595, 603
kadiasker, 297
Kairuan, 49, 52, 67, 76, 135, 146, 154, 179, 251, 282
kalam, 98, 226-7, 236, 240, 245, 251
kalemiye, 288, 290
Kalila wa Dimna, 82
kanun-name, 299
karaítas, 251
al-Karaki, Nur al-Din 'Ali, 319
karamat, 212
Karbala, 56, 172, 178, 246-7, 301, 602
Karimi, mercadores de, 156
Kashfi al-Ghita, Ja'far, 338
Kata'ib, 559-61
Kazimayn, 178, 246
Kemal, Mustafá *ver* Atatürk
Khalid, Khalid Muhammad, 520
al-Khalidi, Ahmad Samih, 451
khalifa, 43
Khalifa, Hajji, 317
khalwa, 249
khalwatiyya, 318
khanqa, 210
khans, 174, 186, 289, 307, 311
kharaj, 61
kharijitas, idéias, 66
kharja, 259
khass, 236
khatib, 201
al-Khatib al-Baghdadi, 59, 225
al-Khattabi, 'Abd al-Karim, 417
Khayr al-Din, 403
khidr, 253
Khusrawiyya, mesquita de, Alepo, 316
al-Khwarazmi, Muhammad ibn Musa, 113

687

kibutz, *380*, 426
al-Kindi, Ya'qub ibn Ishaq, 113, 232
Kipling, Rudyard, 396
kiswa, *297*
Kitab al-aghani (*O livro de canções*), 265
Kordofan, 142
Kramer, Gudrum, 608
Kufa, 45-6, 48, 56-7, 59, 79, 81, 100
kuttab, *222*, 336
Kutubiyya (minarete), Marrocos, 257
Kuwait: abastecimento de água, 571; ajuda estrangeira, 552; cidades, 570; e a revolução iraniana, 567; educação, 509; Grã-Bretanha e, 370; imigração, 536; independência, 533; invadido pelo Iraque 598, 609; origens do, 334; padrões de vida, 571; Parlamento restaurado, 594; petróleo, 494, 535, 548; restauração da soberania, 610; trabalhadores migrantes, 554; universidades, 552; uso da língua do Islã, 589

Laid, 32
lakhmidas, 29, 45
Laroui, Abdullah, 514, 579
latim, 252, 261, 271, 321, 338
Lausanne, Tratado de (1923), 415
Lawrence, T. E., 416
Leão Africano, 157, 177
Leiden, Universidade de, 393
leis: *charia*, 103, 159, 161, 218-20, 297-9; consuetudinárias, 220; e o Hadith, 104; escolas de, 103, 215-7, 222; reformas, 365, 409, 453-4
Líbano, 130, 319; ; agricultura, 385, 491; bancos, 496; cidades, 442, 570; clima, 139; comércio, 344, 353, 377; comunidades cristãs, 404; construções, 335; e a revolução iraniana, 567; educação,

397, 430, 454, 508, 511-2; guerra civil de 1860, 366, 368, 396; guerra civil, 482, 558-62, 583; independência, 435, 467; invasão israelense, 561, 593; jornais, 514; Liga dos Estados Árabes, 465; mandato francês, 418, 421; maronitas, 138; mosteiros, 321; nacionalismo, 407, 450; no Império Otomano, 301; OLP no, 543; Parlamento, 594; Partido Ba'th, 529; poesia, 516; população, 387; propriedade da terra, 379; refugiados palestinos, 489; Segunda Guerra Mundial, 462; xiismo, 137
Líbano, monte, 366, 558
Líbia: cidades, 570; estabilidade, 582; governada por Túnis, 135; imigração, 536; independência, 468; ocupação italiana, 376, 411, 417, 421, 424, 456; petróleo, 494, 535, 548, 603; população, 489; Segunda Guerra Mundial, 463; sob Kadhafi, 543, 557, 603; sob o governo britânico, 408, 468; trabalhadores migrantes, 554, 586
Liga Árabe, 469, 478, 538, 548, 551, 553, 558, 609, 614
Liga das Nações, 418, 433-4, 451
Liga dos Estados Árabes, 465
línguas: aramaico, 26, 78, 138; bilingüismo, 398, 444, 511; copta, 24, 78, 138, 252; curdo, 138; espanhol, 261; francês, 398, 444, 510, 518; grego, 252; hebraico, 26, 78, 138, 251, 261, 430; inglês, 398, 444, 512; latim, 252, 261; núbio, 138; pálavi, 26, 78, 126; persa, 26, 78, 126; semíticas, 395; siríaco, 78, 111, 138, 252; turco, 128, 276, 317

688

literatura: adab, 82; antiga, 78, 80-5; Corão, 92; do século XIX, 398-400, 405; do século XX, 446-50, 513-8; escrita de história, 84-5, 268, 270, 337; européia, influências árabes na, 394; *maqamat*, 83; otomana, 317; peças, 261, 447, 516, 553; persa, 126; poesia, 29, 31-3, 80-2, 126, 208, 251, 258-61, 317, 402, 446, 516-8; romances, 261-4, 402, 447, 515

Liverpool, 353

Livorno, 305, 333

livros geográficos, 269-70

livros, 86, 89, 170, 223, 225, 231, 236, 258, 267-8, 317, 394, 398-9, 447, 512; a circulação de, 339; centros de edição de, 514; de arte, 445; de autoridade, 218; de história, 268, 451; de leis, 62, 160, 196; de religião, 451; didáticos, 227, 399, 444, 511, 514; sagrados, 338

Londres, 308, 352-3, 424, 434

Luria, Isaac, 320

Lyautey, Louis, 441

Lyon, 353

al Ma'arri, Abu'l-'Ala, 81

madhhab, 103, 159, 218, 222-3, 255, 314

Madinat Nasr, 504

madrasa, 221-2, 225, 228, 232, 256, 268, 290, 315

magia, 112

Magreb: agricultura, 142, 439; cidades, 440-1, 502; comércio, 73, 156, 307; conquista árabe, 49; construções, 174, 257; cristianismo, 252; educação, 431, 508, 511-2; elite nativa, 426-7; escravos, 162; geografia, 134-5; governo, 190; historiografia, 269;

importância para a França, 420-1, 434; impostos, 191; indústria, 492; judeus, 138, 171; kharijismo, 66; línguas, 128, 138; literatura, 259, 518; *madhhabs*, 215; *madrasas*, 222; mesquitas, 52; música, 265; nacionalismo, 525-6, 587; no Império Otomano, 123, 303-4, 332-3; nômades, 146; nomes tribais, 151; ordens religiosas, 209; peregrinação a Meca, 203, 297; propriedade da terra, 423, 428; Segunda Guerra Mundial, 462-3; sob os califas abácidas, 58; sociedade dual, 389

mahalle, 292

mahdi, 55, 63, 67, 214, 244, 248, 374, 412

al-Mahdi, Sadiq, 581

mahdista, movimento (Sudão), 388

Mahfuz, Najib, 515, 525

mahmal, 296-7

Mahmud II, sultão, 358, 391

mahr, 168

Maimônides (Musa ibn Maymun), 165, 251

al-Majid, Hussein Kamil, 602

majlis, 175, 249

makhzan, 323-4

Maknas (Marrocos), 324

maktab, 222

malamatis, 111, 210

Malásia, 571

Maldivas, ilhas, 178

Malik ibn Anas, 101, 103, 166

malikanes, 310

malikitas, 215-6, 255, 303, 314, 326, 335

escola malikita, 217, 226

lei malikita, 255, 318, 326

mamelucos, 17, 122-3, 164, 173, 283; arquitetura, 256; burocracia, 182; derrota pelos otomanos, 124;

689

doações, 186; exército, 180; governantes, 187; impostos, 191; justiça, 183; *madhhabs*, 159; *madrasas*, 222; origens dos, 127, 163; pinturas, 258

Mammeri, Mouloud, 518

al-Ma'mun, califa, 62-4, 83, 97, 268

al-Manar, 406

Manchester, 365

mandeus, 137, 249

Mani, 26

al-Ma'ni, Fakhr al-Din, 301

maniqueísmo, 26

al-Mansur, califa, 58

manufaturas, 308

Maomé, Profeta: califas abácidas e, 63; como um santo, 213; descendentes, 55, 160, 605; e a autoridade do califado, 195-6; e as origens do Islã, 22, 33-42; e Meca, 204; e medicina, 272; e o Corão, 92; imãs, 246; misteriosa viagem ao Paraíso, 107; morte, 43, 300; personalidade, 40; Pilares do Islã, 200-1; sucessores, 215; *suna*, 100-1, 104; tradições de, 104-6; túmulo, 87, 247; vida de, 34-40; xiismo e, 247

maqam, 208, 230

maqamat, 83, 258, 400

al-Maqrisi, Ahmad ibn 'Ali, 269

Margem Ocidental, 540, 547, 563

ma'rifa, 208, 231, 238-40

marínidas, dinastia dos, 122-3, 222

maronitas, 138, 321, 354, 366, 397, 558, 560

Marrakesh, 135, 154, 257, 323-4, 326-7, 428

Marrocos: agricultura, 439, 492; arquitetura, 257; berberes, 145, 565-6; cidades, 135, 154, 176, 390, 441, 490, 502-3; clima, 139; colonizadores andaluzos, 323,

325; comércio, 156, 344, 378; conquista árabe, 49; crise do Saara Ocidental, 557; dinastia dos almôadas, 122; dinastia dos idrisidas, 69; dinastia dos marínidas, 122; e a Espanha muçulmana, 136; e a guerra argelina, 485; educação, 429, 454, 508-9; estabilidade, 582, 584; geografia, 134, 140; governantes, 189; independência, 476-7, 498; indústria, 493, 496; influências européias, 362; irrigação, 490; judeus no, 77, 171, 473; legitimidade das dinastias, 160; monarquia alauíta, 605; moradia, 176, 504; nacionalismo, 408, 432; nacionalização, 499; ocupação espanhola, 376, 417; ocupação francesa, 417, 423, 428; padrões de vida, 506; população, 488-9; propriedade da terra, 496; rádio, 513; reformismo islâmico, 455; resistência às influências européias, 411; Segunda Guerra Mundial, 463-4; sindicatos, 506; sob os alauítas, 325-8, 334; sob os xarifes saddidas, 323-4; Tijaniyya, 339

Marselha, 333, 344, 353, 356, 365

Marshall, Plano, 493

Martinica, 344

Marwan II, califa, 56

marxismo, 530, 579

Mary, 54

Mashhad, 246

masjid, 51, 201

Masqat, 322, 334, 362, 498

Massawa, 322

al-Mas'udi, 'Ali ibn al-Husayn, 84

matemática, 16, 112, 232, 336

Mattai, mar, 252

al-Maturidi, Abu Mansur, 226

maturiditas, 226-7
Mauritânia, 551, 557-8
mawali, 54
al-Mawardi, Abu'l Hasan 'Ali, 194
Mawlawiyya, 209
Mawlay Idris, 172, 213, 327, 522
mawlid, 213
mazalim, 183
mazdaísmo, 26
McMahon-Husayn, correspondência, 416
Meca, 22, 33-4, 100, 130, 154, 509; Caaba, 87, 237, 297; e as origens do Islã, 34-5, 37-9; no Império Otomano, 295, 331; ocupação da Grande Mesquita, 593; peregrinação a, 87, 89, 99, 145, 202-5, 207, 247, 295-7, 300, 303, 316, 333, 339; revoltas contra os omíadas, 49
medicina, 112-3, 138, 164, 270-2, 342, 397, 430; "medicina profética", 271; escola de, 111; Faculdade de Medicina Francesa, 397
Medina, 45, 48, 100, 130, 154, 509, 511; estrada de ferro, 369; ligações com Maomé, 37-8, 43-5, 87, 213, 247; mesquitas, 51; no Império Otomano, 295; revolta contra os omíadas, 48; túmulos de imãs, 246
medina, 169, 173, 440-2, 453, 503-4
Medinat-al-Zahra, 70
Médio Atlas, montanhas de, 134
Médio, Centro de Abastecimento do Oriente, 464
Mediterrâneo, mar, 28, 71, 74, 86-7, 113, 128, 130, 133-6, 139, 142, 154-5, 270, 277, 282-3, 291, 294, 304, 308, 345, 351, 353, 369, 421, 443; comércio, 22-3, 26, 68, 73, 121, 156; delta do Nilo, 133; Império Otomano,

284, 286, 295, 302, 305, 323, 333, 340-1; Ocidental, 284, 286, 294, 342; Oriental, 23, 26, 49, 57, 69, 123, 131, 286, 294, 343, 350-1, 353, 473
Mehmed Pasha, Sari, 329
Mehmet II, sultão, 298-9, 309
Melilla, 374
Mênfis, 133
mercadores, 155, 177; judeus, 73, 75, 156, 164, 305, 313, 377; otomanos, 309-10, 313-4, 365, 377; século XX, 495-6; *ver também* comércio
mercados, 143, 184, 186, 289, 309, 311, 343-4, 365, 379, 420, 467; de cavalos e armas, 174
Mernissi, Fátima, 575
Mers el-Kebir, 421
Mesopotâmia, 131
mesquitas, 15, 52, 86, 88, 160-1, 172, 221, 232, 247, 255, 257-8, 267-8, 309, 311, 316-7, 326, 336, 441
messiânicas, profecias, 345
Messias, 320
metalurgia, 72, 86
metalúrgicos, 150
mihrab, 52, 256-7
Mil e uma noites, As, 263, 394
Milão, 155
Mina, 32, 204-5
minbar, 52, 57, 201
missionários, 68, 321, 341, 349, 396, 566
misticismo, 107-11
mithaq, 107, 238
moedas, 51, 75, 89, 352
Moka, 344
Moldávia, 293
monasticismo, 108, 111
mongóis, 122, 127, 145, 155, 165, 196, 282, 311
monofisistas, 25, 77, 138, 252

691

monoteletas, 25, 77
Morto, mar, 130
mosteiros, 252, 321
Mosul, 154, 258, 301, 331
"Motim Indiano" (1857), 413
Movimento de Nacionalistas Árabes, 532
mu'adhdhin, 52, 201
mu'ajjal, 168
Mu'al-lagat ("poemas suspensos"), 32
mu'amalat, 217
Mu'awiya ibn Abi Sufyan, califa, 48, 51, 54-5
Mubarak, Hosni, 548, 595, 605-6
mudarris, 222
muezim, 52, 201
al-Mufid, Muhammad ibn Nu'man, 245
mufti, 160, 218, 223, 298, 314, 318, 337, 436
Mughal, Império, 343, 345, 413
mughals (dinastia dos), 124, 127, 287, 307, 339, 343, 413
Muhammad 'Ali, 360, 363, 372, 380, 399, 412, 449, 503
Muhammad (10º imã), 244
Muhammad (7º imã), 247
Muhammad al-Baqir, 67
Muhammad ibn al-Hanafiyya, 56
Muhammad V, sultão do Marrocos, 476
Muhammad VI, sultão do Marrocos, 605
al-Muhaqqiq, Ja'far ibn Hasan al-Hilli, 245
al-Muhasibi, Harith ibn Asad, 109
muhtasib, 184
mujtahid, 245
mulheres: casamento, 167-8; educação, 398, 430-1, 457, 509-10, 572; emancipação, 451-2; emprego, 506; escolaridade, 336; escravas, 162-3; herança, 169;

mudando o papel das, 571, 574; nas comunidades beduínas, 148; poligamia, 505; romancistas, 515; segregação, 166-7, 574-5; vestuário, 391-2, 442, 445
al-Muqaddasi, 270
Muqattam, morros de, 173, 256
al-Muqtadir, califa, 59
al-Muqtataf, 399
Murad, 318, 337
al-Muradi, Muhammad Khalil, 337
murshid, 209
al-Murtada, Abu'l-Qasim 'Ali, 245
Musa al-Kazim, 67
museus, 449
musha', 149
música, 109, 211, 229, 264-7, 444-5, 513
Muslim ibn al-Hajjaj (sábio *hadith*), 106
Mustafá II, sultão, 316
mut'a, 168
al-Mu'tadid, califa, 63
al-Mutanabbi, Abu Tayyib, 81
al-Mu'tasim, califa, 62
mutazilitas, 98; doutrina de Mut'azili, 226; escola mutazilita, 245
Mutran, Khalil, 402
muwashshah, 259, 261, 264
muzara'a, 192
Mzab, oásis de, 156, 306, 378

al-Nabulsi, 'Abd al-Ghani, 318
nacionalismo, 90, 349, 355, 369, 373, 406-9, 418, 432, 446, 449-51, 460-1, 498, 508, 524-5, 527, 530, 532, 535-7, 580, 587, 592
nacionalização, 473, 498, 500
Nações Unidas, 465, 468, 470, 539-40, 546, 552, 563; Assembléia Geral das, 524; Conselho das, 541
Nafud, 129, 141-2

692

nagid, *165*
na'ib, *318*
Naima, 329
Najaf, 87, 178, 246, 301
Najd, 129-30, 132
Napoleão I, imperador da França, 350
Napoleão III, imperador da França, 358, 373, 382
napoleônicas, guerras, 351-2, 355, 363, 414
Naqshbandiyya, 209, 211, 411; doutrina naqshbandita, 318; irmandade naqshbandita, 318
naqshbanditas, 240, 243
naquib al-ashraf, *298*
al-Nasir, califa, 195
nasserismo, 532-4, 536, 543, 588
natiq, *248*
nazistas, 436
Negro, mar, 70, 294, 300, 309, 313, 343
Neo-Destur, partido, 433, 476-7, 526, 543
neoplatonismo, 112, 114, 233, 245
Nestoriana, Igreja, 25, 77, 111, 138, 164, 166, 252, 321
neutralismo, 480, 535, 556
Níger, rio, 134, 156; vale do, 323
Nilo Azul, rio, 140, 322, 334, 390, 422
Nilo Branco, rio, 140, 322, 334, 390, 422
Nilo, rio, 68, 123, 133-4, 140, 142, 156, 172, 187, 322, 334, 374, 377, 390, 442, 491
al-Nimeiri, Jaafar, 543, 589, 594
Nimr, Faris, 399
Nishapur, 54, 73, 228
Nizam al-Mulk, 199, 221, 228, 278, 291
nizaritas, 137
nômades, 27-9, 78, 118, 127, 132, 134, 142-5, 150-1, 153, 213,

263, 284, 287, 306, 333, 385, 438, 565
normandos, 65, 123
Nova Fez, 173
Novo Testamento, 41
núbio, 138
nusairitas, 248

oásis, 27-9, 37, 39, 57, 79, 129-31, 133-5, 142-3, 150, 153, 156, 163, 177, 189, 306, 322-3, 325-6, 340, 378, 386, 411
Odessa, 343
Oliveiras, monte das (Jerusalém), 318
Omã, 66, 130, 178, 189, 322, 334, 344, 362, 370, 419, 498, 534
omíadas (dinastia dos), 22, 48-51, 53-4, 56, 58-9, 63, 69-71, 79, 93, 100, 173, 179, 194, 255, 259, 265
Orã (Wahran), 304, 342, 391, 424, 483
ordens religiosas, 209-11
Organização da Unidade Africana, 558
Organização dos Países Exportadores de Petróleo (OPEP), 495, 545, 548-9, 552, 592
Organização para Libertação da Palestina (OLP), 538, 542-3, 546-7, 556, 558, 560-1, 563-4
Orontes, rio, 131
Osman ('Uthman, fundador da dinastia Otomana), 284, 286-287
otomana, marinha, 301, 303, 305
Otomano, Banco, 378
Otomano, Império: *charia*, 297-9; comércio, 307-10, 312-3, 341-4, 351, 362, 364, 377-8; e Europa, 277, 284, 286, 299, 307, 340-5, 354-8, 360-4, 368-71, 377-8; e o Islã, 293-9, 338-40; empréstimos dos europeus, 371, 378; es-

693

colas, 396; exército, 288; extensão do, 276, 287; fim do, 414-5, 599; formação, 284, 286-8; governo, 288-92, 330-4; movimentos nacionalistas, 406-8; nacionalismo armênio, 369; no século XVIII, 329, 344; perda de territórios europeus, 368-9; população e riqueza, 307-10; Primeira Guerra Mundial, 414-6; propriedade da terra, 378-85; províncias árabes, 300-6, 311-22, 334-8; rebeliões em cidades, 315-6; reformas, 359-66, 369-71, 399-400, 402-6; revolução de 1908, 345, 371; sociedade dupla, 389-92; sultões, 412-3; Tratado de Paris, 368; turcos no, 127-8

Oxford, Universidade de, 393

Oxus, rio, 49

Pacto de 'Umar, 76

palácios, 50, 61, 72, 87-9, 173, 256, 258, 266, 335, 391-2

pálavi, 26, 50, 78, 82, 111, 126, 263

Palestina: acordos de Oslo, 598; agricultura, 333, 385, 439, 491; Autoridade Palestina, 598, 614; bases militares britânicas, 421; cidades, 440, 442, 502-3; comunidade judia, 138, 380; criação de Israel, 460, 468-72; Declaração Balfour, 418; escolas, 430, 454; estados dos expedicionários das Cruzadas, 121, 123; *intifada*, 605; mandato britânico, 418, 421-2, 436; movimentos populacionais, 490; nacionalismo, 431-2, 450; no Império Otomano, 295; nomes tribais, 151; Organização para a Libertação da Palestina, 598; pátria nacional ju-

dia, 420, 422, 424, 427, 435-6, 468-70; poesia, 516; Primeira Guerra Mundial, 414; propostas de separação, 436, 470; revolta dos árabes palestinos, 458; *ver também* Israel; palestinos

palestinos: aumento de consciência política, 538, 541-2; depois da guerra de 1967, 540, 555-6; e a criação de Israel, 470-3; e a invasão israelense do Líbano, 561; guerra civil do Líbano, 559; *intifada*, 563; migração, 536, 554; nasserismo, 532; refugiados, 490, 504

papel, 158; fabricação do, 79, 267; fábricas de, 72; introdução do, 79

Paquistão, 475

Paris, 155, 308, 382-4, 394, 400, 429, 434-5, 445, 483, 485

Paris, Tratado de (1856), 363, 368

Paris, Universidade de, 393

Pasa-zade, Kamal, 240

pastoreio, 70, 131, 134, 142, 149, 190, 385, 497

peças, 261, 447, 516, 553

Pedra Negra, Meca, 204

Peel, Comissão, 436

Pera, 309

peregrinação, 229, 456; a Meca, 87, 89, 99, 145, 202, 204, 247, 295-6, 300, 303, 316, 333, 339; túmulos dos homens santos, 327, 522-3

periódicos, 398-9, 444, 514

persa, 26, 78, 126

Pérsia *ver* Irã

Pérsico, golfo, 129, 322, 610-1; comércio, 72, 132, 311; planos de defesa americanos, 549; presença britânica no, 355, 370, 419; retirada britânica do, 533

Peste Negra, 16, 155, 283, 308

peste, 18, 44, 271, 280-1, 283, 342, 353, 387, 505
petróleo, 422, 461, 473, 478, 486, 494-5, 499, 510, 532-5, 545, 548, 550, 554, 592, 603
"Pilares do Islã", 99, 200-5, 207, 229
pinturas, 88, 258, 394-5
pirataria, 303, 305, 332, 355
plantação meeira, 74, 192
Platão, 112, 114
Plotino, 233
poesia, 29, 31-3, 79-82, 126, 208, 251, 258-62, 317, 402, 446, 516-8
poligamia, 505, 573
Polisario, Frente, 558
Port Said, 390
Portugal, 123, 323, 325
"Povo da Aliança", 76
"Povo do Livro", 76
pregador, 82, 160, 188, 201
Primeira Guerra Mundial, 349, 376, 381, 406, 414, 437, 480
Profeta *ver* Maomé
profetas e profecia, 234, 236, 238-9
propriedade da terra, 74, 148, 378-84, 423, 426, 428, 495-7, 500
protestantismo, 404

qa'a, 175
Qadiriyya, 209, 411
Qadisiyya, batalha de, 589
qa'ida, 177
al-Qaida, 599, 612, 614
qaramitas, 67
Qarawiyyin, mesquita de, Fez, 172, 178, 326, 334, 454, 511
qasida, 31-2, 80-1, 258-9, 261
Qasiyun, montanha, 237
Qata'i, 172
Qatar, 534, 548
Qays, tribo, 54, 151
qaysariyya, 174
qibla, 38, 256

qiyas, 102, 319
"Quadrado Vazio", 129
quediva, 360, 373-4, 381, 391, 410-1, 417
qutb, 212, 238
Qutb, Sayyid, 521, 579-80, 609, 612

Rabat, 324, 390, 429, 485
Rabat, Universidade de, 510
Rabin, Yitzhak, 598
rádio, 444-5, 460, 507, 513, 516, 532, 553
Rahman, Fazlur, 581
rahmaniyya, ordem, 411
ra'is al-tujjar, 185
ra'is al-yahud, 165
Ramadan, 89, 99, 187, 202-3, 207, 339, 452-3, 589
Rania, rainha da Jordânia, 605
Rashidun (califas "Corretamente Guiados"), 48, 93
Rawda, 442
rawi, 31
al-Razi, Abu Bakr Muhammad, 114, 271
al-Razi, Fakhr al-Din, 236
reaya, 291-2, 330
reforma agrária, 500, 507, 570
refugiados palestinos, 504, 532, 559
reinado, 196, 291, 293
religião: no Império Otomano, 318, 321; pré-islâmica, 28; zoroastrismo, 25
República Árabe Unida, 482, 529
al-Rida, 'Ali (imã), 63
Rida, Rashid, 406
ridda, guerras do, 44
Ridwan Bey, 312
Rif, montanhas, 134, 139, 323, 417
Rifa'iyya, 209
Rifaat, Alifa, 574
Rihani, Najib, 447
al-Risala, 444

695

rituais, "Pilares do Islã", 200-5, 207
riwaq, 178
Roma, 23-5, 130, 321, 452
romance, dialetos, 395
romances, 263, 444, 447, 515, 518
Romano, Império, 23, 50, 253, 287
românticos, poetas, 446, 516
Romênia, 371
Roseta, 156, 389
Rússia (pré-1917): e o Império Oto-
    mano, 299, 363, 368; expansão
    da, 355, 413; ocupação da Cri-
    méia, 343, 345; Primeira Guerra
    Mundial, 414; *ver também* União
    Soviética
rustamidas, 66

Saara Ocidental, 557
Saara, deserto do, 123, 128, 134-5,
    137-8, 140-2, 144-5, 150, 156,
    163, 178, 263, 306-7, 314, 324,
    344, 357, 386, 443, 486, 553,
    557
sábios, 222-5, 326
Sabra, campo de refugiados, 561
Sacro Império Romano, 294-5
Sacy, Silvestre de, 394
Sadam Hussein, 544, 601-2, 610
Sadat, Anwar, 543-4, 546-7, 581, 583,
    593-5, 606
saddidas (dinastia dos), 123
sadr-i azam, 288
safaridas (dinastia dos), 65
safávidas (dinastia dos), 124, 127, 276,
    286-7, 294, 300, 307, 325
Safed, 320
Sahel, 134-5, 304, 366, 382, 428, 433,
    526
Sa'id, Ahmad (Adunis), 517-8
al-Sa'id, Nuri, 480, 482
Sa'id, vice-rei do Egito, 363
saj', 83, 262
Saladino, 121, 173, 251, 394

salafiyya, 457
Salah al-Din *ver* Saladino
Salam, 'Anbara, 451
salat, 201
Salé, 324
samanidas (dinastia dos), 65
samaritanos, 251
Samarra, 62, 87, 173, 178, 246
Sana, 184
sancak, 289-90, 292
santos, 90, 113, 212, 238, 243, 247,
    253, 340, 522, 584; culto dos,
    515; túmulos dos, 24, 178, 213
santuários, 90, 137, 205, 213, 246-7,
    253, 294, 318, 334, 340, 515,
    522
sanusiyya, 411
saqaliba, 254
sarrafs, 310
Sarruf, Ya'qub, 399
Sassânida, Império, 22, 28, 44, 126
Sa'ud, 'Abd al-'Aziz ibn, 438
Al Saud, família, 603, 607, 610-1
Sa'ud, rei da Arábia Saudita, 535
saudita, família, 478
Sawad, 132
Sawakin, 322
sawn, 202
Sayda, 301, 389
Sayf al-Dawla, 81
al-Sayyab, Badr Shakir, 11, 517
sayyids, 160, 298, 314
Scott, Walter, 394
sefaradita, judiaria, 320
Segunda Guerra Mundial, 460, 462-
    5, 493-4, 503, 540
Selim I, sultão, 240
Selim II, sultão, 318
Selim III, sultão, 345, 358
seljúquidas (dinastia dos), 121, 123,
    127, 137, 180-2, 191, 226, 284
semíticas, línguas, 395
sérvios, 287, 351, 354

Sevilha, 15-6, 70, 136, 154, 257, 259
Sèvres, Tratado de (1920), 415
al-Shabbi, Abu'l-Qasim, 446
al-Shadhili, Abu'l-Hasan, 327
Shadhiliyya, 209
al-Shafi'i, Muhammad ibn Idris, 101, 103
shafitas, 103, 226
shahada, 201
Shahrizor, 301
al-Sha'rani, 'Abd al-Wahhab, 189
Sha'rawi, Huda, 452
Sharja, 355, 534
Sharon, Ariel, 614-5
al-Sharqawi, 'Abd al-Rahman, 515
shashiya, 308, 365
Shawqi, Ahmad, 402, 446, 449
Shaykhiyya, 338
Shi'r, 516
Shihab, família, 366
Shuf, montanhas, 301
shurta, 184
al-Siba'i, Mustafá, 521
Sibawayh, 80
Sicília, 23, 65, 123
Sidi Mahraz, 213, 316
Siffin, batalha de, 48, 55, 137
silsila, 200
al-Sim'ani, Yusuf, 338
Sinai, 203, 297, 540, 547, 556
Sinan, 316
sindicatos, 476, 506, 526, 585
sionistas, 424, 435-6, 469-70, 472
Siraf, 72-3, 155
al-Sirhindi, Ahmad, 318
Síria: 47ª Brigada Blindada, 604; agricultura, 385, 491-2, 569; arquitetura, 174, 256; Asad toma o poder, 543; cidades, 154, 282, 389, 442, 570; comércio, 73, 130, 308; comunidades judias, 472; conquista árabe, 44, 50; conversão ao Islã, 76; Crescente Fértil, 29, 130; crescimento econômico, 567; cristãos na, 137, 252, 313, 320, 404; desunião árabe, 556; dinastia dos aiúbidas, 121-2, 180; dinastia dos hamdanidas, 67; e a guerra civil libanesa, 560-2; e a guerra Irã-Iraque, 562-3; e a revolução iraniana, 567; educação, 397, 430, 454, 508, 511; escrita da história, 269; estabilidade, 583-4; Estados dos expedicionários das cruzadas, 121, 123; estradas de ferro, 369, 386; geografia, 131, 140; guerra de 1967, 460, 540; guerra de 1973, 544, 546; independência, 435; independência pós-guerra, 466; indústrias, 365, 492-3; *infitah*, 550; Irmãos Muçulmanos, 520, 581, 596, 604; irrigação, 490; Liga dos Estados Árabes, 465; língua árabe, 77; *madhhabs*, 216; *madrasas*, 222; mandato francês, 418, 421, 427; maronitas, 138; mercados, 154; nacionalismo, 407, 432, 450; no Império Otomano, 124, 286, 300; Partido Ba'th, 528-9, 534, 539, 603; peregrinação a Meca, 203, 295-7, 300, 316; petróleo, 499; poesia, 516; população, 386, 388; Primeira Guerra Mundial, 414; propriedade da terra, 428, 497, 501; refugiados palestinos, 489; República Árabe Unida, 482, 529; sábios, 337; Segunda Guerra Mundial, 462-3; seitas, 137; sob a dinastia dos omíadas, 53; sob governo mameluco, 122, 181, 283; sublevações, 366; uso da linguagem do Islã, 589; xiismo, 247, 319

siríaco, 24, 26, 78, 111-2, 138, 252, 338

Sírio, Colégio Protestante, Beirute, 398

Sírio, deserto, 130, 142

siyasa charia, 220

socialismo, 524, 529, 531, 535, 550, 588

Sociedade Asiática, 394

solo, 141

solubba, 150

Somália, 551

sonhos, interpretação de, 274

al-Sudairi, Hassa, 607

Sudão, 360; agricultura, 142, 439; cidades, 390; comércio de algodão, 422; comunismo, 528; cristãos, 137; educação, 510; escolas, 397; escravos, 156; estabilidade, 582; geografia, 134; golpe militar, 535; independência, 473-5; línguas, 138; movimento mahdista, 411; nacionalismo, 432; nacionalização, 499; Nimeiri deposto, 594; Nimeiri toma o poder, 543; população, 386; propriedade da terra, 428; revolta, 566; Segunda Guerra Mundial, 462; sob o governo britânico, 374, 376, 417; sultanatos, 334; uso da linguagem do Islã, 589

Sudeste asiático, 155, 365

Suez, canal de, 373, 378, 390, 420, 434, 481, 539-40, 544

Suez, Companhia do Canal de, 481

Suez, crise do canal de (1956), 460, 478-82, 532

Suez, Zona do Canal de, 473-4, 480-1

sufismo, 107, 115, 208, 233, 237, 240; astrologia, 272; e levantes na Argélia, 383; e o reformismo islâmico, 455, 581; e o wahhabismo, 340; *madrasas*, 222; misticismo,

107, 109-10; música, 266; no Império Otomano, 318; no Marrocos, 327-8; no século XIX, 411-2; no século XVIII, 339; no século XX, 453, 455; poesia, 260;

al-Suhrawardi, Yahya, 237

Suhrawardiyya, 209

Suíça, 351

Suleimã Paxá, mesquita do, Cairo, 316

Suleiman, o Magnífico, sultão, 291, 298-9, 311, 317

sultão Hasan, *madrasa* do, Cairo, 222, 256

sultão, 121

suna, 63-4, 97, 100-5, 215-6, 244

sunismo: distinção do xiismo, 247; e autoridade dos califas, 93; e os ulemás, 215; ensinamento religioso, 226; escolas de lei, 103; lei de herança, 169; no Império Otomano, 294, 318; no Líbano, 558; origens do, 64

suq, 170, 172-3, 188, 442

surra, 295

Sus, 156, 323, 378

suwayqa, 170

Sykes-Picot, Acordo de (1916), 418

al-Tabari, Muhammad ibn Jarir, 57, 84

Tabqa, barragem de, 569

Tafilalt, oásis de, 325-6

Tahart, 66

al-Tahtawi, Rifa'a, 399

Ta'if, 46

taife, 292

Tailândia, 571

Takiyya, Damasco, 311, 316

talibã, regime, 614

Talmude, 249

Tamerlão, 18, 124, 252, 286

Tânger, 178, 375, 477

Tankiziyya, *madrasa* de Jerusalém, 222

Tanta, 213

al-Tanukhi, Abu 'Ali al-Muhassin, 83

Tanzimat, 360

Taqla, família, 399

tariqa, 209-10, 523

tasawwuf, 107

Taymur, Mahmud, 447

al-Tawhidi, Abu Hayyan, 83

teatro, 392, 402, 447, 516, 518

Tejo, rio, 136

Tel Aviv, 426, 442

televisão, 460, 512, 553

Terceiro Mundo, 524, 551

Terra, Lei da (1858), 379

têxteis, 72, 86, 89, 123, 155, 157, 170, 172, 176, 308, 310, 353, 361, 377, 422-3, 429, 493-4, 568

al-Thaqafa, 444

tibb nabawi, 271

Tigre, rio, 26, 29, 58-9, 62, 131-2, 140-1, 145, 173, 301, 438, 442, 491-2

Tihama, 129

Tijaniyya, 339

al-Tikriti, Uday Saddan Hussein, 602

timar, 288

Timbuctu, 324

al-Tirmidhi, Muhammad ibn 'Ali, 108

Titwan, 323

Tlemcem, 213

Topkapi, palácio, Istambul, 291, 309

Torá, 251

trabalhadores migrantes, 554-5, 568, 570, 585

Trácia, 309

Transjordânia, 418, 465, 471

Transoxiana, 124, 126-7, 144, 154

transportes, 72-3, 177-8, 442-3, 503, 553, 600

Trebizonda, 73

tribos, 28-9, 147-52

Trieste, 353

Trípoli (Líbano), 422

Trípoli (Líbia), 286, 300, 303-5, 332, 359, 424

Tripolitânia, 135, 468

tuaregues, 386

tulunidas (dinastia dos), 65

túmulos, 87, 213-4, 246, 327, 522

Túnis, 15-6, 155; comunidade judia, 313; construções, 256, 335; crescimento, 135; dinastia dos hafsidas, 122, 183, 283; escolas, 396; jornais, 399; mesquita e escola Zaytuna, 178, 314, 318, 336, 410, 454, 511; no Império Otomano, 286, 303-4, 308, 332; nova Túnis, 390; população, 155, 311, 424; sábios, 337; santuário de Sidi Mahraz, 213, 316

Túnis, Universidade de, 510-1, 514

Tunísia: agricultura, 333; arquitetura, 257; Burguiba deposto, 594; casamento, 573; cidades, 135, 154, 282, 502, 570; clima, 134; comércio, 73, 156, 344, 353, 377; conquista árabe, 49; conversão ao Islã, 76; dinastia dos aglabidas, 65; dinastia dos almôadas, 122; dinastia dos fatímidas, 68; e a guerra argelina, 485; educação, 397, 430, 454, 508-9, 552; estabilidade, 582, 584; geografia, 134; governantes, 186; independência, 476-7, 526; indústria, 365, 378, 493; *infitah*, 550; irrigação, 490; moradia, 176; nacionalismo, 408, 432; nacionalização, 500; nômades, 146; ocupação francesa, 372, 374, 434; papel das mulheres, 572; população, 386, 488-9; propriedade da terra, 381-2, 428; reformas, 361, 364; resistência às influências européias, 411; Se-

gunda Guerra Mundial, 463; sindicatos, 506; sublevações, 366-7; uso da linguagem do Islã, 590
turco, 127-8, 276, 317
turcos: dinastias, 121, 127; escravos militares, 162; nacionalismo, 406; sob os califas abácidas, 62
turismo, 393, 443, 553
Turquia, 437, 595; abolição da *charia*, 453; criação da, 415, 419; posição pós-guerra, 467
Tutancâmon, 449

'Ubaiadullah, 67
'udul, 159, 161
ulemás, 92, 160-1, 194-7, 199, 215-31
'um-ra, 203
'Umar ibn 'Abd al-Khattab, califa, 44, 46, 51, 520
Umayya, 48
Umm Kulthum, 446, 513
umma, 90, 194, 196, 200, 205
União dos Emirados Árabes, 533
União Socialista Árabe, 531
União Soviética: ajuda ao Egito, 480, 490-1, 493; crise do Suez, 481; e a guerra civil libanesa, 561; e a guerra de 1967, 540; e a política americana do Oriente Médio, 546; Guerra Fria, 467; ocupação do Afeganistão, 549, 612; posição pós-guerra, 473; retirada de conselheiros soviéticos do Egito, 544; Segunda Guerra Mundial, 464; *ver também* Rússia (pré-1917)
uniatas cristãos, 321, 354
Union Nationale des Forces Populaires, 526
universidades, 393, 430, 452, 454, 508, 511, 514, 552, 575
Université St-Joseph, Beirute, 397, 430

'Urabi, Ahmad, 373
'urf, 158, 219-20
usul al-din, 222
usul al-fiqh, 103
usulitas, 319, 338
'Uthman ibn 'Affan, 46

Valáquia, 293
Velho Testamento, 41
Veneza, 73, 123, 155-6, 294-5
Verdi, Giuseppe, 373
Vermelho, mar, 26-7, 68, 72, 129-30, 132-3, 137, 156, 163, 203, 286, 300, 311, 322, 334, 343, 345, 369, 419, 533, 568
Versalhes, Tratado de (1919), 418
vestuário, 391-2, 503
viagens, livros de, 269
vidraria, 258
Viena, 341
vizir, 288

Wadi Natrun, 252
Wafd, partido, 417, 433-4, 452, 465, 595
wahdat al-wujud, 239-40
wahhabismo, 243, 340, 362, 406, 410, 456, 458, 581
wali, 211, 213
Waliullah, Shah, 339
Wallada, 260
waqf, 161, 221, 268, 271, 381-2
wasi, 248
wikalas, 174
wilaya, 211
Wilson, Woodrow, 415
wird, 210
wudu, 201
Wychwood, floresta de, 75

xarifes, 160, 189, 303, 323-5, 331, 370, 416, 418-9, 438
xeque a-islam, 298, 316

xeques, 151, 153, 179, 181, 209-11, 380, 388, 492, 497, 527

xiismo: coletâneas de *hadith*, 106; distribuição, 137; divórcio, 168; e a guerra Irã-Iraque, 562; e a revolução iraniana, 567; e autoridade dos imãs, 94, 215; e os califas abácidas, 66-7; ensinamento religioso, 226, 228; escolas de lei, 103, 178; Ibn Taymiyya e, 241; influência mutazilita, 98; ismaelitas, 67; lei de herança, 169; no golfo Pérsico, 322; no Império Otomano, 301, 319; no Iraque, 596, 602; no Líbano, 558, 560, 562; no século XVIII, 338; origens do, 63; rebeldes 612; safávidas e, 294

xiitas "adeptos do Duodécimo", 94, 103, 137, 244

Yacine, Kateb, 518
Yahya, imã, 419
Yaqut ibn 'Abd Allah al-Hamawi, 270
Ya'ribi, clã, 322
Yathrib, 37

al-Yaziji, Nasif, 400

Zabid, 337
al-Zabidi, Murtada, 337
Zaghlul, Sa'd, 417, 433
zahiritas, 216
escola zahirita, 226, 239, 255
zaiditas, 67, 93, 103, 137, 189, 249
zajal, 259, 261
zakat, 202, 207, 246
zanj, revolta dos (868-83), 63
zawiya, 210-2, 256
Zayd, imã, 67
Zaynab, Sayyida, 522
Zaytuna, mesquita e escola, Túnis, 178, 314, 318, 336, 410, 454, 511
al-Zayyani, Abu'l-Qasim, 326
Zevi, Zabbatai, 320
zíridas (dinastia dos), 146, 179
Zola, Émile, 373
zoroastrismo, 25, 52, 76, 78, 126
Zoroastro, 25-6
zu'ar, 171
Zuhayr, 32
zulm, 188

ALBERT HOURANI nasceu na Inglaterra em 1915 e morreu em janeiro de 1993. Foi membro emérito do St Anthony's College, Oxford. Sua obra publicada inclui *O pensamento árabe na era liberal* (Companhia das Letras, 2005) e *Islam in European thought* (1991). Foi conferencista da Universidade Americana de Beirute, da Faculdade de Artes e Ciências de Bagdá e do Institut des Hautes Études de Túnis.

1ª edição Companhia das Letras [1994] 3 reimpressões
2ª edição Companhia das Letras [1995] 9 reimpressões
1ª edição Companhia de Bolso [2006] 7 reimpressões

Esta obra foi composta pela Verba Editorial
em Janson Text e impressa pela Gráfica Bartira
em ofsete sobre papel Pólen Soft da Suzano S.A.

A marca FSC® é a garantia de que a madeira utilizada na fabricação do papel deste livro provém de florestas que foram gerenciadas de maneira ambientalmente correta, socialmente justa e economicamente viável, além de outras fontes de origem controlada.